D1296223

Né à New York en 1949, Jonathan Kellerman est devenu psychologue clinicien spécialisé en pédiatrie après des études à l'UCLA. Il est l'auteur maintes fois primé d'une trentaine de romans traduits dans le monde entier. Il vit à Los Angeles.

Jonathan Kellerman

UN MANIAQUE
DANS LA VILLE

ROMAN

Traduit de l'anglais (États-Unis)
par Frédéric Grellier

Éditions du Seuil

TEXTE INTÉGRAL

TITRE ORIGINAL
Victims
ÉDITEUR ORIGINAL
Ballantine Books, Random House, New York
© Jonathan Kellerman, 2012

isbn 978-2-7578-5909-4
(isbn 978-2-02-119086-1, 1re édition)

© Éditions du Seuil, pour la traduction française, 2015

Pour Libby McGuire

1

Ce n'était pas une affaire comme les autres. Première indication, le message que Milo me laissa à huit heures du matin, voix crispée et zéro détail.

– J'aimerais ton avis sur un truc. Voici l'adresse.

Une heure plus tard, je présentai une pièce d'identité à l'agent de faction devant le ruban jaune.

– Là-haut, docteur, dit-il en grimaçant.

Il pointa l'étage de l'immeuble bleu ciel, huisseries et finitions chocolat, puis porta la main à son ceinturon marron, comme en position de self-défense.

C'était un bâtiment relativement ancien et plutôt réussi, de style hispanico-californien classique, mais le coloris était suspect. De même que le silence qui régnait dans la rue, barricadée aux deux extrémités. Trois véhicules de police et une Ford lie-de-vin étaient garés en travers de la chaussée. Pas de fourgonnette de la police scientifique ni du coroner, pour l'instant.

– Pénible ? m'enquis-je.

– Il existe sans doute un meilleur terme, mais on peut dire ça.

Milo attendait sur le palier extérieur, parfaitement immobile. Pas de cigarillo à la bouche, pas de calepin à la main, pas d'ordres grommelés. Les bras ballants, il fixait une lointaine galaxie. Son coupe-vent en nylon bleu renvoyait les rais de soleil en de curieux angles. Encadré de mèches noires qui pendaient mollement, son visage grumeleux avait la teinte et la consistance du fromage blanc. Les froissures conféraient un aspect crêpé à sa chemise blanche, et son pantalon en velours côtelé beige clair s'était avachi sous sa bedaine. Sa cravate de polyester était toute chiffonnée. On aurait dit qu'il s'était habillé les yeux bandés.

Aucune salutation tandis que je gravissais les marches. Quand je fus à un ou deux mètres de lui, il dit :

— Tu as fait vite.

— Ça roulait bien.

— Désolé.

— Pourquoi ?

— De t'impliquer.

Il me tendit des gants et des surchaussures en papier. Je lui tins la porte, mais il me laissa entrer seul.

La femme gisait dans la pièce principale, sur le dos. Derrière elle, un coin cuisine vide ; rien sur les étagères, frigo vert avocat d'un modèle ancien et dépourvu de photos, de magnets ou de pense-bêtes. À gauche, deux portes closes et barrées de ruban jaune, ce que j'interprétai comme un panneau « interdit ». Les voilages des fenêtres étaient tirés. L'éclairage au néon de la kitchenette produisait une aube crue et factice.

La victime avait la tête complètement tournée à droite. Entre ses lèvres bouffies et retroussées pendait une langue gonflée. Le cou était flasque. Une posture grotesque, qu'un légiste qualifierait probablement d'incompatible avec la vie.

Une femme corpulente, large d'épaules et de hanches. Petite soixantaine, menton volontaire, cheveux gris, courts et rêches. Jogging marron. Pieds nus, ongles sans vernis et coupés ras. À en juger d'après les plantes crasseuses, elle marchait pieds nus chez elle.

Au-dessus de la ceinture élastique, le haut du corps, ou ce qu'il en restait, était dénudé. Une incision horizontale avait été pratiquée sous le nombril, sorte de césarienne rudimentaire. Une deuxième ouverture, verticale celle-ci, traversait la première en son centre, produisant une plaie en croix. Le résultat évoquait ces porte-monnaie dont les trésors sont retenus par un simple jeu de pression : il suffit d'appuyer sur les bords pour créer l'ouverture et se servir. Ici, le réceptacle avait recelé un collier d'intestins que l'on avait déployé sur le buste de la femme en l'arrangeant comme le foulard extravagant d'une fashionista. Un cordon bilieux partait de la clavicule droite et serpentait sur le sein droit et la cage thoracique. Le reste des viscères reposait en tas à côté de la hanche gauche, sur une serviette de toilette pliée en deux, autrefois blanche. Un autre drap de bain marron était soigneusement positionné en dessous, tandis que quatre autres constituaient une bâche de fortune destinée à protéger la moquette beige des affronts du biologique. Une installation minutieuse, les bords se chevauchant régulièrement sur deux centimètres. Près de la hanche droite était placé un tee-shirt bleu pâle, plié et immaculé. La double épaisseur d'éponge blanche avait absorbé une bonne partie des fluides corporels, mais une petite quantité avait transpercé le tissu marron. La décomposition entamée ne faisait qu'ajouter à l'odeur déjà nauséabonde en soi. L'une des serviettes sous le corps comportait une inscription. « *Vita* » brodé en blanc sur le drap de bain gris perle. Vie, en italien et en latin. La touche d'ironie d'un monstre ?

D'un brun verdâtre, les intestins étaient tachetés de rose par endroits, de noir ailleurs. L'enveloppe présentait quelques rides et une finition mate, signe que le tout séchait depuis un certain temps. Il faisait frais dans l'appartement, quelques degrés de moins que la douceur printanière extérieure. D'ailleurs, impossible de faire abstraction du cliquetis et du sifflement du climatiseur fixé à l'une des fenêtres. Un appareil bruyant aux écrous rouillés, mais encore en état de pomper l'humidité ambiante et de ralentir l'inévitable. La putréfaction viendrait néanmoins et le visage de la victime avait déjà pris une teinte comme on en rencontre seulement dans les morgues. Incompatible avec la vie.

Je me penchai pour examiner les plaies. Les deux incisions avaient été pratiquées d'un geste sûr, sans aucune hésitation apparente, la lame ayant tranché la peau, la graisse sous-cutanée et le tissu musculaire du diaphragme. Pas d'abrasions au niveau des parties génitales et étonnamment peu de sang pour une telle sauvagerie. Pas la moindre éclaboussure, pas le moindre morceau, pas la moindre tache. Et aucun signe de résistance. Toutes ces serviettes, d'une compulsion effrayante.

Avec les hypothèses, ma tête s'emplit d'images épouvantables. Une lame extrêmement aiguisée, sans doute lisse. La torsion du cou avait entraîné une mort rapide, la victime n'était donc plus vivante pour l'opération chirurgicale – forme radicale d'anesthésie.

L'assassin, qui avait longuement épié sa proie, savait qu'il avait du temps devant lui. Après la neutralisation, il s'était occupé de la mise en scène : placer les draps de bain, les aligner soigneusement, selon une symétrie satisfaisante. Puis il avait disposé la femme et lui avait retiré son tee-shirt pour veiller à ne pas le salir. Il avait contemplé le résultat de ses préparatifs. Plus qu'à s'emparer de la lame et s'atteler au plus jouissif, l'exploration anatomique.

Malgré la boucherie et le cou tordu, la victime affichait une expression paisible. Bizarrement, cela rendait encore plus intolérable ce qu'elle avait subi.

J'inspectai le reste de la pièce. La porte d'entrée était intacte, aucun signe d'effraction. Les murs blanc cassé étaient nus et le mobilier tapissé d'une étoffe ocre plissée, pâle imitation de brocart. Les lampes ruches de céramique blanche paraissaient trop fragiles pour survivre à une simple pichenette. Le coin repas comptait deux chaises pliantes et une table de bridge sur laquelle était posé un emballage cartonné de pizza à emporter. Quelqu'un – sans doute Milo – avait placé à côté une pastille de plastique jaune servant à signaler les indices. Du coup, je m'y intéressai de plus près. Pas de nom de marque, seulement « pizza » inscrit en belles cursives rouges au-dessus d'une caricature de chef bedonnant et moustachu. Autour de son sourire joufflu, une nuée d'inscriptions arrondies en plus petites lettres : *Pizza fraîche ! Extra-succulente ! Mamma mia ! Miam ! Bon appétit !*

Le carton était impeccable, aucune tache de gras ou empreinte de doigt. J'en approchai mon nez et le humai, mais ne repérai pas de relent de pizza. Cela dit, les narines envahies par l'odeur de décomposition, j'en aurais pour un bon moment à ne sentir que la mort.

Sur une scène de crime banale, l'un des policiers se serait peut-être permis des plaisanteries macabres sur l'aubaine d'un déjeuner gratuit. Alors qu'ici le lieutenant chargé de l'enquête, qui avait pourtant connu des centaines de meurtres, si ce n'est des milliers, éprouvait le besoin de se tenir à l'écart un instant.

Je fis défiler d'autres images mentales. Le monstre sonne à la porte, coiffé de sa casquette ridicule de livreur, et convainc sa proie de le laisser entrer. Il la guette tandis qu'elle prend son portefeuille. Au moment opportun, il s'approche dans son dos et lui attrape la tête à deux mains. Un mouvement de rotation éclair. Lésion de la moelle épinière et c'est réglé. Un geste qui requérait force et confiance. Ajoutez-y l'absence d'indices laissés par le coupable – même pas une empreinte de pas sur la moquette – et tout ici clamait l'expérience. Pourtant, si un meurtre semblable avait été commis à L.A., je n'en avais pas entendu parler.

Pour méticuleux qu'il soit, le tueur avait pu laisser des traces d'ADN parmi la chevelure au niveau des tempes ; les psychopathes sont rarement sujets aux sueurs froides, mais on ne sait jamais.

Je parcourus à nouveau les lieux du regard. Où était le sac à main de la victime ? Vol en bonus ? Plutôt une collecte de souvenirs qui s'inscrivait dans le plan. Je m'écartai doucement du cadavre et me demandai quelles avaient pu être les ultimes pensées de la victime. La pâte croustillante et la mozzarella fondue qui la faisaient saliver ? Avec le timbre de la sonnette pour dernière musique ?

Je m'attardai dans l'appartement, m'obstinant à rechercher des indications. L'assassin pourrait bien pratiquer les arts martiaux, s'il avait su lui rompre le cou avec un effroyable savoir-faire. La serviette brodée m'intriguait. *Vita,* la vie. L'avait-il apportée et pris les autres dans le placard à linge ? Miam. Bon appétit. Vive la vie !

La pestilence se fit plus prégnante et mes yeux

s'embuèrent. Le collier de viscères se métamorphosa en serpent. Boa terne, repu et alangui après un gros repas. Soit je restais là en feignant que tout ça avait un sens, soit je me précipitais à l'extérieur en tentant de réprimer la nausée qui montait en moi. Pas très compliqué comme choix.

2

Milo n'avait pas bougé. Il semblait redescendu sur terre et contemplait la rue en contrebas. Cinq agents assuraient le porte-à-porte ; à en juger par la rapidité du quadrillage, beaucoup de gens étaient absents. La rue était située dans l'angle sud-est du secteur de West L.A. – trois blocs plus loin et un autre aurait hérité du problème. Quartier de zonage mixte, on y trouvait aussi bien des maisons individuelles que des bâtiments composés de deux appartements comme celui où la femme avait été mutilée. Les psychopathes étant souvent attachés à leurs petites habitudes, je me demandai si l'assassin se cantonnait à l'étroit territoire de la voie barrée. Je retins mon souffle et m'employai à refouler la nausée tandis que Milo faisait mine de ne pas s'en apercevoir.

– Oui, je sais, finit-il par dire.

Il en était à s'excuser pour la deuxième fois quand la fourgonnette du coroner arriva. Une femme, cheveux foncés et tenue décontractée, en descendit et gravit rapidement les marches.

– Salut, Gloria. À toi de jouer.

– Bon. Si moche que ça ?

– Je pourrais te dire que j'ai déjà vu pire, mais ce serait mentir.

– Venant de toi, Milo, ça me fait froid dans le dos.

– À cause de mon grand âge ?

– Allons, fit-elle en lui tapotant l'épaule. Tu es l'expérience personnifiée.

– Il y a des expériences dont je me passerais.

Les gens s'habituent à peu près à tout. Toutefois, même quand le psychisme est réparé, ce n'est souvent qu'un répit. Peu de temps après l'obtention de mon doctorat, j'ai travaillé comme psychologue dans une unité d'oncologie pédiatrique. Il m'a fallu un mois pour ne plus rêver d'enfants malades, mais à la longue j'ai été capable d'accomplir ma tâche avec une apparence de professionnalisme. Je me suis ensuite installé à mon compte, mais des années plus tard les circonstances m'ont ramené dans le même service. À voir les enfants sous un regard nouveau, j'ai eu envie de pleurer et j'ai perçu combien était illusoire la distanciation que je pensais avoir maîtrisée. De retour chez moi, j'ai longtemps rêvé d'eux.

À la brigade des homicides, on est accoutumé aux blessures psychologiques. Les inspecteurs, sensibles et réfléchis pour la plupart, ne se découragent pas pour autant, mais la nature du métier demeure tapie sous la surface, comme un champ de mines. Certains finissent par demander leur transfert, d'autres restent et se trouvent un exutoire. Il y a ceux qui embrassent la religion, pour d'autres, c'est le vice. Milo est de ceux qui élèvent le ronchonnement au rang d'une forme d'art et ne prétendent jamais qu'il s'agit d'un métier comme un autre.

Malgré tout, la femme aux serviettes n'était pas un énième cadavre, ni pour lui ni pour moi. Les images resteraient à jamais logées dans mon cerveau comme dans le sien. Le silence se prolongea un long moment tandis que Gloria s'affairait à l'intérieur.

– Tu as signalé le carton à pizza comme indice, finis-je par dire. Ça te chiffonne.

– S'il n'y avait que ça.

– Aucune enseigne indiquée sur l'emballage. Y a-t-il dans le quartier des pizzerias indépendantes qui livrent à domicile ?

Il sortit son mobile, un clic et une page s'afficha. Les numéros qu'il avait déjà chargés, une longue liste qu'il fit défiler.

– Vingt-huit établissements indépendants dans un rayon de quinze kilomètres. J'ai aussi contacté Domino's, Papa John's et Two Guys. Personne n'a livré à cette adresse hier soir et personne n'utilise ce type d'emballage.

– Si elle n'avait pas commandé de pizza, comment expliquer qu'elle lui ouvre ?

– Bonne question.

– Qui l'a découverte ?

– Le propriétaire. Venu à propos d'un problème qu'elle lui avait signalé il y a quelques jours. Des toilettes qui fuient. Ils avaient fixé un rendez-vous. N'obtenant pas de réponse, il était sur le point de repartir, agacé, mais s'est ravisé car sa locataire n'aimait pas que ça traîne. Il s'est servi de son passe.

– Où est-il ?

– La bicoque de style Tudor, dit-il en pointant l'autre côté de la rue. Il a dû prendre un remontant.

Je repérai l'endroit. La pelouse la plus verte du pâté de maisons, parterres fleuris, arbustes topiaires.

– Il t'a paru suspect ?

– Non, pour le peu que je l'ai vu. Pourquoi ?

– À voir son jardin, c'est un perfectionniste.

– Un défaut ?

– Peut-être, pour cette affaire.

– Eh bien, pour l'instant, il n'est que le propriétaire. Souhaites-tu en savoir plus sur la victime ?

– Oui.

– Elle s'appelait Vita Berlin. Cinquante-six ans. Vivait d'une allocation quelconque.

– Vita ? La serviette lui appartenait donc.

– *La* serviette ? Ce monstre a vidé l'armoire à linge !

– Vita veut dire « vie » en italien et en latin. J'ai pensé qu'il pouvait s'agir d'une plaisanterie de très mauvais goût.

– Rigolo. Quoi qu'il en soit, j'attends que M. Belle-veaux, le propriétaire, se soit remis pour l'interroger et qu'il m'en dise un peu plus sur elle. D'après ce que j'ai rapidement observé dans la chambre et la salle de bains, elle n'a pas d'enfants ou n'est pas du genre à afficher leurs photos. Si elle avait un ordi, il a été fauché. Itou le portable. Mais à mon avis, elle ne possédait ni l'un ni l'autre. Cet appartement a quelque chose de figé. Comme si elle y avait emménagé il y a des années et n'avait jamais rien changé.

– Je n'ai pas vu de sac à main.

– Sur la table de nuit.

– Tu as condamné l'accès à la chambre. Pour m'empêcher d'y pénétrer ?

– Non, mais tu n'iras qu'après le passage des experts. Je ne veux pas risquer la moindre contamination de la scène de crime.

– Alors que ça ne posait pas de problème pour la pièce principale ?

– Je savais que tu ferais attention.

Sa logique me semblait douteuse. L'effet du manque de sommeil et d'une sale surprise.

– Des éléments pour laisser croire qu'elle se dirigeait vers la chambre au moment où il lui est tombé dessus ?

– Non, tout est impeccable. Pourquoi ?

Je lui livrai l'hypothèse du pourboire pour le livreur.

– Elle allait chercher son porte-monnaie ? Difficile à établir, Alex. L'essentiel, c'est qu'il s'est cantonné à la pièce principale. Il ne l'a pas entraînée dans la chambre pour des sévices sexuels.

– Les serviettes m'évoquent la scène d'un théâtre. Ou l'encadrement d'une photo.

– Mais encore ?

– Il met en valeur son travail.

– D'accord. Bon, que te dire d'autre ? Côté fringues, principalement des sweats et des baskets. Beaucoup de bouquins dans la chambre, des romans sentimentaux et des polars anglais, le genre où les personnages s'expriment tous comme le prince Charles et où les flics ne sont que des crétins empotés.

J'avançai l'idée que le tueur pourrait pratiquer les arts martiaux. Comme Milo ne réagissait pas, je lui décrivis la scène telle qu'elle ne cessait de défiler dans ma tête.

– Oui, pourquoi pas, convint-il.

Bienveillant, mais distrait. Lui comme moi évitions l'interrogation principale : Comment expliquer que quelqu'un puisse s'en prendre à son semblable avec une telle sauvagerie ?

Gloria ressortit, pâle et vieillie.

– Ça va ? s'enquit Milo.

– Oui… non, je mens. Quelle horreur ! Mon Dieu, quelle folie !

Elle tapota son front moite avec un mouchoir.

– Des observations, au débotté ?

– Probablement les mêmes que vous. Selon moi, le décès a été provoqué par la fracture du cou. Les incisions semblent avoir été pratiquées post mortem. Elles ont l'air

20

très nettes, ce qui pourrait indiquer une expérience dans la boucherie ou le paramédical, mais je ne me focaliserais pas trop là-dessus : n'importe qui peut s'initier à la découpe. Le carton à pizza te paraît significatif ?

– Je n'en sais rien. Aucune pizzeria n'a livré ici.

– Une ruse pour qu'elle ouvre ? Pourquoi le ferait-elle entrer si elle n'avait rien commandé ?

– Bonne question, Gloria.

Elle secoua la tête.

– Le fourgon est en route. Veux-tu que je demande une autopsie prioritaire ?

– S'il te plaît.

– Il se pourrait même que le Dr J te l'accorde, vu comme elle t'a à la bonne. Et puis, un cas aussi tordu, sa curiosité sera forcément piquée.

Depuis que Milo avait élucidé le meurtre d'un enquêteur de la morgue, le docteur Clarice Jernigan, légiste en chef, lui rendait la pareille par des faveurs ponctuelles.

– Ce doit être mon charme irrésistible.

Elle sourit et lui tapota à nouveau l'épaule.

– Autre chose, messieurs ? Je suis à mi-temps du fait des restrictions budgétaires. J'espère avoir réglé la paperasse avant treize heures, après quoi je me viderai la tête avec un ou deux martinis. Ou trois.

– Pour moi, ce sera un double, dit Milo.

– Y a-t-il une quantité significative de sang accumulée dans la cavité abdominale ? demandai-je.

La mine de Gloria m'indiqua quel rabat-joie j'étais.

– Il est en grande partie coagulé, mais oui, la majeure partie se trouve là. Vous l'avez déduit de la propreté de la scène de crime ?

J'acquiesçai.

– Sinon, ça signifiait qu'il s'était débrouillé pour l'emporter.

– Des seaux de sang, dit Milo. Charmant. Une dernière question, Gloria : as-tu le souvenir d'un précédent chez vous ?

– Non, mais le coroner se borne au comté et nous vivons à l'ère de la mondialisation, n'est-ce pas ? Vous avez peut-être affaire à un tueur itinérant.

La mine sombre, Milo descendit les marches d'un pas traînant.

– N'a pas l'air radieux, nota Gloria.

– Et je ne vois pas d'éclaircie à l'horizon, ajoutai-je.

3

La demeure de Stanleigh Belleveaux était tenue avec le même soin méticuleux que le jardin. Intérieur cosy, moquette épaisse, mobilier comme miniaturisé, affublé de têtières et d'accoudoirs au crochet. L'étagère en laiton encombrée de figurines en biscuit de porcelaine ne faisait qu'ajouter à l'impression de maison de poupée. Sur un autre meuble trônaient les photos de deux beaux jeunes hommes en uniforme et un presse-papiers aux couleurs du drapeau américain.

– La collection de ma femme, dit Belleveaux. Ce sont des statuettes allemandes. Elle est à Memphis, en visite chez ma belle-mère.

Noir, la cinquantaine, enveloppé. Polo marine, pantalon kaki à pli et mocassins beiges. Un duvet blanc lui tapissait le crâne et la mâchoire inférieure. Son nez avait subi plusieurs fractures et ses poings étaient striés de cicatrices.

– Sa mère, dit Milo.

– Pardon ?

– Vous avez dit « ma belle-mère » et non « sa mère ».

– Parce que c'est comme ça que je la considère. La pire personne que je connaisse. Comme dans la chanson d'Ernie K-Doe, mais vous êtes trop jeune pour vous en souvenir.

Milo en fredonna quelques mesures. Belleveaux eut un vague sourire, se rembrunit et se frotta les mains.

— Je n'arrive toujours pas à croire ce qui est arrivé à Mme Berlin. Dire que je l'ai vue dans cet état...

Il ferma les yeux, les rouvrit. Pas d'alcool sur la table basse devant lui, rien qu'une canette de Coca Light.

— Vous avez changé d'avis pour le whisky ? dit Milo.

— Tentant, mais c'est un peu tôt. Qu'est-ce que je fais si on m'appelle et que je dois prendre le volant ?

— Qui pourrait vous appeler ?

— Un locataire. C'est mon lot, lieutenant.

— Combien de locataires avez-vous ?

— Les Feldman en dessous de Mme Berlin, les Soo, les Kim et les deux familles Park dans l'immeuble de trois étages que je possède vers Korea Town. Ma location la plus casse-pieds, c'est la maison que j'ai héritée de mon père à Willowbrook. Les Rodriguez l'occupent en ce moment, des gens très bien, mais les gangs sont un vrai problème. Ici, c'est mon meilleur quartier, soupira-t-il en se frottant les yeux. J'ai choisi d'y vivre, jamais je n'aurais imaginé y avoir... un souci. Je n'arrive toujours pas à croire ce que j'ai vu. C'était comme au cinéma. Un film d'horreur, vraiment épouvantable. Je voudrais bien changer de chaîne, mais ce que j'ai vu refuse de sortir de là.

Il se massa le front avec le pouce.

— Ça finira par s'effacer, dit Milo. Avec le temps.

— Oui, vous devez en savoir quelque chose. Combien de temps ?

— Difficile à dire.

— Ça doit être plus simple pour vous dont c'est le métier. Moi, le pire auquel je sois confronté, c'est une chauve-souris dans un garage, une canalisation qui fuit ou des souris qui rongent les fils électriques. (Il plissa le front.) Il y a bien les gangs à Willowbrook, mais je me tiens à l'écart. Ce matin, j'ai tout vu de près, de beaucoup trop près.

– Depuis combien de temps aviez-vous Vita Berlin comme locataire ?

– Sept ans et huit mois.

– Voilà qui est précis.

– Je suis un homme de détails, lieutenant. J'ai appris ça à l'armée. On m'y a enseigné des rudiments de mécanique, j'y ai acquis de solides connaissances même si je n'ai aucun diplôme. Par la suite, quand je réparais des lave-linge et des sèche-linge pour Sears, ce qu'on m'avait inculqué à l'armée m'a bien rendu service. La seule façon de faire les choses, c'est de les faire bien. Quand un appareil comporte trois vis, on n'en met pas deux.

– La boxe est aussi une bonne école, dis-je.

– Quoi ?

– Vos mains. J'ai pratiqué le karaté. On sait repérer ceux qui s'adonnent aux arts martiaux.

– Non, ce n'est pas trop mon truc, dit Belleveaux. J'ai découvert la boxe à l'armée, et j'ai un peu continué quand j'en suis sorti. En welter léger, j'étais maigre dans le temps. Trois fractures du septum nasal. Ma femme, qui n'était que ma petite amie à l'époque, m'a dit : « Stan, si tu continues la boxe et que ça t'amoche trop, je serai obligée de me trouver un joli garçon ! » Elle plaisantait. Je crois. De toute façon, j'avais envie d'arrêter. Vous trouvez que c'est une vie, prendre des coups plein la tronche à en avoir le tournis pendant des jours ? En plus, ça paye des clopinettes.

Il but une gorgée, s'humecta les lèvres.

– Alors, que pouvez-vous nous dire sur Vita Berlin ? demanda Milo.

– Qu'est-ce que je peux vous dire ? répéta Belleveaux. En voilà une question délicate.

– Pourquoi donc ?

– Elle n'était pas la plus facile... Bon, écoutez. Je ne veux pas médire d'une morte. Surtout quelqu'un qui... ce qu'elle a subi, personne ne mérite ça. Personne. Rien ne peut le justifier.

– Elle avait un caractère difficile, suggérai-je.

– Vous savez donc de quoi je parle ?

Aucune dénégation de ma part.

– Ce n'était pas toujours simple d'être son propriétaire, insistai-je.

Il s'empara de la canette.

– Ce que je vous dis sera versé au dossier ?

– Ça vous pose un problème ? demanda Milo.

– Je ne tiens pas à ce qu'on me fasse un procès.

– Qui ça ?

– Quelqu'un de sa famille.

– Eux aussi sont compliqués ?

– J'en sais rien. Je ne les ai jamais rencontrés. Mais je préfère être sur mes gardes. Vaut mieux prévenir que guérir.

– Vous n'avez donc aucune raison précise de craindre un procès.

– Aucune, mais un défaut comme la méchanceté, c'est souvent un trait de famille, non ? Il n'y a qu'à voir ma belle-mère Emmaline. Ses sœurs sont pareilles. De vraies teignes, toujours prêtes à en découdre. On a l'impression de se retrouver avec des blaireaux en cage.

– Vita Berlin vous avait menacé d'un procès ?

– Des dizaines de fois.

– À quel sujet ?

– Tous les prétextes étaient bons. Une fuite dans le toit ? Si je ne la rappelais pas dans l'heure, elle menaçait d'appeler son avocat. Une déchirure dans la moquette ? Je risque de trébucher et de me rompre le cou ! Dépêchez-vous de la réparer, sinon je vous traîne en justice ! Vous comprenez pourquoi je l'ai eu mauvaise qu'elle ne soit pas là à l'heure convenue quand je suis venu réparer les toilettes. Et pourquoi j'ai décidé de me servir de mon passe pour entrer et m'en occuper. Même si j'étais certain qu'elle m'appellerait pour râler parce que j'avais pénétré chez elle sans son autorisation. L'association des propriétaires m'a confirmé que j'en ai tout à fait le droit, dès lors qu'il existe une cause justifiée. Les réparations raisonnables à la demande du locataire en sont une. Et les toilettes ne fuyaient même pas.

– Vous avez pris le temps de vérifier ? s'étonna Milo.

– J'ai tendu l'oreille pendant que j'observais Vita Berlin. Même si ça peut paraître bizarre, je suis resté comme paralysé pendant quelques secondes. J'étais figé là, me retenant très fort pour ne pas rendre mon petit déjeuner. Tout était silencieux, alors que des toilettes qui fuient, ça s'entend. Je me suis fait la réflexion. En parfait état.

– Vita prenait plaisir à vous rendre la vie pénible, dis-je.

– Je ne sais pas si elle y prenait plaisir, mais elle ne s'en privait pas.

– Vous n'avez pas tenté de l'expulser ?

Belleveaux s'esclaffa.

– Pas de motif. La loi est comme ça. Pour se faire expulser, un locataire doit quasiment… j'allais dire, commettre un meurtre.

– Sept ans et huit mois, dis-je.

– J'ai acheté l'immeuble il y a quatre ans et cinq mois. Vita Berlin était vendue avec. Je me suis dit :

tant mieux, une locataire fiable et durable. J'ai vite compris mon erreur. En gros, elle se prenait pour la propriétaire et me considérait comme son concierge.

– Elle était arrogante.

– Pour rester poli.

– Une harpie.

– Bon, autant dire les choses franchement : c'était un odieux personnage. Elle n'avait jamais la moindre gentillesse à dire sur personne. À croire qu'elle avait de la bile dans les veines et non du sang. À mon avis, vous ne trouverez pas grand monde pour verser une larme. Des gens effrayés et écœurés, oui. Mais personne en pleurs.

– Écœurés de quoi ?

– De ce qui lui est arrivé. Personne ne mérite ça.

Belleveaux ferma à nouveau les yeux. Ses paupières se contractèrent.

– Mais elle ne sera pas regrettée.

– Il existe peut-être de la famille qui sera peinée de sa mort, dit Belleveaux, mais vous ne trouverez personne qui ait eu affaire à elle pour pleurer sa disparition. Je vous le dis comme je le pense, et je suis sûr d'avoir raison, je serais même prêt à parier. Si vous voulez une confirmation, vous n'avez qu'à vous rendre au Bijou, un café dans Robertson où elle passait de temps en temps. Elle leur pourrissait la vie. Et aussi aux Feldman, les locataires du rez-de-chaussée. Un jeune couple charmant. Ils sont là depuis un an mais ils cherchent à déménager à cause d'elle.

– Problème de voisinage.

– Pas du tout. Elle les harcelait. Elle habitait au-dessus d'eux, mais elle trouvait le moyen de se plaindre des bruits de pas. Il a même fallu que je passe plusieurs fois chez elle pour le constater. Je n'ai entendu que les récriminations de Vita Berlin. « Alors, vous voyez, Stan ? On croirait entendre défiler une horde de barbares ! » Et la voilà qui s'allonge par terre et plaque son oreille contre la moquette, et elle m'oblige à en faire autant. Dans cette posture, peut-être que j'ai effectivement détecté un léger bruit, rien de bien méchant. Mais j'ai menti, je lui ai promis d'en parler aux Feldman. Pour qu'elle me fiche la paix, vous comprenez. Je n'en ai rien fait et elle ne m'en a jamais reparlé. Chaque fois, c'était quelque chose d'autre : ils bourrent trop la poubelle, leurs voitures sont mal garées, ils ont introduit un chat en cachette alors que l'immeuble est interdit aux animaux de compagnie. En fait, un chat errant miaulait devant la porte du fond, l'air affamé. Les Feldman lui ont mis un bol de lait, comme ferait n'importe qui avec un peu de cœur, non ? Mais bon, ils vont déménager et je me retrouve avec deux appartements vacants. J'aurais mieux fait d'investir ma pension dans un placement tranquille comme les lingots d'or.

— Il semblerait que Vita avait des penchants paranoïaques, dit Milo.

— C'est une manière de voir les choses. Moi, je dirais plutôt qu'elle voulait attirer l'attention et que la méchanceté était un moyen d'y parvenir.

— Avait-elle des amis ?

— Je n'ai jamais vu personne lui rendre visite.

— Et vous habitez en face.

— Une partie du problème. Elle savait où me trouver. Moi qui m'imaginais que c'était l'immeuble idéal, parfaitement situé, pas besoin de prendre la voiture. La prochaine fois, j'achète dans l'État voisin ! Cela dit, j'en ai fini avec l'immobilier. Si les prix n'étaient pas si bas, je vendrais tout.

– Que pouvez-vous nous dire de sa routine quotidienne ?

– D'après ce que je voyais, elle menait une existence assez solitaire. Elle sortait peu.

– Sauf pour aller au café.

– Oui, elle mangeait parfois au Bijou. Je le sais pour l'y avoir croisée. C'est bon et pas cher. J'irais plus souvent, mais ma femme aime cuisiner. Elle prend même des cours. En ce moment, son truc, c'est la cuisine française. Ce qui explique pourquoi je n'ai plus ma taille de jeune homme.

– À part le Bijou, elle fréquentait d'autres restaurants ?

– J'ai l'impression qu'elle prenait surtout des plats à emporter. Je dis ça à cause des emballages qu'elle jetait aux ordures. Je le sais parce que souvent elle ratait la cible et ça tombait à côté de la poubelle. Avec les camions à ordures automatisés, si c'est par terre ce n'est pas ramassé. J'y veille donc. Pas besoin d'attirer les rats.

– Quel genre de plats ?

– Surtout des cartons à pizza.

– Quelle enseigne ?

– Voyons… Domino's, il me semble. Leurs livreurs ont bien une casquette bleue, non ? Peut-être d'autres marques, je ne sais pas. Je n'étais pas non plus posté derrière mes rideaux à surveiller ses habitudes alimentaires. Moins j'avais affaire à elle et mieux je me portais.

– Hier soir, s'est-elle fait livrer une pizza ?

– Je ne peux pas vous dire. J'étais au Staples Center où les Lakers ont battu Utah. J'ai assisté au match avec mes fils. Ils sont tous les deux sergents-chefs dans l'armée et ont eu une permission la même semaine. On en a profité pour se faire un match, et après on a mangé un morceau au Philippe's. Je me suis un peu lâché sur le sandwich au rosbif, dit-il en caressant la ceinture de son pantalon. Mais ce n'est pas si souvent qu'on a l'occasion de passer une soirée avec ses fils, un moment sympa entre mecs. Je suis rentré tard et je ne me suis levé qu'à sept heures. Elle m'avait laissé un message sur le répondeur : Pourquoi je n'étais pas passé hier, dès son premier appel ? Les toilettes fuient, madame a droit à des toilettes en état de marche, tout le matériel est bas de gamme et vétuste, déjà que je refuse de le remplacer, je lui dois au minimum de le réparer avec diligence. J'ai intérêt à être chez elle à huit heures au plus tard, sans quoi elle porte plainte.

— À quelle heure avait-elle appelé ? demanda Milo.

— Je n'ai pas vérifié.

— Le message est toujours sur le répondeur ?

— Non, je l'ai effacé.

— Vous pourriez nous fournir une fourchette horaire ?

— Hum… je suis parti au match à seize heures parce que je suis passé en chemin chez les Soo pour vérifier un circuit électrique. Elle a donc appelé après seize heures.

— Et à quelle heure êtes-vous rentré ?

— Vers minuit. J'ai déposé Anthony et Dmitri au parking de la gare d'Union où ils avaient laissé leur voiture de location. Anthony est rentré à Fort Irwin après avoir conduit son frère à l'aéroport.

— À votre retour, était-ce allumé chez Vita Berlin ?

— Voyons… je ne me souviens pas vraiment. C'est elle qui réglait la facture d'électricité, libre à elle de laisser toutes les lumières allumées.

— Où peut-on joindre les Feldman ?

— Des jeunes gens sympathiques. Ils ne sont pas encore au courant.

— Ah bon ?

— Tous deux achèvent leur spécialisation en médecine, lui à Cedar et elle ailleurs, peut-être bien à l'hôpital universitaire. Je ne sais pas trop.

— Leurs prénoms ?

— David et Sondra. Faites-moi confiance, ils n'ont rien à voir avec cette histoire.

— Des médecins, murmura Milo qui imaginait un bistouri pratiquant une incision.

— Exactement, dit Belleveaux. Des gens respectables.

4

La fourgonnette de la police scientifique était arrivée pendant que nous interrogions le propriétaire. Deux jeunes techniciens s'affairaient dans l'appartement, leur mallette posée sur le palier. Le corps n'avait pas bougé.

Milo leur adressa un signe de tête.

– Salut, Lance, salut, Kenny.

– Bonjour, lieutenant, lui renvoya le plus grand des deux, « L. Sakura » d'après son badge. C'est vraiment répugnant.

« K. Flores » ne réagit pas.

– Ça pimente l'existence, dit Milo. Surtout, ne vous interrompez pas pour moi.

– Vous souhaitez quelque chose de très poussé, lieutenant ? s'enquit Flores.

– Aussi poussé que vous le jugerez nécessaire.

– Je veux dire, lieutenant, que tout paraît en ordre dans le reste de la pièce, que ça semble vraiment se concentrer autour du cadavre. On va bien évidemment relever les empreintes et rechercher les fibres, mais jugez-vous indispensable de recourir au Luminol ?

– Je veux bien qu'on ait fait le ménage, renchérit Sakura, mais c'est d'une propreté inouïe. Même pas une odeur de détergent. On va inspecter les siphons, au besoin on fera venir un plombier expert si l'installation nous donne du fil à retordre, mais nous avons peu d'espoir de retrouver des traces de sang.

– Excepté celui de la victime, précisa Flores. Les petites taches sur la serviette en sont certainement. Même là, le meurtrier a procédé très soigneusement. Il a sans doute épongé au fur et à mesure, et il a emporté ce dont il s'est servi.

– Un vrai malade, dit Sakura.

– D'après l'enquêtrice du coroner, dit Milo, la majorité du sang s'est accumulée dans la cavité abdominale. Voyons ce que vous relevez comme empreintes et fibres. On décidera ensuite pour le Luminol.

– On a déjà repéré un truc, dit Flores. Ça n'est sans doute pas très important.

– Quoi donc ?

– Un mot dans la chambre. Nous l'y avons laissé.

Parés de gants propres et de nouvelles surchaussures, nous suivîmes Flores tandis que Sakura sortait du matériel de sa mallette. La chambre de Vita Berlin était rudimentaire, sombre et mal aérée. Les murs étaient du même beige anonyme que le reste de l'appartement et les tissus assortis. Lit double, simple sommier sans tête, aucune touche personnelle. Les livres dont avait parlé Milo étaient empilés sur une table de chevet en aggloméré blanc. L'armoire trois portes était vierge de toute décoration. Deux lampes ruches identiques à celles de la pièce principale. Vita Berlin n'était pas plus généreuse avec elle-même qu'avec les autres.

– Je l'ai trouvée en dessous, dit Flores en indiquant une feuille blanche froissée au pied du lit. Je l'ai photographiée avant de la déplacer.

Comme Milo, je me penchai pour en déchiffrer l'inscription. « Dr B. Shacker », d'une écriture soignée. Le nom était barré en diagonale. Un numéro de téléphone, indicatif 310, figurait en dessous. Et au bas de la feuille, en lettres plus grosses et plus foncées, un seul mot : « charlatan ».

– Il y a de la poussière et des miettes sous le lit, précisa Flores, mais rien de suspect.

Milo nota les informations dans son calepin.

– Merci, Kenny. Vous pouvez l'embarquer.

Sur le palier, il me glissa :

– On ne va pas se priver d'interroger ce médecin. Qui sait, ajouta-t-il en souriant, il est peut-être chirurgien. (Il sortit son portable et obtint l'adresse.) Bernhard Shacker, titulaire d'un PhD, cabinet dans North Bedford Drive, à Beverly Hills. Un collègue à toi, Alex. Voilà qui pique l'intérêt, non ? Vita avait visiblement des blocages à résoudre, comme on dit dans votre jargon. Elle a peut-être décidé de se faire aider, a entamé une thérapie puis s'est ravisée. C'est quoi, déjà, ta formule pour dire que les gens les plus atteints sont les plus réticents ?

– L'andouille qui redoute le tranchoir.

– Notre victime s'est tout de même fait charcuter. Shacker pourrait nous éclairer sur sa personnalité. Tu le connais ?

Je secouai la tête.

– Bedford Drive, reprit Milo. Du divan de luxe, un peu chic pour quelqu'un avec le train de vie de Mme Berlin.

Il composa le numéro de Shacker, écouta en plissant le front et raccrocha.

– De la parlote enregistrée. Je préfère ta façon.

J'en suis resté au secrétariat à l'ancienne, car le dialogue demeure l'essence de mon métier.

– Tu n'as pas laissé de message, relevai-je.

– Pour ne pas l'apeurer, au cas où il serait très à

cheval sur le secret médical. Et puis, je me dis que toi tu pourrais lui parler. Une petite causerie entre spécialistes de la psyché humaine.

– Tant que nous y sommes, nous éluciderons la métempsychose.

– Ça ne m'étonnerait pas de ta part, *amigo*. Alors c'est d'accord ? (Je souris.) Génial. En attendant, direction le café.

Il laissa son véhicule banalisé devant le lieu du crime et nous prîmes ma Seville jusqu'à Robertson. L'enseigne du Bijou, table de quartier, avait noirci à cause de la proximité de la voie express. La façade de brique n'était pas moins crasseuse, mais la vitrine étincelait. La spécialité du jour était les pancakes aux myrtilles. D'après les horaires affichés, on ne servait que le petit déjeuner et le déjeuner, fermeture à quinze heures. À en juger d'après l'intérieur, il s'agissait certainement d'un vieux *diner* que l'on avait rénové pour qu'il paraisse encore plus ancien. Pour preuve les sièges en vinyle vert éclatant et les tables dont le stratifié imitait le formica, ajouts récents. Aux murs, des gros plans de stars comme on en voit dans les pressings et des clichés en noir et blanc du L.A. d'antan.

Installé au comptoir devant une tasse de café et une viennoiserie, un vieil homme lisait le *Wall Street Journal*. Trois des sept box étaient occupés. Dans le plus proche, deux jeunes mères tentaient d'avoir une conversation tout en veillant sur leurs bambins affublés d'un bavoir et qui s'agitaient dans leur rehausseur. Derrière elles, un trentenaire joufflu et costaud partageait son attention entre un steak accompagné d'œufs brouillés et la grille d'un magazine qu'il complétait au crayon à papier. Dans le fond, un livreur en combinaison marron, menu comme un jockey, faisait un sort à une montagne de pancakes en se tortillant au rythme de son iPod. Les deux types levèrent la tête à notre arrivée, puis se remirent à manger. Les mères étaient trop accaparées par leur progéniture pour se soucier de nous.

L'unique serveuse était blonde, jeune et mignonne. Jolies formes et bras entièrement tatoués. Le cuisinier qui transpirait de l'autre côté du passe-plat avait le type inca. Milo attendit que la demoiselle termine de resservir du café au client du comptoir avant de s'approcher.

– Installez-vous où vous voulez, messieurs.

« Hedy ! » proclamait joyeusement son badge. Celui de Milo lui fit perdre son sourire. Le vieil homme posa son journal et tendit l'oreille.

– Je vais prévenir le patron, dit Hedy.

– Connaîtriez-vous une certaine Vita Berlin ?

– Oui, c'est une cliente.

– Une habituée ?

– Plutôt. Elle mange ici une ou deux fois par semaine.

– Qu'est-ce qu'elle a encore fait ? intervint le vieil homme.

Milo lui fit face.

– Elle est morte.

– Oh, mon Dieu ! lâcha Hedy.

– Comment ? s'enquit le client, imperturbable.

– Pas de cause naturelle.

– Mais encore ? Suicide ? Accident ? Pire ? fit l'homme, l'un de ses sourcils blancs broussailleux se contractant en arceau de croquet. Oui, si la police juge bon de se déplacer, c'est forcément pire.

– Voyons, Sam, lui dit Hedy.

Il la gratifia d'un regard compatissant.

– Vous la connaissiez ? lui demanda Milo.

– Suffisamment pour ne pas l'apprécier. Qu'est-ce

qui lui est arrivé ? Elle s'en est pris à un violent, quelqu'un qui a mal réagi et l'a butée ?

– Oh mon Dieu, Sam, balbutia Hedy. Vous permettez que j'aille chercher Ralph, messieurs ? Il est à l'arrière.

– C'est le propriétaire ?

– Oui, de cet établissement pour gourmets, répondit le vieil homme.

– D'accord, convint Milo.

La jeune femme se précipita vers la sortie.

– Hedy et Ralph sont ensemble, confia le vieil homme.

– Vous, c'est Sam ?

– Samuel Lipschitz. Actuaire certifié. En retraite, Dieu merci.

Pull-over orange brûlée, chemise blanche boutonnée jusqu'au cou, pantalon gris en toile, chaussettes écossaises, cordovans à lacets.

– Que reprochiez-vous à Vita Berlin ?

– Vous confirmez donc qu'elle a été assassinée ?

Il haussa la voix sur le dernier mot, attirant l'attention des jeunes mères. Pas de réaction de la part du livreur ni de l'amateur de jeux de logique.

– Vous n'en seriez pas surpris, dit Milo.

– Oui et non, répondit Lipschitz. Oui, car un meurtre reste un événement à faible fréquence. Non, parce que c'était dans son caractère de provoquer, comme je l'ai dit.

– Qui provoquait-elle ?

– Personne n'était à l'abri. Cette peau de vache donnait sa chance à tout le monde.

– Elle faisait des siennes ici ?

– Elle entrait avec sa dégaine masculine, se laissait tomber sur une banquette et balayait la salle de son regard mauvais, comme si elle n'attendait que le premier prétexte pour faire un esclandre. Les habitués savaient à quoi s'en tenir, tout le monde l'ignorait. Elle boudait, passait commande, mangeait sans se départir de sa mine renfrognée, réglait l'addition et s'en allait. (Lipschitz pouffa.) Comme ça, elle a vraiment poussé quelqu'un à bout ? Comment l'a-t-on tuée ? C'est arrivé où ?

— Je ne suis pas en mesure d'en discuter.

— Dites-moi seulement une chose : ça s'est passé dans le quartier ? Je n'habite plus par ici, j'ai déménagé à Alhambra au moment de la retraite, mais je continue de fréquenter ce café parce que j'apprécie leurs viennoiseries. Ils se font livrer par un boulanger de Covina, pas la porte à côté. Si j'ai du souci à me faire, je préférerais être averti. J'ai soixante-quatorze ans et j'aimerais bien profiter de quelques années supplémentaires.

— Au vu de ce que nous savons, monsieur Lipschitz, vous n'avez rien à craindre.

— Une réponse aussi ambiguë n'a pas grande valeur, dit le vieil homme.

— Il ne s'agit pas de violence urbaine. Ça ne semble être ni un meurtre crapuleux ni le fait d'un gang.

— Quand est-ce arrivé ?

— Hier dans la soirée.

— Je ne risque rien à venir ici en journée ?

— Monsieur Lipschitz, avez-vous autre chose à nous apprendre sur Vita Berlin ?

— Mis à part son côté revêche et asocial ? J'ai entendu parler d'un incident dont je n'ai pas été le témoin. Une altercation ici-même, il y a quatre ou cinq jours. J'étais chez mon fils à Palm Springs. Privé de viennoiserie et d'un sacré spectacle.

— Qui vous en a parlé ?

— Ralph. Le voici, il va vous raconter ça lui-même.

Ralph Veronese, trente ans tout au plus, était un grand échalas d'une maigreur confinant au pathologique. Tignasse foncée, fossettes de rock star et posture voûtée. Il portait une chemise de bowling noire, un jean skinny taille basse et des bottes de chantier. Brillant au lobe gauche et un bras tapissé de motifs bleu clair. Mains rugueuses et voix douce. Il remercia Milo avec effusion quand celui-ci accéda à sa demande que l'entretien se déroule à l'extérieur. Il nous mena dans la venelle à l'arrière du café. Une camionnette rouge occupait l'unique place de stationnement.

– Hedy m'a dit pour Vita. Je n'arrive pas à y croire.

– Que quelqu'un puisse s'en prendre à elle ?

– Non. Enfin, je ne dis pas non plus que ça devait forcément arriver. C'est juste… on la connaissait, quoi. Elle était ici avant-hier.

– C'était une habituée ?

– Elle passait deux, trois fois par semaine.

– Une grande fan de votre cuisine. Quelque chose devait l'attirer ici, insista Milo comme Veronese ne réagissait pas.

– Le fait de pouvoir venir à pied. Elle me l'a dit une fois. « Vous n'êtes pas un grand chef, mais j'économise sur l'essence. » Moi, je lui ai répondu : « D'autant qu'ici on carbure au café ! » Ça ne l'a pas fait rire. Elle ne rigolait jamais.

– Plutôt ronchonne.

– On peut le dire.

– M. Lipschitz nous a parlé d'une altercation qui serait survenue ici il y a quelques jours.

Veronese fit tourner son diamant.

– Je suis sûr que ça n'a aucun lien avec ce qui lui est arrivé.

– Et pourquoi donc, monsieur Veronese ?

– Appelez-moi Ralph. M. Veronese, c'était comme ça que se faisait appeler mon grand-père. Oui, Vita n'était pas facile, mais je ne pense pas que ce qui s'est passé ici ait un rapport.

– Parlez-nous de cette altercation, Ralph.

Il soupira.

– Vita a eu un comportement injustifiable, mais je ne sais même pas comment ces gens s'appellent. C'était la première fois qu'on les voyait ici.

– Qu'est-il arrivé ?

– Une famille s'est présentée. Vita était déjà là, elle mangeait et lisait le *L.A. Times* qu'elle nous emprunte systématiquement.

– Combien de personnes ?

– La mère, le père et leur môme de quatre ou cinq ans, je ne suis pas très doué pour donner un âge. (Veronese se tripota une mèche et la ramena par-dessus sa paupière gauche.) La fillette était chauve et toute maigre, avec des yeux énormes, comme les enfants qui souffrent de la famine qu'on montre dans les campagnes publicitaires. Et elle avait un gros pansement là, dit-il en pointant le creux de son coude. Peut-être qu'on lui avait fait une piqûre.

– Une petite fille malade, on dirait bien, notai-je.

– Tout à fait, c'est ce que j'ai pensé, soupira Veronese. C'est tellement triste à voir, on en a les larmes aux yeux.

– Pas Vita Berlin, dis-je.

– Putain, lâcha-t-il d'un ton durci. Je savais que c'était une emmerdeuse, mais jamais je n'aurais imaginé qu'elle puisse en arriver là, sinon je les aurais installés loin d'elle. Alors que je les ai fait s'asseoir juste à côté, parce que c'était plus pratique pour Hedy, vous comprenez ?

– Ça n'a pas plus à Vita ?

– Au début, elle ne leur prêtait pas attention. Elle a continué de lire en mangeant, tout baignait. Puis la gamine s'est mise à faire des bruits. Pas de l'agitation, des sortes de gémissements. Comme si elle avait mal quelque part, des petits cris de douleur. Ses parents se sont penchés vers elle, ils lui ont murmuré des choses. Pour la réconforter, j'imagine. Les gémissements se sont poursuivis un petit moment, ensuite la fillette s'est tue. Puis ça a repris et là, Vita a posé son journal et lui a lancé un regard noir.

– L'air agacé.

– Pire que ça. Vraiment très dur. C'est quoi l'expression, déjà ? Oui, elle l'a fusillée du regard. Ma grand-mère me disait toujours : « Ne me regarde pas comme ça, je me sens obligée de lever les mains en l'air ! » Vita l'a carrément foudroyée du regard. Les parents ne remarquaient rien, ils étaient concentrés sur leur enfant. Hedy a profité d'une accalmie pour prendre leur commande et a proposé un donut à la petite, mais la mère lui a expliqué que son estomac ne le tolérait pas. Vita a marmonné quelque chose, le père s'est tourné vers elle, elle a pris l'air mauvais et s'est réfugiée derrière son journal. La gamine s'est remise à geindre. Le père est venu au comptoir et m'a demandé si j'avais de la glace à la vanille. Probablement qu'il cherchait un moyen de la calmer. Je lui ai répondu : « Bien sûr qu'on en a ! » et je lui en ai servi deux boules. Il l'a apportée à sa fille, lui en a proposé une cuillerée, mais elle n'en a pas voulu. Elle a commencé à pleurer, et à ce moment-là Vita a jailli de son box, comme ça… (Il se planta les poings sur les hanches.) Elle les a toisés comme si c'était d'horribles personnes, elle leur a dit quelque chose et le père s'est levé à son tour et tous deux y sont allés sans retenue.

– C'est-à-dire ?

– Une prise de bec. Je ne sais pas ce qu'ils se sont dit précisément, j'étais dans la cuisine avec Hedy. On a juste entendu du raffut. J'ai même cru qu'il était arrivé quelque chose à la fillette, un problème médical. Je suis donc revenu fissa et j'ai vu Vita et le père qui se criaient dessus, même que lui avait l'air prêt à… il était vraiment en pétard, mais sa femme l'a retenu par le coude. Vita lui a alors sorti quelque chose qui a fait qu'il s'est dégagé et a brandi le poing. Il s'est contenté de le tenir en l'air, il tremblait de tous ses membres. Puis il s'est calmé, il a pris sa fille dans ses bras et s'est dirigé vers la porte, suivi de sa femme. Le truc bizarre, c'est que l'enfant était redevenue toute calme, comme si rien n'était arrivé. (Nouvelle caresse à la boucle d'oreille.) Je me suis précipité dehors et je leur ai demandé si je pouvais faire quoi que ce soit. Une gosse malade, j'étais super embêté. Quand même, la pauvre petite n'y était pour rien si elle se sentait mal. Le père s'est retourné, il a secoué la tête et ils sont partis en voiture. Je suis rentré. Vita avait repris sa place, tout sourire. Elle m'a sorti : « Vraiment, il y a des gens qui manquent de savoir-vivre ! Je leur ai dit : Vous croyez que le reste du monde tient à se couper l'appétit en supportant les mouflets mal fichus des gens comme vous ? Les malades n'ont rien à faire au restaurant et feraient mieux de rester à l'hôpital ! »

– Décrivez-moi les parents, dit Milo.

– Trente-cinq, quarante ans. Bien habillés, ajouta Veronese en détournant le regard.

– Autre chose ? demandai-je.

– Noirs.

– L'expression « les gens comme vous » a dû les froisser.

– Oui, c'était odieux.

– Vita s'était-elle montrée raciste en d'autres occasions ?

– Non, elle détestait tout le monde. Je l'aurais volontiers mise à la porte, dit Veronese en se renfrognant, mais elle était capable de vous traîner en justice au moindre prétexte. Déjà qu'on s'en sort difficilement, je n'ai pas besoin d'un procès.

– Vous auriez des exemples de gens contre qui elle aurait porté plainte ?

– Son ancien employeur, une affaire de discrimination. Elle avait reçu un dédommagement qui lui suffisait pour vivre.

– Comment êtes-vous au courant ?

– C'est elle qui s'en est vantée.

– Pour en revenir aux parents de la petite, dit Milo. Dans les trente-cinq, quarante ans, tenues élégantes, noirs. Quoi d'autre ?

– Ils roulaient en Mercedes. Pas une très grosse, un break de petite taille. Gris métallisé, je crois bien, dit Veronese en se passant les doigts à la naissance des cheveux. Je suis sûr qu'ils n'ont rien à voir avec sa mort.

– Pourquoi donc ?

– Comment auraient-ils su qui c'était, où la retrouver ?

– Peut-être la connaissaient-ils d'avant.

– Ça ne donnait pas cette impression. Ils ne l'ont pas appelée par son nom.

– Vita a eu d'autres altercations au Bijou ?

– Non. Tout le monde lui fiche la paix.

– Parce qu'elle laisse toujours de gros pourboires ?

– Vous plaisantez ? Oui, je suis bête. Elle n'allait jamais au-delà de dix pour cent, et elle défalquait un pour cent pour tout ce qui lui avait déplu, en vous le faisant savoir. Hedy le prend à la rigolade, de toute manière elle ne bosse ici que pour me rendre service. Son truc, c'est la chanson. Elle est chanteuse dans un groupe. Je joue de la basse derrière elle. La vue n'est pas désagréable, lâcha-t-il avec un sourire.

5

Le temps que nous retournions à la scène de crime, le cadavre avait été évacué. Sakura et Flores s'affairaient toujours à racler, délayer, mettre en sachets et étiqueter les traces.

– Beaucoup d'empreintes, dit Sakura. Aux endroits attendus. Sauf sur la poignée qui a été manifestement essuyée. On a récupéré quelques cheveux sur les serviettes, gris comme ceux de la victime. Il y a aussi de minuscules taches de sang prises dans les poils. Et d'autres sur la moquette. On va en découper des carrés. S'il s'est blessé en la charcutant, vous pourriez être chanceux.

– Fasse que le dieu de la criminalistique vous entende ! dit Milo.

– Pour le siphon du lavabo, dit Flores, c'est compliqué. On va devoir faire appel à un plombier. Ça pourrait prendre quarante-huit heures.

– Employez tous les moyens nécessaires, messieurs. Autre chose ?

– Ce n'est pas à moi de vous dire comment faire votre métier, lieutenant, mais à votre place je demanderais une analyse toxico complète.

– Vous pensez qu'elle a été droguée ?

– Pour qu'elle ait offert si peu de résistance, il se

pourrait que l'agresseur ait employé une substance, par exemple un anesthésiant. Quelque chose qui ne s'injecte pas, du chloroforme ou de l'éther, car nous n'avons relevé aucune marque d'aiguille. Ou bien elle prenait elle-même des trucs, ce qui aurait facilité la tâche. On a déniché de l'alcool sous le lavabo de la salle de bains quand on s'est intéressé à la plomberie. Dissimulé dans le fond, derrière les rouleaux de PQ.

Il attrapa un sachet à indices et en sortit deux grandes bouteilles de Jack Daniel's, l'une non entamée et l'autre remplie aux deux tiers.

— Pas d'autres bouteilles d'alcool ailleurs ? demandai-je.

— Non.

— Deux grandes bouteilles, nota Sakura. Sacrée quantité.

— Elle vivait seule, notai-je, pourtant elle dissimulait son vice.

— Ce n'est pas parce qu'elle vivait seule qu'elle picolait seule, objecta Milo.

— Dans ce cas, pourquoi les cacher ?

À court de réponse, il plissa le front.

— Si elle buvait en compagnie, poursuivis-je, ce n'était pas avec quelqu'un qui risquait d'ouvrir les placards.

— Où veux-tu en venir ?

— Pas un amoureux.

— Avant d'aller fouiner derrière le PQ… Et encore une fois, si elle pochetronnait seule, pourquoi s'en cacher ?

— Pour se voiler la face, dis-je. Elle avait besoin de penser qu'elle maîtrisait la situation. Et de se croire vertueuse.

Mon analyse ne convainquit personne.

– Et la fracture du cou, vous en pensez quoi, lieutenant ? demanda Flores.

– Vous me suggérez de contacter les dojos ? Leur demander s'ils ont des membres qui aiment aussi éventrer les gens et jouer avec leurs tripes ? Bon, fit Milo en se tournant vers le carton à pizza. Ça y est, on peut l'ouvrir ?

– Oui, dit Sakura. On l'a passé au peigne fin, pas d'empreinte ni aucune trace. J'ai l'impression qu'il n'y a pas eu de pizza dedans, ni quoi que ce soit.

– Allez, ouvrez-moi ça.

Flores souleva le couvercle. L'intérieur était vide, mais une feuille de papier blanc était scotchée au fond. Bords soigneusement alignés, comme les serviettes sous le cadavre. Au centre de la page figurait un point d'interrogation imprimé par ordinateur, en gras et en très gros.

Milo vira au cramoisi, un rouge foncé comme je ne lui en avais jamais vu. Une veine palpita sur son cou. Je craignis un instant pour sa santé, puis il sourit et son visage perdit un peu de sa couleur, comme s'il avait été victime d'une farce et tenait à se montrer bon joueur.

– Qu'est-ce que c'est que ça ? dit-il. Un défi à la con ? Parfait. Défi relevé, mon salaud. Vous allez me passer la moindre surface au peigne fin, ordonna-t-il aux techniciens. Cherchez à tous les endroits probables, là où quelqu'un serait susceptible d'avoir posé la main par erreur et oublié ne serait-ce qu'une empreinte partielle. Si ça ne donne rien, recommencez. Quitte à me dire qu'il n'y a rien, je tiens à ce que ce soit vraiment rien.

– Bien, lieutenant, dit Flores.

– Message reçu, renchérit Sakura.

Milo me raccompagna jusqu'à ma voiture. Comme il avançait en me précédant d'un pas, j'eus l'impression d'un départ sous escorte. Alors que je démarrais, il se pencha vers ma vitre baissée.

– Merci de t'être déplacé. Je vais être occupé par le basique. La ligne téléphonique de la victime, ses comptes bancaires, contacter les proches. Je vais aussi tenter de rencontrer *de visu* les deux voisins médecins. Avec un peu de chance, ce seront des émules de Jack l'Éventreur. En attendant, tu pourrais appeler le psy... ce Dr Shacker.

– Dès que j'arrive chez moi.

– Merci. Je suis d'accord avec ton hypothèse, que Vita voulait croire qu'elle contrôlait tout. Pour le vertueux, je suis moins convaincu. Tu en connais beaucoup, des honnêtes gens qui s'en prennent à une pauvre gosse malade ?

– La vertu, ça englobe beaucoup de choses. Elle se voyait peut-être comme la gardienne de la décence. Les restaurants sont faits pour y manger, les hôpitaux pour les malades, l'infirmité coupe l'appétit, donc n'y mettez pas les pieds. C'est un sentiment assez répandu. La plupart des gens sont plus subtils, mais tu serais étonné du nombre de fois où les malades sont stigmatisés. Quand je travaillais en oncologie, les familles abordaient souvent le sujet.

– Quelle que soit l'image qu'elle avait d'elle-même, dit-il en secouant la tête, Vita était une connasse de première catégorie. Autrement dit, la liste des suspects s'étend désormais à tout l'univers. Ou presque.

Je desserrai le frein à main.

– Existe-t-il d'autres maladies que le cancer dont le traitement provoque la calvitie ? demanda-t-il.

– Quelques-unes, mais je pencherais pour le cancer.

– Si la gosse en a effectivement un, il y a de grandes chances pour qu'elle soit suivie dans ton ancienne maison.

L'hôpital Western Pediatric, où j'avais suivi ma formation, appris quelles questions poser, lesquelles ignorer.

– Le meilleur centre de L.A., dis-je.

– Hum.

– Désolé, c'est non.

– Non, quoi ?

– Tu es mon ami, mais je refuse d'aller fouiner dans les dossiers des patients.

– Moi, te demander un truc pareil ? dit-il en se montrant du doigt. Eh bien, je sais maintenant ce que tu penses vraiment de moi !

– Je pense que tu te comportes comme d'habitude, en enquêteur hors pair.

Ses narines se retroussèrent.

– Putain, depuis le temps qu'on se connaît, on ne va pas se raconter des salades. Oui, ça me simplifierait bien l'existence si tu pouvais y jeter un coup d'œil. Ça n'est vraiment pas possible, discrètement ?

– Non. Quand bien même, je ne me vois pas mettre sur la sellette une famille dans l'épreuve.

Il expira longuement.

– Oui, oui, je réfléchis en chasseur et non en être humain.

– Tu n'y perds même pas une piste, selon toute vraisemblance. Comme l'a souligné Veronese, mon grand, ces gens n'avaient aucun moyen de connaître l'identité de Vita et son adresse.

– À moins qu'ils ne vivent dans le quartier. Ils l'ont aperçue par hasard et, n'ayant toujours pas décoléré, ont décidé de passer à l'acte.

– Ils sonnent à sa porte et l'éviscèrent ? Sacrée rancune.

– Certes, mais le fort stress auquel ils sont soumis

pourrait accroître le sentiment de révolte, non ? Suppo-sons que la pauvre petite soit morte peu de temps après l'altercation. T'imagines le souvenir que ça laisserait dans la tête de papa et maman ? Papa ressasse cette histoire, ça le mine. Ça lui bouffe les tripes, si j'ose dire. Et voilà qu'il croise à nouveau Vita, peut-être même qu'elle en remet une couche. Il décide alors de… comment disent les psys, déjà ? Oui, il déplace sa colère.

C'était effectivement l'expression consacrée et j'en avais vu quantité d'exemples. Les familles qui se plaignent de la nourriture d'hôpital ou d'une remarque déplacée, tout plutôt que le sujet central car on ne peut pas tout assumer. J'avais été appelé plus d'une fois pour faire lâcher son arme à un père éploré, mais je n'avais jamais été confronté à rien qui approche de la sauvagerie infligée à Vita Berlin, comme je le fis remarquer à Milo.

— Donc, grommela-t-il, si je veux m'aventurer sur ce terrain-là, je suis seul.

— Moi, je vais appeler le Dr Shacker. S'il est dis-ponible, je préfère autant le rencontrer.

— Merci.

— Pas de problème.

— Si, ce ne sont pas les problèmes qui manquent, mais tous pour ma pomme.

6

Sur le chemin du retour, je ne cessai de repenser à l'horrible crime. Chaque fois que je réglais mon cerveau sur une autre chaîne que celle de l'impensable, le cadavre réapparaissait aussitôt. J'allumai la radio et montai le volume à un niveau qui m'agressait les tympans. J'étais conscient qu'à chaque déflagration sonore c'étaient quelques filaments qui se détachaient de mon canal auditif, mais une légère perte d'audition me semblait un prix acceptable. Je zappai en vain de station en station ; la soupe insipide de tubes-jingles et de bavardages insupportables ne fut d'aucune efficacité.

Je m'arrêtai donc, ouvris le hayon et sortis une mallette en simili cuir esquintée à laquelle je n'avais pas touché depuis belle lurette. Mes cassettes audio. Pour quiconque a moins de trente ans, un article à remiser avec les cylindres de cire. Ma Cadillac Seville n'est pas de cet avis. C'est un modèle 1979, sorti des usines de Detroit quelques mois avant que le constructeur ne se spécialise dans la *fatmobile*. Vingt-quatre mille kilomètres au compteur pour son troisième moteur, suspension remarquable. Grâce aux vidanges régulières, elle se porte comme un charme. J'ai fait installer un lecteur de CD il y a des années et un kit mains libres plus récemment, mais j'ai résisté pour le MP3 et j'ai gardé l'autoradio à cassettes d'origine, car je dispose d'une belle collection, constituée à l'époque où je terminais mes études, quand les cassettes étaient un luxe que je ne pouvais m'offrir que d'occasion.

De retour au volant, la rumeur dans ma tête avait enflé jusqu'à devenir un grondement de tonnerre. Des horreurs, j'en ai vu d'autres et il est rare que ça me plonge dans un tel état, mais je pense savoir d'où provient le bourdonnement : ça date de mon enfance, quand je me cachais pour échapper à mon père qui avait trop bu et cherchait quelqu'un à punir. Le bruit blanc imaginaire qui recouvrait les battements de mon cœur agité.

Aujourd'hui, impossible de couper le son. De même que les amphétamines apaisent un esprit hyperactif, ma conscience réclamait un vacarme puissant et sombre, agressif et conquérant. Du thrash-métal aurait fait l'affaire, mais je n'en ai jamais acheté. Je passai en revue les cassettes et en choisis une qui me semblait prometteuse : ZZ Top. *Eliminator*. Je l'introduisis dans le lecteur, redémarrai et repartis. Au bout d'un bloc, je montai le volume de quelques crans. La guitare minimaliste, la batterie digne d'un moteur de poids lourd et le synthé omniprésent en fond sonore avaient un effet bénéfique.

Quand je quittai Sunset, la maison n'était plus loin. La beauté paisible de Beverly Glen, les lacets silencieux de l'ancienne piste cavalière menant jusqu'à ma belle demeure blanche, où m'attendait ma belle amie que j'allais embrasser, notre chienne adorable que j'allais caresser et de jolies carpes koï que j'allais nourrir... Voilà qui déclencha une petite voix narquoise : « Sympa comme vie, non ? » Ponctuée d'un ricanement maléfique.

La maison était déserte et baignée de soleil. Je gagnai mon bureau, mes pas résonnant comme un tam-tam sur le parquet, et laissai un message confraternel au Dr Shacker dont la voix douce, rassurante et enregistrée m'assura qu'il me contacterait dès que possible. Le genre de voix qui inspire confiance. Je préparai du café, en avalai deux tasses sans prêter attention au goût, sortis dans le jardin, jetai quelques granulés aux poissons, tirai une maigre satisfaction de leurs succions de gratitude et poursuivis vers le studio enveloppé d'arbres. Le bourdonnement d'une scie s'échappait par une fenêtre ouverte. Protégée par un masque et des lunettes, illuminée par les larges vasistas du toit mansardé, ma belle amie travaillait délicatement un morceau de bois de rose à la scie à ruban. Ses longues boucles auburn étaient ramenées sous un bandana rouge. Une poussière violacée lui recouvrait les mains. La chienne adorable se trouvait non loin, occupée à ronger un des os nappé de sauce barbecue que sa maîtresse lui prépare toujours avec attention. La belle amie me sourit, sans s'interrompre. La chienne vint à ma rencontre et planta sa truffe dans ma main. La lame grinçait en entamant le bois dur. Bruit intense et désagréable. Parfait.

Je m'assis, pris Blanche sur les genoux et caressai sa petite tête bosselée de bouledogue français. Quand elle eut terminé, Robin éteignit la scie, posa la pièce en forme de guitare sur l'établi, releva ses lunettes et abaissa son masque. Elle portait une salopette rouge, un tee-shirt noir et des Keds noir et blanc. Je posai Blanche par terre et elle me suivit jusqu'au banc.

J'étreignis Robin et l'embrassai. Elle m'ébouriffa les cheveux, un geste qui m'est agréable.

– Comment ça s'est passé, mon chéri ?

– Joli grain, dis-je en caressant le bois de rose.

– Rude journée ?

Ma réticence à parler des affaires a toujours été un sujet délicat entre nous. Alors qu'avant je la tenais complètement à l'écart je lui confie désormais les éléments dont je pense qu'ils ne seront pas trop lourds à porter. Cela profite parfois à Milo : intelligente, Robin peut apporter un regard extérieur. Comme si mon propre regard n'était plus extérieur, au fond. Je ne sais pas très bien où je me situe.

– Très rude journée, dis-je.

– Tu es un peu pâle, dit-elle en me caressant la joue. As-tu mangé ?

– Un bagel. Avant.

– Veux-tu que je te prépare quelque chose ?

– Peut-être plus tard.

– Si tu changes d'avis…

– Pour la nourriture ?

– Ça et le reste.

– D'accord, dis-je en déposant un baiser sur son front.

– Bon, il faut que je m'y remette, dit-elle en contemplant le morceau de bois de rose.

– Le dîner me semble envisageable. Peut-être assez tard.

– Parfait.

– Si tu as faim avant, je suis flexible.

– C'est ça.

Comme je me détournai, elle me toucha à nouveau le visage. Ses yeux amande étaient empreints de compassion.

– Les mauvais jours, Alex, rien ne sert de trop programmer.

Je retournai à mon bureau. Le Dr Shacker n'avait pas rappelé. Je m'occupai de divers papiers, réglai quelques factures et me livrai à des recherches sur internet. Les mots-clés « éventrer » et « meurtre » donnèrent une montagne de résultats, près de cent mille. La plupart ne présentaient aucun intérêt, simple emploi des deux termes dans des phrases ampoulées, paroles de chanson produites par des groupes inconnus à juste titre, outrances politiques de blogueurs qui n'ont jamais rien subi de pire qu'une coupure avec une feuille de papier. « La présente administration éventre les droits civiques et s'attaque aux libertés individuelles avec la préméditation et l'appât sanguinaire d'un serial killer. »

Les quelques meurtres au sens propre répertoriés étaient le plus souvent des crimes isolés : en proie à des fantasmes sexuels ou à une rancœur longuement entretenue, l'assassin épiait et harcelait sa victime, puis basculait dans une explosion de violence et parfois même dans le cannibalisme. Le plus souvent, le coupable agissant sans précaution, l'affaire était rapidement élucidée. Il y avait plusieurs cas de psychotiques truculents qui s'étaient livrés eux-mêmes à la police. Par exemple, ce type qui avait balancé un foie humain sur le bureau d'un policier en suppliant d'être arrêté parce qu'il avait fait une bêtise. Les rares affaires non résolues étaient de l'histoire ancienne, dont l'illustre Jack l'Éventreur. Le monstre de White Chapel s'était adonné aux mutilations abdominales et au vol d'organes, mais les différences l'emportaient largement sur les similitudes avec les sévices méticuleusement infligés à Vita Berlin. Compte tenu de la personnalité odieuse de la victime, il pourrait s'agir d'un crime unique. Pourvu que cela n'ait rien à voir avec la fillette qu'elle avait humiliée.

Je continuai de surfer, tentai d'autres mots-clés – mutilations abdominales, viscères exposés, blessures intestinales. Cela n'avait rien donné quand mon secrétariat appela.

– Docteur Delaware ? C'est Louise. Un Dr Shacker vient de chercher à vous joindre.

– Merci.

– Un collègue, n'est-ce pas ? Psychologue ?

– Bonne intuition, Louise.

– En fait, c'est plus qu'une intuition. Depuis le temps que je suis dans le métier.

– Nous nous exprimons tous de la même façon ?

– Oui, en fait. Ne le prenez pas mal. C'est un compliment. En général, vous donnez l'impression d'être calmes et patients. On ne peut pas en dire autant des chirurgiens. En tout cas, il a l'air sympathique. Bonne fin de journée, docteur.

La voix qui me répondit était juvénile et agréable.

– Bern Shacker.

– Alex Delaware. Merci de m'avoir rappelé.

– Pas de problème. Vous disiez que c'était à propos de Vita Berlin ? Dois-je en déduire que vous êtes le chanceux qui la suit à présent ?

– Plus personne ne l'a comme patiente.

– Ah bon ?

– Elle a été assassinée.

– Mon Dieu ! Que lui est-il arrivé ?

Je le lui expliquai sans entrer dans les détails.

– C'est épouvantable, vraiment épouvantable. Assassinée... Et vous me contactez parce que... ?

Parce qu'elle l'avait traité de charlatan.

– Votre carte se trouvait chez elle, me contentai-je de répondre.

– Ah bon ? Ma carte était chez elle ? Euh... je suis un peu... vous êtes psychologue, vous dites ? Que faisiez-vous dans son appartement ? D'ailleurs, pourquoi êtes-vous mêlé à une enquête pour meurtre ?

– Je suis consultant auprès de la police et l'enquêteur en chef m'a demandé de vous appeler. Entre psys.

– Psy, le terme ne me plaît guère. Et puis, je ne... je n'ai pas vraiment mené de thérapie à long terme avec Vita Berlin. C'est assez compliqué. Je dois passer un ou deux appels avant de pouvoir m'en ouvrir à vous.

– Le secret médical après la mort du patient, dis-je. Les règles évoluent d'année en année.

– Vrai, mais ce n'est pas que ça. Vita n'était pas une patiente typique. Ce n'est pas pour faire le mystérieux, mais je ne peux pas vous en dire davantage avant d'avoir obtenu une autorisation. Si elle m'est accordée, nous pourrons discuter.

– Merci.

– Un meurtre. Incroyable. Où êtes-vous basé ?

– Dans le West Side.

– Moi, je suis à Beverly Hills. Si on se parle, vous ne verriez pas d'inconvénient à ce que ce soit *de visu* ? Pour que je puisse enregistrer notre conversation.

– Pas du tout.

– Je vous rappelle.

Quarante-trois minutes plus tard, il tenait parole.

– Alex ? C'est Bern. J'ai l'accord des avocats de l'assureur, ainsi que du mien. J'ai une possibilité à dix-huit heures. Cela vous conviendrait-il ?

– Parfaitement.

– Parfaitement, répéta-t-il. Vous avez l'air d'être quelqu'un de positif.

Comme s'il venait de mettre le doigt sur une tare.

– J'essaye.

– Essayer, c'est tout ce qu'on peut faire.

7

Shacker avait son cabinet dans un immeuble de deux étages en brique chaulée, au cœur du quartier commerçant de Beverly Hills. La moquette d'un bleu marine lustré étouffait les pas. Chêne blanchi aux murs. Une pharmacie baptisée « boutique d'apothicaire » et décorée de sorte à évoquer l'Angleterre victorienne occupait un quart du rez-de-chaussée. Étaient également établis à cette adresse divers médecins et dentistes, ainsi que plusieurs psychologues. B. Shacker, PhD, n° 217.

Sa salle d'attente, exiguë et blanche, était équipée de trois fauteuils confortables et d'une pile de magazines. Des haut-parleurs dissimulés diffusaient de la musique new age. Deux voyants figuraient sur le panneau à côté de la porte intérieure – rouge pour « en consultation », vert pour « libre ». Le rouge était allumé, mais à peine m'étais-je assis qu'il s'éteignit. La porte s'ouvrit et une main me fut aussitôt tendue.

– Alex ? Bern Shacker.

L'homme mesurait un mètre soixante-cinq, maigre, épaules étroites. Poigne ferme, résolue et sèche. Shacker devait avoir la cinquantaine. Visage délicat aux joues roses, surmonté d'une chevelure châtain clairsemée et striée d'argent, coiffée d'un rapide coup de peigne. Des oreilles décollées et un nez camus en trompette lui donnaient un petit air de lutin. Yeux noisette, doux et vaguement tristes. Il portait un pull à col en V gris sur une chemise noire, un pantalon anthracite et des mocassins noirs. Les poignets de la chemise dépassaient légèrement des manches du pull, retroussées aux coudes.

– Merci de m'accorder de votre temps, Bern.

– Entrez, je vous en prie.

Les murs de la salle de consultation étaient d'un bleu canard adouci, la moquette du même coloris en plus soutenu. Ambiance tamisée du fait des voilages marron obturant la fenêtre donnant sur Bedford Drive. Pas le moindre bruit provenant de la rue, double, voire triple, vitrage. Au mur, derrière un modeste bureau en noyer, étaient affichés les diplômes requis : doctorat, stages, spécialisation, accréditation. Unique touche un rien singulière, un doctorat de l'université de Louvain, en Belgique.

– Ma période catholique, dit Shacker avec un sourire.

À gauche du bureau, la porte qui avait permis au patient de repartir sans être vu. Accroché à côté, dans un cadre en acier chromé, un tableau d'inspiration cubiste figurant du pain et des fruits. Shacker m'indiqua l'un des deux sièges en cuir, design scandinave, qui se faisaient face et s'installa dans l'autre. Il croisa les jambes et remonta son pantalon, dévoilant une chaussette écossaise.

– Au téléphone, j'ai mentionné les avocats de l'assureur. Ce sont eux qui m'ont adressé Vita.

– La thérapie faisait partie d'une transaction ?

– Vita a porté plainte contre son employeur, il y a trois ans. L'affaire a traîné, puis l'assureur de l'employeur a accepté de transiger, à condition qu'elle se soumette à un bilan psychologique. Je n'ai pas l'habitude de travailler pour ce genre de litige, mais il se trouve que j'ai eu comme patient quelqu'un qui est lié à l'assureur en question. Vous comprendrez que je ne puisse pas vous en dire plus. On m'a donc demandé de voir Vita.

– Quel était le but de l'évaluation ?

– Vérifier qu'elle ne simulait pas.

– Elle prétendait avoir subi un dommage psychologique ?

– Elle aurait été harcelée au travail et son employeur n'aurait pas veillé suffisamment à lui garantir un environnement non hostile.

– De quelle société s'agit-il ?

Shacker décroisa les jambes.

– Désolé, je ne peux pas vous le dire. L'une des stipulations de l'accord était que les parties s'interdisaient d'évoquer publiquement le litige. Je peux seulement vous dire que c'est une compagnie d'assurances. De l'assurance-maladie, pour être précis. Vita travaillait au filtrage.

– Elle décidait qui avait droit à tel soin et qui n'y avait pas droit ?

– La compagnie parlerait du traitement des requêtes des affiliés.

– Elle avait une formation d'infirmière ?

– Après deux années en école de secrétariat, elle avait occupé divers postes administratifs, mais c'était sa première expérience dans le secteur de la santé.

– Voilà qui la qualifiait pour décider qui devait consulter un médecin ?

– Qui devait voir une infirmière. Elle était affectée au prétriage. Cela s'appelle l'orientation diagnostico-rationalo-spécifique. Je sais, c'est épouvantable. Vita m'a parlé de la centrale d'appel, des scripts qu'on lui fournissait. Certaines affections sont purement ignorées, pour d'autres elle devait conseiller un remède en vente libre en pharmacie. Il existe des consignes précises pour le délai au bout duquel l'affilié doit rappeler, une semaine pour tel symptôme, un mois pour d'autres. Pour les pathologies vraiment aiguës, on les adresse au service d'urgences le plus proche. Quant aux diagnostics les plus délicats, elle les mettait en attente sous le prétexte fallacieux de chercher une infirmière disponible.

— Le télémarketing à l'envers, dis-je. Surtout, ne recourez pas à nos services.

— Voilà où on en est arrivé, convint Shacker. Sauf que Vita, elle, adorait son travail. « Lutter contre les fraudeurs et les faiblards », pour la citer.

— Pour les symptômes dus à son harcèlement, c'était une autre histoire, soulignai-je.

— Que voulez-vous que je vous dise, lâcha-t-il en souriant.

— De quel type de harcèlement s'agissait-il ?

— Pas d'agressivité physique. Elle était simplement en butte aux moqueries et plaisanteries de certains collègues. Selon Vita, elle s'en était plainte régulièrement à son supérieur, mais on l'ignorait. Elle réclamait cinq millions.

— Ça fait cher la raillerie. Quels étaient ses symptômes ?

— Troubles de la concentration, insomnies, perte d'appétit, problèmes digestifs, petites douleurs ici et là. Des phénomènes équivoques, peu susceptibles d'être confirmés par un examen médical, mais difficiles à réfuter. Comme la cause première alléguée était un trauma émotionnel, l'assureur de l'employeur a souhaité un avis autorisé sur son état psychologique.

— Quelles ont été vos conclusions ?

– Que ses allégations ne pouvaient être ni prouvées ni réfutées, et qu'elle présentait une certaine agressivité. Je n'ai pas fourni de diagnostic car ce n'était pas le but. Si on m'en avait demandé un, j'aurais pu dénicher quelque chose dans le répertoire des troubles mentaux, mais je ne suis pas de ces thérapeutes pour qui la méchanceté est une pathologie.

– En quoi était-elle méchante ?

Il croisa les bras.

– Puis-je vous livrer quelque chose en toute confidence, Alex ? Je ne tiens pas à ce qu'il y en ait une trace officielle.

– Absolument.

– Merci.

Il se mordilla la lèvre, tripota sa manche droite.

– Je pense que je n'ai jamais rencontré personne d'aussi désagréable que Vita. Je sais bien que nous ne sommes pas censés juger, mais inutile de se voiler la face, ça nous arrive à tous. Et puis Vita n'était pas du tout coopérative et ne cachait pas son mépris pour notre profession, ce qui n'arrangeait rien. Elle passait la plupart de nos séances à se plaindre que je lui faisais perdre son temps, qu'il ne fallait pas être bien futé pour constater qu'elle avait subi un lourd traumatisme. C'est tout juste si elle ne m'a pas traité de charlatan. Vous m'apprenez qu'elle a été tuée. Y a-t-il des signes d'une fureur assassine ? Car je l'imagine volontiers poussant quelqu'un à bout, au-delà du point de non-retour.

– Je suis moi aussi soumis à une obligation de réserve, Bern.

– Je vois. D'accord. Eh bien, je n'ai pas grand-chose de plus à vous dire.

– J'aimerais revenir au procès. A-t-elle précisé quel genre de moqueries et de plaisanteries elle subissait ?

– On lui collait le tiroir de son bureau, on cachait son casque-micro, on lui chipait ses friandises. Selon elle, ses collègues la surnommaient « la vache folle » et « miss Teigne ».

– Selon elle ? Vous pensez qu'elle en rajoutait.

– Je suis certain qu'elle était impopulaire, mais je n'ai pas d'autre élément que ses allégations. La question que j'avais en tête était la suivante : Dans quelle mesure l'hostilité a-t-elle été suscitée par son comportement ? Toutefois, ce n'était pas ma tâche d'y répondre. On m'a demandé mon avis sur une éventuelle simulation. Je n'ai pas pu me prononcer, mais il semblerait que ça leur ait suffi, vu qu'il y a eu transaction.

– Combien a-t-elle obtenu ?

– Pas cinq millions en tout cas. Je n'ai pas su les détails, mais l'avocat m'a confié qu'elle avait touché moins d'un million.

– Joli pactole, pour s'être fait coller le tiroir.

Shacker réprima un rire qui projeta son corps frêle en avant, comme si on l'avait poussé dans le dos.

– Veuillez m'excuser. C'est un drame horrible, mais ce que vous venez de dire… coller le tiroir. Je ne suis pas freudien, mais c'est une image parlante, non ? D'autant qu'on peut tout à fait décrire Vita comme quelqu'un de fermé. À tous points de vue.

– Pas de sexualité ?

– Vie sociale et amoureuse inexistante, d'après elle. Elle a même ajouté que ça lui convenait mieux ainsi. Vérité ou simple rationalisation ? Je ne sais pas. D'ailleurs, je ne peux rien affirmer sur elle avec certitude car je n'ai jamais eu le temps de rompre ses barrages. Au bout du compte, ça n'a pas eu d'importance : elle a obtenu ce qu'elle voulait. Voilà dans quel monde nous vivons, Alex. Des personnes vraiment malades tombent sur une Vita qui les empêche de se faire soigner, tandis qu'on verse de grosses sommes pour des dommages exagérés car c'est moins cher de transiger.

– Comment s'appelle l'avocat qui la représentait ?

– J'avais réclamé les documents officiels, mais je ne les ai jamais obtenus. J'ai dû me contenter d'un résumé de l'affaire fourni par l'assureur de l'employeur.

– Pourquoi tant de mystère ?

– Leur position était qu'il était nécessaire de garantir mon objectivité, au cas où mes conclusions seraient contestées. (L'expression de regret s'accentua dans son regard.) Avec le recul, je suis bien évidemment conscient qu'on s'est servi de moi. Je ne renouvellerai pas l'expérience.

– Quels renseignements personnels Vita vous a-t-elle fournis ?

– Pas grand-chose. Il a fallu lutter pour obtenir sa biographie. J'ai réussi à lui faire admettre, non sans peine, qu'elle avait eu une enfance difficile. Mais, là encore, on ne peut que se demander dans quelle mesure elle n'en était pas responsable.

– Une enfant pénible.

– Je mesure de plus en plus l'importance du tempérament. Chacun se voit distribuer certaines cartes, le tout est de savoir comment on les joue. Après avoir observé Vita Berlin, femme mûre, j'ai peine à imaginer une enfant heureuse et épanouie. Mais je peux me tromper. Peut-être que quelque chose l'a rendue amère.

– A-t-elle été mariée ?

– Elle a reconnu un mariage de jeunesse, mais a refusé d'en parler. Elle avait une sœur. Elles ont passé leur enfance aux environs de Chicago. Vita s'est installée à L.A. il y a dix ans parce qu'elle ne supportait plus le climat du Midwest. Mais elle ne se plaisait pas ici, où « les gens sont bêtes et superficiels ». Voyons, quoi d'autre ? Ah, oui : elle n'a pas eu d'enfants, détestait la marmaille. Un gâchis de sperme et d'ovule, pour reprendre son expression. Dites-moi, ça fait longtemps que vous travaillez pour la police ?

– Je ne suis pas salarié, plutôt un expert ponctuel.

– Cela doit être intéressant, un aperçu de la face sombre. Mais, avouons-le, je ne suis pas certain que j'arriverais à supporter ça. Pour dire la vérité, je ne suis pas très attiré par l'horreur. Ces épouvantables déséquilibres.

– Moi non plus, mentis-je. C'est la solution qui est gratifiante.

– J'ai l'impression que le profilage n'est qu'une fumisterie.

– La recette miracle, ça n'a jamais fonctionné. Je peux vous poser quelques questions supplémentaires sur Vita ?

– Comme ?

– Avait-elle des amis ou des centres d'intérêt ?

– J'ai l'impression qu'elle était très casanière.

– Avez-vous repéré des signes de dépendance ?

– Non. Pourquoi ?

– La police a retrouvé deux grandes bouteilles de bourbon chez elle. Dissimulées.

– Vraiment ? Comme quoi nul n'est infaillible, Alex. Je n'ai rien repéré. Cela dit, au vu des réticences de Vita, cela ne peut pas m'être reproché. Si c'est tout… dit-il en consultant sa montre.

– Combien de séances avez-vous eues ensemble ?

– Quelques-unes, six ou sept.

– Vous avez son dossier ?

– L'assureur a tout récupéré.

Le téléphone sonna sur le bureau. Il se leva pour décrocher.

– Dr Shacker… Ah, bonjour… Voyons, je peux vous caser aujourd'hui, si vous souhaitez… Oui, volontiers… C'est bien normal. Oui, nous verrons tout cela. (Il raccrocha.) Il y a une dernière chose, Alex. Je ne devrais sans doute pas vous le dire, mais elle a mentionné le nom d'une des collègues qui la harcelait. Samantha. Pas de nom de famille. Ça pourrait vous être utile ?

– Peut-être. Merci.

– Pas de problème. Maintenant, il faut retourner à notre vocation première, n'est-ce pas ? Ravi d'avoir fait votre connaissance, Alex.

8

En regagnant la Seville, je repensai au point d'inter-rogation dans le carton à pizza et cela m'évoqua un cas ancien qui m'était sorti de la tête. Alors que Milo avait cru à une provocation, peut-être s'agissait-il d'une véritable question. Je le joignis au poste.

– T'as pu arranger un rendez-vous avec le psy ?

– Je sors à l'instant de son cabinet.

Je lui résumai notre conversation.

– Des séquelles bidon dues à un harcèlement, une collègue prénommée Samantha. C'est un début. Merci, docteur.

– Malheureusement, Shacker est tenu par une clause de confidentialité. Il n'a pas pu me révéler pour quel assureur travaillait Vita.

– Well-Start, assurance-maladie et prévoyance. Votre bien-être commence chez nous.

– Ah.

– J'ai trouvé des papiers rangés dans un placard de la cuisine, dont ses déclarations d'impôts pour les cinq dernières années. Deux passées chez Well-Start. Avant, des boulots de secrétariat en intérim. En moyenne, elle gagnait dans les trente mille par an. L'an dernier, elle a déposé cinq cent quatre-vingt-trois mille dollars sur un compte titres. J'étais intrigué, mais tout s'explique :

un bon gros chèque, dommages et intérêts. Investi en actions privilégiées qui rapportent peu ou prou du six pour cent. Soit trente-trois mille dollars par an. Elle touchait plus qu'en bossant.

– Une situation qui n'était pas pour lui déplaire.

– Pouvoir consacrer ses journées à tourmenter les gens ? Ça correspond à ce que nous savons d'elle. Je vais tenter de retrouver cette Samantha et tous ceux que Vita accusait de l'avoir harcelée. En attendant, Reed et Binchy font le tour des pizzerias situées dans un rayon de dix kilomètres, au cas où l'une d'elles utiliserait ce type d'emballage. J'ai aussi contacté le fabricant. Avec un peu de bol, ils vendent aux particuliers et je vais découvrir qu'ils en ont livré à un type louche.

– À propos du point d'interrogation. Je ne suis pas certain qu'il s'agisse d'une provocation.

– Quoi, alors ?

– Notre méchant y voit peut-être une référence à lui-même. Genre, je suis d'une nature curieuse.

– À quel sujet ?

– Les mystères du corps humain.

– Leçon d'anatomie en autodidacte ? J'ai eu davantage l'impression qu'il avilissait la victime.

– C'est possible.

– Tu y vois vraiment une exploration gore ?

– Le côté ordonné, l'attention à la propreté, tout cela me rappelle un patient que j'ai vu il y a des années, quand j'étais en post-doc. Un garçon de dix ans, très intelligent, poli et bien élevé. Pas le moindre problème si ce n'est une cruauté assez monstrueuse envers les animaux. Les psychopathes sadiques commencent souvent par torturer de petites créatures, mais lui ne semblait pas retirer du plaisir à dominer ou infliger de la douleur. Il capturait des souris et des écureuils dans des pièges qui ne les faisaient pas souffrir, il leur plaquait un chiffon imbibé d'essence sur le museau jusqu'à ce que mort s'ensuive, en veillant à ne pas les mutiler. Je ne les serre pas plus qu'il faut, m'a-t-il confié. Je ne leur fais pas mal, ça serait méchant. Les convulsions de l'agonie le perturbaient. Il a frissonné quand je l'ai interrogé à ce sujet. Mais il voyait ce hobby comme une expérience scientifique légitime. Il disséquait méticuleusement les cadavres, prélevait les organes, en observait l'anatomie et réalisait des croquis. Les deux parents travaillaient à plein temps et ignoraient tout de son hobby. La baby-sitter l'a découvert qui jouait les chirurgiens derrière le garage et elle a paniqué. Les parents eux aussi étaient dans tous leurs états. Effrayé de la réaction des adultes, il a refusé de parler de ses agissements. On l'a envoyé à Langley Porter et c'est moi qui ai hérité du dossier. J'ai fini par obtenir qu'il s'exprime, mais cela a pris plusieurs mois. Il ne comprenait pas qu'on en fasse toute une histoire. On lui avait toujours répété que la curiosité était une qualité et il était curieux de comprendre comment fonctionnait un animal. Papa était physicien, maman microbiologiste, la science était la religion familiale. Il ne voyait pas en quoi il était si différent d'eux. En vérité, les deux parents avaient une personnalité assez particulière, ce qu'aujourd'hui l'on qualifierait de syndrome d'Asperger, et Kevin entrait aussi dans cette catégorie-là.

– Qu'as-tu proposé ?

– J'ai chargé un de nos pathologistes de lui donner des leçons d'anatomie, j'ai conseillé à ses parents de lui acheter des livres sur le sujet et je lui ai demandé de s'engager à cantonner son intérêt à la lecture. Il a accepté à contrecœur, en soulignant que dès qu'il en aurait l'âge il s'adonnerait à la biologie en laboratoire et tout le monde se féliciterait alors de son intelligence.

– On devrait peut-être chercher ce qu'est devenu ce petit génie.

– Je peux te le dire. À dix-sept ans, il a fait une chute mortelle pendant une randonnée dans les Sierras, à la recherche de spécimens. Sa mère a tenu à me prévenir car j'étais l'une des rares personnes dont son fils parlait de façon positive.

– J'ai peut-être affaire à un Kevin qui, lui, n'a pas été aidé.

– Un Kevin adulte mais prisonnier d'une enfance se situant quelque part entre le hautement excentrique et le pathologique. Les pulsions sont durables, or il dispose désormais de la force physique et de la maturité pour des expérimentations d'envergure. La précision que j'ai observée me dit qu'il n'en est pas à son coup d'essai, mais je n'ai relevé aucun précédent sur internet. Peut-être s'en est-il tenu jusqu'ici à la stratégie la plus optimale : dissimuler le cadavre ou s'en débarrasser.

– Pourquoi il déciderait soudain avec Vita de dévoiler ses prouesses au grand jour ?

– Il s'est lassé, il a besoin de pimenter la chose. Ou bien ce meurtre visait spécifiquement Vita. L'ex-mari ou la sœur auront peut-être un éclairage à fournir.

– Oui, mais nous allons commencer par écouter les explications de cette chère Samantha.

Sachant que Vita avait travaillé chez Well-Start, il ne fut pas difficile d'identifier celle qui l'avait tourmentée. En moins de temps qu'il n'en fallut à Robin pour se doucher, je repérai plusieurs photos sur le site consacré à la vie de l'entreprise, dont un cliché de groupe pris lors du dernier repas de Noël du service contrôle de qualité. Vingt-deux personnes d'allure quelconque, dont le travail consistait à compliquer l'existence des malades. Aucune n'arborait des cornes de diable. Aucune trace de culpabilité pour entamer l'esprit festif. À la tête du comité chargé d'organiser les réjouissances, Samantha Pelleter figurait sur trois photos. Quadragénaire blonde, petite et boulotte, large sourire. Si on l'avait choisie pour orchestrer la fête, c'est qu'elle démontrait des qualités de leadership, ce qui s'accordait avec un rôle de premier plan dans le harcèlement. Toutefois, elle n'avait pas du tout la carrure pour neutraliser une femme du gabarit de Vita. Mais un leader s'entoure souvent de subordonnés. Je rappelai Milo.

— Je viens moi-même de l'identifier, dit-il. J'ai rendez-vous avec elle demain à onze heures. J'imagine que tu n'as pas envie de rater ça ?

— Où dois-tu la rencontrer ?

— Chez elle. Elle a des horaires réduits pour cause de contraintes budgétaires. Je l'ai sentie morte de frousse d'avoir la police au bout du fil, mais elle n'a pas rechigné. Peut-être par curiosité. En tout cas, j'ai peine à contenir la mienne.

9

Il passa me prendre le lendemain matin.

— J'espère que tu as de quoi te boucher les oreilles. Elle habite à côté de l'aéroport. Carrément dans l'enfer des couloirs aériens. Voici sans doute l'explication.

Il me tendit deux documents. Le premier détaillait la solvabilité de Samantha Pelleter : deux banqueroutes au cours des dix dernières années, maison saisie à San Fernando, multiples cartes de crédit retirées. La deuxième feuille comportait des notes prises de la main de Milo : pas d'antécédents judiciaires, aucun bien immobilier, divorce enregistré auprès du comté six mois avant la perte de sa maison.

— Elle a un titre ronflant, dit Milo. Consultante en qualifications. C'est comme organiser la fête de Noël : bon pour l'orgueil, pas tant pour le portefeuille. Voilà une femme sur la pente descendante et je me demande si cela serait lié à de graves problèmes mentaux.

— J'ai trouvé une photo. Elle est petite.

— Je sais, j'ai vu le signalement physique. On peut en déduire qu'elle a un pote costaud. Par exemple, un autre collègue chez Well-Start que Vita aurait accusé.

— Meurtre par vengeance ?

— On ne fait pas plus classique comme mobile.

— Faut voir.

– Tu ne penses pas ?

– J'en sais trop peu pour penser.

– Comme si le vent pouvait ne pas souffler ! s'esclaffa-t-il.

Samantha Pelleter vivait dans un immeuble à un étage qui occupait la totalité d'un bloc, à proximité de Sepulveda Boulevard. Le stuc défraîchi avait la couleur du poulet congelé. Les avions à l'atterrissage projetaient une ombre terrifiante et rendaient la conversation illusoire, à se demander si l'angle d'approche avait été correctement calculé. L'odeur de kérosène imprégnait l'air et il n'y avait pas le moindre arbre à l'horizon. L'appartement de Pelleter était au rez-de-chaussée, dans la partie la plus à l'ouest du bâtiment. Milo venait à peine d'appuyer sur l'interphone que la porte d'entrée grésilla, signe qu'elle nous attendait. Pas dans la sérénité, à en juger d'après son expression et le pouce dont l'ongle venait d'être rongé. Milo se présenta.

– Bien sûr, bien sûr. Entrez, je vous en prie.

Intérieur modeste et mal éclairé, mobilier passe-partout. Assez semblable au domicile de Vita Berlin. La femme que celle-ci avait accusée d'avoir fomenté le harcèlement s'exprimait d'une voix tremblotante et se tenait recroquevillée, les épaules serrées, résignée comme une enfant s'attendant à recevoir une gifle. Ses yeux bleus étaient délavés, de même que son expression. Ses cheveux blonds avaient viré au gris ; courts et irréguliers, sans doute coupés par ses propres soins. Elle tripotait nerveusement le bord de son sweat rouge élimé. Un pendentif de verre d'une curieuse forme, ébréché et accroché à un lacet noir, était l'unique touche de coquetterie. Elle épousseta les

75

chaises pliantes qu'elle nous désigna et se précipita dans la kitchenette encombrée dont elle rapporta un plateau – pichet, deux tasses, café instantané, sachets de thé, vrai et faux sucre.

– L'eau est chaude. Comme ça, vous pouvez choisir entre thé et café, selon votre goût. Désolée, je n'ai que du déca.

– Merci, madame Pelleter, dit Milo.

Comme lui, je ne pris rien.

– Oh, j'ai oublié les cookies, fit-elle en pivotant.

Milo posa doucement la main sur son avant-bras, geste qui suffit à la pétrifier. Les yeux bleus devinrent gigantesques.

– Inutile de vous déranger. Merci bien. Asseyez-vous, que nous puissions discuter.

Elle tira sur son index, comme pour en retirer une bague inexistante, et s'exécuta.

– Parler de Vita ? Tout ça remonte à l'an dernier, je croyais que c'était terminé.

– Le procès.

– Il m'est défendu d'en parler. Désolée.

– Ça a dû être une épreuve, dis-je.

– Pas pour elle. Elle a touché le pactole. Nous, par contre… non, je ne peux rien dire.

– Ses accusations étaient fausses ?

– Totalement. Tout était faux. Je ne lui ai jamais rien fait.

– Et d'autres personnes chez Well-Start ?

– Je… mes collègues… Vita est vraiment quelqu'un de… je suis désolée, je n'ai pas le droit d'évoquer l'affaire.

– D'après ce que nous avons appris, dis-je, Vita s'entendait mal avec un peu tout le monde.

– Faut voir la garce que c'est ! lâcha-t-elle, rougissant aussitôt. Pardonnez-moi l'expression, c'est que Vita… m'exaspère.

– Vous dites « m'exaspère », au présent. Vous la voyez encore ?

– Hein ? Ah, non. Pas du tout. Je ne l'ai pas revue. Et je ne peux vraiment pas vous en dire plus. L'avocat nous a clairement signifié qu'on serait viré à la première incartade. Cette histoire a déjà trop coûté à la boîte. (Elle porta l'index à ses lèvres.) Je ne sais pas ce que j'ai, je n'arrête pas d'y repenser.

– Cela vous a perturbée, dis-je.

– Oui, mais excusez-moi, je ne peux… j'ai besoin de ce boulot. Vraiment très besoin. Déjà qu'on nous a réduits à vingt-cinq heures par semaine. Je suis navrée si vous avez perdu votre temps, mais je ne peux vraiment pas.

– Et si nous parlions de Vita en dehors du procès ? proposai-je.

– Je ne sais rien d'elle à part sa plainte. Et puis, que se passe-t-il ? Elle a sorti de nouvelles allégations ? Elle ne se satisfait pas de ce qu'elle a obtenu ? C'est quand même dingue ! Elle seule y a gagné quelque chose.

– Quelqu'un a-t-il été renvoyé par sa faute ?

Samantha Pelleter secoua la tête.

– La compagnie d'assurances ne voulait pas s'exposer à un nouveau procès. Mais nous y avons tous perdu nos primes.

– Alors que Vita s'est enrichie.

– La salope. Je ne comprends toujours pas ce qui vous amène.

Je fis signe à Milo.

– Vita s'est attiré des ennuis, dit-il.

– Ah bon ? Super.

Elle afficha un sourire convaincant, passa dans la kitchenette dont elle rapporta un paquet d'Oreo. Elle prit un biscuit et le grignota.

– Vous voulez dire qu'elle a tenté une nouvelle entourloupe avec des accusations bidon, mais cette fois elle s'est fait pincer ? reprit-elle. Vous cherchez à me faire dire qu'elle est un escroc ? Je ne demande pas mieux que vous aider, mais je ne peux pas.

– Une menteuse de première ?

– Vous n'avez pas idée.

– En dehors du procès, elle mentait à quel sujet ?

– On nous fournit des scénarios que nous sommes censés respecter. Vous croyez que Vita en tenait compte ? Pas le moins du monde.

– Elle improvisait.

– C'est le moins qu'on puisse dire ! Prenez par exemple tout ce qui s'apparente à une grippe. Pour commencer, on demande à l'assuré de lister ses symptômes. On est censé prendre notre temps, comme ça, si ce n'est rien de grave, le simple fait d'en parler fait comprendre à la personne que ce n'est pas bien méchant et elle peut renoncer à demander un rendez-vous. Si elle insiste, on lui conseille des médicaments sans ordonnance et de beaucoup boire. Soyons francs, cela suffit dans la plupart des cas. Quand l'assuré s'entête ou rappelle, on doit d'abord lui demander s'il a de la fièvre. S'il répond que non, on lui dit qu'il est sur la bonne voie, que le temps est le meilleur des remèdes. S'il insiste pour avoir un rendez-vous, on lui en propose un pendant les heures de bureau, et à condition d'obtenir l'accord de l'infirmière. Si cela ne suffit pas à le décourager, on l'inscrit sur la liste de rappel de l'infirmière. Vous voyez, il y a toute une procédure.

– Mais Vita ne s'en contentait pas.

– Non, elle y ajoutait ses propres idées, des conseils bien à elle. Comme essayez de ne plus penser à vos problèmes. De vous focaliser sur autre chose. Le stress est la cause de la plupart des symptômes, réfléchissez à votre cas personnel. Une fois, je l'ai entendue sortir à quelqu'un : « Allons, du nerf ! Un petit rhume, ce n'est pas grand-chose ! », ce genre-là.

– Comment réagissaient les gens ? demandai-je.

– Ils n'étaient pas contents. Des fois, Vita raccrochait avant qu'ils aient le temps de se plaindre, d'autres fois elle les laissait protester, mais en tenant le combiné comme ça, dit-elle en tendant le bras. Loin de son oreille. Un vague gazouillis sortait de l'écouteur, Vita souriait et les laissait parler dans le vide.

– Elle y prenait plaisir.

– Vita est l'une des personnes les plus méchantes que j'aie jamais rencontrées.

– Les assurés ne se plaignaient pas ?

– Je suis certaine qu'ils essayaient, mais ce n'est pas si simple. Nous ne communiquons jamais notre nom, et les numéros de poste sont réaffectés en permanence pour que les affiliés ne tombent pas deux fois sur le même conseiller.

– Le service au client avant tout, dis-je.

– Le but est de réduire les coûts, pour que les personnes vraiment malades puissent se faire soigner.

– Si vous avez entendu Vita improviser, c'est que votre poste était proche du sien.

– Nous étions l'une à côté de l'autre. Si j'étais plus maligne, je me serais tue. Mais je la trouvais gonflée de n'en faire qu'à sa tête, alors je me suis permis une remarque.

– Que lui avez-vous dit ?

– Vous savez, Vita, vous devriez vous en tenir au scénario.

Elle grimaça.

– Ça ne lui a pas plu, dis-je.

– En fait, elle m'a ignorée, comme si je n'existais pas. Genre, cause toujours. Mais quelques jours plus tard, elle était très remontée. C'est donc qu'elle l'a su.

– Su quoi ?

– J'ai été stupide, murmura-t-elle en détournant le regard. Parce que le travail me tient à cœur.

– Vous en avez parlé à quelqu'un.

– Pas à un chef, à un consultant, mais cette personne a dû la dénoncer, car Vita a été convoquée par un superviseur et quand elle a regagné son box, elle avait le regard fou, bouillant de rage. Rien ne s'est passé jusqu'à la première pause. À la reprise, la voilà qui s'en prend à moi, qui nous accuse, moi et d'autres collègues, de la martyriser. Soi-disant qu'on ne l'a jamais traitée humainement, que notre seul but est de la persécuter.

– Comment avez-vous réagi ?

– Je n'ai rien fait, j'étais estomaquée. Non, je ne dois pas vous en parler. S'il vous plaît, plus de questions.

Milo s'approcha d'elle.

– Je vous promets, Samantha, que ce que vous nous dites n'arrivera pas aux oreilles des avocats.

– Comment voulez-vous que j'en sois sûre ? Je n'ai jamais mouchardé sur Vita, mais elle était persuadée du contraire et c'est ce qui a tout déclenché.

Il avança un peu plus, ses genoux n'étaient plus qu'à un ou deux centimètres de ceux de Samantha.

– Nous savons garder un secret.

– Si vous le dites. Alors, à quel genre d'escroquerie s'est-elle livrée cette fois-ci ?

– Je sais que vous ne l'avez pas harcelée, Samantha, mais avait-elle des problèmes avec un autre consultant ?

– Personne ne l'appréciait. On récolte ce que l'on sème.

– Aucun collègue avec qui l'incompatibilité astrologique était totale ?

– Les gens prenaient soin de l'éviter, mais personne ne la harcelait. Vraiment personne. Qu'a-t-elle fait pour que vous vous intéressiez tant à cette histoire ?

– Rien.

– Rien ? Vous m'avez pourtant dit qu'elle s'est attiré des ennuis.

– Tout à fait. Les pires ennuis qui soient.

– Je ne comprends pas.

– Vita est morte, Samantha.

– Quoi ? Comment ?

– Quelqu'un l'a tuée.

– Qu'est-ce que vous dites ? Mais c'est impensable…

Milo resta muet. Elle se précipita dans la kitchenette, contempla le frigo, revint et se malaxa les mains.

– Elle a été tuée ? Oh mon Dieu, oh mon Dieu, oh mon Dieu ! Tuée ? Quelqu'un l'a tuée ? Vraiment ? Qui ça ? Quand ça ?

– Nous ignorons qui, Samantha. Le crime a été commis avant-hier soir.

– Dans ce cas, pourquoi ?… Oh mon Dieu, non… pas ça ! Vous ne pouvez pas croire que je… jamais je ne… enfin, elle m'est… m'était… insupportable, mais jamais je ne… non, non, non ! Jamais de la vie !

81

– Nous interrogeons tous ceux qui ont un lien avec le passé de Vita.

– Je n'appartiens pas à son passé. Je vous en supplie. Je n'en peux plus.

– Désolé de vous perturber, Samantha…

– Il y a de quoi ! Forcément que je suis perturbée, très perturbée. Que vous puissiez penser ça ? Que vous puissiez imaginer…

– Rasseyez-vous, s'il vous plaît. Que nous puissions clarifier ces choses au plus vite et vous laisser tranquille.

Il indiqua la chaise qu'elle occupait auparavant. Elle la fixa, s'y laissa tomber.

– J'ai eu plus de stress qu'il ne m'en faut. Je suis à bout. Pour commencer, mon ordure de mari m'a trompée avec celle qui se prétendait mon amie. Ensuite, le fumier m'a quittée en me laissant quantité de dettes dont j'ignorais tout. J'y ai perdu ma maison et ma solvabilité. Vous voulez savoir quel était mon train de vie ? J'avais une maison de trois chambres à Tujunga, un cheval que je montais à Shadow Hills, un Jeep Wagoneer. Et vous voilà qui débarquez ici en imaginant d'horribles choses sur mon compte. Si vous en parlez à mon employeur, je vais aussi perdre mon travail.

– Personne ne vous soupçonne, Samantha, dit Milo. C'est une simple visite de routine. Même si la question peut paraître insensée, je dois vous la poser. Où avez-vous passé la soirée d'avant-hier ?

– Où ça ? Ici, forcément. Je ne sors jamais. Ça coûte de l'argent de sortir. Donc je regarde la télé. Avant, j'avais un écran plat de cinquante pouces. Maintenant, je me contente du tout petit moniteur de mon ordinateur, dans ma chambre. Tout est devenu petit. Je mène une petite vie de rien du tout.

Elle se plaqua la main sur la bouche et se mit à pleurer. Une peine dont Vita Berlin était la cause, à défaut d'en être l'objet. Milo alla remplir un verre d'eau dans la cuisine. Quand les larmes cessèrent, il posa une grosse paluche sur le bras de Samantha et lui présenta le verre. Elle but et s'essuya les yeux.

– Merci.

– C'est nous qui vous remercions de votre patience, Samantha. Maintenant, il faut nous donner les noms des collègues que Vita Berlin a accusés de l'avoir harcelée.

Alors que je m'attendais à une certaine résistance, Samantha Pelleter afficha un rictus, sourire difficile à qualifier.

– Tout de suite. Je vais vous noter ça. Le moment est venu de me soucier de moi. Les problèmes des autres, je m'en moque.

Elle prit un papier et un stylo dans un tiroir, griffonna rapidement la liste de noms et tendit la feuille à Milo, telle l'élève rendant sa copie :

1. *Cleve Dawkins*
2. *Andrew Montoya*
3. *Candace Baumgartner*
4. *Zane Banion*

– Merci, Samantha. Parmi ces personnes, certaines ont-elles une force physique hors du commun ?

– Oui. Zane est grand et costaud. Il est gros, mais il a été footballeur. Andrew est à fond dans le fitness. Il vient au travail à vélo. Il dit que les gens tomberaient moins malades s'ils prenaient mieux soin d'eux.

– Cleve et Candace ?

– Ils sont dans la norme.

– Eux s'en tiennent au scénario imposé.

– Comme nous tous. Sinon, à quoi bon en avoir un ?

Milo prit Sepulveda en direction du nord.

– Muette comme une carpe. Mais dès que la dame s'est sentie menacée, elle n'a pas hésité à balancer ses petits camarades. Des signaux d'alerte ?

– En tant que psychologue, sa fragilité m'interpelle. En tant que ton larbin, je ne vois pas en elle un suspect.

– Larbin ? Moi qui te voyais plutôt comme un sage ou un expert.

– Tu connais l'histoire du coq insupportable qui n'arrêtait pas d'embêter les poules de la basse-cour ? Le fermier a été obligé de prendre des mesures : il a châtré le coq, qui de ce fait est devenu expert.

Il gloussa.

– Va pour sage, alors. À moins que tu n'aies une autre histoire...

– Tu connais l'histoire du coq qui embêtait les poules ?

– Je vois que monsieur est en forme. De toute manière, je suis d'accord avec toi. S'il y en a une qui n'a ni le cran, ni la force, ni la ruse dont a fait preuve l'assassin de Vita, c'est bien cette chère Samantha. Mais peut-être que nous trouverons notre bonheur parmi les autres lascars qui bossent chez Well-Start.

Il contacta Moe Reed, lui livra les quatre noms et demanda les vérifications d'usage.

– Parfait, chef. Pour l'instant, j'ai fait chou blanc avec le carton à pizza, mais Sean est toujours sur le terrain. Les services du coroner vous ont appelé. Les résultats des analyses de Berlin sont dispos.

– Ça me semble un peu rapide pour la toxico.

– Ils ont dû la traiter en priorité.

– Non, je parle d'un point de vue strictement technique, Moses.

– Oui, en effet. Bon, je vais me pencher sur ces zozos. Je vous rappelle si je tombe sur quoi que ce soit.

Milo raccrocha et appuya sur la touche d'un numéro mémorisé.

– Oui, Milo ? fit le Dr Clarice Jernigan.

– Les résultats sont déjà là ?

– Qui vous a dit ça ?

– C'est le message qu'on m'a transmis.

– Génial, grommela Jernigan. J'ai une nouvelle secrétaire qui regarde un peu trop les séries policières. Elle abuse du jargon. Désolée pour les faux espoirs. La toxicologie prendra plusieurs semaines. En fait, j'appelais à propos du taux d'alcool dans le sang de votre victime. Vous pourrez peut-être vous passer des analyses complètes. Elle était à 2,6 grammes, plus de trois fois le taux légal. Elle avait beau être une grande alcoolique, l'état de son foie en témoigne, elle était hautement vulnérable. Donc, inutile de recourir à une autre substance pour la neutraliser.

– Elle était soûle.

– Comme le proverbial mammifère rose à queue en tire-bouchon.

– Si vous avez vu le foie, c'est que vous avez pratiqué l'autopsie ?

– Pas encore, mais j'ai pu examiner à l'œil nu certains organes, grâce au tueur. Après avoir retiré le sang coagulé, dont j'estime qu'il correspond à peu près entièrement au volume présent au départ. Votre meurtrier a agi avec beaucoup de minutie, il n'a pratiquement répandu aucune goutte.

– Peut-on en déduire une formation médicale ?

– Ce n'est pas exclu, mais non, pas besoin d'un tel niveau de compétence.

– Besoin de quoi, alors ?

– La force et la confiance pour pratiquer deux incisions avec une lame aiguisée, et les tripes bien accrochées pour tailler les intestins. À la portée du premier boucher venu, ou d'un chasseur. Ou encore n'importe quel esprit tordu avec le savoir-faire. Il suffit de chercher sur le net, les cinglés y trouvent leur bonheur. Quoi qu'il en soit, je n'ai pas eu à découper le foie pour savoir qu'il était fortement cirrhotique. Gris et graisseux, pour l'essentiel. Pas joli à voir. Mais bon, comme je vous l'ai déjà dit, même pour une éponge, à 2,6 grammes dans le sang ses facultés devaient être sérieusement entamées : jugement, temps de réaction, coordination, force. Simple comme bonjour de la neutraliser. Interrogez le Dr Delaware la prochaine fois que vous le voyez, il pourra vous fournir des éléments de comportement.

– Je suis là, Clarice, me manifestai-je.

– Ah, bonjour. Vous confirmez ?

– Entièrement.

– Tant mieux. Un peu d'harmonie ne nuit pas ! Milo, je vais faire tout mon possible pour que l'autopsie soit réglée d'ici demain. Comme je suis en déplacement, un de mes adjoints s'en chargera, mais je resterai vigilante.

– Merci.

– Cela dit, ne vous attendez pas à des conclusions fracassantes. Elle est morte d'une fracture du cou, longtemps avant d'être charcutée.

– C'est-à-dire, longtemps ?

– Le temps que le sang stagne. Une affaire de minutes, pas d'heures. J'imagine votre cinglé qui

attend à côté du cadavre. Il a dû trouver ça jouissif.
Qu'en pensez-vous, Alex ?

– Une analyse très sensée.

– Si seulement mes ados pouvaient vous entendre !
Maman n'a pas toujours tort ! Salut, messieurs.

10

Milo ne se manifesta pas les trois jours suivants. Le matin du quatrième, il se présenta à la maison, attaché-case en vinyle à la main, vêtu d'un costume de polyester noir dont la veste était affublée de revers comme on en faisait il y a vingt ans, et d'une cravate couleur citrouille.

– Oui, oui, joyeux Halloween, marmonna-t-il en tripotant le rabat à bouton d'une poche. Tout finit par revenir à la mode, à condition de vivre assez longtemps.

Difficile de décrypter ses émotions. Il fila vers la cuisine où il se livra aux opérations de reconnaissance habituelles. Comme Robin et moi étions beaucoup sortis au restaurant ces derniers temps, il y avait peu de restes dans le frigo. Milo se contenta de ce qu'il put dénicher : une bière, du pain de mie, divers pots de condiments – mayonnaise, sauce barbecue, Tabasco, moutarde, raifort – et trois saucisses d'agneau depuis longtemps oubliées dans le fond du congélateur et dont le micro-ondes eut raison. Il prit quelques bouchées du sandwich de fortune qui en résulta, suivies d'une longue gorgée de Grolsch.

– Bonjour, mes chers élèves. Le verbe du jour est « piétiner ». Qui saurait me le conjuguer ? (Nouvelle lampée.) Aucune *pisséria* des environs n'utilise ce type d'emballage et les prétendus bourreaux de chez Well-Start ont tous un alibi. De toute façon, aucun n'était franchement prometteur. La femme approche de la soixantaine et gardait son petit-fils. Le dingue de fitness faisait une cyclo-randonnée nocturne dans Griffith Park, les membres de son club attestent sa présence. Quant au type décrit comme grand et costaud, il est franchement obèse – près de cent trente kilos – et surtout il se déplace avec une canne et doit recourir à un inhalateur. Le soir du meurtre, il participait au dîner d'anniversaire de sa grand-mère, comme l'a confirmé le serveur affecté à sa table. Le dernier lascar est un gringalet, soixante kilos tout habillé, qui porte des culs de bouteille et se trouvait aux urgences pour sa gamine le soir en question. Une sorte de réaction allergique après avoir mangé des crevettes. L'infirmière et l'interne de garde certifient que lui et son épouse n'ont pas quitté le chevet de la gosse, laquelle a été gardée une nuit en observation. (Goulot à ses lèvres.) J'ai résisté à la tentation de demander si papa avait donné son feu vert pour les soins. Tous les quatre m'ont soutenu que le procès les avait pris de court et ils ont refusé d'en parler. J'aurais bien voulu joindre quelqu'un au siège de Well-Start, mais on m'a fait lanterner. Quelle surprise ! J'ai mis Sean sur le coup, car lui ne se décourage pas facilement, même quand ça devient frustrant et rébarbatif, ou qu'il faut se farcir des connards robotisés.

Il édifia un nouveau sandwich branlant et l'engloutit.

– J'ai reçu ce matin les conclusions de l'autopsie. Sans surprise, comme l'avait annoncé Clarice.

Il déchira une tranche de pain en deux, la roula en boule et la goba.

– Où est Robin ?

– Elle travaille dans son atelier.

– Je l'envie d'être productive. J'ai pu localiser la sœur de Vita en épluchant les appels. Il a fallu que je remonte un mois en arrière pour en trouver un en provenance de l'Illinois. Autant dire qu'elles ne se parlaient pas très souvent. La sœur s'appelle Patricia et vit à Evanston. Elle avait appelé pour l'anniversaire de Vita et a pris soin de souligner que ce n'était pas sa sœur qui lui souhaiterait le sien.

– Elle te l'a dit avant ou après avoir appris que Vita était morte ?

– Après.

– Pas bouleversée. Comment a-t-elle réagi à la nouvelle ?

– Stupéfaite au début, mais ça lui a vite passé. Capable d'y réfléchir froidement. Genre : hum, qui serait capable d'en arriver là ? Et elle m'a vite fourni la réponse. Si j'avais à parier, je dirais Jay. Il ne pouvait pas supporter Vita.

– L'ex-mari ?

– Bingo. Voilà pourquoi tout le monde te donne du « docteur » et se prosterne bien bas dès que tu pénètres dans une pièce. Il se trouve que le monsieur a un casier, notamment des faits de violence. Vita et Jackson Junius Sloat, dit Jay, ont divorcé il y a quinze ans, mais d'après Patricia le litige financier s'est éternisé. Il habite L.A., à Los Feliz, soit à quarante minutes en voiture de l'appartement de Vita.

– Ils se détestent, divorcent et trouvent le moyen de s'installer dans la même ville ?

– Curieux, non ? Il pourrait s'agir d'une de ces histoires obsessionnelles, amour et haine entremêlés. En tout cas, la prochaine étape est une petite visite à ce brave Jay. Mais, si c'est lui le coupable, il doit être retors et manipulateur, et en tant qu'ex il doit s'attendre à notre venue. Je me suis donc dit que je ferais appel à ton cerveau colossal pour mettre au point une stratégie.

– Quand penses-tu l'interroger ?

– Dès que tu auras terminé de pontifier. Il bosse à Brentwood. J'espère le trouver au travail ou chez lui.

– Que fait-il dans la vie ?

– Vendeur dans une boutique de fringues de luxe. (Il prit son calepin dans l'attaché-case.) Domenico Valli.

– C'est pour ça que tu t'es fait chic.

– Tout le contraire, dit-il en caressant un revers de sa veste, des bouts de fibre restant collés à ses doigts. Il me prendra de haut du fait de mon accoutrement, baissera peut-être la garde.

J'eus un petit rire.

– Comment se présente son casier ?

– Quelques broutilles au volant, conduite sans permis, plusieurs dépassements du taux légal d'alcoolémie comme tout bon marginal qui se respecte. Plus sérieux, coups et blessures aggravés à deux reprises, dont une fois avec un pied-de-biche.

– À qui s'en est-il pris ?

– Un client dans un bar. Ils ont eu des mots. Sloat l'a suivi dehors et lui a mis une raclée, mais lui aussi a été sérieusement blessé. Ce qui lui a permis d'alléguer qu'il se défendait et peut-être y avait-il une part de vérité car les charges ont été abandonnées. L'autre incident s'est déroulé à l'intérieur d'un bar et à poings nus. Sloat a bénéficié d'un plaider coupable, peine de quatre-vingt-dix jours à la prison du comté, libéré au bout de vingt-six.

– Un tempérament violent qui interroge. Deux fois dans des bars, signe qu'il a peut-être un problème d'alcool. Un point commun avec Vita. Surtout, il était bien placé pour connaître ses habitudes, savoir qu'elle buvait le soir, ce qui la rendait vulnérable. Et s'ils alternaient entre haine et amour, il a pu la persuader de lui ouvrir.

— Oui, il se pointe avec ce qui ressemble à une pizza. « Tu m'as manqué, chérie. Tu te rappelles le bon vieux temps, quand on partageait une pizza extra-large, saucisse et pepperoni ? » (Il fit tourner la bouteille de bière entre ses paumes.) Pourtant, tout semble indiquer que Vita était méfiante, limite parano. Tu penses qu'elle se laisserait avoir par une telle ruse ?

— Avec l'incitation du Jack Daniel's et des bons souvenirs ? Peut-être.

— Le bon vieux temps commence à dater. Les relevés téléphoniques que j'ai obtenus portent sur dix-huit mois et le numéro de Jay n'y figure pas.

— Il existe d'autres moyens de renouer, dis-je. Vita a recouru aux tribunaux au moins une fois en s'en voyant récompensée.

— Elle persiste à le traîner en justice ? Oui, voilà qui pourrait attiser la colère.

Il appela le procureur adjoint John Nguyen et lui demanda si l'on avait la trace d'une procédure judiciaire entre une certaine Vita Gertrude Berlin et un certain Jackson Junius Sloat.

— Je peux déjà lancer une recherche rapide sur les cinq dernières années.

— Parfait, John.

— Une seconde… non, rien du tout. Berlin, c'est ton affaire sordide ? Qu'est-ce que ça donne ?

— Rien de très probant.

— On en a discuté au bureau. Un crime aussi tordu, il pourrait s'agir du coup d'essai d'un serial killer frappadingue.

– Je croyais que tu étais un ami, John.

– Je ne te souhaite pas que ça en arrive là, je me contente de te répéter ce que j'ai entendu. Et s'il y a des fuites, ça ne vient pas de chez nous. Les flics ne savent pas tenir leur langue.

– J'aimerais pouvoir te contredire, soupira Milo. Autre chose qu'il serait préférable que je sache ?

– Il y en a chez nous qui croisent les doigts pour que ce soit un serial killer. Ça se positionne déjà pour récupérer le dossier, le genre d'affaire qui peut lancer une carrière.

– Mais si tu le réclames, c'est pour toi.

Nguyen pouffa.

– Comme Bob Ivey a pris sa retraite, je suis premier adjoint. Autrement dit, même si c'est le patron qui s'en charge officiellement, le vrai boulot sera pour moi. Donc, tiens-moi au courant.

– À condition que tu pries pour moi, John. Je me contenterai même d'une petite offrande à Bouddha.

– Je suis athée.

– Je ne vais pas faire la fine bouche.

11

Pendant qu'il finissait de manger puis faisait la vaisselle, je livrai à Milo quelques suggestions pour aborder Jay Sloat. Inutile de le menacer, commencer par souligner, avant de lui apprendre le meurtre de Vita, qu'il n'était pas un suspect, plutôt quelqu'un susceptible de lui fournir de précieux renseignements. Quelles que soient ses réponses verbales, être particulièrement attentif à la gestuelle de Sloat. Les psychopathes sont certes moins sujets à l'angoisse que la moyenne, mais leur absence totale d'émotions n'est qu'un mythe. Les êtres asociaux les plus intelligents et froidement calculateurs évitent tout bonnement la violence, stratégie bien trop stupide. Leur visage orne souvent les affiches électorales. Ceux qui ont un QI légèrement inférieur ne peuvent assouvir leurs pulsions qu'après s'être motivés grâce à l'alcool ou la drogue, ou en se répétant les mantras haineux qui leur tiennent lieu de justification. Ainsi, si Jay Sloat avait effectivement trucidé son ex et à moins qu'il ne soit le plus imperturbable des assassins, la simple évocation du meurtre pourrait provoquer un signe physique : palpitations sur le cou, contraction des pupilles, tension musculaire, légère transpiration à la naissance des cheveux, accélération des battements de cils.

– En gros, je suis le détecteur de mensonges.
– Comme toujours, non ?
– Et si Sloat n'a aucune réaction ?
– Ça aussi, c'est une indication.

Je ne lui avais rien dit qu'il ne sache déjà, mais il parut plus détendu pendant le trajet vers Brentwood. Peut-être l'effet des sandwichs. Domenico Valli Mode masculine était situé dans 26th Street, au sud de San Vicente Boulevard, pile en face du marché couvert de Brentwood. La boutique était flanquée d'un côté d'un restaurant dont le chef était la coqueluche du moment et de l'autre d'un magasin de vêtements à dix mille dollars et plus pour fils et filles à papa. La déco était pensée, boiseries d'érable d'un grain qualité lutherie et parquet de fines lattes de chêne noir. La sono diffusait de la techno feutrée. L'éclairage était dispensé par des rampes de spots en inox. La marchandise était proposée avec parcimonie, telles des œuvres d'art. Quelques costumes, une sélection choisie de vestes décontractées, des articles de cachemire et de brocart disposés sur de petites tables métalliques dignes d'une morgue, à la manière d'offrandes sur un autel. Un présentoir mural arborait chaussures et bottes luisantes, rien que du cousu main, et des chaussons de satin noir ornés d'une couronne dorée. Aucun client pour profiter de tout ce chic. Installé à un bureau en acier, un homme se livrait à des tâches administratives. La cinquantaine, grand, large d'épaules. Visage au bronzage artificiel, dominé par un gros nez épaté. Cheveux gris, frange à la Jules César qui ne parvenait pas entièrement à dissimuler une calvitie naissante. Lèvres contractées en un trait d'union, touffe de poils blancs dans le renfoncement en dessous, pointue comme une stalactite.

— Je peux vous aider ? dit-il en relevant les yeux.

— Nous cherchons Jay Sloat.

Il se renfrogna, se leva et contourna le bureau. À peine plus petit que Milo et son mètre quatre-vingt-cinq, même carrure. Chemise en chambray délavé à boutons de nacre, portée par-dessus un jean moulant noir, santiags en daim gris, diamant au lobe de l'oreille gauche. Beaucoup de muscle, mais aussi les bourrelets qui viennent avec l'âge.

— Vous fatiguez pas, je devine que vous êtes flics. J'ai rien fait. Qu'est-ce qui me vaut cette visite ?

Accent prononcé du Midwest, marqué de légères intonations slaves.

— Lieutenant Sturgis. Bonjour, monsieur.

Sloat observa la main que Milo lui tendait, la serra brièvement avant de retirer sa grosse paluche.

— Parfait, on a fait copain-copain. Maintenant, vous pouvez m'expliquer ce qui se passe ?

— Désolé de vous avoir inquiété, monsieur. Ce n'était pas notre intention.

— Je ne suis pas inquiet. Enfin, pas pour moi, vu que j'ai rien à me reprocher. C'est juste que je comprends pas pourquoi les flics viennent m'embêter au boulot. Merde, fit-il en plissant le front. Me dites pas que vous êtes là à propos de George. Je n'ai rien à vous dire. Je bosse pour lui, c'est tout.

Milo resta muet. Sloat joignit les mains, comme en prière.

— S'il vous plaît, dites-moi que vous n'êtes pas ici pour George. Alors ? J'ai vraiment besoin de ce boulot.

– Non, nous ne sommes pas là pour lui. George est le propriétaire ?

Sloat expira, se détendit.

– Tant mieux si c'est pas pour lui. Parfait. Alors, c'est quoi le problème ?

Milo répéta sa question.

– Oui, George Hassan est le patron. Un type réglo.

– Quelle raison aurions-nous de nous intéresser à lui ?

– Aucune raison.

– Aucune ? Pourtant, vous avez tout de suite pensé à lui.

Les yeux marron de Sloat s'étrécirent à la taille de ceux d'un cochon tandis qu'il détaillait Milo, puis moi, et Milo à nouveau.

– George est en train de divorcer et ça se passe mal. Sa femme est persuadée qu'il cherche à l'avoir. Elle le menace d'obtenir la fermeture du magasin s'il ne lui montre pas les comptes. La semaine dernière, elle nous a envoyé un privé qui s'est fait passer pour un client. Ce nul me sort : « Vous n'auriez pas d'autres costumes en laine peignée, comme ceux dans le fond là-bas ? » De la laine peignée ! Non mais, je rêve ! Je lui ai renvoyé : « Hé, Sherlock, si tu veux vraiment essayer quelque chose, parfait. Mais si t'es là pour faire mumuse, alors va jouer ailleurs ! » Le gars a blêmi et il a filé sans demander son reste !

Sourire aux lèvres, Sloat fit un clin d'œil. Son visage bronzé était plus détendu qu'à notre arrivée – il avait retrouvé de l'assurance à nous raconter ce fait d'armes.

– Entendu, fit Milo. Notre affaire n'a rien à voir avec George.

– Quoi, alors ?

– Nous sommes ici au sujet de votre ex-femme.

Les muscles des maxillaires de Sloat s'étirèrent, ses pupilles se dilatèrent.

– Quel est le problème ?

– Elle est morte.

– Vita est morte ? Si les flics s'en mêlent... merde. Qu'est-il arrivé ?

– Elle a été assassinée.

– J'avais pigé. Qui ? Quand ? Comment ?

Milo décompta les réponses sur ses doigts.

– On n'en sait rien. Il y a cinq jours. Pas jojo.

– Ça alors, fit Sloat d'une petite voix presque enfantine, en caressant la touffe de poils sur son menton. Quelqu'un s'est enfin fait la connasse.

Nul commentaire de notre part.

– J'ai besoin d'une clope, dit-il. Allons dehors.

– D'accord, convint Milo.

Sloat prit un paquet de Nat Sherman sur le bureau et nous précéda à l'extérieur. Il se posta devant la vitrine et alluma sa cigarette avec un briquet plaqué or.

– C'est défendu de fumer à l'intérieur. George ne veut pas que la marchandise prenne l'odeur.

Milo patienta pendant quelques bouffées avant de s'exprimer.

– Quelqu'un s'est enfin fait la connasse. Pour vous, ce n'est donc pas une mauvaise nouvelle.

– Ça fait un bail qu'on est séparés, Vita et moi.

– Quinze ans.

Milo lui cita la date précise du jugement. Sloat eut un mouvement de recul.

– Quoi ? Vous fouillez dans mon passé ?

– Nous nous intéressons à la vie de Vita, monsieur. Votre nom est apparu.

– Alors, vous êtes au courant pour mes arrestations ?

– Oui.

– Et vous avez compris que c'était bidon, des crétins qui me cherchaient des noises et qu'ont pas été déçus du voyage.

Aucune contestation de notre part.

– Je m'y connais grâce aux émissions que je regarde, fit Sloat. Compris, c'est moi l'ex. Vous me soupçonnez de l'avoir tuée.

– Quelles émissions ?

– Les séries policières, aussi les trucs sur les faits divers… Ça m'aide à m'endormir. (Petit sourire.) Quand j'ai personne pour me border.

– Vous avez souvent de la compagnie ?

– La foufoune, je prends tout ce qui se présente ! C'est bon pour le teint ! pouffa-t-il. La semaine dernière, j'y ai eu droit tous les soirs, y compris il y a cinq jours.

– Avec qui ?

– Une meuf qui m'a chevauché comme un étalon de rodéo et c'était carrément le pied.

– Un nom ?

– La dame est mariée.

– Nous savons être discrets, Jay.

– Je n'en doute pas. À la télé, les flics n'arrêtent pas de rompre leurs promesses. De toute façon, pourquoi me faudrait-il un alibi ? Comme vous l'avez dit vous-même, ça remonte à quinze ans. Vita vivait sa vie et je n'avais plus rien à voir avec elle.

– Le divorce date d'il y a quinze ans. Mais d'après nos recherches, la guerre s'est poursuivie.

– Okay. Elle a continué à me faire chier pendant quelque temps, puis ça s'est tassé. Ça fait un bail que je l'ai pas revue.

– Vous pourriez préciser combien a duré le quelque temps, Jay ?

– Voyons… la dernière fois que la salope m'a traîné en justice… je dirais que c'était il y a six ou sept ans.

Cohérent avec le fait que Nguyen n'ait rien trouvé pour les cinq dernières années.

– Que voulait-elle ?

– À votre avis ? Encore du pognon.

– A-t-elle obtenu gain de cause ?

– Elle a eu droit à une petite rallonge. Je ne suis pas Crésus.

– La dernière fois que vous l'avez vue, c'était quand ?

– Juste après, peut-être un mois. La garce me fait un procès et elle a le culot de débarquer en pleine nuit.

– Pourquoi ?

– À votre avis ? Un bon coup, ce vieux Jay !

– Elle vous poursuit en justice, puis elle vous propose un plan cul, dit Milo.

– Une vraie folle. Et puis les vieilles habitudes ont la vie dure. (Il bomba le torse.) Quand on a connu Jay, pas facile de décrocher !

Il rit et tira goulûment sur sa clope. Aucune trace de sueur à la naissance des cheveux, aucun tremblement des mains ou des lèvres.

– Vita a tout de même réussi à décrocher pendant six ou sept ans, notai-je.

Sloat se rembrunit.

– C'est moi qui ai rompu, pas elle. Le soir où elle est passée, j'ai refusé de la faire entrer et je lui ai dit que si jamais elle recommençait j'obtiendrais une ordonnance lui interdisant tout contact et je la baiserais quelque chose de bien devant les tribunaux !

– Comme les deux types dans les bars.

– Exact et j'en ai pas honte. À Chicago, je bossais comme dispatcheur pour un transporteur. Ils m'ont entubé, on a filé les meilleurs horaires à un minable qui avait graissé la patte au responsable, et moi je me retrouvais à bosser de nuit alors que j'avais dix ans d'ancienneté. Je leur ai fait un procès et j'ai gagné. Une autre fois, un de nos frères de couleur a embouti ma carrosserie. J'avais une Mercedes décapotable, un petit bijou gris métallisé, très agréable à conduire. L'autre bronzé regardait pas la route et pan ! Tout le monde m'a dit de laisser tomber, que ces gens-là ne sont jamais assurés, que c'était peine perdue. Moi, j'ai dit pas question ! et je lui ai collé un procès au cul. Mon avocat a découvert que sa mère avait acheté une bicoque qu'elle lui avait en partie léguée. On a engagé la saisie de la baraque et le type a casqué.

– Vous aimez les procès.

– J'aime surtout défendre mes droits. Là, tout de suite, je sais quels sont mes droits. Rien ne m'oblige à vous parler. Mais c'est cool, vous m'embêtez pas. Je suis totalement innocent du meurtre de Vita. Faites-moi confiance, cette garce était largement capable d'y veiller toute seule !

– Vous pensez qu'elle a organisé son propre meurtre ?

– Non, pas du tout. Je dis juste qu'il n'y avait pas pire salope qu'elle. Pareille que Cruella machin chose… vous voyez, dans le dessin animé ? Elle s'est forcément mise à dos un tas de gens. Vita n'avait qu'à être elle-même. Tôt ou tard, quelqu'un en aurait sa claque.

– Des noms à nous souffler ?

– Non. Vita ne faisait plus partie de ma vie, je n'ai aucune idée de qui elle fréquentait.

– Revenons en arrière, dis-je. À l'époque où vous vous voyiez encore, avait-elle des ennemis ?

– Des ennemis ? lâcha Sloat. Promenez-vous dans la rue et prenez n'importe qui au hasard. Il suffisait de connaître cette salope pour la détester.

– Vous l'avez épousée.

– Quand on s'est mariés, je l'avais dans la peau. Puis je l'ai haïe.

– Elle était différente avant.

– Non. Je croyais juste qu'elle l'était. Mais elle m'a eu, vous pigez ?

– Elle était gentille, dis-je.

– Non, Vita n'était jamais gentille. Elle cachait son côté salope en la jouant profil bas, vous comprenez ?

– C'est-à-dire ?

– Par sa froideur. Elle était hyperglaciale. Elle avait cette façon de vous regarder, genre : « Je suis une salope, mais je veux bien te sucer quand même. » Rien à dire, elle assurait. À l'époque, elle était bonne et pas mal foutue. Grande, froide et anguleuse. Miss Everest, que je l'appelais. Puis elle a cessé de jouer la comédie. Pourquoi se faire chier quand on peut être une salope sur toute la ligne ?

– L'attirance est retombée.

– J'aimais ses seins. Elle avait aussi un joli visage. Elle prenait soin d'elle : elle s'épilait les sourcils, elle se maquillait, elle se teignait en blond platine. Comme l'actrice, Kim Novak. Les gens qui avaient l'âge de s'en souvenir disaient qu'elle ressemblait à Kim Novak. J'ai vu *Vertigo* au cinéma. Novak était bien plus canon. Échangez-moi dix Vita pour une Kim Novak et vous me devrez encore une ristourne ! Vita était quand même mignonne, je lui accorde ça.

Et douée là où ça compte. Même que ça a continué après notre séparation. Je dois le reconnaître.

– Sexy, dis-je.

– Surtout, elle n'était jamais rassasiée. Quand elle en avait envie, elle vous sautait dessus. Le problème, c'est qu'elle est devenue vieille et grosse, elle a arrêté de se teindre et elle ne s'entretenait plus. Et elle buvait de plus en plus. (Il tira la langue.) Toujours bourrée, avec une haleine de chacal. Ça coupait l'envie, même si elle ne demandait qu'à se faire sauter. J'ai fini par lui dire non merci. La vie est trop courte, vous comprenez ?

– Tout à fait, dit Milo.

– Oui, vous êtes des mecs normalement constitués. Écoutez, je ne vais pas jouer la comédie et faire semblant d'avoir de la peine quand c'est pas le cas. La salope a voulu récupérer la moitié de ce que je possédais, y compris la décapotable que je m'étais démerdé pour faire réparer, et la moitié de mon salaire. Je me suis retrouvé à poil et j'ai même arrêté de bosser pour qu'elle me lâche les basques, tellement j'étais fauché. Comme je vous l'ai dit, ça doit bien faire sept ans que je ne l'ai pas revue. Malgré tout, j'ai toujours eu cette petite crainte de la voir réapparaître. Comme le méchant masqué dans les films d'horreur. Ça tombe sous le sens que je l'ai pas tuée. Pourquoi j'irais bousiller ma vie pour elle ?

– Vous aviez un point en commun, dis-je. Vita n'hésitait pas non plus à faire des procès.

– Seulement à moi.

– Elle ne poursuivait personne d'autre ?

– Non, une vraie mauviette. Par exemple, la fois où j'ai attaqué le Noir, elle m'a passé un savon. Et s'il appartient à un gang ? C'est trop risqué pour une simple voiture ! La Mercedes, elle ne s'est pas privée de la faire saisir quelques années plus tard. Même cirque avec le transporteur. Ne leur fais pas un procès, Jay. Ils sont peut-être liés à la Mafia, ça ne vaut pas le coup. Je lui ai renvoyé : Parle pour toi. Moi, j'y tiens. Les droits, c'est pas rien. On a fait des guerres pour les défendre.

– Vous êtes un ancien militaire ? dit Milo.

– Mon père. Il s'est battu trois ans en Europe. C'est bon, je peux retourner travailler ?

Toujours pas le moindre signe d'angoisse.

– Votre discours se tient, Jay, dit Milo. Cela dit, vous haïssiez Vita, sa mort ne vous chagrine pas et vous ne pouvez pas étayer votre alibi.

– Je peux l'étayer, mais je ne veux pas.

– Pourquoi ?

Sloat jeta un coup d'œil en arrière, par la vitrine à l'intérieur du magasin.

– Ne vous inquiétez pas, dit Milo. Pas de client.

– Je sais. Il n'y a jamais personne.

– La cow-girl a un lien avec la boutique, suggérai-je.

Contraction rapide des pupilles, palpitation de la carotide. Milo le nota.

– Il nous faut un nom, Jay. Sinon, je sens que je vais me prendre d'un vif intérêt pour la mode masculine.

Sloat expira, l'haleine âcre de tabac.

– Putain, les gars...

– Il s'agit d'un meurtre, Jay...

– Je sais. Bon, d'accord, mais vous devez jurer de garder ça secret.

– Nous ne jurons jamais rien, Jay. Pas de promesse non plus. Mais nous ne dévoilons rien sans une bonne raison.

– Quel genre de raison ? Je n'ai pas tué Vita.

– Dans ce cas, vous n'avez rien à craindre.

Sloat alluma une nouvelle cigarette, en fuma un bon centimètre.

– Okay, okay. C'est Nina. Nina Hassan.

– L'ex de George.

– S'il l'apprend, il me virera et me coupera les couilles pour les faire rôtir sur un machin à kebab.

– Je veux bien le numéro de Nina, dit Milo en sortant son calepin.

– Vous êtes obligé de le noter ?

– Son téléphone, Jay.

– Vous êtes obligé de l'appeler ?

Sloat ploya sous le regard de Milo, communiqua le numéro.

– N'allez pas lui répéter que je l'ai comparée à une cow-girl.

– Ça, je vous le promets.

– Une vraie bombe. Vous comprendrez quand vous la verrez.

– Je m'en fais une joie, Jay.

– J'ai besoin de ce boulot, les gars.

– Et qu'on vous raye comme suspect.

– Suspect de quoi ? J'ai rien fait à Vita.

– Espérons que Nina le confirme, Jay. Et qu'on la croie.

– Pourquoi vous ne la croiriez pas ?

– Si elle est vraiment dingue de vous, elle serait peut-être prête à mentir.

– Je lui plais, mais elle ne mentirait pas pour moi.

– Il est essentiel que vous ne lui parliez pas avant nous, Jay. Sa ligne téléphonique sera vérifiée, nous le saurons.

– C'est bon, j'ai compris.

La veine sur le cou palpita de plus belle. Le regard

fuyant laissait penser que Milo venait de déjouer ses plans.

– Combien de temps avez-vous été marié à Vita ? m'enquis-je.

– Six ans.

– Pas d'enfants.

– Nous n'en voulions pas, ni elle ni moi.

– Ce n'est pas votre truc.

– Les gosses, c'est une plaie. Alors, quand comptez-vous voir Nina ?

– Dès que nous en déciderons, répondit Milo.

– Elle va confirmer ce que je vous ai dit. Vous allez être impressionnés. Nina ne laisse personne indifférent.

– Salut, Jay.

– Vous devez absolument lui parler ?

Nous nous éloignâmes sans lui répondre. Milo trouva l'adresse de Nina Hassan ; elle habitait dans la partie la plus à l'ouest de Bel Air, à deux minutes en voiture.

– On peut se féliciter que Jay et Vita ne se soient pas reproduits, grommela Milo. Alors, t'en penses quoi ?

– Je ne crois pas que ce soit lui le coupable, ou alors il mérite l'oscar.

– D'accord avec toi.

Le silence se prolongea un moment.

– N'en déplaise à ces goules de procureurs adjoints, finit-il par lâcher, je ne crois pas une seconde au tueur en série. C'est certainement un acte isolé. Vita aura fini par agacer qui il ne fallait pas. D'ailleurs, j'ai mis Reed sur la piste du Western Pediatric. À la pêche aux parents dont les enfants sont traités en oncologie et qui auraient sale caractère. Plus précisément, des parents noirs.

– Tu m'en parles pour quelle raison ?

– Dans un esprit de transparence.

– Fais ce que tu dois faire.

– Personne n'a accepté de lui dévoiler quoi que ce soit.

– Tant mieux.

– Je m'attendais à ce que tu réagisses ainsi.

12

Située sur les hauteurs de Bel Air, la maison de Nina Hassan était moderne, rutilante et splendide. À l'image de la maîtresse des lieux. Celle-ci ouvrit délicatement l'une des portes jumelles en cuivre brossé et nous détailla comme si nous étions des représentants de commerce. Elle portait un haut mauve qui laissait voir quelques centimètres de ventre ferme, un jean blanc moulant et des sandales argentées dont dépassaient des orteils impeccablement laqués d'un vernis lavande. La trentaine avancée, elle avait une peau de velours un peu plus foncée que le métal des portes et un visage en forme de cœur surmonté d'un nuage de vagues et de boucles noires. Nez puissant et légèrement retroussé – sans doute refait, mais joli résultat. Oreilles en forme de coquillage, auxquelles pendaient d'énormes créoles blanches. Long cou immaculé dont la courbe parfaite prenait naissance entre deux clavicules haut de gamme.

Milo lui montra son badge.

– Oui ? Qu'est-ce ?

Impossible de scruter ses pupilles car ses yeux étaient uniformément noirs.

– Nous souhaitons vous parler de Jay Sloat.

– Pourquoi ? Il lui est arrivé quelque chose ?

Du même ton qu'elle s'enquerrait de la météo.

– Pourquoi lui serait-il arrivé quelque chose ?

– À cause de mon mari, répondit-elle. Un monstre qui n'a rien d'humain.

– Non, il n'est rien arrivé à Jay. Vous permettez qu'on entre, madame Hassan ?

Elle ne bougea pas.

– Appelez-moi Nina. Je me débarrasse de son nom dès que le divorce est prononcé. Que souhaitez-vous savoir sur Jay ?

– La dernière fois que vous l'avez vu.

– Pourquoi ?

– Son ex-femme a été assassinée.

– Ex-femme ? Jay a été marié ?

– Il y a un certain temps, madame.

– Jay m'a affirmé le contraire.

– C'est de l'histoire ancienne.

– N'importe, fit-elle en tranchant l'air de sa main. Je ne tolère pas le mensonge. Vous le soupçonnez de l'avoir tuée ?

– Non, madame. Ce ne sont là que des questions de routine.

– Nina. Je n'aime pas « madame ». Ça fait vieux.

Un coupé Maserati apparut dans un ronronnement. La conductrice ralentit pour nous observer. Blonde, svelte, fuselée comme l'automobile. Nina Hassan lui adressa un salut jovial.

– Il serait préférable qu'on passe à l'intérieur, dit Milo.

Au tour de Nina de nous détailler.

– Qu'est-ce qui me dit que vous êtes vraiment de la police ?

– Souhaitez-vous revoir mon… ?

– N'importe qui peut se fabriquer un badge.

– Qui d'autre voulez-vous que nous soyons ?

– Des fumiers au service de George.

– George étant votre ex ?

– Mon fumier d'ex. Il n'arrête pas de m'envoyer des connards qui cherchent des trucs à utiliser contre moi. Je couche avec Jay ? Et alors ? Lui, il se tape des jeunes filles. Il dit qu'elles sont majeures, mais allez savoir, vous devriez enquêter. Je suis censée faire quoi, moi ? s'emporta-t-elle en tapotant le pied sur le sol. M'ennuyer à longueur de journée, comme sa mère qui ne fait rien d'autre que ressasser les souvenirs du bon vieux temps en Europe ?

– J'ai l'impression que ce George n'est pas une grande perte, Nina. Quoi qu'il en soit, nous avons à enquêter sur un meurtre. Si vous pouviez vous rappeler quand vous avez vu Jay pour la dernière fois, ça nous rendrait service.

– Son ex-femme, fulmina-t-elle. Sale menteur. Elle était canon ?

– Dans l'état où nous l'avons retrouvée, pas vraiment. Alors, vous vous rappelez ?

– Bien sûr que je me rappelle. Je ne suis pas une vieille qui perd la mémoire. C'était avant-hier soir. (Sourire.) Tous les jours d'avant aussi, mais pas depuis, je lui ai dit que j'avais besoin de me reposer.

– Il y a cinq soirs aussi ?

– Je viens de vous le dire. Tous les jours.

– À quelle heure ?

– Jay passe après le travail. Vers cinq heures et demie, six heures moins vingt.

– Il reste combien de temps ?

– Aussi longtemps que j'en ai envie ! (Elle ramena la tête en arrière, s'esclaffa.) En voilà une question indiscrète !

– Pardon ?

– Vous voulez savoir si on le fait toute la nuit. En quoi est-ce que cela vous regarde ?

– Désolé pour le malentendu. Je cherche simplement à confirmer l'emploi du temps de Jay il y a cinq soirs.

– Cinq soirs ? fit-elle. Attendez.

Elle revint au bout d'un instant, un reçu à la main.

– Tenez, des plats à emporter achetés chez le Chinois. Je garde une trace de toutes mes dépenses. Pour que ce fumier me verse ce qu'il doit.

– Des plats à emporter…

– Pour deux personnes, Jay et moi. Il a tenu à me faire goûter aux pattes de poulet. Beurk !

– Il a passé la nuit ici ?

– Bien obligé ! répondit Nina Hassan avec une œillade. Il n'était pas en état de repartir !

– Okay. Merci.

– Je lui ai rendu service ? Dommage. Je ne peux pas souffrir les menteurs. (La tignasse noire voleta.) Mais bon, je suis comme ça, je dis les choses telles qu'elles sont. C'est la seule manière pour tenir les hommes. Au revoir, messieurs.

Elle recula d'un pas et poussa la porte d'un ongle lavande irréprochable.

Milo roula tranquillement en direction de Sunset Boulevard. Demeures imposantes, chiens miniatures tirant sur leur laisse tenue par des soubrettes en uniforme, jardiniers chassant la poussière au pistolet à air comprimé.

– On peut rayer l'ex, dit Milo. Pourquoi faudrait-il que tout soit logique dans la vie ? Mais bon, ce doit être quelqu'un d'autre que Vita a sérieusement irrité. Dommage qu'elle n'ait pas laissé une liste d'ennemis.

– Ça, c'est pour les présidents.

– Des enregistrements compromettants seraient aussi les bienvenus ! lâcha-t-il avec un grognement amusé. Je te dépose chez toi. Tu pourras savourer l'existence tandis que nous autres fonctionnaires nous nous échinons. Je ne dis pas ça pour te faire culpabiliser.

À l'approche de Beverly Glen, son portable émit une mélodie de Mahler. Il activa le kit mains libres.

– Lieutenant ?

C'était Sean Binchy.

– Tu tiens un tordu amateur de pizza ?

– Non, malheureusement. Mais il y a du neuf…

– Quoi donc ?

– Une nouvelle victime.

13

Plié soigneusement, le polo était posé à côté de son propriétaire. Celui-ci avait le pantalon et le slip baissés à mi-cuisse, sans le moindre pli ni bouchon. Le cadavre gisait à trois mètres d'un sentier, dans une trouée au cœur d'un laurier-rose. Arbuste vénéneux. La couverture idéale pour celui qui avait brisé le cou à la victime. Point de serviettes cette fois-ci, mais une bâche bleue méticuleusement déployée. Quelques taches de sang sur le plastique et la terre, un peu plus que dans l'appartement de Vita Berlin, mais cela restait limité et il n'y avait pas davantage d'éclaboussures ni de coulures. On avait pris soin d'effacer les empreintes sur le sol autour de la bâche. Les sévices étaient identiques à ceux de Vita : cou brisé, double incision évoquant un certain type de porte-monnaie, viscères retirés.

Le meurtre avait eu lieu à Pacific Palisades sur la route de Temescal Canyon, dans le parc d'une colonie de vacances désaffectée, qui ne servait plus qu'à de rares tournages de film. Située à cinq cents mètres de la scène de crime, l'entrée était constituée d'une grille en travers de l'asphalte défoncé. Des deux montants en bois auxquels avaient été fixées les charnières du portail, un seul était toujours debout, l'autre était pourri et tombé en morceaux. Ainsi, n'importe qui était libre de s'y introduire. La sécurité inexistante était un sujet de plaisanterie pour les riverains, nous informa le premier agent arrivé sur place.

– Quelques-uns s'en plaignent, lieutenant, mais la plupart sont ravis d'avoir un parc de plus à leur disposition. Vous imaginez le genre de personnes qui habitent par ici.

Elle s'appelait Cheryl Gates, une grande blonde aux épaules carrées et au regard acéré. En apparence, pas affectée par ce qu'elle avait découvert à l'occasion d'une ronde de routine. Ce que nous contemplions par l'ouverture dans le laurier-rose.

– Des gens riches, dit Milo.

– Riches, suffisants et pistonnés. Si vous voulez tout savoir, comme la sœur du chef adjoint Salmon habite par ici, j'ai pour consigne de venir au moins une fois par jour. Ça prend un peu de temps, mais le paysage est assez joli. Et puis, c'est toujours tranquille. Une fois, je suis tombée sur deux ados, un garçon et une fille de seize ans. Complètement faits à l'ecstasy et à la tequila. Ils avaient passé la nuit là-haut, à côté des barbecues, à poil et défoncés. Plus étonnant, aucune des deux familles n'avait signalé leur disparition. La plupart des parents des environs sont toujours fourrés en Europe. Je ramasse des bouteilles vides, des joints, des capotes et des emballages alimentaires, rien de bien méchant.

Malgré le calme apparent, elle s'exprimait d'un débit rapide et un peu trop fort.

– L'emplacement où vous avez repéré la victime fait partie de votre circuit habituel ? demanda Milo.

– Oui, inspecteur. Je me dis que c'est le genre d'endroit où un SDF pourrait choisir de se poser. Ce serait tout de même navrant que les gens du quartier qui viennent promener leur caniche se retrouvent nez à nez avec un déséquilibré.

– Vous avez eu à en déloger récemment ?

– Non. Quand ça m'arrive, et c'est assez rare, ils sont plutôt du côté des barbecues. Ils aiment bien se faire cuire quelque chose. Je leur demande de circuler, à cause du risque d'incendie. Jamais aucun n'est revenu. Mais bon, partant du principe qu'il est toujours préférable de vérifier, oui, je passe quotidiennement. Et c'est ainsi que j'ai découvert votre victime.

– Vous pensez à un déséquilibré précis auquel je devrais m'intéresser ?

– Ça m'étonnerait fort. Ce ne sont pas des types agressifs, tout le contraire. Passifs, déconnectés, hors du coup physiquement. Sans être une experte, dit-elle en observant le cadavre, ça me semble assez méthodique. La terre qu'on a pris soin d'aplanir, vous voyez ce que je veux dire ? Enfin, ce n'est que mon avis.

– Judicieux, dit Milo. Merci d'avoir surveillé les lieux.

– Je ne fais que mon devoir, inspecteur. Une fois les renforts arrivés, je suis restée postée ici pendant que les agents Ruiz et Oliphant faisaient le tour du parc. Ils s'en sont tenus à une inspection sommaire, pour préserver les indices, et n'ont rien relevé. Comme il n'y a pas d'autre accès que celui par lequel vous êtes arrivés, je ne crois pas qu'un suspect caché ait pu nous échapper.

– Bon travail.

– Alors, vous en pensez quoi ? Un crime sexuel, vu qu'il a le pantalon baissé ? Peut-être une histoire entre pédés qui aurait dérapé ?

– C'est une possibilité.

– D'un autre côté, si c'était sexuel, insista-t-elle, on s'en serait pris aux parties génitales, non ? Alors que là...

– Il n'y a pas de règle, dit Milo.

Gates ramena une mèche blonde derrière son oreille.

– Bien entendu, inspecteur. Bon, je vais vous laisser opérer. À moins qu'on ne puisse faire autre chose pour vous ?

– Tout est parfait.

Elle se tint plus droite.

– En fait, lieutenant, et pardonnez-moi si le moment vous semble inopportun, mais j'envisage de postuler pour passer inspecteur. Qu'en pensez-vous ?

– Vous avez le sens de l'observation, agent Gates. N'hésitez pas et bonne chance.

– Pareil à vous, lieutenant ! Je veux dire, bonne chance pour l'enquête !

Sean Binchy et Moe Reed surveillaient l'entrée du parc en compagnie de trois policiers en tenue. En attendant l'enquêteur du coroner, nous en étions réduits à scruter la scène et la victime sans pénétrer dans la trouée. Un homme d'âge mûr, plus proche de cinquante-cinq ans que de quarante-cinq. Épaisse chevelure, anthracite au sommet du crâne et tempes argentées ; bouclettes si finement serrées qu'elles n'étaient en rien bouleversées. Contrairement au visage et au cou, incompatibles avec la vie. Un individu quelconque à tous points de vue : taille et corpulence moyennes, aucun signe particulier. Pantalon en coton beige avec pli et revers. Polo marron clair, plié d'une manière qui dissimulait un éventuel logo. Nike blanches aux semelles bien usées. Un adepte du jogging ou de la marche ? L'absence de véhicule garé à l'entrée allait dans ce sens. Un seul détail détonnait : les chaussettes bleues. Le malheureux ne pouvait pas imaginer qu'il subirait une inspection.

Au moment de m'en approcher, j'avais cru que ce cadavre susciterait chez moi une réaction plus marquée que celui de Vita Berlin. En fait, ce fut le contraire : la vue de cette boucherie libéra en moi une curieuse et purifiante bouffée de calme qui m'apaisa les nerfs. On finit par s'habituer ? Peut-être bien le pire aspect de cette histoire.

– Pas de carton à pizza, nota Milo. Ça ne fait donc pas partie de la signature. Le monstre a dû tomber dessus par hasard et s'en servir pour Vita, tant pis si l'on n'a pas pu remonter la piste. Pauvre bougre. Je croise les doigts pour qu'il ait été un vrai salopard, le frère spirituel de Vita.

– Me revoici, malheureusement, lança une voix féminine.

L'enquêtrice prénommée Gloria se faufila entre nous et jeta un coup d'œil.

– Oh, mon Dieu…

Elle se ganta, enfila des surchaussures en papier, s'approcha et se mit au travail. Portefeuille dans la poche arrière droite du pantalon. Le permis de conduire fournit une identité : Colin Quigg, cinquante-six ans, domicilié Sunset Boulevard à deux ou trois kilomètres du parc, avec un numéro d'appartement. En chemin, nous avions croisé quelques belles résidences joliment entretenues, dont certaines avaient vue sur l'océan. Un mètre soixante-dix, soixante-seize kilos, cheveux gris, yeux marron, verres correcteurs. Gloria inspecta les pupilles.

– Il a toujours ses lentilles. Assez étonnant, compte tenu de la force déployée pour lui rompre le cou.

– Peut-être qu'elles sont tombées mais que le tueur les lui a remises, suggérai-je. C'est quelqu'un de très ordonné.

Elle y réfléchit, préleva les deux pastilles transparentes au moyen d'une pince et les déposa dans un sachet qu'elle étiqueta.

Grâce au nom, Milo se renseigna sur la victime. Quigg conduisait une Kia assez récente. Pas de casier, aucun mandat à son encontre. Le portefeuille contenait soixante-treize dollars en espèces et trois cartes de crédit. Deux photos sous pochette plastifiée : sur l'une, Quigg en compagnie d'une brunette qui avait environ le même âge, sur l'autre, le couple et deux jeunes femmes d'une vingtaine d'années, elles aussi brunes. L'une des filles était le portrait de Quigg, jusqu'aux cheveux frisés très serrés ; l'autre n'avait aucun air de ressemblance, mais le bras posé autour des épaules de la femme laissait penser qu'il s'agissait de la sœur. Deux clichés pris dans le studio d'un photographe, faux marbre vert en toile de fond. Sujets habillés pour l'occasion, la pose un peu figée, mais souriants.

– Il ne porte pas de montre, souligna Gloria. Pas de cercle de peau plus claire au poignet non plus. Peut-être qu'il n'était pas à cheval sur les horaires.

– Ou bien il la retirait pour se promener, objecta Milo.

– L'usure des semelles indique qu'il parcourait de longues distances à pied, dis-je.

– En effet, convint Gloria. Mais je le vois mal courir ici le soir. Plutôt craignos, non ?

– Les locaux considèrent un peu que c'est leur parc privatif, dit Milo. Il s'y sentait peut-être en sécurité.

– D'accord, dit-elle, gênée, mais peut-être qu'il

avait rendez-vous… enfin, vu qu'il a le pantalon baissé…

– Tout est possible, Gloria.

– Cela dit, si c'était un truc sexuel, on s'attendrait à des mutilations aux parties génitales, non ?

Elle m'interrogea du regard.

– Même réponse, dis-je.

Elle inspecta le pantalon au moyen d'une loupe.

– Tiens donc, des poils ou des cheveux qui ne sont pas les siens… beaucoup, assez longs, blonds…

Milo s'accroupit à côté d'elle, attrapa plusieurs filaments de ses doigts gantés et qui paraissaient bien trop gros pour cette tâche minutieuse. Il en tendit un à la lumière, plissa les paupières et le huma.

– Peut-être que Marilyn Monroe est sortie de sa tombe pour le trucider, mais ça m'a l'air assez épais et je crois déceler une odeur canine.

– J'ai le nez bouché, dit Gloria qui renifla malgré tout. Désolée, je ne sens rien, mais, en effet, l'aspect pourrait correspondre. Ou bien la personne ferait mieux de changer d'après-shampoing ! Je sais que votre labo s'occupe en général des poils et des cheveux, sauf s'il faut les tester pour d'éventuelles traces de drogue, dit-elle en sortant un sachet, mais j'ai en ce moment un stagiaire de la fac qui effectue des analyses ADN comparatives sur toutes sortes de bestioles. Si tu veux, j'emporte l'échantillon. Il pourra peut-être vous indiquer l'espèce et la race.

– Volontiers.

Elle jeta un nouveau coup d'œil à Quigg.

– Le pauvre gars sort le chien et ça se termine ainsi… (Froncement intrigué.) Dans ce cas, où est passé le toutou ? Il est peut-être resté à la maison ?

– Ou bien l'assassin est reparti avec un trophée vivant, dit Milo.

– Rex garde les pattes croisées pendant que son maître se fait tuer, puis suit le coupable sans broncher ? Pas vraiment une race de chien de défense, alors ! (Elle se mordit la lèvre.) Ou bien la pauvre bête gît quelque part, ayant subi le même sort.

– Les agents ont inspecté les environs, mais nous remettrons ça dès que les techniciens seront là.

Gloria scruta le sol.

– Je ne vois aucune empreinte, ni humaine ni animale.

– Notre meurtrier a fait le ménage.

– Comme la première fois, dit-elle. Pour moi, ça rend la chose encore plus répugnante.

– Je le vois mal nettoyer chaque centimètre carré de terrain d'ici à Sunset, dis-je.

Milo joignit Reed sur son portable.

– Moses, tu vas me boucler l'endroit. Personne n'entre tant que toi et les bras disponibles n'aurez pas terminé de passer au peigne fin la zone entre Sunset et le portail. Relevez la moindre empreinte, quelle qu'elle soit : pneu, chaussure, patte.

Il raccrocha sans attendre la réponse.

Gloria se baissa et fit les autres poches de Colin Quigg. Vides. Elle se redressa et photographia le cadavre sous plusieurs angles, terminant par un gros plan du polo. Elle en inspecta l'étiquette.

– Macey's, taille M.

Aucune tache de sang, le vêtement avait été retiré avant la découpe. Comme Gloria se penchait et commençait de retourner le corps, elle se figea, passa la main en dessous et retira quelque chose. Une feuille de papier pliée plusieurs fois, les coins parfaitement alignés. Elle la photographia telle quelle, puis la plaça sur une toile stérile et la déplia.

Du papier à lettres standard, sans lignes. Au centre, un message des plus simples :

?

14

Colin Quigg habitait l'une des belles constructions que j'avais remarquées en arrivant. Il y avait un feu rouge à proximité, pratique pour traverser Sunset. La promenade était certainement agréable entre son domicile et Temescal Canyon. La résidence avait été conçue à l'image d'une énorme hacienda, dotée d'un toit aux tuiles d'un rouge trop prononcé, d'un clocheton et d'une loggia à l'ombre de laquelle se découpaient des arcades. Le parking abrité, également surmonté de tuiles, était séparé du bâtiment principal par une vaste cour pavée. Huit places, la Kia de Quigg occupait la numéro deux. « B. et C. Quigg » inscrit sur la boîte aux lettres de l'appartement numéro deux, situé au centre et au rez-de-chaussée. Je reconnus la femme qui nous ouvrit, pour l'avoir vue en photo quelques instants auparavant.

– Madame Quigg ? demanda Milo.

– Oui, oui, c'est moi, Belle. Vous les avez retrouvés ?

– Les ?

– Colin et Louie.

– Nous avons retrouvé M. Quigg.

– Pas Louie ? Colin est sorti le promener hier soir, ils ne sont pas rentrés. Je suis paniquée. Quand j'ai appelé la police, on m'a répondu que ça ne serait pas considéré comme une disparition avant… (Elle se tut, porta la main à sa bouche.) Colin est sain et sauf ?

– Non, soupira Milo. Je suis sincèrement navré.

– Il est blessé ?

– Malheureusement, je…

– Oh non… balbutia Belle Quigg. Non, non, non…

– Je suis vraiment désolé, madame Quigg…

Elle leva les poings et les abaissa vivement, comme pour arracher les nuages à un ciel cruel et dégagé. Puis elle nous décocha un regard noir, poussa un petit cri et se mit à cribler le torse de Milo de coups de poing. Un petit bout de femme ne peut guère faire mal à un grand gaillard. Milo attendit qu'elle s'essouffle et laisse retomber ses bras.

– Madame Qui…

Son teint avait viré au grisâtre et sa tête bascula sur le côté. Les yeux révulsés, elle émit un râle et tomba en arrière. Nous la rattrapâmes d'un même mouvement réflexe, chacun un bras, et la transportâmes à l'intérieur de l'appartement. Elle revint à elle alors que nous nous dirigions vers le fauteuil le plus proche. Milo resta auprès d'elle pendant que j'allais chercher de l'eau. Quand j'approchai le verre de sa bouche, elle entrouvrit les lèvres comme par réflexe. Je pris son pouls, lent mais régulier. Je la fis encore boire. Elle bava et laissa retomber sa tête en arrière en roulant de nouveau les yeux. Après une trentaine de secondes, son pouls redevint normal et elle reprit des couleurs.

– Quoi ? fit-elle en nous dévisageant.

– Je suis le lieutenant Sturgis, dit Milo en lui prenant la main.

– Ah, vous… Alors, où est passé Louie ?

La stupeur induite par le choc s'installa au bout de quelques minutes. Milo continua de lui tenir la main et moi de la faire boire. Quand elle indiqua qu'elle n'en voulait plus, je rapportai le verre à la cuisine. Une pièce spacieuse et lumineuse, inox et granit poli. Le reste de l'appartement était tout aussi agréable, mobilier intemporel, quelques antiquités qui semblaient authentiques, des marines quelconques mais honorables. La porte-fenêtre coulissante offrait une vue de biais sur la piscine dont l'eau bleue était prolongée par le coloris encore plus intense du Pacifique à l'arrière-plan. Azur immaculé, pelouse impeccable aux abords du bassin. Des oiseaux voletaient ici et là, un écureuil grimpait au tronc d'un superbe pin des Canaries.

Colin Quigg s'était ménagé une vie sympathique dans sa maturité. Il existait au moins une personne qui le chérissait. Je n'avais pas à juger, et pourtant sa fin épouvantable me paraissait pire encore que celle de Vita.

– Oh, mon Dieu, bredouilla Belle Quigg. Louie est probablement… mort lui aussi.

– Louie est votre chien, dit Milo.

– Plutôt le chien de Colin. Ces deux-là étaient inséparables. Louie venait d'un refuge. Il aimait tout le monde, mais Colin par-dessus tout. Moi aussi, j'aimais Colin. Britt et Sarah aussi. Tout le monde aimait Colin. (Elle agrippa la manche de Milo.) Qui pourrait lui vouloir du mal ? A-t-il été détroussé ?

– Apparemment pas.

– Quoi, alors ? Qui ferait une chose pareille ? Qui ?

– Nous allons tout mettre en œuvre pour le découvrir, madame. Je suis sincèrement désolé d'avoir à vous faire part d'une nouvelle si terrible, et je me doute bien que ce n'est pas le meilleur moment, mais puis-je vous poser quelques questions ?

– Quel genre de questions ?

– Plus nous en saurons sur Colin et plus la tâche nous sera facilitée.

– Je l'aimais tant, mon Colin. Notre anniversaire de mariage tombe la semaine prochaine, vingt-six ans. J'ai déjà réservé… Mon Dieu, que vais-je devenir ?

Après deux crises de sanglots, Milo lui demanda :

– Colin travaillait-il ?

– Travailler ? s'insurgea Belle Quigg. Bien sûr, qu'il travaillait ! Mon Colin n'était pas un fainéant. Pourquoi ? C'est un des clochards qui l'a tué ?

– Vous pensez à quelqu'un de précis ?

– On a beau les appeler des sans-abri, moi je les appelle des clochards parce qu'ils ne sont rien d'autre que ça. Ils sont toujours là à mendier, au croisement de Sunset et du California Pacific Highway, complètement ivres. Le feu est long, ils ont tout leur temps pour faire la manche. Je ne leur donne jamais rien, même pas un *dime*. Mais Colin ne pouvait pas s'en empêcher.

– Pourquoi les soupçonnez-vous ?

– Parce que ce sont des fainéants. Je n'arrêtais pas de le répéter à Colin, inutile de les encourager, mais il a bon cœur.

– Le meurtre a eu lieu vers Temescal Canyon.

– Le parc des petits Indiens. J'ai toujours dit à Colin de ne pas s'y promener la nuit. Preuve que j'avais raison. N'importe qui est libre d'y entrer, pourquoi voulez-vous que les clochards s'en privent ? Si vous voulez mettre la main sur eux, il suffit de vous rendre au carrefour de Sunset et du California Pacific Highway.

– Nous ne manquerons pas d'explorer cette piste, madame. Pensez-vous à quelqu'un d'autre ?

– C'est-à-dire ?

– Des personnes avec qui Colin aurait eu un différend. Des collègues de travail, par exemple.

– Non, jamais.

– Quel était son métier ?

– Colin était expert-comptable.

– Où ça ?

– Chez Peterson, Danville et Shapiro, un cabinet de Century City. Il gérait exclusivement un gros client, la chaîne de supermarchés Happy Boy. Colin était consciencieux, il était très bien noté.

– Depuis combien de temps était-il chez eux ?

– Quinze ans. Avant, il a travaillé à la mairie, à la paierie, en attendant d'être certifié. Encore avant, il était enseignant, il s'occupait d'enfants handicapés, mais c'était trop mal payé.

– Avant Happy Boy, il ne se serait pas occupé de compagnies d'assurances ?

– Non, les supermarchés ont été sa première mission. C'est une grosse chaîne, Colin ne chôme pas pour leur déclaration fiscale.

– Donc, aucun problème au travail.

– Pourquoi y aurait-il un problème ? Mais non, voyons, Colin n'y est pour rien. Colin est formidable.

– Et je devine que tout est parfait côté vie de famille.

– Mieux que parfait. Notre vie est… merveilleuse. (Belle Quigg garda les lèvres entrouvertes et pâlit à nouveau.) Il va falloir que je prévienne Britt et Sarah… Oh mon Dieu, comment vais-je m'y prendre ?

– Quel âge ont-elles ?

– Britt a dix-huit ans, Sarah vingt-deux.

– Elles habitent dans les environs ?

Elle secoua la tête.

– Britt vit dans le Colorado, et Sarah… comment ça s'appelle, déjà ? C'est juste en dessous du Colorado… (Ses traits se crispèrent.) Je l'ai sur le bout de la langue…

– Le Nouveau-Mexique, avançai-je.

– C'est ça, le Nouveau-Mexique. Elle habite à Gallup. Ça me fait penser à des chevaux qui se promènent, c'est comme ça que j'arrive à m'en souvenir. Elle s'y trouve parce que son copain est là-bas. Avant elle se déplaçait en voiture, maintenant elle ne fait plus que monter à cheval. Ils ont beaucoup de chevaux. Elle vit dans un ranch, comme ça se fait par là-bas. Britt n'est pas mariée. J'espère que ça viendra. Elle est serveuse dans le Colorado, à Vail. Elle travaille beaucoup pendant la saison des sports d'hiver. Elle aime skier. Sarah, c'est le cheval, et Britt le ski. Ce sont de superbes jeunes femmes. Mon Dieu, comment voulez-vous que je leur annonce ça ?

– Si vous voulez, nous pouvons rester le temps que vous les appeliez…

– Non, non, non. Prévenez-les, vous.

– Vous êtes sûre, madame ?

– C'est votre métier, dit Belle Quigg. Chacun ses responsabilités.

Elle sombra dans un silence à la limite de la stupeur pendant qu'on appelait ses filles. Conversations brèves, déchirantes, dont chaque seconde entamait Milo. Si Belle Quigg tendait l'oreille, elle ne manifesta aucune réaction.

– Sarah voudrait vous parler, l'informa Milo en se rasseyant.

– Et Britt ?

– Britt vous rappellera dès qu'elle se sera éclairci les idées.

– Éclairci ? Elle a toujours eu le souci de la clarté. Britt a toujours été bonne en expression écrite.

– Vous acceptez de prendre Sarah ?

– Non, non, non... dites-lui que je la rappellerai. J'ai besoin de dormir. Dormir et ne plus jamais me réveiller.

– Y a-t-il quelqu'un, une voisine ou une amie, qu'on puisse prévenir pour qu'elle vous tienne compagnie ?

– Pendant que je dormirai ?

– Pour vous soutenir, madame.

– C'est bon, je veux juste mourir en paix.

Je retournai dans la cuisine, à la recherche d'un répertoire téléphonique. J'aperçus un portable. Parmi les derniers appels passés, une certaine Letty dont le numéro disposait d'une touche attribuée. Je le composai.

– Belle ? répondit une voix de femme.

– Je vous appelle de sa part.

Lui expliquer la situation exigea un peu de temps, et il me fallut ensuite attendre qu'elle retrouve sa voix. Letty Pomeroy accepta sans hésitation de venir s'occuper de son amie.

– Vous habitez loin ?

– Cinq minutes en voiture.

– Nous vous en sommes reconnaissants, madame.

– C'est tout naturel. Colin est vraiment...

– Oui, malheureusement.

– Dingue... Connaît-on le coupable ?

– Pas encore.

– C'est arrivé où ?

– À Temescal Canyon.

– Où Colin promenait son chien.

– C'était de notoriété publique ?

– N'importe qui connaissant Colin sait qu'il promène son chien là-bas. Pas besoin de ramasser les crottes, tellement c'est sauvage. Enfin, j'imagine qu'il le faisait quand même… Louie est aussi… ?

– Louie a disparu.

– Pas surprenant, dit Letty Pomeroy. Enfin, qu'il n'ait pas défendu Colin.

– Poltron ?

– Crétin.

– Quelle race ?

– Golden retriever. Peut-être un mélange. Et c'est surtout dans sa tête que ça s'emmêle. Je crois bien que je n'ai jamais vu d'animal plus stupide. Vous pouvez lui marcher dessus, il vous regardera avec un grand sourire, comme l'idiot du village. D'ailleurs, il ressemble en ça à son maître. Non, ce n'est pas ce que je voulais dire. Je ne dis pas que Colin était stupide. Pas du tout. Colin était intelligent, intéressant, un esprit très mathématique.

– Mais c'était quelqu'un de facile à vivre.

– Tout à fait. Un homme très accommodant. Je n'arrive pas à croire qu'on ait pu s'en prendre à lui. Colin, assassiné ? Si quelqu'un était une bonne âme, c'était bien Colin. C'est comme ça qu'il s'est retrouvé avec Louie. Personne ne voulait adopter ce chien, sans doute parce qu'il est si peu futé. Mon mari et moi, on lui a donné un surnom : crétin poilu. Une vraie carpette, avec sa langue pendante et son regard couillon. Il faut être encore plus con que ce chien pour l'avoir volé. Désolée, je suis mauvaise langue. Je n'arrive toujours pas à y croire. Quelqu'un a agressé Colin. Pas possible.

– Mme Quigg est assez traumatisée. Si vous pouviez venir tout de suite…

– Je fais au plus vite.

Dans le salon, Belle Quigg avait la tête posée sur l'épaule de Milo et les yeux fermés ; peut-être assoupie, ou bien retirée en un refuge plus profond que le sommeil. La posture n'était pas confortable, mais Milo ne cillait pas. Je lui fis part de la venue d'une amie. Belle Quigg bougea.

– Madame ? dit Milo.

– Hum ?

– Si vous pouviez répondre à quelques questions supplémentaires.

– Quoi ?

– Le nom de Vita Berlin vous est-il familier ?

– Comme la ville ?

– Tout à fait.

– Non.

– Vita Berlin, ça ne vous dit vraiment rien ?

– On dirait un complément alimentaire.

– Et l'assurance-maladie Well-Start ?

– Hein ?

Il répéta le nom.

– Nous sommes chez Allstate.

– Allstate, c'est pour votre assurance tous risques. Qu'avez-vous comme couverture santé ?

– On est chez Blue Cross ou Blue Shield, je crois. C'est Colin qui s'en occupait.

– Donc, Vita Berlin et Well-Start ne vous évoquent rien.

Moment soudain de lucidité. Elle se redressa, sans pour autant s'écarter de Milo.

– Non, ni l'un ni l'autre. Pourquoi ?

– Ce ne sont que des questions de routine.

La nouvelle veuve sourit, posa la main sur le torse de Milo et se blottit contre lui.

– Comme vous êtes baraqué...

15

Deux femmes pénétrèrent dans l'appartement des Quigg. La première à franchir le seuil était une grande rousse plantureuse. Cheveux courts en dégradé, gilet vert, body noir, mules chinoises rouges. Elle déclina son prénom, Letty, et présenta la femme plus petite, accoutrée d'un sweat, qui l'accompagnait.

– Sally Ritter, une amie.

Belle Quigg n'afficha aucune réaction. Ses yeux étaient ouverts mais dépourvus de la moindre expression depuis un quart d'heure. Une main continuait d'agripper le poignet de Milo, l'autre posée sur sa poitrine.

– Ma pauvre chérie ! dit Letty Pomeroy en se précipitant vers elle.

Milo en profita pour se dégager et s'étirer.

– Qu'est-il arrivé au juste ? demanda Sally Ritter.

– J'ai expliqué la situation à Mme Pomeroy, dis-je.

– Vous ne lui avez pas dit grand-chose, d'après ce qu'elle m'a raconté en chemin.

– Nous n'en savons guère plus, dit Milo. D'où le besoin d'enquêter. Merci, mesdames.

Comme il se dirigeait vers la porte, Belle Quigg l'interpella.

– Attendez…

Tous les regards se tournèrent vers elle.

– Quelque chose vous est revenu, madame ?

Elle secoua la tête.

– Non, mais je veux que tout le monde reste.

Milo mit le contact avant même d'avoir claqué sa portière et démarra en trombe. Coups de klaxon et injures quand il traversa le premier croisement en brûlant quasiment le feu.

– Faites-moi un procès ! grogna-t-il en présentant son majeur, avant d'appeler Moe Reed. Tu as trouvé des empreintes de chaussures vers l'entrée du parc ?

La voix de Reed sortit des haut-parleurs, crachotante mais distincte.

– Quelques-unes vers le portail, comme vous l'aviez supposé. Les techniciens sont arrivés juste après votre départ, je leur ai demandé de les mouler. Malheureusement, aucune n'est très précise. Ils n'ont pu en tirer qu'une taille approximative.

– À savoir ?

– Il y a cinq paires différentes, minimum. Du trente-six au quarante-huit.

– Et pour les traces de pneus ?

– Vous tenez à l'entendre de ma bouche ?

– Si déprimant que ça ?

– Pas la moindre trace. Celui qui a trucidé le pauvre bougre est arrivé à pied ou il s'est garé dans le quartier. Le stationnement est interdit après vingt heures. Quelqu'un aurait forcément remarqué la voiture et se serait plaint. J'ai appelé les gars de la circulation, rien ne leur a été signalé hier soir et aucun PV n'a été dressé dans les environs.

– Demande aux agents de ratisser encore une fois le parc.

– Ils viennent de terminer une deuxième fouille. Rien.

133

– Qu'on en fasse une troisième. Sous ta direction. Que Sean s'y mette aussi. Il a parfois le coup d'œil.

– Il s'occupe du porte-à-porte dans le voisinage.

– Je compte sur toi, alors. Veille à ce que ce soit fait sérieusement.

– Bien, chef.

– Je ne parle pas simplement des bons gros indices bien juteux, Sean. Tout et n'importe quoi, une bouteille, un papier de bonbon. Tout mis à part les buissons, les cailloux et les arbres que Dieu a mis là.

– La seule chose que l'on a relevée lors de la deuxième inspection est un bébé serpent mort, à côté d'une poubelle. Un adorable petit roi-de-Californie, rayé jaune, bleu et rouge. Mais je ne pense pas que sa présence puisse être considérée comme anormale.

– J'ignorais tes talents de zoologue amateur, Sean. Déniche-moi un cobra et là tu commenceras à m'intéresser.

– C'était vraiment un joli serpent, dit Sean d'un ton amusé. Dommage.

Milo venait à peine de raccrocher que son portable entonna un air de Brahms.

– Ah, bonjour. Merci de me rappeler… Ne vous en faites pas, je sais ce que sont les horaires des médecins. J'ai un bon ami qui est lui aussi à Cedar, Richard Silverman… Vraiment ? En effet, il est réputé. Alors, quand puis-je vous rencontrer tous les deux ? Le plus tôt sera le mieux… Je vois, très bien. Indiquez-moi le numéro de la chambre. Parfait. À dans vingt minutes.

Il accéléra, sans ralentir dans les virages. Les suspensions du véhicule banalisé protestaient. Le campus arboré de l'université défila en un éclair.

– Les voisins du rez-de-chaussée de Vita ? dis-je.

– Les docteurs Feldman. C'était monsieur. Ils

viennent de terminer leur service. Après ce qui est arrivé à Vita, ils ont trop peur pour rester chez eux. Ils ont pris une chambre au Sofitel en face de Cedar.

– Peur parce qu'ils savent quelque chose ou bien simplement de l'angoisse par réaction ?

– Nous le saurons d'ici peu. J'y file. Des réflexions sur ce pauvre M. Quigg ?

Je lui rapportai les commentaires de Letty Pomeroy.

– Une crème de bonhomme, grommela-t-il comme si c'était là le pire des défauts. Peut-être trop confiant ?

– Pour Louie, ça ne fait aucun doute. Un chien qui n'a pas l'instinct de se défendre.

– Maintenant, il gît probablement au fond d'un fossé, étripé lui aussi. Qu'est-ce que c'est que cette histoire, Alex ? La première victime est la femme la plus détestée de Californie, la seconde pourrait bien être canonisée. En voilà une suite logique.

– Le seul point commun que je vois, c'est qu'ils ont à peu près le même âge.

– Un cinglé qui s'en prend aux baby-boomers sur le retour ? Génial, je n'ai plus qu'à protéger plusieurs millions de macchabées en puissance. S'il faut prévenir tous les titulaires de la carte vermeil… Je m'étais persuadé que Vita était visée personnellement, mais ça commence à sentir mauvais. Une odeur de hasard. Ou de folie telle que ça revient au même. Dis-moi que j'ai tort, s'il te plaît.

– Un tueur qui frappe au hasard ne s'imposerait pas de tels préparatifs. De même qu'il ne nettoierait pas si méticuleusement et n'attendrait pas que ses victimes soient bien mortes pour les mutiler.

– J'ai donc affaire à un cinglé. Super !

– Un crime calculé, pas irréfléchi. À mon avis, Berlin et Quigg ont été épiés avant d'être tués. Vita était casanière, elle ne sortait que pour faire ses courses ou déjeuner au café. Quigg promenait son chien tous les soirs au même endroit.

– Ils avaient leurs petites habitudes. Parfait. Mais pourquoi ont-ils été pris pour cibles ? Vita qui tape sur le système à un cinglé, je peux le concevoir. Par contre, cette crème de Colin !… Mais bon, Quigg était peut-être moins parfait que ne l'imaginait sa femme. Tu aurais le temps de retourner la voir ? Peut-être qu'elle laissera échapper quelque chose.

– J'ai le temps, mais elle semblait se plaire contre ton puissant torse masculin.

– Navré de la décevoir, tu seras la parfaite doublure.

Quelques minutes plus tard, il ajouta :

– Le chien me chiffonne. Je veux bien que ça ne soit pas un pitbull, mais regarder passivement pendant que son maître se fait étriper ?

– Le tueur n'a eu qu'à neutraliser Quigg, puis attacher la laisse à une branche ou la coincer sous une pierre. Et si Louie a réagi aux sévices atroces que subissait son maître, peut-être que le plaisir en a été accru.

– Un sadique.

– Avec un public captif.

– À ton avis, toutou est un trophée mort ou vivant ?

– Les deux sont envisageables.

– T'as décidé de m'énerver ?

16

David et Sondra Feldman étaient assis au bord du lit, si proches qu'ils semblaient collés l'un à l'autre. La chambre d'hôtel était petite et ordonnée, glaciale du fait de la climatisation. Le mari avait la trentaine. Grand échalas doté d'une chevelure noire ondulée, il avait la noblesse tourmentée des princes peints par Vélasquez. Sa jolie épouse, mine grave et cheveux noirs raides, se tripotait nerveusement les mains. Elle aurait pu passer pour sa sœur.

Avant de nous ouvrir, ils avaient exigé que Milo glisse une pièce d'identité sous la porte. La chaîne était restée en place tandis que deux paires d'yeux nous examinaient par la fente. À peine fûmes-nous entrés que Sondra remit le verrou et la chaîne, David s'assurant de la solidité du matériel.

Tous deux portaient la même tenue : jean, basket et polo – Ralph Lauren rose pour madame, Lacoste bleu ciel pour monsieur. Les deux blouses blanches reposaient sur les dossiers de deux chaises. Sur une table de chevet, une coupe de fruits et une bouteille de Merlot bue à moitié. Sondra Feldman remarqua que j'observais le vin.

– On pensait que ça nous détendrait, mais ça nous est resté sur l'estomac.

– Merci de m'avoir appelé, dit Milo.

– Nous espérons que vous pourrez nous protéger, dit le mari. À moins que ça ne soit irréaliste de notre part ?

– Vous pensez être en danger ?

– La voisine du dessus retrouvée assassinée, ça ne vous suffit pas ?

– Notre appartement n'a pas de système d'alarme, renchérit la femme. Ça m'a toujours embêtée.

– Vous avez eu des soucis de sécurité ?

– Non, mais mieux vaut prévenir… On en a parlé à Stanleigh… M. Belleveaux, mais il rechigne à faire la dépense pour un bail d'un an.

– En l'absence de données indiquant le contraire, dit le mari, nous estimons être en danger. Nous déménagerons dès que nous aurons trouvé un nouvel appartement, mais il nous faudra bien récupérer nos affaires. Serait-il envisageable de bénéficier d'une escorte policière ? Je sais bien que nous ne sommes pas des *people* et que la municipalité réduit les dépenses, mais nous ne demandons rien d'extraordinaire, un seul policier suffirait.

– Vous comptez rester ici en attendant ?

– C'est horriblement cher, reconnut Sondra Feldman, la mine soucieuse. Et pour quoi, dix-huit mètres carrés ?

– Nous avons tous les deux un tas d'emprunts à rembourser. L'appartement de Stanleigh était parfait, c'est quelqu'un d'honnête et de sympathique, et ce n'est pas trop loin de nos deux boulots. Mais après ce qui est arrivé, c'est juste impossible.

– Vous êtes interne à Cedar ?

– Et Sondra à l'hôpital universitaire.

Ils parurent se détendre à l'évocation de leur travail.

– Quelles sont vos spécialisations ? demandai-je.

– Moi, je m'oriente vers la gastro-entérologie. Sondra est en pédiatrie.

– Faut-il interpréter votre silence pour l'escorte comme un refus ? s'enquit Sondra Feldman.

– Pas du tout. Le moment venu, contactez-moi. Si je ne suis pas disponible pour vous accompagner, je vous enverrai quelqu'un d'autre.

– Vous feriez ça ?

– Bien sûr. De toute manière, je vais devoir retourner plusieurs fois sur la scène de crime.

Les Feldman échangèrent un regard furtif.

– Merci, dit Sondra.

– Un voisin assassiné, c'est du costaud. Ce n'est pas moi qui vais vous reprocher d'être sur les nerfs. Malgré tout, avez-vous une raison précise de vous sentir visés ?

Nouvel échange de regards fébriles.

– Peut-être qu'on est paranos, dit le mari, mais on pense avoir vu quelque chose.

– Quelqu'un, précisa la femme. La première fois, c'était il y a environ un mois. David a aperçu quelqu'un. Raconte-leur, chéri.

Il acquiesça.

– Je ne peux pas vous dire quelle heure il était précisément. À force de dormir à des heures irrégulières, on finit par perdre la notion du temps. On rentre chez soi, on avale un somnifère et on s'écroule. J'ai seulement remarqué ce type parce que le quartier est très calme. On ne voit personne dehors après dix-sept heures. C'était autre chose à Philadelphie, on habitait dans le centre et c'était toujours animé.

– Il y a eu une deuxième fois il y a plus d'une quinzaine de jours, enchaîna la femme. Là, c'est moi qui ai vu l'homme, mais je n'en ai rien dit à David, d'autant que lui-même ne m'en avait pas parlé. Nous

nous sommes confiés l'un à l'autre seulement après ce qui est arrivé à Vita.

– Quel homme ?

– Avant d'y venir, dit-elle, nous voulons être certains de bien agir.

– Croyez-moi, docteur, vous agissez bien.

– Ce n'est pas le point de vue moral qui nous préoccupe, mais notre sécurité physique. Et s'il découvrait notre rôle dans son arrestation et s'en prenait à nous ?

– On n'en est pas encore là, dit Milo.

– Nous disons simplement, insista la femme, que dès lors que nous fournissons des renseignements, nous sommes impliqués dans le processus.

– Je comprends vos craintes, mais je conduis des enquêtes depuis des années et jamais je n'ai connu quelqu'un dans votre cas qui subisse des représailles.

– Pardon, dit le mari, mais voilà qui ne suffit pas à nous rassurer. Il y a toujours une première fois.

– Si vous avez rappelé le lieutenant Sturgis, soulignai-je, ce n'est pas seulement pour récupérer vos affaires sous escorte policière.

– En effet, reconnut le mari. Ça nous semblait être notre devoir. Depuis, on y a réfléchi.

– Une enquête criminelle est un processus complexe. Avant que quiconque soit arrêté, sans parler d'être mis en examen et jugé, quantité de renseignements seront ajoutés à la pile. Votre contribution ne sortira pas du lot.

– On croirait entendre mon père ! dit Sondra. Il enseigne la psychologie. Toujours à disséquer les choses avec logique.

– Et comment vous conseille-t-il d'agir ?

– Je ne lui en ai pas parlé. Nous n'avons rien dit à personne.

– S'il l'apprenait, dit David, il sauterait dans le

premier avion. Il voudrait tout régenter, nous dirait :
« Vous voyez ? J'avais raison ! Vous auriez mieux fait
de rester à Philadelphie ! »

– Et ce serait pareil avec ta mère, dit-elle en souriant.

– Elle nous en rebattrait les oreilles !

Ils se prirent la main.

– Qui avez-vous aperçu ? demandai-je.

– Si notre contribution est si minime, vous pouvez
sans doute vous en passer, non ? dit la femme.

– Discrète plus que minime. C'est un peu le cas
en médecine, non ? On ne sait jamais à l'avance ce
qui marchera.

– Nous préférons croire que la médecine est une
pratique plutôt scientifique, objecta le mari.

– Et nous pensons la même chose du travail de la
police, mais la réalité n'est pas toujours conciliante.
Votre information ne sera pas forcément pertinente, mais
tout ce qui permet de mieux cibler les investigations
est bon à prendre.

– Bien, d'accord, fit la femme.

– T'es sûre, chérie ?

– C'est la chose responsable à faire. Autant en
terminer.

David Feldman inspira en caressant le crocodile
agressif sur sa poitrine gauche.

– Il y a environ un mois, en rentrant du travail, j'ai
remarqué un homme sur le trottoir d'en face. Il faisait
nuit, mais le type était visible. Sans doute que le ciel
était étoilé, je ne sais pas. J'ai tout de suite pensé qu'il
observait notre bâtiment. L'étage.

– L'appartement de Vita, dis-je.

– Je ne peux pas en jurer, mais à voir comment il
inclinait la tête en arrière, ça donnait vraiment cette
impression. J'ai trouvé ça curieux car, tout le temps

que nous avons vécu là, nous n'avons jamais vu personne rendre visite à Vita. Elle recevait peut-être des gens dans la journée, pendant que nous étions absents. Mais bon, quand ça nous arrivait d'être là de jour, personne ne venait.

— Une vraie solitaire, renchérit sa femme. Pas surprenant.

— Pourquoi ?

— Sa personnalité.

— Caustique, querelleuse, odieuse, dit le mari. À vous de choisir le qualificatif. Elle habite à l'étage et nous en dessous, si quelqu'un risque d'être gêné par les bruits de pas, c'est nous, non ? Pourtant, on ne s'est jamais plaints et, faites-moi confiance, elle avait le pied lourd ! Vita n'avait rien d'un mannequin. Certains soirs, quand on rentrait après de longues gardes, c'était franchement pénible d'être réveillé par ses déplacements bruyants.

— D'ailleurs, elle faisait souvent du bruit quand on rentrait.

— Vous pensez qu'elle cherchait à vous embêter ? demanda Milo.

— On s'est posé la question.

— Mais on n'a jamais abordé le sujet avec elle, précisa le mari. À quoi bon ? Et elle a trouvé le moyen de se plaindre de nous à Stanleigh !

— Comment pourrait-elle entendre nos pas au rez-de-chaussée ? Et puis, on se met toujours pieds nus à la maison et on fait attention au bruit. Stanleigh a été adorable, il s'est même excusé. On sentait qu'il nous en parlait pour la forme. Après, chaque fois qu'on croisait Vita, elle nous lançait un regard mauvais.

— Mais bon, revenons-en au sujet qui nous intéresse, dit le mari. Alors qu'on ne lui a jamais vu aucun visiteur, voilà qu'un type observe son appartement.

– Depuis le trottoir d'en face, dis-je.

– Il a détalé dès qu'il a vu que je l'avais remarqué.

– Vous pourriez le décrire ?

– Blanc, dans les un mètre quatre-vingts. J'ai surtout été frappé par son accoutrement. Alors que le temps était doux, il était en manteau. Qui porte un manteau à L.A. ? Celui que j'ai apporté de Philadelphie n'est jamais sorti de sa housse.

– Quel genre de manteau ?

– Assez large. Ou bien ce n'était qu'une impression parce que lui-même est costaud. Sachant ce qui s'est passé, on peut s'interroger : aurait-il choisi un vêtement ample pour dissimuler un revolver ? Vita a-t-elle été tuée par balle ?

– Non, poignardée, répondit Milo.

– Mon Dieu, fit l'épouse en agrippant l'avant-bras de son mari. Même si on avait été présents, cela aurait pu se passer sans qu'on n'entende rien. C'est répugnant !

– Que pouvez-vous nous dire de plus sur cet individu ? demandai-je au mari.

– C'est tout.

– Quel âge ?

– Je n'en ai aucune idée.

– Quand il s'est éloigné, comment décririez-vous sa manière de se déplacer ?

Il réfléchit.

– Il ne boitait pas, si c'est à ça que vous pensez. Pas une allure de vieillard, donc sans doute pas très âgé. J'étais trop loin pour le détailler. Je me suis surtout demandé ce qu'il faisait là. D'ailleurs, je n'étais pas vraiment inquiet, plutôt curieux. C'est seulement quand il a détalé que j'ai trouvé ça louche.

– Vous diriez qu'il avait moins de cinquante ans ? s'enquit Milo.

– Hum… sans doute.

– Moins de quarante ?

– Là, je ne peux pas vous dire.

– Si je vous demandais une estimation ?

– Entre vingt et trente ans, mais je ne sais pas ce qui me fait répondre ça.

– Bien, dit Milo en se tournant vers Sondra Feldman.

– Moi, c'était il y a trois semaines. Je le sais parce que j'étais affectée à une clinique de Palmdale, trop loin pour faire l'aller-retour, donc la plupart du temps je dormais sur place. Mais ce soir-là, je suis sortie plus tôt et je voulais profiter de ce que David était de garde pour faire le ménage dans l'appartement. C'était donc une ou deux semaines après que lui l'a aperçu. Le soir, autour de neuf heures. J'étais rentrée vers huit heures, je m'étais douchée et j'avais dîné. Je m'occupais à des bricoles, ça me détend. En particulier, j'ai vidé les poubelles dans un grand sac que j'ai sorti pour le mettre aux ordures. (Elle se mordit la lèvre.) Maintenant que j'y repense, ça me fait froid dans le dos.

– Il y avait quelqu'un dans la venelle, dis-je.

Elle acquiesça.

– Vers les poubelles de l'immeuble voisin. J'ai dû lui faire peur, car je l'ai entendu s'enfuir avant même de le voir. Quand j'ai aperçu la silhouette en train de courir, j'ai vraiment paniqué. Le fait qu'il se soit trouvé là sans que je le sache, et qu'il détale ainsi. Pourquoi fuirait-il s'il n'avait rien à se reprocher ? Il est parti à toute allure, dans la venelle en direction de l'ouest. Certains bâtiments disposent d'un éclairage de service, ce qui m'a permis de distinguer sa silhouette quand il passait devant. Son manteau tout gonflé. C'est pour ça que je sais… enfin, je pense que c'est le même type que David a vu. Il faisait tiède ce soir-là, pas du tout un temps à porter un manteau. Je ne peux pas vous donner un âge, ne l'ayant aperçu que de dos et de loin. Vu sa manière de se déplacer, davantage ours que cerf, je dirais qu'il est assez corpulent. Ce n'était pas simplement son vêtement qui le grossissait. Vous pensez que Vita était visée spécifiquement ?

– Quelle serait l'autre éventualité ? s'enquit Milo.

– Un psychopathe qui frappe au hasard.

– Nous préférerions bien évidemment qu'il s'en soit pris à elle pour une raison personnelle plutôt qu'il s'agisse d'un prédateur sexuel susceptible de s'attaquer à n'importe quelle femme, précisa le mari.

– Le soir où je me suis rendue à la poubelle, dit Sondra Feldman, il faisait vraiment doux. J'étais en short et débardeur. Je me demande même si j'avais tiré les rideaux.

Ses yeux s'embuèrent de larmes.

– Rien n'indique qu'il ait envisagé de s'en prendre à un autre habitant de l'immeuble que Vita, dit Milo.

– Okay, fit-elle d'un ton qui ne respirait pas la confiance.

– De toute façon, on déménage.

– Qu'avez-vous fait après avoir vu l'homme s'enfuir ? demandai-je.

– Je me suis dépêchée de rentrer.

– La seule réaction raisonnable, dit David.

Sa femme détourna vivement le regard.

– Vous n'avez pas jeté un coup d'œil alentour ? insistai-je.

– Pourquoi aurait-elle fait ça ? dit le mari.

– En fait… murmura-t-elle.

Son mari la dévisagea.

– Ça m'a pris juste une seconde, David. J'avais peur, mais j'étais aussi curieuse de savoir ce qu'il fabriquait là. J'ai voulu vérifier s'il avait laissé quelque chose, un indice. Pour avoir un élément à fournir à la police, si jamais il revenait.

– Quoi ? lâcha le mari. T'es folle ?

– Ne sois pas inquiet, chéri. Il était loin, je ne courais aucun danger. J'ai jeté un rapide coup d'œil, puis je suis rentrée.

– Qu'avez-vous relevé ? demandai-je.

– Pas grand-chose. Il y avait un emballage par terre. J'en ai déduit qu'il faisait les poubelles, sans doute un sans-abri qui cherchait de la nourriture. Ce qui expliquerait le manteau. En psycho, on nous a appris que les schizophrènes portent parfois plusieurs épaisseurs de vêtements.

– Quel genre d'emballage ?

– Un carton à pizza. Vide. Je le sais parce que je l'ai ramassé pour le remettre dans la poubelle et qu'il ne pesait pas lourd.

– Beurk ! fit le mari. T'avais plus qu'à te désinfecter ! Elle lui lança un regard agacé.

– Tu me prends pour qui ?

– Je plaisantais !

– Le carton comportait-il une inscription ? demanda Milo.

– Je n'ai rien remarqué. Pourquoi ? Est-il question d'une pizza à propos de Vita ?

– Pas du tout, fit Milo.

– Alors, ce n'était peut-être qu'un clochard perturbé qui faisait les poubelles, dit la femme. Rien d'inquiétant.

– Autre chose à nous dire ?

Mari et femme secouèrent la tête d'un même mouvement.

– Bon, merci. Voici ma carte, appelez-moi quand vous aurez besoin de l'escorte.

Les Feldman se levèrent. Lui mesurait un bon mètre quatre-vingt-dix, elle dix centimètres de moins. Si jamais ils décidaient un jour de se reproduire, cela donnerait un basketteur doté d'un beau cerveau. Comme nous nous dirigions vers la porte, je demandai :

– Vous avez mentionné Philadelphie. Vous avez étudié à l'université de Pennsylvanie ?

– J'y ai fait tout mon cursus, répondit Sondra. David a d'abord étudié quatre ans à Princeton.

Le mari eut un sourire figé.

– On a le genre naïfs de l'Ivy League ?

– Plutôt le genre qui réfléchit sérieusement.

– Merci. Je crois.

– Réfléchir n'est pas toujours de tout repos, ajouta sa femme.

17

Nous n'étions pas encore repartis que Milo était déjà au téléphone. Il commença par appeler Moe Reed pour savoir ce que donnaient les investigations au parc.

– Toujours rien, chef. Mais Sean a du nouveau pour vous.

Il passa l'appareil à son collègue.

– Une voisine aurait vu quelqu'un de louche traîner dans les parages, il y a trois jours. Blanc, âge indéterminé. Chaudement vêtu, ce qui l'a intriguée car il faisait tiède ce soir-là.

– Quel genre de vêtement ?

– Je n'ai pas demandé. C'est important ?

– Peut-être.

Milo lui rapporta le témoignage des Feldman, l'hypothèse avancée par Sondra d'une arme dissimulée sous le vêtement.

– Ah bon, dit Binchy. Je vais l'interroger à nouveau.

– Pas la peine. Dis-moi où elle habite.

Nous filâmes vers Temescal Canyon. L'adresse en question était située légèrement au nord de l'entrée du parc, un terrain de belle taille orienté plein ouest. Demeure de style Craftsman, façade en bois, séparée de la rue par un talus à l'épaisse végétation. Quantité d'arbres et de buissons derrière lesquels se dissimuler.

Pas idéal pour une femme vivant seule, comme c'était le cas de l'informatrice. La quarantaine, silhouette d'athlète, ravissante. Devant le badge de Milo, elle dit :

– Enchantée, Milo B. Sturgis. Moi, c'est Erica A. Vail.

Elle s'avança sur la pelouse et se pencha pour arracher le bouton fané d'une azalée. Elle portait un haut noir très décolleté, des leggings dont la teinte verte prenait d'étonnants reflets roses sous les rayons du soleil et des Vans fuchsia. Et un diamant à la narine gauche.

– Je ne vois pas ce que je pourrais ajouter à ce que j'ai raconté à votre jeune collègue. Dites-moi, je ne savais pas que vous étiez aussi branchés, dans la police ! Les cheveux en pétard, le look surfeur, les Doc Martens. Si je relevais ça dans un scénario, je reprocherais à l'auteur un manque de vraisemblance. Apparemment, c'est moi qui n'ai pas les idées assez larges.

– Vous êtes réalisatrice ?

– Productrice.

Elle cita, l'air de rien, une série comique dont la diffusion avait cessé depuis cinq ans. Précisa qu'elle n'avait pas moins de trois projets à l'étude pour différentes chaînes.

– Ravi que l'inspecteur Binchy vous ait éclairée sur ce point. Je suis son supérieur.

Erica Vail afficha un large sourire. Denture d'un blanc aveuglant.

– Le chef se déplace rien que pour moi ? Je suis flattée ! Peut-être serez-vous plus disert. Qui a été assassiné au juste ?

– Quelqu'un des environs.

– Un voisin ?

– La victime habitait à trois kilomètres d'ici.

– Habiter au sens propre ? Elle avait un domicile ?

Vous ne parlez pas d'un de ces sans-abri qui traînent le long du California Pacific Highway ?

– Non, il avait un domicile. Un certain Colin Quigg.

– Jamais entendu parler. Je pensais que la victime était un sans-abri. On en a qui s'aventurent dans le parc de temps à autre, mais ils ne font pas d'histoires quand on leur demande de s'en aller. C'est l'un d'entre eux qui a tué votre M. Quigg ?

– Trop tôt pour le dire, madame Vail.

– Le type que j'ai aperçu ne m'avait pas l'air d'un clochard. En trop bonne santé. Même un peu enrobé.

– Racontez-nous ça.

– D'accord, dit-elle d'un ton enjoué, le regard pétillant. C'était il y a trois jours, vers dix heures du soir. Je suis sortie et il se trouvait là, dit-elle en pointant le talus. Je me tenais à peu près au même endroit et j'ai pu le distinguer grâce à la lune qui était assez grosse et créait une sorte de halo autour de lui. (Sourire.) Ça donnait un côté effets spéciaux. Désolée, c'est plus fort que moi, j'envisage toujours les choses en termes de plan et de cadrage.

– Vous ne semblez pas bouleversée, nota Milo.

– À cause du meurtre ou du type que j'ai surpris ?

– Les deux.

– Le crime ne me touche pas car c'est trop abstrait, et puis dans une autre vie j'étais infirmière en chirurgie. J'ai même été en poste en Afghanistan, il en faut plus pour me secouer. Quant au type l'autre soir, je n'ai pas eu peur parce que j'ai Bella.

– Qui est Bella ?

Elle retourna à l'intérieur à petites foulées et ressortit au bout d'un instant, un monstre en laisse. Une impressionnante créature d'un gris bleuté, soixante kilos de muscles parfaitement dessinés, tête massive au museau aplati. Quelques taches jaunes parsemées sur la saillie arquée au-dessus des yeux vigilants, ainsi qu'à l'extrémité des pattes. Une robe de rottweiler dont on aurait trafiqué le coloris, sauf que c'était là une bête plus imposante et plus haute sur pattes, à laquelle le scalpel n'avait laissé qu'un vague bout de queue et de minuscules oreilles en pointe. Autour du cou épais comme un tronc était passé un collier étrangleur relié à une robuste laisse de cuir.

– Dis bonjour aux gentils policiers, Bella.

L'animal écarta les babines, dévoilant des crocs dignes d'un lion. Un grondement sourd et menaçant, monté des entrailles, s'échappa de son gosier.

– À part moi, Bella n'aime personne.

Comme s'il avait reçu un signal, le chien bondit vers nous. Malgré le collier, Erica Vail dut y mettre toutes ses forces pour le retenir.

– Surtout pas les hommes ! s'amusa-t-elle. Je me suis fait ce cadeau quand j'ai divorcé.

– Quelle race ? demandai-je.

– Cane corso. Un croisement entre le chien des cohortes romaines et le limier sicilien. Au vieux pays, ils gardent les propriétés des mafieux et chassent le sanglier.

Bella grogna.

– Une séduction toute féminine, dit Milo.

– Vous comprenez pourquoi le rôdeur ne m'a pas embêtée ! s'esclaffa Erica Vail. Bella a flairé sa présence depuis la maison. C'est ce qui m'a décidée à sortir, elle geignait et s'agitait devant la porte. À peine dehors, elle a foncé droit vers lui. Si je ne l'avais pas tenue en laisse, elle n'en aurait fait qu'une bouchée.

– Comment a-t-il réagi ?

– De manière étonnante. La plupart des gens n'ont

qu'à la voir pour changer de trottoir. Ce crétin, lui, n'a pas bougé. Peut-être jouait-il les machos. Idiot de sa part. Si Bella tire trop fort, pas question que je me bousille l'épaule.

Elle agita ses cheveux et relâcha sa poigne sur la laisse. La chienne se rapprocha de nous. Je lui souris, lèvres closes ; certains chiens se sentent agressés si on leur montre les dents. L'animal pencha la tête de côté, un peu comme Blanche quand elle réfléchit. Après un long regard, il me gratifia d'une fierté dédaigneuse.

— J'étais sur le point d'avertir cet idiot, reprit Erica Vail, quand il a eu l'intelligence de s'en aller.

— Dans quelle direction ? demanda Milo.

— Par là-bas, il a pris la rue vers le sud. S'il avait disparu dans les fourrés, j'aurais appelé la police.

— Vous avez précisé qu'il était chaudement vêtu.

— Oui. C'est ce qui m'a fait penser à un pervers. Il avait la tenue pour, un genre de pardessus qui s'ouvre en grand.

— Un exhibitionniste.

— Les exhibitionnistes, je connais. J'en croise tous les jours sur les plateaux de tournage ! Vous le soupçonnez d'être l'assassin de votre Quigg ?

— L'enquête n'en est qu'à ses débuts. Vous diriez que l'homme faisait quelle taille ?

— Dans la moyenne. Plus proche du gabarit de monsieur, dit-elle en me tapotant l'épaule, que du vôtre.

— Vous sauriez décrire le pardessus ?

— Il n'était pas fermé et lui arrivait presque aux genoux.

— Comment avez-vous su qu'il était ouvert ?

— La silhouette que ça lui faisait. Trop large pour que la fermeture soit remontée. Et c'était assez volumineux, donc pas de la microfibre. J'espère que vous pincerez le meurtrier de ce pauvre homme. Bella et moi devons vous laisser. Nous avons des scripts qui nous attendent.

Je me permis une petite caresse sur la tête de la chienne. Celle-ci ronronna. Sa maîtresse me dévisagea.

– Incroyable ! Bella ne s'entend jamais avec aucun homme. (Sourire.) Vous êtes marié ?

– Quel genre de scénario apprécie Bella ? demanda Milo.

– Elle a des goûts éclectiques, mais sûrs. Quand une page de dialogue ne la fait pas geindre, cela retient mon attention. Pour les projets qu'on me soumet ces derniers temps, elle gémit souvent.

18

Au cours des jours suivants, les éléments d'enquête s'ajoutèrent au compte-gouttes. Les deux filles de Colin Quigg ne voyaient pas qui aurait pu en vouloir à leur père. Idem pour les amis de la famille que Moe et Sean interrogèrent. Quant à Belle Quigg, dans les brumes des sédatifs, elle s'en tenait au même mantra : tout le monde adorait Colin, donc c'était forcément l'œuvre d'un maniaque.

Les services vétérinaires du comté avaient collecté trente-trois dépouilles canines depuis la mort de Quigg. Milo et ses jeunes adjoints prirent le temps de toutes les vérifier : aucune n'était celle de Louie. Il s'agissait pour la plupart de chiens abandonnés, morts de malnutrition, de maladie ou écrasés par une voiture. Un golden retriever croisé avait été retrouvé dans une rue de Canoga Park, tué d'une balle dans la tête, manière d'exécution. Milo prit le temps de contacter ses propriétaires. Les deux étudiantes à qui Maximilian avait appartenu étaient en proie au chagrin et à la culpabilité : elles soupçonnaient l'ex-petit ami de l'une d'elles. Renseignements pris, le gaillard de trente ans avait un casier, quelques violences et écarts de comportement. Milo s'emballa, mais vérification faite, le type était en mer depuis sept mois, matelot sur un cargo à destination du Japon.

Le foyer dont provenait Louie n'employait personne correspondant au signalement du type costaud aperçu aux abords des deux scènes de crime. Hormis un lycéen d'origine vietnamienne et deux retraités octogénaires, le personnel était entièrement féminin. La femme qui avait réglé la paperasse se souvenait très bien de Colin Quigg, un monsieur vraiment très gentil. Elle convint qu'il avait semblé le maître idéal pour Louie, un homme tranquille, pas compliqué et détendu. À mes yeux, cela en faisait aussi la victime idéale. Binchy et Reed visitèrent d'autres chenils, sans plus de succès.

Les lignes téléphoniques et les comptes bancaires de Quigg ne recelaient rien de suspect. Une nouvelle fouille du parc s'avéra aussi vaine que les nombreux interrogatoires de sans-abri habitués du carrefour Sunset-California Pacific Highway. L'une des mendiantes, une certaine Aggie, édentée et le regard fou, était toutefois certaine d'avoir vu passer Quigg et d'en avoir obtenu cinquante dollars.

– Joli coup, dit Milo.

– Ouais. Un grand seigneur.

– Quel genre de voiture conduisait-il ?

– Une super Rolls-Royce, quoi d'autre ? Je vous dis, il y a des riches sympas.

Milo reçut le rapport d'autopsie de Colin Quigg et les résultats des analyses toxicologiques. Une forte contusion à la nuque indiquait qu'il avait probablement été neutralisé d'un coup par-derrière. L'enquêteur du coroner ne l'avait pas repéré sur la scène de crime car l'épaisse chevelure de Quigg dissimulait la trace. Sans être fatal, le coup avait été suffisamment puissant pour le sonner. Les seuls poils d'origine humaine étaient ceux de la victime. On avait relevé quelques poils supplémentaires de Louie sur le polo de son maître, ainsi que trois fibres qui se trouvaient être du synthétique imitant la peau de mouton.

– Il se pourrait que notre rôdeur porte une canadienne à doublure bas de gamme, suggérai-je.

– Tenue de chasse… comme ils en ont dans le Montana… À voir, dit Milo en griffonnant dans son calepin. Que t'inspire la blessure à la tête ?

– Classique. Coup de poing en traître. Avec Vita, il n'y a pas eu besoin d'une attaque éclair car elle était ivre et s'est laissé abuser par la ruse de la pizza. Si c'est le meurtrier qu'Erica Vail a aperçu, il repérait les lieux trois jours avant de supprimer Quigg. Colin s'en tenait toujours au même itinéraire, pas compliqué de jouer soi-même les promeneurs. Le tueur croise sa cible, lui sourit avec un petit geste de la main. Peut-être même qu'il s'arrête et prend le temps de caresser Louie.

– Filature amicale. Jusqu'au jour où ça cesse de l'être.

– Moi, je demanderais à Belle Quigg si son mari lui avait parlé de quelqu'un qu'il aurait rencontré en promenant le chien.

Nouvelle prise de notes.

– Ajouté à ma liste. Nous avons donc une idée assez précise du déroulement des deux meurtres. Mais reste la grande question : Pourquoi ont-ils été choisis comme victimes ? Il doit bien y avoir un point commun, qui m'échappe pour l'instant. Le procès de Vita me semblait une piste prometteuse, mais ça n'en prend pas le chemin. Les costard-cravate chez Well-Start se sont montrés bien plus coopératifs que je ne m'y attendais. Pas par gentillesse : ils redoutent que la clause de confidentialité ne soit écartée et de subir une publicité négative dommageable. J'ai même eu droit à la visite d'une avocate hier, qui m'a montré quantité de documents : les conclusions des diverses parties, les interrogatoires des collègues mis en cause, l'expertise de Shacker, où je n'ai vu qu'un verbiage fumeux de psy, sans vouloir t'offenser. Au total, rien de nouveau et la baveuse m'a certifié que Well-Start n'avait jamais eu aucun rapport avec Quigg. Je ne l'ai pas crue sur parole, j'ai adressé un mail au bras droit du P-DG, basé à Hartford, Connecticut. Il m'a rappelé en personne, m'a fourni le nom de leur cabinet d'expertise comptable et a graissé les rouages pour que j'obtienne des réponses à mes questions. Quigg n'a jamais travaillé pour ce cabinet ni même posé sa candidature. Ce que m'a confirmé sa veuve : Colin n'avait pas de plan de carrière, il était satisfait de son sort et comptait prendre sa retraite d'ici quelques années. J'ai tout de même contacté le supérieur de Quigg à qui j'ai demandé si celui-ci avait eu des dossiers dans l'assurance-maladie. Ils ont quelques clients du secteur, mais pas Well-Start, dont l'assureur n'est pas non plus chez eux. De toute manière, Quigg était bien assez occupé avec sa chaîne de supermarchés. Son chef m'a dressé le même portrait que tout le monde : un homme plaisant, souple, d'humeur égale. La question demeure donc : Pourquoi le choix s'est-il porté sur Vita et Colin ? Ou bien il n'existe aucun critère : le salaud se balade en voiture, repère une proie au hasard, qu'il traque et observe avant de frapper.

Ce genre de meurtre n'avait jamais rien d'aléatoire, mais ce n'était pas le moment de le souligner.

– En attendant, poursuivit-il, les deux affaires refroidissent à vitesse grand V. Si ce monstre en reste là, il pourrait bien nous échapper.

Une crainte infondée, comme l'avenir le démontra.

19

Le lendemain, l'humeur de Milo remonta légèrement : de noire, elle vira au gris foncé. Belle Quigg s'était souvenue d'un charmant jeune homme dont Colin avait fait la connaissance lors d'une promenade nocturne. Louie s'était montré affectueux envers l'inconnu, preuve pour son maître d'une moralité irréprochable.

– Nous savons toi et moi ce que vaut le jugement d'un chien, grommela Milo.

Il versa une cuillerée de lentilles sur un monticule de riz basmati, suça l'une des pinces de langouste empilées devant lui, tableau terrifiant pour peu que l'on s'y attarde. Nous occupions sa table d'angle habituelle au Café Moghol, le restaurant indien situé à deux pas du poste et qui lui tient lieu de bureau annexe. Au fil des ans, il avait eu l'occasion d'éconduire quelques marginaux égarés de Santa Monica Boulevard qui dérangeaient la clientèle. Du coup, il était devenu une sorte de dieu protecteur aux yeux de la propriétaire qui le nourrissait en conséquence, une femme douce à lunettes qui ne portait jamais deux fois le même sari. Ce jour-là, il avait droit aux pinces de langouste, à l'agneau tandoori et à une montagne de légumes cuits à l'étuvée et apprêtés au beurre clarifié. Il avait déjà englouti six verres de thé glacé au girofle. Comme la journée promettait d'être calme, l'enquête sur les meurtres étant au point mort, j'en étais à ma deuxième bière.

– Colin n'a rien dit de plus sur le type sympa ?

– Pas que Belle se souvienne. Au fait, un expert en fibres m'a confirmé que les fils retrouvés sur Quigg correspondent à une peau synthétique bas de gamme. Ce qui me fait une belle jambe.

– J'en reviens à la remarque de David Feldman dont le manteau n'est pas sorti de sa housse. Si notre type porte des vêtements d'hiver, c'est peut-être qu'il vient d'une région froide.

– Pourquoi pas. Ou tout simplement qu'il s'est déniché une aubaine dans une friperie. Si je tombe sur un traîneau à chiens et des moufles, je retiendrai ton hypothèse. Quand je pense que Quigg a peut-être été épié pendant plusieurs jours, ça me fait froid dans le dos. Comme ces guêpes qui paralysent les chenilles avant d'y planter leur dard.

– Le ciblage remplit peut-être une fonction supplémentaire, dis-je. Nous avons là une guêpe qui aime jouer avec sa nourriture.

– Le plaisir de la traque.

– Les chasseurs portent des peaux de mouton.

– Préliminaires à la mort, lâcha-t-il avec un rire amer.

Dame Sari s'approcha d'un pas feutré. Le vêtement du jour mariait superbement le turquoise, le corail et le safran. La monture des lunettes était d'un rouge assorti.

– Vous vous régalez ?

– Comme toujours.

– Je vous remets de la langouste ?

– Je ne peux plus rien avaler, dit Milo en tapotant sa bedaine. Et j'ai déjà une barrière de corail tout entière sur la conscience.

Elle sourit pour masquer sa confusion à cette assertion.

— N'hésitez pas si vous souhaitez quelque chose d'autre, lieutenant.

— N'ayez crainte, mais je suis vraiment rassasié.

— Allons, vous avez bien un peu de place pour un dessert ?

— Hum… va pour une part de gâteau au sirop de rose.

— Parfait…

Elle s'éloigna, mais je parvins à distinguer les deux mots qu'elle ajouta du bout des lèvres : « Honoré lieutenant. »

Milo, lui, avait déjà la tête ailleurs, son portable s'étant mis à vibrer sur la table. Ses épaules se voûtèrent quand il lut le nom affiché à l'écran.

— Sturgis. Ah, c'est toi, Maria… Ah bon ? Merde. Où ça ?… D'accord. De suite.

Il s'écarta de la table, y lança quelques billets et s'essuya rageusement le menton avec sa serviette. Comme je lui emboîtais le pas vers la sortie, la patronne revint de la cuisine avec une assiette de boulettes nappées d'un glaçage rose et un bol de riz au lait.

— Je vous ai apporté une petite douceur supplémentaire…

— Malheureusement, grogna Milo, la vie a opté pour l'amertume.

Je rattrapai de justesse la porte qu'il ne me tint pas. Le souffle crispé et le teint cramoisi, il enfila Butler d'un pas soutenu, en direction du poste. Avec force grincements de dents et caresses nerveuses aux joues.

— Qu'est-ce qui se passe ? lui demandai-je.

— À ton avis ?

— Maria Thomas est une bureaucrate. Ces gens-là

savent se montrer bornés. Elle te reproche de sécher une réunion ?

Il s'arrêta soudain et se plaqua la main sur le visage, presque une gifle.

– Notre méchant a frappé de nouveau. Au lieu de me contacter, l'officier de permanence s'est adressé directement à Sa Splendeur, lequel a refilé le dossier à Maria car il n'avait pas envie d'entendre ma voix. À l'évidence, on surveille de près ma prestation sur ces meurtres et je n'inspire pas confiance. Je me dirige de ce pas vers la scène de crime. Ne sois pas étonné si on me retire le dossier.

Il reprit sa marche au pas de course.

– Qui est la victime ?

Mâchoires serrées, il me répondit d'une voix étranglée et rauque.

– Victimes au pluriel. Cette fois-ci, le salaud a doublé la mise.

Basse et large, la maison était de style ranch comme toutes les autres dans cette rue d'un quartier anonyme de West L.A. L'homme avait été retrouvé dans le jardin, sur le ventre, vêtu d'un peignoir de soie noire. Il avait reçu plusieurs coups de couteau en plein torse, des blessures profondes et concentriques. Deux coups de grâce portés à la gorge avaient tranché la jugulaire droite, la carotide et la trachée. Pas d'éviscération comme pour Vita et Quigg. Je restai silencieux tandis que Milo observait le cadavre.

La victime avait les cheveux foncés, longs et ondulés. Moustache soigneusement taillée. Entre trente et quarante ans, grande taille, belle musculature. Cette fois-ci, l'assassin ne s'était pas embêté pour le sang : sous le corps, l'herbe était tapissée d'un glacis peu ragoûtant, brun et luisant. Pas de gazon arraché ni de buissons abîmés, ni aucun autre signe de lutte. Pas de coup porté par-derrière : l'enquêteur du coroner avait immédiatement vérifié sous les cheveux, sans y relever de bosse ou d'ecchymose. Le tueur s'était attaqué de face à un adversaire de taille et l'avait aisément défait. Peut-être à la faveur de la nuit.

Milo fit le tour du cadavre pour la quatrième fois. Leur travail terminé, les techniciens attendaient de s'entretenir avec lui avant de quitter les lieux. Le chef adjoint Maria Thomas avait tardé à le convoquer. Garée devant la maison, la fourgonnette du coroner repartirait dès qu'on y aurait placé le corps.

Belle journée ensoleillée dans le West Side. Le jardin était enclos d'un mur en béton tapissé de bignonias. Dans le Missouri où j'ai grandi, personne ne songeait à dresser des barrières et un enfant pouvait jouer à être le maître du monde. Dans l'épaisse et sombre forêt à l'arrière du taudis que nous habitions apparaissaient parfois des bêtes mortes, et même à deux reprises un cadavre humain. Le premier fut un chasseur abattu accidentellement par un de ses amis, le second une fillette de cinq ans, mon âge à l'époque. Je conçois que la liberté puisse être source de cauchemars, mais là cet espace clos et confiné me semblait oppressant. Pourquoi de telles pensées ? Parce que je n'avais rien de constructif à dire.

Milo accomplit un nouveau cercle, puis rejoignit Maria Thomas. Elle s'était postée au milieu de l'allée de la maison bleue, derrière les deux véhicules garés là. À l'abri du spectacle épouvantable, elle cajolait son mobile. Élégante blonde qui affectionnait les tailleurs sur mesure, elle avait le grade de capitaine quand je l'avais croisée deux ans auparavant. Décorative, prudente et à l'aise à l'oral, elle était la parfaite bureaucrate. L'unique fois où je l'avais vue à l'œuvre, elle avait commis une sacrée bévue : parce qu'elle avait outrepassé son rôle en voulant jouer les inspecteurs, une prévenue était morte en salle d'interrogatoire. Curieusement, ce fiasco lui avait valu une promotion. Elle poursuivit sa conversation sans se soucier de Milo, finit par indiquer la porte arrière de la maison, sans pour autant raccrocher.

Milo me précéda à l'intérieur. C'était lumineux et ordonné. Tout semblait en ordre dans la buanderie, la cuisine et le salon, aucune trace de sang rapporté du jardin. Une odeur de cannelle flottait dans la cuisine. Tout était propre, rangé, normal.

Dans la chambre conjugale, c'était une autre histoire. La femme gisait sur le dos au centre du lit. Cheveux courts et ondulés, jeu subtil de plusieurs nuances de caramel. Le poignet droit était attaché à la tête de lit en laiton avec une cravate bleue dont l'étiquette était visible. Gucci. Pas de bâche ou de serviette disposée sous le corps nu. Les draps bleu pâle n'avaient subi ni flot artériel, ni coulure, ni rejet, ni éclaboussure, rien que de minuscules taches rubis. Le meurtrier avait attendu que tous les organes s'arrêtent avant de se mettre au travail.

Il avait réservé à cette victime le même sort qu'à Vita Berlin et Colin Quigg. Elle avait les yeux grands ouverts, peut-être le meurtrier lui avait-il écarté les paupières post mortem, ou bien elles avaient été prises d'un spasme et s'étaient figées. Des yeux gris expertement maquillés, ombre à paupières et mascara pour les cils, et dont l'aspect vivant déconcertait, alors que le cou rompu formait un angle impossible et que les entrailles putrides étaient empilées en une décoration grotesque.

Une nuisette rose transparente traînait sur la moquette. Vernis nacré aux ongles des mains, bordeaux aux orteils. Une feuille blanche était placée sous le talon gauche :

?

— Tu commences à être lassant, connard, grommela Milo.

— Pardon ? fit l'agent en tenue posté devant la porte.

Milo l'ignora et balaya la chambre du regard. J'en étais déjà à ma deuxième inspection et j'observais la table de chevet côté gauche. Une culotte rose à froufrous reposait sur la lampe. Le fatras comprenait un tube de lubrifiant intime parfumé à l'abricot, une boîte de préservatifs nervurés, une bouteille de sauvignon non débouchée, un tire-bouchon et deux verres. Sur l'autre table de nuit, une lampe similaire, la petite culotte en moins, et une photo dans un cadre en argent. Beau couple, smoking et robe de mariée. Tout sourire, ils découpaient un gâteau à quatre étages orné de roses en sucre jaune. Ils n'avaient pas l'air beaucoup plus jeunes. Mariage récent ?

Le plafonnier diffusait une douce lueur orangée, le variateur près du lit réglé au minimum. Éclairage tamisé, romantique.

La scène défila dans mon cerveau, comme si je l'avais écrite. Le mari et la femme se retirent dans la chambre, prêts pour une nuit d'amour. L'un ou l'autre, voire les deux, entend un bruit dans le jardin. Ils choisissent de l'ignorer, on ne va quand même pas se soucier du moindre bruissement de feuille ou de chaque intrusion imaginée. Cela recommence. Quelqu'un ou quelque chose rôde à l'extérieur ? Inutile de paniquer, c'est sans doute un raton laveur, un opossum ou un putois. Un chat ou un chien errant, comme cela est déjà arrivé. Ils l'entendent à nouveau. Un léger grattement, un frémissement de végétation. Encore et encore. Trop insistant pour l'oublier. Tu penses que c'est quoi, chéri ? Ne t'inquiète pas, je vais jeter un coup d'œil. Sois prudent. Je suis sûr que ce n'est rien du tout.

Il enfile son peignoir pour aller vérifier. Tel est le rôle de l'homme. Elle patiente, soulagée d'être mariée, d'avoir quelqu'un pour écraser les araignées et jouer les protecteurs. Elle se rallonge et se détend, songe aux délices qui l'attendent. L'absence se prolonge davantage que d'ordinaire. Les minutes défilent. Elle sent le doute qui revient. Allons, ne sois pas idiote… il a très bien pu surprendre un animal qu'il a dû chasser. Pourvu que ça ne soit pas un raton laveur, ils ont la rage et deviennent méchants quand on les accule. Mais elle n'entend pas d'agitation, peut-être qu'il y va prudemment. Elle sourit en imaginant son chéri qui affronte une bête sauvage. Comme un homme préhistorique ! Il sera vigilant, à son habitude, et l'épisode fournira une anecdote amusante qu'ils raconteront à leurs petits-enfants.

Mais le temps passe. Cela commence à faire long. Elle l'appelle. Silence. Puis elle entend la porte du jardin qui se referme. Parfait, c'est réglé. Il sera bientôt là, peut-être lui rapportera-t-il une surprise gourmande. La dernière fois, c'était du chocolat Godiva. Allez savoir à quelle gâterie, culinaire ou non, il songera aujourd'hui… Elle ferme les yeux, adopte une position qui plaît à son homme. Elle est rassurée d'entendre son pas masculin se rapprocher. Un son dont elle ne se lasse point. Elle susurre son prénom. Silence. Non, elle distingue un grognement viril. Chéri joue à l'homme des cavernes. Super, la nuit promet d'être coquine. Ceci, on ne le racontera pas aux petits-enfants. Elle sourit et ronronne. S'essaye à une posture un peu plus osée, invite sublime.

Le voilà qui pénètre dans la chambre. Elle entend sa respiration s'intensifier. Chéri… murmure-t-elle. Pas de réponse. Parfait, s'il veut jouer à ce petit jeu-là. Il est tout proche d'elle, elle perçoit sa présence et sa chaleur. Mais quelque chose est différent. Elle ouvre les yeux. Et tout bascule.

Les renseignements sur divers documents rangés dans le bureau attenant à la chambre recoupaient ceux de la base de données du permis de conduire. Barron et Glenda Parnell. Lui avait vécu trente-six ans et deux mois. Elle treize mois de plus. D'après son badge de la clinique de jour de North Hollywood, elle était le « Dr G.A. Usfel-Parnell, médecine nucléaire ». Sur la photo qui y figurait, elle affichait un air grave et portait de grandes lunettes non cerclées qui n'entamaient en rien sa beauté. Milo les trouva dans un tiroir de la table de chevet.

Je m'interrogeai quant à l'acuité visuelle du Dr Glenda Parnell. Qu'avait-elle vu en ouvrant les yeux ? Avait-elle distingué nettement son assassin, tremblé d'horreur avant de se maîtriser suffisamment pour négocier avec lui ? Les craintes quant au sort de son mari l'avaient certainement secouée, mais peut-être avait-elle pu en faire abstraction, poussée par l'adrénaline à se soucier de sa propre survie. Le tueur avait-il fait mine de jouer le jeu, la laissant se ligoter elle-même au montant ? Ou bien avait-il recouru d'emblée à la terreur et à l'intimidation ? Avait-elle senti que c'était perdu dès qu'il avait franchi le seuil ? S'était-elle soumise tant par intérêt que par amour pour Barron, dans l'espoir de les sauver l'un et l'autre par sa coopération ? Si oui, elle n'était pas sur la même longueur d'ondes que le tueur. Pour lui, Barron n'était qu'un obstacle à surmonter. Il l'avait attiré dans son piège, préliminaire mené de main de maître. La partie de plaisir pouvait commencer.

Milo enfila des gants et inspecta consciencieusement les tiroirs du bureau. Glenda Parnell était à jour de ses primes d'assurance contre les erreurs médicales, ainsi que de ses abonnements à diverses revues profession-nelles. Pour le courrier adressé à Barron Parnell, le nom était souvent suivi de l'abréviation « GFC ». La lettre d'information d'un agent de change nous en précisa le sens : gestionnaire de fortune certifié. Ainsi que la missive d'un avocat représentant le fonds en fidéicom-mis d'une famille Cameron, remontant à dix-neuf mois et alléguant « des malversations et des investissements hasardeux ». Milo nota les renseignements et poursuivit son exploration. Apparemment, Parnell travaillait à domicile et n'avait d'autres clients que lui-même et son épouse. Il se débrouillait bien : un peu plus d'un million sur un compte titres, deux cent mille dollars en obligations, un peu moins de dix mille sur leur compte joint. Les deux voitures garées à l'extérieur étaient une Porsche Cayman jaune de trois ans immatriculée au nom de Barron et un Infinity QX gris au nom de Glenda. Les deux carrosseries étincelaient et ne semblaient pas avoir subi de dégâts.

On n'avait pas davantage touché au matériel infor-matique onéreux dans le bureau, aux bijoux de grande valeur dans un coffret en cuir à peine dissimulé derrière des couvertures au fond du placard à linge, au service Christofle dans la salle à manger ni au home cinéma du salon, dont un écran plasma soixante pouces.

De retour dans la chambre, Milo trouva un cadre en

argent dans le tiroir à chaussettes de Barron. Une photo de charme de Glenda : flou artistique, nudité suggérée, décolleté généreux, dents étincelantes.

À Barry chéri, de la part de sa belle doctoresse. Notre amour est éternel. Pour notre anniversaire. XXXX

Datée de quarante-deux jours plus tôt.

Maria Thomas glissa la tête par l'embrasure.

– Des pistes ?

Milo secoua la tête.

– Vous avez une seconde ? demanda-t-elle.

– Ouep.

Il aurait pris le même ton pour consentir à s'arracher une dent tout seul.

La réunion à trois se déroula dans la cuisine immaculée des Parnell. Question déco, on n'avait pas regardé à la dépense : luxueux placards noir mat aux poignées en laiton, plans de travail en marbre blanc qui semblaient n'avoir jamais servi, batterie de casseroles en cuivre suspendues à un rail en fer forgé au plafond, robots en acier brossé.

– Le marbre, ça va à la rigueur pour étaler une pâte, dit Maria Thomas en tapotant un ongle sur le comptoir. Point de cuisine sérieuse ici.

– Je ne savais pas que vous vous y connaissiez en art culinaire, Maria.

– Pas moi, ma fille. Traduction : elle est accro à *Top Chef* et ça me donne le droit de lui payer une scolarité exorbitante dans un institut new-yorkais. Et voilà qu'elle s'est mis en tête de passer l'été prochain en France pour y apprendre à bien émincer les oignons. Je vous parle d'une gamine qui a tenu les quatre premières années de sa vie en se nourrissant exclusivement de hot-dogs et de lait chocolaté.

Elle caressa le revers impeccable de sa veste en

169

tweed. Ses cheveux étaient laqués sans pour autant donner l'impression d'un casque, grâce à un fixatif haut de gamme qui leur conférait du soyeux. Elle tenait dans l'autre main un téléphone qui paraissait fort coûteux.

— Eh bien, sacré carnage, fit-elle.

— Ça progresse, dit Milo.

— Par rapport à quoi ?

— Je parle du point de vue du coupable. Il a pris un risque avec le mari afin de se farcir la femme. Il s'est offert un doublé, une dose de frisson supplémentaire. Mais vous le savez déjà, vu que vous êtes ici depuis un certain temps.

Elle le dévisagea.

— Vexé ?

Il lui tourna le dos. Osé, devant une femme nettement plus gradée que lui. Présent lors de son fiasco, il n'en avait jamais tiré parti. Maria jugeait peut-être que cela lui conférait un certain pouvoir sur elle. Jusqu'au jour où elle le lui ferait payer.

— Okay, dit-elle. Si on dissipait tout de suite le malaise afin que nous puissions nous atteler à nos missions respectives ?

— Je pensais que nous avions la même.

Les prunelles de Maria Thomas s'assombrirent, deux petits cailloux au fond d'une mare.

— Je me trouve ici parce que le chef suit cette affaire depuis le second meurtre, celui de… (Coup d'œil au portable.) Quigg. Si le chef a été averti assez tôt, c'est que quelqu'un a jugé qu'il pourrait s'agir d'un tueur en série et que les circonstances sortaient suffisamment de l'ordinaire pour justifier qu'il soit tenu informé. Ne me demandez pas qui l'a renseigné, ça n'a aucune importance.

– Je me fiche éperdument de ces intrigues, Maria. Mon seul but est d'élucider quatre meurtres.

– C'est notre but à tous, Milo. Et pensez-vous qu'il y ait la moindre chance pour que vous y parveniez dans un avenir proche ?

– Bien sûr, patron ! Je soumettrai ça à votre approbation, dans un joli paquet-cadeau, d'ici… (Il consulta sa montre.) vingt et une heures quarante-trois, dernier délai. Vous ne chipoterez pas si je dépasse d'une nanoseconde ? J'ai aussi au programme l'arrestation de l'équipe d'Oussama au grand complet. En attendant, prévenez Sa Magnificence de n'ouvrir aucun colis en provenance du Pakistan.

– Voyons…

– La moindre chance ? Vous êtes sérieuse, Maria ? Vous vous imaginez que c'est aussi simple que de mettre un PV ?

– Nous y voilà, votre fichu caractère, dit-elle avec un clin d'œil. Un sale caractère d'Irlandais, et si je me permets cette image, c'est que la moitié de ma famille est originaire du comté de Derry.

– Bravo pour votre généalogie, Maria. Cette conversation a-t-elle le moindre intérêt ?

Elle caressa le marbre, laissa courir l'index sous le rebord du comptoir.

– Lâchez-vous, Milo. Continuez de râler. Videz votre sac, que nous puissions l'un et l'autre faire notre boulot en adultes responsables.

Elle se tourna vers moi, en quête d'une confirmation quelconque. Je continuai d'observer le réfrigérateur extralarge. Aucun magnet n'y figurait, aucune photo ni pense-bête. Rien de tel qu'un panneau d'acier pour vous captiver.

– Je suis tout à fait sérieuse, dit-elle en faisant face

à Milo. Avez-vous jamais eu affaire à pareil tueur en série ? Une cravate de boyaux ! Mon Dieu, c'est au-delà du répugnant. (Il resta muet.) Je ne vois rien pour relier les victimes entre elles, poursuivit-elle, si ce n'est que toutes sont blanches. Et vous ?

– Rien pour l'instant.

– Pour l'instant, répéta-t-elle. Et vous, docteur ? Avez-vous déjà rencontré un psychopathe sexuel qui ratisse aussi large ?

– Ce n'est pas nécessairement sexuel, dit Milo.

– Quoi, alors ?

– Une affaire de rancune. La première victime a été impliquée dans un gros procès, elle réclamait des dommages-intérêts pour harcèlement, et je viens de tomber sur une plainte financière dans le bureau de Parnell.

– Oui, j'ai vu ça. Vous ne pensez pas sérieusement que ces crimes ont été commis pour une histoire d'argent ? Et Quigg ? Il a poursuivi quelqu'un ou vice-versa ?

– Je n'ai rien trouvé pour l'instant.

– Vous auriez dû éplucher ses comptes.

– C'est fait.

– Et ça n'a rien donné. La réponse est donc « non », pas « pour l'instant ». Autrement dit, pas de lien. Et le mobile du fric est plus qu'improbable. Vous croyez à cette théorie, docteur ? Vous ne pensez pas qu'il s'agit d'un psychopathe sexuel ?

– Je ne saurais dire.

– Vous préférez ne pas vous prononcer ?

– Je ne vois pas l'intérêt de se livrer à des suppositions.

– Moi, je n'entends que ça. Bon, trêve de plaisanteries. Le chef attend que je lui fasse mon rapport. Des idées, Milo ?

– Dites-lui que chaque fois que le tueur frappe, les chances augmentent d'obtenir une piste. En attendant, je vais me concentrer sur les Parnell.

– Chaque fois ? Quand on en sera à une dizaine de victimes, tout baignera, alors ? Très rassurant.

Milo eut son sourire de loup, les babines qui s'écartent pour dévoiler des dents avides de déchiqueter la chair fraîche.

– Il n'y a que vous pour vous amuser dans ces cas-là, soupira-t-elle. Quand comptez-vous en appeler aux médias ?

– Sa Perfection estime que je devrais le faire ?

– Un conseil, Milo : arrêtez de lui donner des surnoms ridicules, un jour ça finira par lui revenir.

– Ça lui déplaît d'être parfait ?

– Les médias. Quand ça ?

– Je n'y ai pas songé.

– Vraiment ? Dommage, car le chef pense que ça pourrait être utile. (Regard par-dessus son épaule, en direction de la chambre.) Compte tenu des cadavres qui s'accumulent. Et quelque chose me dit que votre lassitude ne sera pas pour le rassurer.

Encore une fois, il lui tourna le dos. Les traits de Maria Thomas se figèrent de colère, mais il pivota avant qu'elle ne s'exprime.

– Bon, voici ce que vous pouvez lui dire. Si j'avais la certitude d'être en présence d'un psychopathe au mobile sexuel, un violeur qui en serait venu à commettre des meurtres, j'aurais appelé le service des relations avec la presse dès le deuxième cadavre, dans l'espoir qu'une victime précédente, toujours vivante, se présente. Idem si c'était un tueur en série à la con qui cible une catégorie particulière, les prostituées ou les caissières de supermarché ou Dieu sait qui. Dans ce cas, outre l'intérêt de l'enquête, il y aurait une obligation morale : prévenir les cibles à haut risque afin qu'elles puissent se défendre. Mais là, sur quoi voulez-vous communiquer, Maria ? Un croquemitaine qui traque des citoyens choisis au hasard et se livre à une boucherie ? Nous risquons de déclencher la panique sans en tirer grand bénéfice.

— Vous suggérez quoi à la place ? Qu'on collectionne des rapports d'enquête ?

— Je n'ai même pas entamé les investigations pour ces deux nouvelles victimes. Peut-être vais-je découvrir un élément qui change tout. À condition que vous me laissiez faire mon fichu boulot.

— Parce que c'est moi qui vous freine ?

— Perdre mon temps à me justifier, voilà ce qui me freine.

— Vous voudriez peut-être un traitement de faveur ? (Elle se tourna vers moi.) Que peut bien signifier ce point d'interrogation, docteur ?

— Il y en avait aussi un pour les deux premières victimes.

Elle cilla.

— Oui, bien sûr… Comment l'interpréter ?

— Il pourrait s'agir d'une provocation.

— Ou bien notre méchant exprime sa curiosité, lâcha Milo, narquois.

— Sa curiosité de quoi ? grogna Maria Thomas.

— Des mystères de l'anatomie humaine.

— Ridicule. Vous savez à quoi ça m'a fait penser ? Une sorte de symbole mystico-philosophique, comme les lettres qu'adressait le tueur du Zodiaque. Vous avez creusé la piste de la sorcellerie ?

— Je suis ouvert à tout, Maria.

— Autrement dit, non. Et vous refusez de recourir

aux médias. Combien de cadavres faudra-t-il avant que
vous ne vous montriez flexible ?

– Si ces deux victimes n'apportent rien de nouveau…

– Parfait. Vous savez faire preuve d'ouverture
d'esprit quand on vous y contraint. Le chef sera ravi
de l'entendre. Il a du respect pour vous, vous savez.

– J'en suis fort touché.

– Vous devriez l'être réellement. Appelez-moi dès
que vous aurez du nouveau. Le plus tôt sera le mieux.

– Vous êtes le gant, dit Milo.

– Pardon ?

– Pour ne pas se salir les mains, le chef enfile des
gants.

Maria Thomas inspecta ses doigts immaculés et
manucurés.

– Vous avez le sens de la formule. Libre à vous
de me voir comme un gant. Mais n'oubliez pas qu'un
toucher rectal peut se révéler douloureux.

20

Maria Thomas s'éloigna en répondant sèchement à un appel sur son portable et repartit au volant d'une berline de fonction bleue et rutilante.

– Avant qu'elle ne vienne fourrer son nez dans l'enquête, dit Milo, j'envisageais de rendre l'affaire publique tôt ou tard. Mais je ne vois pas ce qu'on en tirerait dans l'immédiat, et le facteur panique n'est pas à négliger.

– Si tu choisis de dévoiler certains éléments, je te conseille les points d'interrogation. C'est une particularité propre à notre coupable, cela pourrait évoquer quelque chose pour quelqu'un.

Il s'approcha des voitures des Parnell, jeta un coup d'œil à l'intérieur.

– Si l'enquête ne progresse pas d'ici peu, la décision ne m'appartiendra plus. Tu comprends le sens de la présence de Maria Thomas ?

– Gare à toi si tu ne files pas droit.

– Pire que ça. Le chef flaire que cette affaire pourrait virer au fiasco, donc il garde ses distances. Où ai-je noté les coordonnées de l'avocat qui a menacé Barron Parnell ? fit-il en feuilletant son calepin. Voici : William Leventhal, représentent le fonds en fidéicommis de la famille Cameron. Je flaire une affaire de gros sous, voyons si notre homme de loi a touché sa commission.

William B. Leventhal, avocat indépendant, avait son cabinet dans Olympic Boulevard, à proximité de Sepulveda. En chemin, Milo réfléchit à voix haute :

– Alcool plus effet de surprise pour Vita, coup en traître pour Colin. Et voilà maintenant qu'il s'en prend à deux victimes qui n'étaient pas amoindries.

– La méthode de base reste la même : cette fois-ci, la surprise a été facilitée par l'obscurité. Barron, qui constituait la menace principale, a été attiré dehors, attaqué et poignardé. Mais il n'a pas été éviscéré, alors que le coupable aurait pu s'en occuper tranquillement après coup. Cela signifie que Glenda était la cible principale. Dès lors que Barron avait déverrouillé la porte, elle devenait une proie facile. Qui plus est, elle avait retiré ses lunettes en prévision d'une soirée romantique et la lumière était tamisée dans la chambre, diminuant son acuité visuelle. Avant qu'elle puisse comprendre ce qui se passait, il maîtrisait déjà la situation. Sachant que le tueur avait épié ses deux premières victimes, il a dû en faire autant pour elle.

– Tu ne crois pas qu'il a doublé la mise pour augmenter le plaisir ?

– Le cadavre supplémentaire était un bonus, mais je pense que Barron constituait surtout un obstacle à franchir pour atteindre Glenda.

– Je perds donc mon temps avec Leventhal.

– Une seule solution pour en avoir le cœur net.

À la réception, une septuagénaire siégeait derrière un bureau plus que centenaire. « Mlle Dorothy Band, secrétaire de direction de Me W.B. Leventhal » d'après la plaque de cuivre. Une machine à écrire IBM occupait la moitié du bureau. À côté, deux piles bien nettes – une d'un élégant papier à en-tête beige, une de carbones – et un interphone en bakélite datant d'avant la présidence Truman. Nullement déconcertée par notre arrivée à l'improviste, elle appuya sur un bouton et annonça :

– Des policiers sont là pour vous, monsieur L.

Le haut-parleur crachota la réponse aboyée :

– J'ai réglé toutes mes contraventions !

– C'est au sujet du dossier Cameron.

– Comment ça ?

– Ces messieurs préfèrent vous en parler en personne.

– Une affaire au civil. Ça ne les regarde pas.

– Mais...

– C'est bon, faites-les entrer.

Pour atteindre le sanctuaire de l'avocat, il nous fallut traverser une vaste bibliothèque d'ouvrages de droit. L'homme qui nous accueillit avait au moins dix ans de plus que Dorothy Band. Petit et trapu, il avait des yeux pétillants chocolat foncé et des cheveux blancs encore tachetés de roux.

– La police ? fit-il d'une voix de basse déconcertante. Suivez-moi.

Son bureau spacieux, boiseries et moquette à poils longs vert olive, fleurait le cornichon, les vieux papiers et l'après-rasage musqué. L'air chaud que soufflait une bouche d'aération au sol créait une atmosphère tropicale. William B. Leventhal portait un costume trois-pièces en gros tweed à motif pied-de-poule, une chemise blanche amidonnée et une cravate lacet en cuir retenue par une grosse améthyste. Pas la moindre trace de sueur sur son visage. Farfadet dandy, il prit place dans un fauteuil de cuir capitonné qui aurait pu accueillir un panda.

— Dorothy me dit que vous êtes là à propos de Cameron ?

Milo se livra à une rapide explication.

— Un meurtre, vous dites ? Vous ne trouverez pas la solution ici. Je n'ai jamais rencontré Parnell, même pas pris sa déposition. Hi ! Hi !

— Vous lui avez adressé un courrier.

— Il a été cité comme tout le personnel de la société. Nous sommes parvenus à une transaction. Dossier clos. Salut.

— Quelle société, maître ?

— Maître ? Un jeune bien élevé, voilà qui me plaît. Si vous tenez à savoir de quelles fripouilles nous parlons, il s'agit de Lakewood, Parriser et DiBono, de soi-disant gestionnaires de fortune. Parnell y travaillait comme spécialiste des rentes. Pour parler simplement, jeunes gens, il achetait des obligations pour des gens riches.

— Le fonds en fidéicommis de la famille Cameron étant…

— Un dispositif ingénieux grâce auquel deux générations de Cameron pas bien futés ont pu se passer d'un emploi rémunéré.

— Parnell a mal investi ?

— Pas du tout. Cela dit, un perroquet savant aurait pu s'en occuper. Il s'agissait de placements de bon père de famille, tout ce qu'il y a de plus raisonnable. Il suffit quasiment de prendre la liste et de pointer l'index au hasard. Enfin, j'imagine qu'un perroquet utiliserait le bec ! Hi ! Hi !

— Dans ce cas, pourquoi ?…

– Afin d'agir de façon optimale contre les principales fripouilles, il m'a fallu citer tous ceux entre les mains desquels avait circulé l'argent des Cameron. (Il frotta ses paumes potelées.) J'ai poursuivi leur directeur administratif, le service des ressources humaines au grand complet et même les comptables. L'équipe de ménage peut s'estimer heureuse de ne pas avoir été mise en cause. Hi ! Hi !

– Les fripouilles étant… ?

– Lakewood, Parriser et DiBono, répondit l'avocat en décomptant sur ses doigts. Pas dans cet ordre obligatoirement.

– Je cherche surtout à connaître la nature de l'escroquerie…

– Pas une escroquerie, dit Leventhal. Ne me faites pas dire ce que je n'ai pas dit. Rien à voir avec une escroquerie. Une fraude à part entière, voilà qui n'aurait pas été compliqué à débusquer. Non, ces génies-là agissaient subtilement. Alors qu'ils promettaient verbalement des investissements prudents, ils se livraient à toutes sortes d'opérations déraisonnables : contrats à terme sur les matières premières, produits dérivés, emprunts immobiliers aux contreparties insuffisantes. Un vernis de solidité, mais en y regardant de plus près, un château de cartes. (Clin d'œil.) J'ai même poursuivi leur expert-comptable. Je les ai tous mis à genoux.

– Les Cameron n'ont donc pas perdu d'argent.

– La médecine préventive, jeunes gens. Les fripouilles soutenaient que l'argent leur était confié *ad vitam aeternam* en vertu des dispositions du fonds en fidéicommis. J'ai mis à mal cette thèse. (Rictus à la commissure gauche des lèvres.) Ainsi, les Cameron sont-ils toujours en mesure de s'épargner un labeur honnête.

– Félicitations.

– La vertu est sa propre récompense, jeune homme. Non, en vérité, une grosse commission est nettement plus gratifiante ! Alors, qui a assassiné ce pauvre M. Parnell que je n'ai jamais eu le plaisir de rencontrer ?

– C'est ce que nous cherchons à découvrir.

– Eh bien, vous ne trouverez pas la solution ici. Son épouse est-elle impliquée ?

– Pourquoi cette question ?

– Parce que c'était une vraie harpie. Je dis ça parce qu'elle a insulté la personne chargée de présenter l'assignation à Parnell. Ladite personne l'a même qualifiée d'un terme commençant par « sa » et rimant avec « interlope », mais je m'en tiendrai à harpie car le souvenir ne s'est pas effacé des fois où ma chère mère me lavait la bouche au savon.

– Vous le tenez directement de la personne qui a présenté l'assignation ?

– C'est mon arrière-petit-fils qui s'en est chargé et oui, il me l'a rapporté.

– Nous souhaiterions lui parler.

– Libre à vous, dit Leventhal qui débita un numéro de téléphone. Le portable de Brian, indicatif en Angleterre. Brian Cohn. Il a obtenu une bourse pour étudier à Cambridge. Les relations internationales, et ne me demandez pas ce que c'est. Il est au Jesus College. Un juif chez Jésus. Hi ! Hi ! Si vous pouviez lui rappeler qu'il me doit dix heures de travail ? Vous subodorez donc que l'épouse est impliquée ?

– On peut dire ça. Elle est morte elle aussi.

– Je vois. Son décès est-il survenu dans la même fourchette horaire que le mari ?

– Oui, monsieur.

– Les deux cadavres présents sur la même scène de crime ?

– Monsieur…

– Je prends ça comme une réponse affirmative. Ne croyez-vous pas que l'explication évidente soit un meurtre suivi d'un suicide ?

– Qu'est-ce qui vous fait penser ça ?

– Dès lors qu'un couple décédait de manière quasi simultanée, nous retenions l'hypothèse du meurtre avec suicide et nous avions presque toujours raison. Je parle d'autrefois, de l'époque où j'étais procureur adjoint à Brooklyn, au pénal. Deux cadavres, une seule arme ? Nous cherchions à établir que l'un des conjoints, pris d'un accès de folie, avait agressé sa tendre moitié. À coup sûr. Il nous arrivait même de parier un peu d'argent, entre collègues.

– Ce n'est pas le cas ici, maître.

– Vous en êtes certain ?

– Tout à fait.

– Bon. Hum… L'épouse avait-elle un amant ? Le mari une maîtresse ? A-t-on dérobé de l'argent ? Des bijoux ? D'autres objets de valeur ? Les proches suggèrent-ils que l'un d'eux a perdu pied mentalement, sous l'effet d'une sorte de désintégration de la personnalité ? Comment ont-ils été tués ? Arme à feu ? Arme blanche ? Objet contondant ? Aucun des trois ?

– Désolé, dit Milo, nous ne pouvons pas…

– Bien sûr, lâcha Leventhal. À évoquer l'affaire à tort et à travers, vous risqueriez de tomber sur quelqu'un de plutôt intelligent, avec soixante-deux ans d'expérience du monde judiciaire, dont un tiers du côté de l'accusation. Pourquoi vous simplifier la vie ? (Il se leva d'un bond et nous indiqua la porte.) Malgré votre réticence, jeunes gens, je vous livre un dernier conseil avisé : penchez-vous sur la femme. Même si l'on écarte l'angle du meurtre suivi d'un suicide, les gens s'en prennent toujours à ceux qu'ils aiment. Et une femme caractérielle comme elle ne pouvait que susciter l'animosité. Cherchez si elle ne se serait pas brouillée avec quelqu'un ces derniers temps. Si vous dénichez un amant, vous tiendrez là votre dynamite psychologique.

— Merci du tuyau, maître.

— De rien. Je ne vous le facture même pas !

Milo appela Cambridge de la voiture. À en juger d'après sa voix, Brian Cohn avait la gueule de bois.

— Merde, vous savez quelle heure il est en Angleterre ? geignit-il quand Milo se fut expliqué. (Il toussa, s'éclaircit la gorge. Petit rire graillonnant.) Il est infernal.

— Qui ça ?

— Ce sacré Bill. Alias arrière-très-grand-père. Parce que lui se lève à quatre heures du matin, faudrait qu'on en fasse tous autant.

— Un vrai personnage. Il nous a prié de vous rappeler que vous lui devez…

— Dix heures de boulot, bla-bla-bla. D'après ses calculs, qu'il a probablement faits au boulier ! (Nouveau rire. Voix féminine à l'arrière-plan.) Une seconde, chérie. (Bâillement.) C'est bon, je suis quasi réveillé. Que voulez-vous savoir sur la folle mégère ?

— Racontez-nous l'incident.

— Pourquoi ?

– Elle est morte.

– Triste, même pour quelqu'un comme elle.

– C'est-à-dire ?

– Une personne agressive. Ce n'est jamais agréable de se voir signifier une assignation, mais en général les gens se contentent d'une moquerie ou d'une grossièreté. Quand elle m'a ouvert en blouse blanche, je me suis dit : Tant mieux, un médecin, quelqu'un de rationnel. On a souvent affaire à des rustres. Là, je n'étais pas tenu de remettre l'assignation à Parnell en main propre, il fallait juste que quelqu'un la prenne, et m'assurer de l'adresse à laquelle il résidait. J'ai recouru à la ruse des fleurs, un bouquet pas cher acheté au supermarché. En les voyant, elle a dit : « C'est de la part de Barry ? Un instant, je vais vous donner quelque chose… » J'ai répondu que ça n'était pas nécessaire, je lui ai remis le document en l'informant qu'elle venait d'accepter l'assignation et j'ai filé. Elle m'a poursuivi sur la chaussée, m'a traité de minable. Puis elle m'a attrapé par l'épaule et a tenté de me rendre les papiers. C'était la première fois qu'on s'en prenait à moi physiquement, mis à part un ivrogne, mais là j'avais prévu le coup, j'étais accompagné d'un copain de fac sportif et baraqué. De la part d'une femme, et médecin de surcroît, je ne m'y attendais pas du tout. J'ai tenté de me dégager, cette folle me plantait ses ongles dans les bras, les formulaires s'envolaient partout. J'ai fini par m'échapper, sans demander mon reste. Qu'est-il arrivé ? Elle a énervé quelqu'un qui l'a butée ?

– Rien n'est sûr pour l'instant.

– Moi, dit Brian Cohn, je me pencherais sérieusement sur cette hypothèse.

Dans la voiture, Milo me dit :

– Caractère difficile. Des similitudes avec Vita. Sans Quigg qui vient s'intercaler, je dirais qu'on tient notre petite logique : les femmes acariâtres.

– Il serait intéressant de savoir si les collègues de Glenda la percevaient ainsi.

– Certes, mais du concret serait mieux.

21

La clinique de jour de North Hollywood ressemblait à un gros morceau de sucre blanc cassé, posé en une partie excentrée de Lankershim Boulevard. Les fenêtres étaient munies de barreaux. Un vigile en uniforme au physique d'ours fumait devant l'entrée. Alentour, c'était une succession de devantures d'avocats spécialisés dans l'indemnisation des dommages corporels, de médecins, de chiropracteurs pour la rééducation des accidents du travail et de fournisseurs de matériel médicalisé. L'enseigne la plus importante, deux fois plus large que les autres et signalée par un néon, proposait : « Kinésithérapie et ergothérapie, sans rendez-vous. » Bienvenue dans l'univers merveilleux de la rente à vie !

– Ouille, mon articulation sacro-iliaque se réveille, grogna Milo.

Il se gara sur une place livraison et posa sur la plage avant une autorisation « scène de crime » périmée depuis belle lurette. Le vigile nous observa à travers les volutes de fumée de sa cigarette. À notre approche, il se planta devant la porte et croisa les bras.

– Vous plaisantez ? dit Milo.

– Hein ?

– Un professionnel comme vous n'est pas fichu de flairer un gros indice ?

– Quel indice ?

– Nous ne sommes pas là pour vendre des cathéters, shérif.

Présentation du badge. Le vigile s'écarta juste assez pour nous laisser passer.

– Monsieur apprend vite, grommela Milo.

La salle d'attente était lumineuse et surchauffée. Bondée, beaucoup de gens debout. L'humeur dominante oscillait entre désespoir et ennui. Quantité de fauteuils roulants, déambulateurs et bouteilles d'oxygène. Quand ce n'était pas le physique qui était entamé, les gens avaient l'air atteints psychologiquement. Joyeuse ambiance digne du couloir de la mort.

Une bonne dizaine de personnes faisaient la queue au guichet. Milo se fraya un passage et frappa au carreau. La femme de l'autre côté continua de pianoter sur son clavier d'ordinateur. Nouvelle tentative. Yeux rivés sur l'écran. La troisième fois fut la bonne.

– Une seconde ! lança-t-elle d'un ton cinglant.

Le haut-parleur de l'hygiaphone conférait un aspect métallique et désagréable à sa voix. À moins que ce ne fût son timbre naturel. Milo frappa si fort que le verre trembla. La réceptionniste pivota sur son siège, dents exposées, prête à en découdre. Le badge la réduisit au silence. Elle se défoula en appuyant méchamment sur le bouton placé sous son bureau. Une porte située au fond de la salle d'attente émit un cliquetis bruyant.

– Pourquoi qu'il passe devant ? se plaignit un malade.

– Grâce à mon charme ! lança Milo.

Un second vigile rondouillard nous attendait de l'autre côté. Derrière lui, un couloir beige et une enfilade de portes assorties. Coloris identique pour le lino au sol et la signalétique plastifiée dirigeant les infirmes vers la salle d'examen numéro un, deux… Même les patients avaient le teint terreux. L'impression d'avoir atterri sur une planète en pâte à pain.

– La police ? fit le vigile. Qu'est-ce qu'il y a ?

– Je souhaite parler au supérieur du Dr Usfel-Parnell.

L'homme hésita, articulant le nom du bout des lèvres.

– Trouvez-moi le chef du service de médecine nucléaire, insista Milo.

Un papier fripé fut sorti d'une poche.

– Hum… C'est le Dr G. Usfel.

– Plus maintenant. Qui est son supérieur ?

– J'en sais rien.

– Depuis combien de temps travaillez-vous ici ?

– Ça fera trois semaines demain.

– Vous connaissez le Dr Usfel ?

– On voit pas trop les docteurs. Ils arrivent et repartent par là.

Il pointa une porte au bout du couloir.

– Qui est le grand chef ?

– Ma foi, c'est M. Ostrovine.

– Ma foi, allez le chercher.

L'homme qui franchit précipitamment la porte du fond portait un costume gris étriqué coupé dans une étoffe indéterminée, une chemise bleue au col raide, et une cravate à motif cachemire dont la soie rose avait été fabriquée sans le moindre ver. La même tenue dans des matières plus nobles eût été ridicule. Chez lui, le côté outré faisait partie du personnage. D'autant que s'y ajoutaient un après-rasage fruité, un bronzage à faire peur et une perruque tout sauf crédible.

– Mick Ostrovine. En quoi puis-je vous aider ?

– Nous sommes ici à propos du Dr Usfel.

– Que lui voulez-vous ?

– Elle est décédée.

Le teint hâlé d'Ostrovine vira au beige environnant.

– Glenda ? Elle a enchaîné deux rotations hier, tout allait bien. Qu'est-il arrivé ?

– Quelqu'un s'est introduit chez elle et l'a tuée.

– Mon Dieu, c'est insensé. Chez elle, vous dites ? Un cambriolage ?

– Nous en sommes encore à démêler les choses, monsieur Ostrovine.

Une porte s'ouvrit à proximité, silencieuse comme une fente branchiale de requin. Un fauteuil roulant apparut, poussé par une grosse femme en blouse. Le malade, un vieillard avachi qui avait perdu tous ses cheveux et dont les veines bleues saillaient, semblait à peine conscient.

– C'est bon pour les analyses, Mister O ! lança la femme. Je l'emmène à la kiné pour ses exercices.

– Oui, oui, répondit Ostrovine.

Son ton brusque la fit ciller. Comme le fauteuil nous dépassait, un patient émergea d'une autre salle d'examen. Un type corpulent muni d'une seule béquille glissée négligemment sous le bras. Après un ou deux pas sans s'y appuyer, il remarqua notre présence, pesa de son poids sur l'ustensile et adopta une claudication exagérée.

– Je vais en hydrothérapie, Mister O.

– Bien, bien.

Ce fut alors une troisième porte qui s'ouvrit et en sortit d'un pas sautillant une jeune fille d'une vingtaine d'années, qui faisait tournoyer sa canne à la manière d'un bâton de majorette.

– Serait-il possible de s'installer dans un endroit tranquille pour discuter ? suggéra Milo.

J'eus droit à un discret coup de coude. À moi l'initiative, en habitué des hôpitaux.

Rectangle beige, le bureau d'Ostrovine donnait sur le parking. Divers services occupaient l'arrière du bâtiment : orthopédie, médecine nucléaire, médecine physique et réadaptation, anesthésie, radiologie. Pas le moindre lit à l'horizon.

– Vous dispensez les soins en ambulatoire, dis-je.

– Nous intervenons en appoint, dit Ostrovine.

Hormis un ordinateur, le bureau devant lui était vide. La pièce ne devait pas servir souvent.

– C'est-à-dire ?

– Nous occupons un marché niche.

– Lequel ?

Il soupira.

– Nous sommes mieux équipés qu'une clinique ordinaire, mais spécialisés et donc plus efficaces qu'un établissement plus important. N'ayant pas de service d'urgences, nous pouvons nous consacrer à d'autres offres de soins. Notre principale spécialité est le suivi : gestion de la douleur, évaluation de l'incapacité, adaptation fonctionnelle du mode de vie.

– Dans quel secteur intervenait le Dr Usfel ?

– Glenda dirigeait la médecine nucléaire. Une technologie de pointe permettant d'évaluer l'état de fonctionnement réel des parties du corps. Là où la radiologie traditionnelle est principalement statique, en médecine nucléaire on recourt à des colorants et des radio-isotopes qui fournissent un diagnostic sur le métabolisme lui-même.

Un hochement de tête eut pour effet malencontreux de faire glisser la perruque vers l'avant. Il la rajusta sans paraître le moins du monde gêné.

– Glenda était fantastique. C'est épouvantable.

– Comment s'entendait-elle avec les patients et le personnel ? demandai-je.

– Tout le monde s'entend bien ici.

– Avait-elle un caractère facile ?

La mâchoire d'Ostrovine effectua une rotation et se figea, légèrement décalée sur la gauche.

– Où voulez-vous en venir ?

– On nous a confié qu'il lui arrivait de s'emporter.

– Je ne sais pas ce qu'on vous a raconté, mais ce n'était pas son comportement chez nous.

– N'importe lequel de vos employés nous décrira une femme avenante ? intervint Milo.

Il déboutonna sa veste, relâcha une petite bedaine qu'il rentra aussitôt.

– Glenda était professionnelle.

– Efficace, mais pas dans l'affect, dis-je.

– Elle n'a jamais eu le moindre problème avec quiconque.

– Vous ne voyez personne qui lui en aurait voulu ?

– Personne.

– Avait-elle sympathisé avec certains collègues ?

– Glenda n'était pas du genre à mêler loisir et travail. Et puis nos services sont assez cloisonnés. Beaucoup de nos employés fonctionnent de manière autonome.

– Avec qui était-elle le plus en contact ?

– Ses techniciens.

– Nous souhaiterions leur parler, dit Milo.

Ostrovine releva le capot de l'ordinateur et pianota au clavier.

– Aujourd'hui, c'est Cheryl Wannamaker qui est présente. Elle est chez nous depuis peu de temps, je doute qu'elle puisse vous renseigner.

– Nous tenterons malgré tout notre chance, et vous serez aimable de nous fournir les autres noms.

191

– Qu'est-ce qui vous fait penser que ce drame a quelque chose à voir avec le travail de Glenda ?

– Il nous faut envisager toutes les pistes.

– Sans doute, mais en l'espèce je vous assure que vous perdez votre temps sur son lieu de travail. Les rebondissements, très peu pour nous. Notre affaire, c'est le soin, pas le cinéma.

– Vous traitez forcément avec les assureurs.

– Le secteur du bien-être implique souvent un tiers payeur.

– Vous travaillez avec Well-Start ?

– Comme avec toutes les compagnies d'assurances.

– Si je vous fournis quelques noms, vous pourriez vérifier si vous les avez eus comme patients ?

– Impossible, répliqua Ostrovine. La confidentialité est notre premier devoir.

– Si les noms ne figurent pas dans vos fichiers, cela nous épargnerait de revenir avec un mandat.

– Désolé, cela m'est impossible.

– Je comprends. Nous reviendrons donc avec les documents requis et tant pis si vos offres de soins s'interrompent brusquement.

Il dévoila un sourire composé de couronnes surdimensionnées.

– Est-ce bien nécessaire, messieurs ? Je suis certain que le malheur de Glenda n'a rien à voir avec son travail.

– Vous pourriez envisager une reconversion comme enquêteur, lança Milo.

– C'est bon, donnez-moi ces noms. Mais s'ils figurent dans nos fichiers, je ne pourrai pas vous fournir le moindre détail.

– Vita Berlin.

Arpège au clavier. Soupir de soulagement.

– Non. Ensuite ?

– Colin Quigg.

– Pas davantage. C'est tout ? Bon, si vous n'avez rien de…

– Les noms des techniciens du Dr Usfel.

– Ah, oui. Je vais vous appeler Cheryl.

Jeune femme stoïque aux longues dreadlocks, Cheryl Wannamaker s'exprimait avec un léger accent jamaïcain. L'entretien se déroula sur le parking, devant la Mercedes noire garée sur l'emplacement au nom de M. Ostrovine. Dans un premier temps, elle parut ne pas accuser le coup à la nouvelle de la mort du Dr Usfel-Parnell. Au bout d'un instant, ses yeux se mouillèrent et son menton s'agita de tremblements.

– Ça n'arrête pas, murmura-t-elle.

– Pardon ? dit Milo.

– J'ai perdu mon neveu il y a quinze jours. Renversé par un chauffard ivre.

– Je suis sincèrement désolé.

– DeJon avait douze ans, dit-elle en se frottant les yeux. Et maintenant le Dr U. Mon Dieu, la vie est dure.

– Depuis combien de temps travailliez-vous avec le Dr U ?

– Cinq semaines.

– Y avait-il des collègues qui s'entendaient mal avec elle ?

– Pas que je sache.

– C'était quel genre de personne ?

– Quelqu'un de normal.

– Sympa ?

– Oui… Pas tant que ça, en fait, se reprit-elle en souriant. Avec elle, on était là pour bosser, puis chacun rentrait chez soi.

– Pas très causante.

– Même pas du tout.

– Est-ce qu'il en résultait de la tension ?

– Pas pour moi. Je n'aime pas gaspiller mon temps.

– Et pour les autres ?

– Je n'ai rien remarqué.

– On nous a raconté qu'elle n'avait pas toujours bon caractère.

– C'est pas faux, admit la jeune femme.

– Avec qui se fâchait-elle ?

– Elle ne se fâchait pas vraiment, elle devenait plutôt grognon. Quand on prenait du retard, quand les gens ne faisaient pas ce qu'elle leur demandait.

– Comment ça se manifestait ?

– Elle devenait muette, dit-elle en s'humectant les lèvres. Trop silencieuse. Comme une bouilloire qui va déborder.

– Et quand ça débordait, il se passait quoi ?

– Ça n'arrivait jamais. Elle se murait juste dans son silence. Vous aviez beau l'interroger, elle ne vous répondait pas, alors qu'elle vous avait parfaitement entendu. Il fallait deviner ce qu'on devait faire, en espérant que c'était bien ça qu'elle voulait.

– Vous ne l'avez jamais vue s'emporter contre quelqu'un ?

– Jamais, mais j'ai entendu dire que ça lui était arrivé qu'on s'en prenne à elle.

– Qui ça ?

– Un patient, avant que je travaille ici. On m'en a parlé.

– Racontez-nous.

– Le malade a piqué sa crise en salle de scan.

– Qui vous en a parlé ?

– Margaret, Margaret Wheeling. Elle occupe le même poste que moi, les jours où je ne travaille pas.

– L'incident s'est produit combien de temps avant qu'on ne vous embauche ?

– Je ne sais pas.

– Mais les gens en parlaient encore quand vous êtes arrivée.

– Non, juste Margaret. Pour faire mon éducation.

– À quel sujet ?

– À propos du Dr U. Pour me la décrire, comment elle savait faire preuve de fermeté. Quand le patient s'est énervé, elle n'a pas reculé, elle lui a tenu tête et lui a dit : « Calmez-vous ou bien sortez d'ici. » Et le gars est parti. Margaret soutenait qu'on devait tous faire preuve de la même autorité, car on ne sait jamais qui va se présenter.

– A-t-on revu ce malade ?

– Je n'en ai pas la moindre idée.

– Margaret vous a-t-elle fait part d'autre chose à propos du Dr Usfel ?

– Elle m'a dit : « Quand le Dr U devient silencieuse, surtout laisse-la tranquille. »

– Où peut-on joindre Margaret ?

– Facile, répondit Cheryl Wannamaker en sortant son mobile. J'ai son numéro.

Margaret Wheeling habitait à un quart d'heure de son travail, une maison jumelée dans Laurel Canyon au nord de Riverside. Elle vint nous ouvrir, un verre d'eau fraîche à la main. Milo lui annonça la nouvelle avec ménagement.

– Oh, mon Dieu…

– Je suis sincèrement désolé.

– Le Dr U ? Glenda est morte ? Entrez…

Cheveux gris bouclés et yeux gris-jaune pas maquillés, traits émaciés et rougeauds, elle nous précéda dans un salon qui marquait une prédilection pour l'érable blond et les coussins au crochet. Une vitrine abritait des chopes décoratives et dans une autre s'entassaient les cendriers-souvenir, principalement des parcs nationaux et des casinos du Nevada. Un homme joufflu somnolait dans le canapé, les pages sport déployées sur les genoux.

— Mon mari, annonça Margaret Wheeling non sans fierté, déposant un baiser sur le front de l'heureux élu. Ils sont là, Don…

Don Wheeling cilla, se leva et nous serra la main. Elle lui annonça ce qui était arrivé au Dr Usfel.

— Tu plaisantes ?

— C'est atroce.

— Tu vas tenir le coup, Meg ? dit-il en lui prenant le menton dans sa paume.

— C'est bon, Don. Installe-toi dans la chambre, fais la sieste.

— Si tu as besoin de moi, Meg, tu sais où me trouver.

Quand il eut disparu, elle nous dit :

— Don a été policier, un an comme motard à Tulsa après avoir quitté l'armée, mais quand je l'ai connu, il travaillait déjà dans le béton et l'asphalte. Asseyez-vous, je vous en prie. Je vous sers du café ou du thé ? Un soda ? Un biscuit ?

— Non, merci.

— Le Dr U, assassinée… je n'arrive pas à y croire. Vous soupçonnez quelqu'un ?

— Non, malheureusement. Cheryl Wannamaker nous a parlé d'un patient qui a fait des siennes.

— Cette broutille ? Allons bon, personne n'irait commettre un meurtre pour si peu !

— Racontez-nous.

— C'était vraiment rien du tout, une bêtise. Le Dr U

196

exige que la température soit maintenue assez basse dans la salle d'examen, pour les appareils. Le patient a fait une scène parce qu'on n'avait pas de couverture. La blanchisserie ne nous avait pas livrés, nous n'y étions pour rien. J'ai tenté de lui expliquer, mais il est devenu grossier.

– C'est-à-dire ?

– Il s'est mis à jurer et m'a traitée d'idiote. Comme si j'étais responsable du loupé de la blanchisserie !

– Comment avez-vous réagi ?

– J'ai prévenu le Dr U. C'est à elle de prendre les décisions, moi je me contente de les appliquer.

– Et après ?

– Il s'en est pris à elle. « J'ai froid ! J'exige une couverture ! » Un adulte qui se comportait en enfant gâté. Elle lui a dit : « Calmez-vous, ce n'est pas la fin du monde, on va se dépêcher de pratiquer l'examen et vous pourrez sortir d'ici. » Il l'a insultée, comme moi. C'en était trop pour le Dr U. Elle s'est approchée de lui et l'a remis à sa place, sans élever la voix mais avec fermeté.

– Que lui a-t-elle dit ?

– Que son comportement était inadmissible et qu'il pouvait partir. Immédiatement.

– Pas de deuxième chance, fis-je observer.

– Il n'avait qu'à saisir la première, dit Wheeling. La salle d'attente est toujours bondée, nous ne sommes pas à un patient près. L'imbécile s'imaginait sans doute qu'elle se laisserait intimider, étant une femme. D'accord, il y faisait un peu frais, mais ce type ne manquait pas franchement de protection.

– C'est-à-dire ?

– Une belle couche de graisse. Et puis il n'avait pas toute sa tête, vu qu'il est arrivé vêtu d'un manteau alors

197

qu'il ne faisait pas du tout froid. Au contraire. Cela dit, de prime abord, il n'avait rien d'un barjo, sinon j'aurais tout de suite averti la sécurité. Un monsieur normal, très discret. Soudain, il a comme disjoncté.

– Vous faites souvent appel à la sécurité ?

– Quand je ne peux pas faire autrement. On voit toutes sortes de gens.

– Mais lui, rien ne vous a mis la puce à l'oreille.

– J'imagine que j'aurais dû me méfier en le voyant arriver si chaudement vêtu, mais je ne passe pas mon temps à observer les patients, je suis occupée à régler les appareils.

– Il a disjoncté.

– Il est passé de normal à furieux comme ça, dit-elle en faisant claquer ses doigts.

– Inquiétant, mais le Dr Usfel s'en est occupé.

– Elle est coriace. Elle a fait sa médecine au Mexique, à Guadalajara. Elle m'a raconté qu'on y voit des choses inimaginables, impensables ici. Vous ne croyez quand même pas que c'est lui ? Enfin, comment s'y serait-il pris pour la retrouver ? C'était il y a deux mois, on ne l'a jamais revu.

– Vous pourriez nous le décrire ? dis-je.

– Blanc, allure normale, trente, trente-cinq ans.

– Rasé ?

– Ouep.

– Cheveux ?

– Châtains, courts. Plutôt soigné de sa personne. Si l'on excepte le manteau. Un vêtement d'hiver, une canadienne doublée de mouton.

– Quelle couleur ?

– Marron, il me semble.

– Aucun signe distinctif, par exemple une cicatrice ou un tatouage ?

Elle réfléchit.

– Non, il avait l'air normal.

– Pour ses examens, il a dû présenter des documents. Les avez-vous eus en main ?

– Non. La paperasse, ça se règle entièrement aux admissions. Les patients nous arrivent avec une simple fiche journalière où ne figure que leur numéro, même pas le nom.

– Pour quel examen était-il là ?

– Vous croyez qu'on s'en souvient ?

Je lui laissai le temps d'y penser. Elle secoua la tête.

– Je ne suis même pas certaine d'avoir regardé.

– Vous seriez prête à passer du temps avec un dessinateur pour réaliser un croquis ? demanda Milo.

– Vous pensez donc que c'est lui ?

– Pas du tout, madame, mais nous ne devons négliger aucun détail pour avoir toutes les chances d'élucider le meurtre du Dr Usfel.

– Mon nom y figurera, sur votre dessin ?

– Bien sûr que non, madame.

– Vous allez perdre votre temps, vraiment. Je lui répéterai ce que je viens de vous dire.

– Vous accepteriez, pour nous rendre service ?

– Personne ne saura mon rôle ?

– Promis.

Elle croisa les jambes, gratta un mollet nu.

– Vous pensez que ça vaut la peine ?

– Sincèrement, madame, nous n'en savons rien. Mais à moins que vous ne voyiez quelqu'un d'autre avec qui le Dr U aurait eu maille à partir, nous devons suivre cette piste.

– Qui irait commettre un meurtre pour une bêtise pareille ?

– Pas quelqu'un de normal.

– C'est sûr. Un dessinateur ? Je ne sais pas…

– Quand Don était dans la police, dit Milo, je suis certain qu'il appréciait qu'on se montre coopératif.

– Oui, sans doute. Bon, je veux bien essayer. Mais vous perdez votre temps, il ressemblait à M. Tout-le-monde.

22

La porte des Wheeling se referma derrière nous et je suivis Milo jusqu'au véhicule banalisé.

– Le costaud à la canadienne, marmonna-t-il. Usfel l'a sérieusement froissé. Ainsi que Vita Berlin, à coup sûr. (Froncement de sourcils.) Même le gentil M. Quigg s'est débrouillé pour se retrouver dans le collimateur.

– La confrontation avec Usfel s'est limitée à un unique incident et qui n'a pris une importance disproportionnée que dans son seul esprit. Les disputes avec les autres n'ont peut-être pas été plus remarquables.

– Un garçon susceptible.

– Ce qui accroît l'effet de surprise, dis-je comme je m'installais côté passager. Pour Usfel, il y a une différence : elle a été ligotée. Peut-être parce qu'il l'avait vue à l'œuvre, savait qu'elle avait suffisamment de répondant pour constituer une menace.

– Pas tant que ça, Alex. Elle s'est laissé neutraliser facilement, il n'y avait aucun signe de lutte dans la chambre.

– Il a pu la tenir en respect avec un revolver. Elle a cru qu'elle allait être violée, qu'elle pourrait avoir la vie sauve, sans se douter de ce qui l'attendait réellement.

– S'il avait une arme pour elle, peut-être était-ce aussi le cas avec les autres. Toc, toc, c'est le livreur de pizza, avec mon gentil couteau. Vita étant bourrée, ça simplifiait la tâche. Et un agneau comme Quigg ne chercherait jamais à résister. Bon, mettons un visage sur cet enfant de chœur.

Il tenta de joindre Alex Shimoff, un inspecteur d'Hollenbeck dont les talents de dessinateur lui avaient déjà rendu service. Pas de succès sur le fixe, ni sur le portable. Il laissa un message et tenta de joindre Petra Connor au central d'Hollywood. Nouvel échec.

– Éviscérée pour avoir refusé une couverture, dit-il en mettant le contact. En voilà un mobile raisonnable.

– Les gens qui fréquentent ce genre de clinique intentent souvent une action en responsabilité, dis-je, un peu comme Vita. Elle et l'homme à la canadienne auraient pu se croiser dans ce type d'établissement. Cela dit, le dommage allégué par Vita était psychologique : nul besoin d'un scan dans son cas, et puis je vois mal Well-Start financer des examens aussi coûteux.

– L'avocat de Vita a peut-être un accord avec Ostrovine ou un autre gus du même acabit. Problème, je n'arrive pas à savoir qui la représentait : Well-Start refuse de me le dire et, comme une transaction a été conclue avant d'en arriver au tribunal, aucune plainte n'a été déposée. Je vais peut-être insister auprès de Well-Start.

Il prit la direction du poste. Une nouvelle idée me vint au bout de quelques kilomètres.

– Exiger une couverture pourrait dénoter un problème psychiatrique. Ou peut-être souffre-t-il d'un véritable dysfonctionnement de sa régulation thermique. De nature physiologique.

– C'est-à-dire ?

– La première hypothèse qui vient à l'esprit, c'est un dérèglement de la thyroïde. Pas au point d'être incapacitant, mais entraînant une prise de poids et la sensation de toujours avoir froid. L'hypothyroïdie peut aussi provoquer une certaine agressivité.

– Génial. Si jamais on le coince, son avocat pourra plaider le dérèglement glandulaire comme circonstance atténuante. Ton autre suggestion m'intéresse aussi. Lui et Vita se croisent à l'occasion d'un examen médical. Bisbille en salle d'attente. Compte tenu de la courtoisie de la dame, je la vois bien se moquer de sa canadienne et il n'en faudrait pas davantage.

– Il était question d'une expertise médicale dans les documents que Well-Start t'a montrés ?

– Non, mais qui sait ? Bigre, comme ce lascar a manifestement un grain, la rencontre a pu se produire chez Shacker.

– Il a deux entrées séparées pour que les patients ne se croisent pas, mais tout est possible.

– Pourquoi tu ne l'appelles pas pour lui demander s'il connaît le gars à la canadienne ?

– Déjà qu'il était réticent à me parler de Vita, ce serait une entorse à l'éthique que de lui demander de nous dévoiler le nom d'un patient, à moins d'établir qu'une personne spécifique court un danger imminent.

– Ben oui, la prochaine victime. Tu as entièrement raison, mais je veux bien que tu le déranges quand même. Faut tenter quelque chose.

Je composai le numéro de Shacker, laissai un message sur le répondeur.

– Merci. Une autre idée ?

– Ostrovine a cédé quand tu as menacé de fermer sa boutique. S'il ment pour Vita, peut-être qu'un peu de pression supplémentaire suffira à lui faire cracher le morceau.

– On y retourne, décréta-t-il en faisant brusquement

demi-tour. S'il rechigne, je lui pique sa ridicule mou-moute et je la garde en otage !

Cette fois, Ostrovine nous fit attendre vingt minutes. Divers documents s'étalaient sur son bureau ; des feuilles de calcul réalisées sur tableur, à en juger d'après les colonnes de chiffres. Il posa son stylo en or, l'air agacé.

– Qu'est-ce maintenant, lieutenant ?

Milo lui présenta sa requête.

– Vous êtes sérieux ?

– Le meurtre du Dr Usfel n'a rien d'une plaisan-terie, monsieur.

– Bien entendu, mais je ne peux rien faire pour vous. Primo, je n'ai jamais eu vent d'une altercation entre Glenda et un patient. Deuzio, je reste persuadé que son meurtre n'a rien à voir avec son travail ici. Et tertio, comme je vous l'ai déjà dit, je n'ai aucune trace de cette Vita Berlin.

– Nous savons qu'un incident est survenu, insista Milo. Comment se fait-il qu'il n'y ait pas eu de rapport ?

– À l'évidence, le Dr Usfel n'a pas jugé nécessaire d'informer la sécurité parce que ça lui paraissait anodin. Je suis du même avis, pour être franc.

Ostrovine posa les deux paumes sur le bureau. Milo approcha son siège. La perruque était à sa portée.

– Qui vous a adressé ce patient ?

– Comment voulez-vous que je le sache sans connaître son nom ?

– Vous n'avez qu'à consulter la liste des patients pour le jour en question.

– Il n'y figurera pas car seules sont notées les inter-ventions accomplies.

– Même pas le médecin traitant ?

– Ni ça ni rien d'autre. Pourquoi voudriez-vous

qu'on s'encombre de renseignements superflus ? Nous avons déjà du mal à stocker les données.

– Le patient aurait pu vous être adressé pour d'autres examens effectivement subis.

– Vous me demandez d'éplucher la totalité de mon fichier.

– Il ne s'agit que des hommes blancs soignés il y a deux mois, à quinze jours près dans un sens ou dans l'autre.

– C'est énorme. Et je suis censé chercher selon quel critère ? Habillement inapproprié ? Les données vestimentaires ne figurent pas dans nos fichiers.

– Contentez-vous d'extraire les patients masculins blancs d'une certaine tranche d'âge. Nous nous en accommoderons.

– Impossible, lieutenant. Quand bien même nous aurions le personnel nécessaire pour ce genre d'investigation, la loi nous l'interdit.

– Pour ce qui est des effectifs, je peux vous envoyer deux de mes hommes.

– C'est très généreux à vous, lieutenant, mais cela ne résout pas le problème principal : il est illégal de fouiner dans les dossiers des patients sans justification sérieuse.

Milo attendit. Ostrovine posa son stylo, tripota sa perruque comme s'il pressentait l'attaque.

– Écoutez, messieurs. Glenda faisait partie de la maison et sa mort est pour nous un vrai drame. Si je pouvais vous aider, je le ferais sans hésiter, mais je ne peux vraiment rien pour vous. Il faut que vous le compreniez.

– Dans ce cas, vous nous voyez contraints de recourir à un mandat judiciaire, ce qui entraînera les contretemps dont nous avons discuté.

Ostrovine eut un claquement de langue.

– Nous n'avons discuté de rien, lieutenant Sturgis. Vous m'avez menacé. Je conçois que vous ayez une tâche importante à accomplir, mais toute intimidation supplémentaire restera sans effet. J'en ai parlé à nos avocats qui me certifient que les choses en resteront là.

– Nous verrons bien, déclara Milo en se levant.

– Nous ne verrons rien du tout, lieutenant. Les règles sont claires. Croyez-moi, j'en suis désolé. Ce qui s'est passé dans la salle de scanner n'était qu'un incident.

– Dans la nature des choses.

– Plutôt dans la nature humaine, dit Ostrovine. Dès que plusieurs personnes sont réunies, il y a forcément de petits accrochages. Mais on est loin d'un meurtre.

– Vous tirez votre connaissance de la nature humaine des nombreuses fraudes à l'assurance que vous cautionnez ?

Le sourire d'Ostrovine s'évertua à la sincérité, échoua loin du compte.

– Je la tire de la vraie vie, lieutenant.

Bern Shacker rappela tandis que nous étions en route vers le poste. Dix minutes avant l'heure, il profitait d'une pause entre deux patients. Je le remerciai de sa promptitude.

– La police a arrêté quelqu'un ?

– Ils tiennent peut-être une piste.

Je lui décrivis l'individu à la canadienne. Silence au bout du fil.

– Docteur Shacker ?

– Si personne n'a été arrêté, vous me contactez pour ?...

– Nous nous demandons si Vita Berlin n'aurait pas croisé cet homme, peut-être à l'occasion d'une évaluation psychologique. Sans vouloir vous infliger un dilemme, il se pourrait que ce soit une situation de type Tarasoff[1].

– Danger imminent ? Pour qui ?

– Il a commis deux meurtres supplémentaires.

– C'est épouvantable, mais les deux personnes en question ne courent donc plus aucun danger, à l'évidence.

– La situation est délicate, Bern.

– Je sais, je sais. Quel drame. Par chance, ce n'est pas un de mes patients. Je n'ai personne qui porte ce genre de manteau.

– Merci quand même.

– Le fait de s'entourer de multiples couches de vêtements, dit-il, pourrait faire penser à la schizophrénie, non ?

– Ou un problème physiologique.

– Du genre ?

– De l'hypothyroïdie, par exemple.

– Hum… intéressant. Oui, c'est une hypothèse. Mais je penche plus pour la dimension psychologique. Au vu de ce qu'il a commis. Et puis il donne l'impression de réagir à la menace. Au fond, les psychotiques sont démunis, non ? Ils mordent davantage par peur qu'ils ne sont des chiens d'attaque ?

– Vrai.

– Quel gâchis, se lamenta Shacker. Pauvre Vita. Elle et les autres.

Nous allions rejoindre Butler quand ce fut au tour d'Alex Shimoff de rappeler.

---

1. Célèbre jurisprudence de la Cour suprême de Californie selon laquelle un psychothérapeute a le devoir de protéger toute personne qu'un de ses patients est susceptible d'agresser physiquement.

– Besoin d'un nouveau chef-d'œuvre, lieutenant ?

– Vous êtes l'homme de la situation, inspecteur.

– La dernière fois, c'était facile. L'amie du Dr Delaware a l'œil pour les détails, elle m'a fourni beaucoup d'éléments à partir desquels travailler.

– Rien de tel qu'un défi, dit Milo.

– Marié et père de famille, les défis ça me connaît ! Bon. Quand ça ?

– Je vous rappellerai pour fixer le lieu et l'heure.

– Demain m'arrangerait. J'ai un jour de congé et ma femme insiste pour que je l'accompagne faire du shopping. Ce serait l'excuse parfaite pour me défiler !

Au bureau, Milo appela Maria Thomas pour l'avertir qu'il comptait diffuser un portrait-robot et l'information sur les points d'interrogation, et lui demander d'intervenir auprès du service des relations avec la presse.

– Vous mettez la charrue avant les bœufs, Milo.

– Pardon ?

– Occupez-vous du croquis, mais rien ne sera facilité tant que la décision officielle ne sera pas entérinée. Pour parler plus simplement et être certaine que vous compreniez, tant que le chef n'aura pas accordé son feu vert.

– La consigne vient de lui ?

– C'est lui qui a le dernier mot, non ?

Elle raccrocha. Milo pesta et appela Margaret Wheeling. Elle s'était ravisée, n'était plus du tout partante pour nous apporter son aide. Elle n'avait qu'entraperçu l'homme à la canadienne, trop rapidement pour nous être utile. Milo argumenta quelques minutes et la persuada de se soumettre à une séance de travail avec Shimoff. Il tendait la main pour prendre un cigarillo quand le téléphone sonna.

– Homicides. Sturgis.

– Encore heureux, vu que c'est votre numéro de poste ! lança une voix rauque mâtinée d'un léger accent de Brooklyn.

– Bonjour, monsieur.

– Quand tout le reste échoue, dit le chef, on tente le coup du croquis.

– Si ça peut fonctionner…

– Vous avez de quoi obtenir un dessin approchant ? Sachant que nous n'aurons probablement qu'une seule occasion de croquer dans la pomme, je ne tiens pas à la gâcher sur un truc approximatif.

– Moi non plus, monsieur, mais à ce stade…

– Tout le reste a échoué, vous patinez et vous redoutez des victimes supplémentaires. J'ai bien compris, Sturgis. C'est pourquoi j'ai ravalé mon amour-propre et consulté une connaissance au FBI. Un gros con de technocrate, mais avant il était l'un des grands pontes des sciences comportementales à Quantico. Cela dit, si vous voulez mon avis, leur profilage tient de l'attraction pour fête foraine. Aussi, j'ai préféré l'appeler, je lui ai dit : « Oublie votre crétinerie de questionnaire, dis-moi ce que t'inspire au débotté un cinglé qui brise le cou à ses victimes, puis leur retire les tripes pour s'amuser avec. » Il m'a fait part de ses profondes lumières de chercheur, et je vous les livre telles quelles. Mâle blanc, entre vingt-cinq et cinquante ans, sans doute solitaire, sans doute une vie sentimentale peu épanouissante, sans doute logé dans un cadre étrange, sans doute s'adonne-t-il à la masturbation en repensant à ses forfaits. Est-ce pire que le portrait que vous en a fait Delaware ? À quoi ressemble ce suspect dont vous souhaitez livrer le visage aux téléspectateurs névrosés ?

– Homme blanc, entre trente et quarante ans.

– Tiens, tiens ! dit le chef. Le pouvoir de la science.

– Il porte un manteau par tous les temps.

– La belle affaire. Il dissimule une arme en dessous.

– Peut-être bien, monsieur, mais le Dr Delaware pense que cela pourrait être un signe de déséquilibre mental.

– Vraiment ? s'esclaffa le chef. Quel génie ! Il me semble que ce point est suffisamment établi par le fait d'arracher les boyaux à ses victimes.

– Tout à fait, dis-je.

Silence.

– Je me doutais que vous étiez là, docteur. La vie est-elle douce pour vous ?

– Oui.

– Vous êtes bien le seul. Charlie vous transmet son bon souvenir.

Charlie était son fils et je n'en croyais rien. Jeune homme brillant et tourmenté, il m'avait demandé une lettre de recommandation pour l'université, puis m'avait adressé deux courriels un mois avant d'entrer au séminaire, choix qui lui permettait de retarder le début de ses études. Son père lui inspirait un mélange de haine, d'amour et de crainte – jamais il ne lui confierait le moindre message.

– J'espère qu'il va bien, dis-je.

– Avec Charlie, vous savez... Au fait, nous n'avons toujours pas réglé vos honoraires pour le dernier dossier.

– Vrai.

– Vous n'avez pas harcelé ma secrétaire à ce sujet.

– Cela aurait-il favorisé les choses ?

– Autant pisser dans un violon. Votre loyauté en dépit des manquements de notre bureaucratie est fort louable, docteur. Vous convenez donc que ce serait une bonne idée de diffuser le portrait de ce cinglé ?

– À condition de verrouiller l'information, je pense que cela pourrait se révéler fructueux.

– C'est-à-dire, verrouiller ?

– Cela doit se limiter au croquis et aux points d'interrogation, et il ne faut surtout pas laisser entendre que n'importe qui, en théorie, pourrait être ciblé comme victime.

– Oui, on imagine la panique et tout le monde qui mouille sa culotte. Parlant des points d'interrogation, qu'est-ce que ça peut bien signifier ? Mon contact au FBI n'a jamais rien vu de pareil. Aucun cas similaire dans leurs archives. Pour la découpe des boyaux, le seul précédent est Jack l'Éventreur, mais notre affaire présente trop de différences pour que cette piste donne quoi que ce soit.

– Je ne sais pas.

– Qu'est-ce que vous ne savez pas ?

– Quel sens donner aux points d'interrogation.

– Et ça a fait des années d'études ! Et vous ne pensez pas qu'on devrait évoquer le manteau ? Ça pourrait dire quelque chose à un honnête citoyen.

– Ou pousser le coupable à s'en débarrasser et vous perdriez alors de précieux indices.

Une pause.

– Oui, ses frusques ont peut-être reçu des éclaboussures, du jus de tripes ou Dieu sait quoi. Bon. D'accord. Verrouillez l'info. Mais ça pourrait quand même se retourner contre vous. C'est à vous que je parle, Sturgis. S'il se voit au journal télévisé, il décampera.

– Ce risque existe toujours, monsieur.

Nouveau silence, plus long.

– Docteur, quelles sont les chances, selon vous, qu'on ait une nouvelle victime plus tôt qu'on ne souhaiterait ?

– Difficile à dire.

– Vous n'êtes bon qu'à ça, éluder les questions ?

– C'est bien la question.

– Humour de psy. Ne comptez pas trop décrocher un engagement comme comique dans un avenir proche. Toujours éveillé, Sturgis ?

– Tout à fait, chef.

– Que ça continue.

– Dieu me garde de m'assoupir, chef.

– Moi, je vous le défends et c'est déjà ça !

23

Alex Shimoff déposa son dessin au bureau de Milo le lendemain après-midi.

– Surtout, ne dites pas que c'est moi qui l'ai pondu. C'est vraiment nul !

La première fois que Milo avait recouru à ses talents, Shimoff était parvenu à reconstituer le portrait d'une jeune femme défigurée par une arme à feu et le résultat était d'une ressemblance sidérante. Cette fois-ci, il avait produit un disque pâle et incertain, aux traits masculins et anodins. Colorié en jaune, cela aurait donné le frère réservé de M. Smiley.

Pourtant, l'image activa une synapse de ma mémoire, dans les profondeurs de mon cerveau. L'avais-je déjà vu quelque part ? Je me creusai la tête, en vain. Milo remercia Shimoff.

– Ne me remerciez pas pour ce machin, lieutenant ! Margaret Wheeling n'a pas été d'un grand secours. Je n'aime pas le logiciel de portrait-robot, mais j'ai été obligé d'y recourir. Elle s'est plainte que ça l'embrouillait encore plus, trop de choix. Elle n'était pas fichue de répondre à mes questions : Plus large ? Plus rond ? Plus haut ? Rien. Elle prétend qu'elle a à peine vu le type.

– Elle vous a donné l'impression d'avoir peur ? demandai-je.

– Peut-être, dit Shimoff, ou bien c'est juste qu'elle est bête et incapable d'analyser visuellement.

Milo observa le croquis.

– C'est déjà bien.

Shimoff eut une grimace écœurée.

– Allons, ça pourrait être n'importe quel mec blanc à face ronde.

– Mais peut-être que ça lui ressemble effectivement, mon petit. Ça me rappelle un dessin humoristique : un enfant de maternelle dessine sa famille, rien que des bonshommes têtards, et le jour de la réunion avec les parents, l'instit voit débarquer deux bonshommes têtards.

Cela ne fit pas rire Shimoff. Je cherchai de nouveau à comprendre pourquoi le dessin m'évoquait quelque chose. Écran vide.

– Quand j'étais aux beaux-arts, dit Shimoff, j'arrivais à en rire. Dans la vraie vie, ça me rend malade de pondre un truc aussi nul. Par-dessus le marché, je dois me farcir une soirée de shopping avec ma femme.

Il s'en alla, les poings serrés.

– Ah, les créatifs… murmura Milo.

Il se rendit en salle des inspecteurs et remit le dessin à Moe Reed qui se chargerait de le scanner avant de le transmettre à Maria Thomas.

Le portrait-robot fut diffusé au journal télévisé de dix-huit heures, en illustration d'une allusion elliptique à un assassin qui s'introduisait dans des demeures du West Side, rompait le cou à ses victimes et laissait un point d'interrogation en guise de carte de visite. Le flou attisant l'angoisse, les lignes téléphoniques se mirent à sonner dès la publicité qui suivit. Dans le quart d'heure, Milo réquisitionna Moe Reed et Sean Binchy pour l'aider à gérer les appels. Lui-même abandonna son cagibi au profit d'un grand bureau en salle des inspecteurs, dont l'occupant habituel était en congé maladie. Il se chargea de trois lignes, appuyant sur les touches avec la dextérité d'un joueur de concertina. Il restait bref et prenait des notes : « salades » revenait le plus souvent, suivi de « schizo », « médium » et « canular ». Reed griffonnait une majorité de « négatif », Binchy « RAD ». Devant ma mine intriguée, Sean plaqua la main sur le micro, sourit et me souffla :

– Rien à dire.

Je les écoutai tous les trois un moment.

Reed : « Je vous comprends bien, madame, mais habitant à Bakersfield, vous n'avez rien à craindre… »

Binchy : « Pas du tout, monsieur. Rien n'indique que la communauté des Samoans soit ciblée. »

Milo : « Oui, je connais les cartes "chance" au Monopoly. Non, il n'en a pas laissé… »

Je finis par m'éclipser et rentrer chez moi, des victimes plein la tête.

– Privé de couverture ? dit Robin. Il n'en faut pas beaucoup pour provoquer ce maniaque.

Assis devant le bassin, nous lancions des granulés aux carpes koï. Blottie entre nous, Blanche ronflait doucement. J'avais terminé mon verre de Chivas dont j'agitais les glaçons. Robin n'avait guère touché à son riesling. La nuit sentait le jasmin et l'ozone. Le ciel était une toile de feutrine anthracite sans le moindre pli, dans lequel un pic à glace semblait avoir percé quelques étoiles.

– Elle le met à la porte de la clinique et il la tue deux ou trois mois après ? fit Robin, incrédule.

– Peut-être qu'il a temporisé pour accroître l'excitation. Je n'exclus pas non plus qu'il ait provoqué l'incident à dessein.

– Pour se donner une excuse ?

– Même les psychopathes ressentent le besoin de se justifier et je ne pense pas que son unique mobile soit de venger les affronts subis. Cela s'inscrit certainement dans des fantasmes qu'il nourrit depuis l'enfance, mais en donnant un rôle de méchant à ses victimes, il rend son geste légitime. Glenda Usfel maîtrisait son monde en se comportant en femelle dominante, sauf que là ça s'est retourné contre elle. Idem sans doute pour Berlin : semer la mauvaise humeur était son passe-temps, jusqu'à ce qu'elle choisisse le mauvais type. Ce qui ne colle pas, c'est l'agression de Colin Quigg, que tout le monde s'accorde à décrire comme l'homme le plus doux.

– Peut-être qu'il n'a pas toujours été comme ça.

– Un teigneux repenti ?

– Les gens changent, dit-elle en souriant. J'ai le souvenir d'avoir entendu ça quelque part. Quigg travaillait dans quel secteur ?

– La comptabilité.

– Il n'était pas inspecteur du fisc, à tout hasard ?

– Pas du tout. Un expert-comptable lambda au sein d'un gros cabinet, chargé de jongler avec les chiffres pour le compte d'une chaîne de supermarchés.

– Si quelqu'un était mécontent des tomates, ce n'est pas à lui qu'on s'en prendrait. Avait-il d'autres centres d'intérêt ?

– Personne n'y a fait allusion. Un homme casanier qui aimait promener son chien et menait une existence tranquille. Autrefois, il avait enseigné à des enfants handicapés. Un vrai gentil, Robin. Très différent des autres victimes.

– Intéressant comme changement.

– Quoi ?

– Quitter un métier centré sur l'humain pour un autre où l'on passe ses journées à éplucher des bilans.

– Sa femme m'a dit qu'il avait changé de secteur parce que c'était mal payé.

– Oui, c'est certainement ça.

– Tu en doutes ?

– Ça me semble juste un peu radical, Alex. Mais l'argent n'est pas à négliger.

J'y réfléchis.

– Quelque chose serait survenu à l'époque où Quigg enseignait, provoquant un virage chez lui ?

– Tu viens toi-même de dire que le mobile du meurtrier devait remonter à l'enfance. Les gamins handicapés, ça englobe beaucoup de choses.

– Un élève atteint de graves troubles psychiatriques qui se vengerait d'un enseignant ? Parle pas de malheur…

– Il se pourrait que Quigg ait changé de profession après avoir été confronté à un enfant vraiment terrifiant, remettant en cause sa vocation… Même si ça peut paraître invraisemblable, tu viens toi-même de souligner que l'assassin prend plaisir à la traque. Imagine une seconde que, devenu adulte, il entreprenne de retrouver d'anciens ennemis.

Le ciel sembla s'assombrir et ployer, les étoiles s'amenuiser. Robin voulut se détendre les doigts et je me rendis compte que je serrais sa main très fort, avant de la relâcher. Elle porta le verre de vin à ses lèvres. Beau millésime, mais ce soir-là il ne lui arracha qu'une moue froncée.

– C'était juste des idées en l'air… Si on changeait de sujet ?

– Si tu permets, j'ai un coup de fil à donner.

– Qui est à l'appareil ? s'enquit Belle Quigg.

Je répétai mon nom.

– Je suis passé chez vous l'autre jour, en compagnie du lieutenant Sturgis.

– Ah, vous êtes l'autre. Vous avez du nouveau à propos de Colin ?

– J'ai quelques questions supplémentaires à vous poser. À quand remonte l'expérience de Colin comme enseignant ?

– C'était il y a très longtemps. Pourquoi ?

– Nous veillons à ne rien négliger.

– Je ne comprends pas…

– Plus nous en saurons sur Colin et meilleures seront nos chances d'appréhender la personne qui lui a fait ça.

– *Fait* ça ? Vous pouvez dire *qui l'a tué*. Moi, je le dis, et j'y pense. J'y pense tout le temps.

Je restai muet.

– Je ne vois pas en quoi sa carrière d'enseignant a un rapport avec le meurtre. Ça remonte à une éternité. Un fou a tué Colin et Louie, et il n'y a aucun lien avec ce que mon mari a pu dire ou faire.

– Je suis certain que vous avez raison, madame, mais si vous pouviez…

– Colin enseignait en hôpital, pas dans une école. À Ventura State.

Autrefois l'établissement psychiatrique le plus important de Californie, depuis longtemps fermé.

– Quand y a-t-il travaillé ?

– C'était avant notre mariage. On venait de se rencontrer, il m'a raconté qu'il avait été enseignant. Ça remonte donc à au moins vingt-quatre ans.

– À quel type d'enfants handicapés avait-il affaire ?

– Il n'a pas précisé, il a juste parlé d'enfants handicapés. Il n'est pas entré dans les détails et je n'étais pas
très curieuse. Je ne m'intéresse pas trop à ces choses-
là. Colin m'a expliqué que c'était très mal payé, qu'il
avait trouvé une place à la paierie de la municipalité
et étudiait pour passer le diplôme d'expert-comptable.
Il avait aussi appris que l'hôpital allait fermer. Des
années plus tard, il m'a confié que c'était la vraie
raison qui l'avait poussé à démissionner, pour ne pas
se retrouver sur le carreau.

– Que pensait-il de la fermeture ?

– Il se faisait du souci pour les enfants. Il me disait :
« Où iront-ils, Belle ? » C'était tout Colin, toujours à
se soucier des autres.

24

Ce chic type de Colin avait menti à son épouse.
La fermeture de Ventura n'avait été envisagée que
longtemps après son départ. Je le savais pour m'y
être rendu quelques semaines avant l'évacuation des
lieux, envoyé par un cabinet d'avocats qui représentait
les patients de deux services, des enfants en fauteuil,
peu autonomes et confrontés à un avenir d'une épouvantable incertitude. J'avais expertisé chaque patient
et formulé des propositions de prise en charge, l'État
s'étant engagé à trouver des solutions. L'administration n'avait pas tenu ses promesses, très peu de mes
recommandations avaient été suivies d'effet.

Quelques années auparavant, alors que Quigg était
déjà parti depuis un certain temps, j'avais effectué un
stage d'observation à Ventura en complément de ma
formation à Langley Porter. Un mois durant, j'avais
fait le tour des services de ce qui était alors le plus
gros hôpital psychiatrique à l'ouest du Mississippi.
Par une belle journée de printemps, j'avais quitté San
Francisco au coucher du soleil pour dormir à la belle
étoile sur la plage de San Simeon, l'occasion d'admirer
les lions de mer qui s'y prélassaient. Reparti à l'aube,
j'arrivai à Camarillo en milieu de matinée, me douchai
dans les toilettes d'une plage publique, enfilai une

tenue correcte et repris l'autoroute 101. J'obliquai vers l'est sur une route mal signalée qui franchissait un ruisseau à sec et longeait ensuite des champs en friche, entrecoupés de bosquets de sycomores, de chênes et d'eucalyptus d'Australie, essence depuis longtemps acclimatée à l'aridité locale. Je parcourus plusieurs kilomètres sans rien croiser qui indique la présence d'un hôpital. Soudain, au détour d'un virage serré, je dus freiner brusquement en découvrant le portail. Acier renforcé peint en rouge, six mètres de hauteur. Un vigile examina soigneusement ma pièce d'identité, m'indiqua d'un air sévère le panneau limitant la vitesse à dix kilomètres/heure et actionna l'ouverture automatique. Au bout d'une avenue ombragée et sinueuse, j'atteignis un parking digne d'un stade. Derrière les innombrables véhicules qui étincelaient au soleil se dressaient les bâtiments enduits de stuc marbré et ornés de moulures, de médaillons, de frontons et de loggias à voûtes cintrées. La plupart des fenêtres étaient munies de barreaux rouille comme le portail. Triste cité.

Plusieurs décennies auparavant, Ventura State s'était honteusement distingué comme un établissement infâme où l'on ne reculait devant rien, dès lors qu'un médecin en décidait. Quantité de sévices s'étaient pratiqués derrière ses murs : lobotomies et autres opérations aventureuses, recours grossier aux électrochocs et à l'insuline, internement forcé des personnes jugées nuisibles, stérilisations contraintes des individus dont on avait décidé qu'ils n'avaient pas à se reproduire. Cela avait duré jusqu'à la Seconde Guerre mondiale, quand le personnel médical avait été mobilisé et envoyé en Europe et dans le Pacifique. Après l'Holocauste, on s'était montré beaucoup plus vigilant quant aux atteintes à la liberté individuelle. Réformé en profondeur, l'établissement s'était refait une réputation grâce à ses méthodes progressistes et humanistes. Pour ma part, j'étais ravi de découvrir un nouvel environnement clinique et de retrouver le sud de la Californie.

Les deux premières journées furent consacrées à une présentation des divers services par une infirmière en chef. Je faisais partie d'un groupe où se mêlaient internes en psychiatrie, psychologues stagiaires de mon espèce, infirmiers et aides-soignants nouvellement recrutés. Entre les séances, nous avions quartier libre pour explorer le centre à notre guise, à l'exception des « soins spécialisés », un espace enclos situé dans la partie la plus à l'est. Un aide-soignant demanda ce que c'était. Notre formatrice répondit qu'il s'agissait des cas particuliers, très divers, et enchaîna.

Ayant plusieurs heures à perdre avant ma première affectation, je parcourus les lieux, époustouflé par l'ampleur et par l'ambition de l'établissement. Le silence presque recueilli des autres nouveaux qui arpentaient également le domaine m'indiquait que je n'étais pas seul à m'émerveiller. Construit dans les années trente, l'asile d'aliénés de Ventura – très vite désigné comme Ventura tout court – alliait la grâce d'une architecture traditionnelle à l'optimisme du New Deal auquel la Californie doit certains de ses plus beaux édifices publics. Cela donnait vingt-huit bâtiments dans un parc de cent hectares. Les allées de pierre rose serpentaient d'un pavillon à l'autre, les parterres étincelaient de couleurs et les buissons sem-blaient avoir été taillés aux ciseaux à ongles. On avait choisi comme site une vallée peu profonde entourée de monts au sommet embrumé. Côté ouest, diverses annexes permettaient une vie en autarcie : chambre froide, boucherie, laiterie, potager et verger, bowling, deux cinémas, une salle de concert, dortoirs pour le personnel, poste de police et caserne de pompiers. L'autonomie avait été pensée en partie dans le noble dessein de promouvoir la réinsertion. Par ailleurs, on dissimulait ainsi au reste du comté de Ventura des voisins enfermés pour cause de folie ou de déficience, sans compter les cas particuliers.

J'y passai un mois entier auprès d'enfants moins handicapés que les malheureux que j'évaluerais au moment de la fermeture, mais tout de même incapables de suivre une scolarité normale. Le plus souvent, un facteur physiologique entrait en ligne de compte : troubles épileptiques, lésions dues à une encéphalite, maladies génétiques et des faisceaux de symptômes mystérieux que l'on qualifierait plus tard de troubles du spectre autistique, désignés alors sous une série d'appellations, dont une qui m'est restée en mémoire : dérèglement neuro-social idiopathique.

Je consacrai mes semaines de soixante heures à affiner ma méthode d'observation, procéder à des évaluations et parfaire mes connaissances en psycho-pathologie infantile, thérapie par le jeu, restructuration cognitive et analyse comportementale appliquée. Surtout, j'y appris qu'il faut rester humble et réserver son jugement. Les thérapeutes en mal d'héroïsme n'avaient pas leur place à Ventura : si une amélioration survenait, elle ne pouvait qu'être graduelle et infime. J'en vins à me fixer une devise qui m'inspirait au quotidien : Sache t'en tenir à des objectifs raisonnables et spécifiques, et sois content de tout ce qui marche.

Si, à première vue, l'hôpital avait tout l'air d'une retraite pastorale coupée de la réalité, j'eus vite fait d'apprendre que le silence exacerbé pouvait à tout moment être rompu par un cri, une plainte ou un craquement sourd, semblable à celui que produit le bois sur la peau nue, en provenance de l'extrémité est du parc. Les soins spécialisés constituaient un îlot au sein de l'établissement, quelques bâtiments grossiers au pied d'une élévation de granit, encerclés d'une grille rouge surmontée de barbelé à lames. Les fenêtres étaient plus petites qu'ailleurs, les barreaux plus épais. Des vigiles effectuaient des rondes à l'intérieur du périmètre à intervalles irréguliers. La plupart du temps, personne ne traînait dehors. Pas une fois je n'y aperçus le moindre patient.

Un jour, j'interrogeai ma tutrice à propos des soins spécialisés. Élégante psychologue aux cheveux gris, Gertrude Vanderveul était américaine mais avait été formée en Angleterre à l'hôpital de Maudsley. Affectionnant tant les tailleurs de qualité que les chaussures pratiques et bon marché, fervente admiratrice de Mahler tout en décrétant que la musique s'arrêtait à Bach, assistante de recherche d'Anna Freud au cours de ses années londoniennes – « une femme charmante mais bien trop attachée à son cher père pour mener une vie sociale conventionnelle ».

Le jour où j'avais abordé le sujet, elle avait décidé que la séance de tutorat se déroulerait dehors pour profiter du temps magnifique. Nous déambulions à travers le parc sous un ciel sans nuages, l'air empreint d'une pureté de linge propre, sirotant un café en même temps que nous passions en revue les cas sur lesquels j'avais travaillé. Ensuite, elle lança la discussion sur les limites de la méthodologie de Piaget et m'encouragea à donner mon avis.

– Parfait, dit-elle. Vous portez un regard aigu.

– Merci. Puis-je vous interroger sur les soins spécialisés ?

Elle resta muette. Croyant qu'elle n'avait pas entendu, je voulus répéter ma question, mais elle me fit taire d'un geste de l'index et nous poursuivîmes notre promenade. Quelques instants plus tard, elle finit par dire :

– Ce service n'est pas fait pour vous, jeune homme.

– Je suis trop novice ?

– Il y a ça, oui. Et aussi que je vous apprécie.

Devant mon silence, elle ajouta :

– Faites-moi confiance sur ce point, Alex.

Colin Quigg en avait-il fait l'expérience ? Étonnante reconversion. Futée, ma Robin. Je ressortis dans le jardin pour lui dire qu'elle venait peut-être de mettre le doigt sur quelque chose, mais elle n'était plus au bord du bassin. J'aperçus de la lumière à la fenêtre de l'atelier et entendis le bourdonnement d'une scie. Je regagnai mon bureau et appelai Milo.

– Quigg n'enseignait pas dans une école, il travaillait à l'hôpital psychiatrique de Ventura.

– Bien, dit-il d'un ton distrait.

– Il a peut-être menti à sa femme quand il lui a expliqué son changement de carrière, aussi j'en viens à me demander s'il n'aurait pas pris peur à Ventura, à cause de quelqu'un ou quelque chose.

Je lui fis part des bruits insolites que j'avais perçus en provenance du service des soins spécialisés, ainsi que du réflexe protecteur de Gertrude.

– Le lien entre Quigg et l'assassin pourrait se trouver là, conclus-je.

– Un patient rancunier ? Ça remonterait à combien de temps, Alex ?

– Quigg a quitté l'établissement il y a vingt-quatre ans, mais notre homme a peut-être la mémoire longue.

– La mèche s'allume après un si long délai ?

– Un premier meurtre et le voilà parti. Sur sa lancée, il repense à la sale époque de Ventura.

– Couic, le prof. Quigg était moins gentil dans le temps ?

– Pas forcément. Pour un individu avec des tendances paranoïaques, un regard de travers a pu suffire, ou n'importe quoi.

– Merveilleux. Toutefois, si l'on excepte que tu soupçonnes Quigg d'avoir menti, il n'y a aucune preuve qu'il ait travaillé au service des soins spécialisés.

– Pour l'instant, mais je vais continuer de creuser.

– Parfait. On se rappelle à mon retour.

– Où vas-tu ?

– Faire la connaissance de la victime numéro cinq.

– Oh non… quand ça ?

– Le cadavre vient d'être signalé. Cette fois-ci, la bonne pioche est pour le central d'Hollywood. Petra a hérité du dossier. Une fille solide, qui m'a tout de même paru secouée. Je suis en route.

– Quelle adresse ?

– Ne t'embête pas. T'imagines le cirque que c'est et tu n'y verras rien de nouveau.

– D'accord.

Il expira.

– Écoute, je ne suis pas certain qu'on me laisse l'enquête. Il paraît que Sa Grandiloquence réévalue la situation. Donc, inutile de gâcher ta soirée. Qui plus est, je dois vérifier une série de tuyaux bidon. Et demain matin à la première heure, je rencontre les familles Usfel et Parnell dans un hôtel près de l'aéroport. Les deux paires de parents en même temps, voilà qui promet d'être joyeux.

Un nouveau meurtre dans la foulée de la diffusion du portrait-robot, cela avait tout l'air d'un défi. J'en vins à réviser mon hypothèse à propos des points d'interrogation. Sans doute Milo avait-il raison. Je m'installai à l'ordinateur et lançai plusieurs recherches en combinant divers mots-clés : hôpital psychiatrique, Ventura, enfant meurtrier, jeunes déséquilibrés, éviscération, point d'interrogation. Cela ne donna rien. Je repensai au croquis de Shimoff : avais-je eu la mémoire titillée parce que j'avais vu le même visage en plus jeune, lors de mon passage à Ventura ? Un patient à qui j'avais eu affaire, ou simplement croisé par hasard ? Un enfant dangereux qui avait su cacher son jeu pour tromper le personnel et rester dans un service ouvert, échappant aux soins spécialisés ?

En milieu hospitalier, personne ne passe plus de temps avec les enfants que les enseignants. Colin Quigg aurait-il décelé chez un garçon profondément perturbé quelque chose qui aurait échappé à tout le monde ? S'en était-il ouvert et avait-il convaincu les médecins qu'un isolement rigoureux était nécessaire ? De quoi engendrer une sérieuse rancune. Toutefois, l'objection de Milo demeurait : Pourquoi attendre si longtemps pour exercer sa vengeance ?

Réponse : Parce que le gosse dangereux s'était mué en adulte vraiment épouvantable et avait passé toutes ces années derrière les barreaux. Désormais libéré, il pouvait jouer les redresseurs de torts. Localiser Quigg, l'épier, l'amadouer par de cordiales salutations pendant qu'il promenait son chien. Si l'ancien élève avait reconnu le maître, Quigg lui n'avait aucune raison de faire le lien entre un adulte vêtu d'une canadienne et l'enfant croisé si longtemps auparavant.

Point d'interrogation : Devinez pourquoi j'ai fait ça ? Ha ! Ha ! Ha !

Sachant ce qu'était le service des soins spécialisés, Gertrude Vanderveul avait veillé à m'en tenir éloigné. *Faites-moi confiance sur ce point, Alex.* Peut-être accepterait-elle maintenant de m'en expliquer la raison.

Je recherchai sa trace sur la toile, à commencer par le répertoire des membres de l'APA et le site de l'ordre des psychologues de Californie, puis j'élargis le champ. Elle ne figurait nulle part. Je repérai tout de même un Magnus Vanderveul, ophtalmologiste à Seattle. Peut-être quelqu'un de sa famille, mais il était trop tard pour le contacter. Je continuai à pianoter, n'obtins que des fausses notes. J'étais énervé quand Robin et Blanche rentrèrent, mais pris sur moi pour feindre la bonne humeur. La chienne perçut immédiatement mon véritable état d'esprit, vint me lécher la main et me caresser la jambe du bout de son museau, petite boule fripée d'empathie. Robin nous rejoignit.

– Qu'est-ce qui se passe ?

Je lui fis part du mensonge de Quigg.

– Il se pourrait bien que tu aies trouvé la solution, lady Sherlock.

– Les enfants les plus effrayants se livraient à quel genre de trucs ?

– Je ne sais pas, ne les ayant jamais vus.

Je lui parlai du service des soins spécialisés, de la sollicitude de Gertrude.

– Elle n'a pas voulu m'en dire plus à l'époque. Je cherche à la retrouver, peut-être sera-t-elle plus loquace.

– Joue sur la fibre maternelle.

– Comment ça ?

– Raconte-lui tout ce que tu as accompli. Qu'elle soit fière de toi, se sente en confiance.

Milo n'avait toujours pas rappelé le lendemain à dix heures. Rien dans les médias à propos de la nouvelle victime, signe que le chef avait sans doute verrouillé l'info. Je composai le numéro du cabinet du Dr Magnus Vanderveul à Seattle. Une femme me répondit.

– Clinique Lasik, le laser au service de votre vue.

Le Dr Vanderveul avait des rendez-vous toute la journée, mais si j'avais des questions concernant la myopie ou la presbytie, on pouvait me faire écouter une présentation.

– C'est très aimable à vous, mais j'ai besoin de parler au Dr Vanderveul en personne.

– À quel sujet ?

– Sa mère est une vieille amie, je cherche à renouer le contact.

– Ça ne va pas être possible. Elle est malheureusement décédée l'année dernière. Le docteur avait pris l'avion pour se rendre aux obsèques.

– J'en suis désolé, dis-je en songeant que je l'étais à plus d'un titre. Où a eu lieu la cérémonie ?

Une seconde de silence.

– Je lui ferai part de votre appel, monsieur. Au revoir.

Je retrouvai l'avis de décès. Elle était morte à Palm Beach, Floride. Je téléchargeai la notice nécrologique publiée dans un journal local. Le professeur Gertrude Vanderveul avait succombé après une courte maladie. On mentionnait son passage à Ventura, qu'elle avait quitté pour enseigner dans une université du Connecticut. Elle avait publié un ouvrage sur la psychothérapie de l'enfant et avait siégé dans une commission réunie par le président sur la question du placement des mineurs. Installée en Floride depuis dix ans, elle y partageait son temps entre du conseil à titre bénévole pour divers services sociaux et la culture des lys, passion de toujours. Veuve d'un chef d'orchestre décédé plusieurs décennies auparavant, elle laissait un fils, le Dr Magnus Vanderveul de Redmond, Washington, et deux filles, le Dr Trude Prosser de Glendale, Californie, et le Dr Ava McClatchey, de Vero Beach, Californie, et huit petits-enfants. Ni fleurs ni couronnes, dons à adresser à la Société de Floride pour le développement de l'enfant.

Trude Prosser pratiquait la neuropsychologie clinique dans un cabinet de Brand Boulevard. Je tombai sur une annonce préenregistrée. Idem au centre d'obstétrique d'Ava McClatchey. Ayant laissé un message aux trois brillants enfants de Gertrude, je sortis courir, doutant qu'ils prennent la peine de me contacter. Quand je rentrai, tous trois l'avaient fait. Je commençai par Trude, presque une voisine. Cette fois-ci, elle décrocha.

– Dr Trude Prosser, annonça-t-elle d'une voix jeune et sympathique.

– Alex Delaware. Merci de m'avoir rappelé.

– Vous avez été l'élève de maman.

Une assertion, pas une question.

– Je l'ai eue comme tutrice lors d'un stage. Elle avait un vrai talent de pédagogue.

– En effet. Qu'est-ce que je peux faire pour vous ?

J'entamai mon explication.

– Maman nous aurait-elle parlé d'un petit monstre d'assassin ? dit-elle. Non, elle n'évoquait jamais aucun de ses patients. Au fait, je préfère vous préciser que j'ai entendu parler de vous par maman. Elle était fascinée par votre parcours. Votre collaboration avec la police.

– Je n'avais pas idée qu'elle était au courant.

– Si, si. Elle a lu un article dans le journal, à propos de l'une de vos enquêtes, et s'est souvenue de vous. Nous étions à table pour le déjeuner, elle a mentionné votre nom. Ça l'amusait follement. Je l'ai eu comme stagiaire, Trude ! Un garçon brillant, esprit très curieux. Je l'ai tenu à l'écart des trucs les plus abominables, mais apparemment ça n'a fait que lui aiguiser l'appétit !

– Une idée de ce qu'elle m'avait caché ?

– J'ai supposé qu'elle parlait des patients les plus dangereux.

– Ceux de l'unité des soins spécialisés.

– Maman estimait qu'ils étaient inguérissables. Que la psychologie et la psychiatrie étaient entièrement démunies face à des troubles de la personnalité d'une telle ampleur.

– Elle-même avait-elle eu à traiter certains de ces patients ?

– Elle n'y a jamais fait allusion. De toute manière, outre la déontologie, elle évitait en général de nous parler de son travail. Compte tenu du grand nombre d'années qu'elle a passées à Ventura, il est possible qu'elle ait travaillé dans le service en question. Combien de temps l'avez-vous eue comme tutrice, Alex ?

– Un mois mémorable.

– C'était une très bonne mère. Nous étions encore jeunes quand papa est mort, elle nous a élevés toute seule. Un jour, une institutrice de mon frère lui a demandé quel était son secret pour avoir des enfants si bien élevés. Avait-elle une recette de psychologue ?

(Rire amusé.) En vérité, à la maison nous étions de vrais petits sauvages, mais nous savions jouer la comédie à l'extérieur ! Maman a opiné d'un air grave et lui a répondu : « C'est très simple : je les enferme à la cave, au pain sec et à l'eau. » La pauvre femme a manqué s'évanouir avant de comprendre qu'on la faisait marcher. Bon. Désolée de ne pas pouvoir vous aider davantage.

– Ma question va vous paraître étrange, mais a-t-il jamais été question de points d'interrogation ?

– C'est-à-dire ?

– Un enfant qui aurait dessiné des points d'interrogation. Votre mère n'a jamais rien évoqué de tel ?

– Non. Maman ne parlait jamais de ses patients, point final. Elle était très à cheval sur le secret médical.

– Et un enseignant du nom de Colin Quigg ? Ça vous évoque quelque chose ?

– Colin, comme le poisson ? Cette fois, la réponse est oui. Je m'en souviens parce que c'est devenu un sujet de plaisanterie dans la famille. Mon frère Magnus était rentré pour les vacances, la fac nous l'avait transformé en grande andouille. Quand notre mère a annoncé qu'un Colin devait passer et nous a priés de nous faire discrets, inutile de dire que Magnus l'a pris comme une invite à être lourdingue. Il lui a suggéré de lui servir une salade de thon, que ce brave Colin s'essaye au cannibalisme. Ma sœur Ava et moi trouvions ça hilarant, forcément, même si nous avions passé l'âge de pouffer comme des idiotes. Mais Mag avait cet effet-là sur nous, dès qu'il était là on régressait complètement, et bien entendu cela l'incitait à continuer, à sortir les pires calembours : faudra que Colin se jette à l'eau, avec un prénom pareil, il y a forcément une arête, et je vous en passe. Quand maman a repris son sérieux, elle nous a demandé de ne pas nous montrer avant que le pauvre garçon soit reparti, car il traversait une passe difficile à Ventura et avait besoin d'être réconforté.

– Elle a employé le terme de « garçon » ?

– Hum, c'était il y a très longtemps, mais oui, je pense m'en souvenir précisément. C'était un adulte, bien évidemment, pour être enseignant. Peut-être le considérait-elle comme un enfant du fait de sa vulnérabilité. En tout cas, nous connaissions bien notre mère et ce n'était pas le moment de plaisanter quand elle était en mode praticienne protectrice. Nous sommes allés au cinéma et à notre retour il n'était plus là.

– Quigg n'est jamais revenu chez vous ?

– Pas à ma connaissance. Vous vous demandez si son meurtre ne serait pas lié à quelque chose qui serait survenu à l'époque ? Un patient aux pulsions homicides l'aurait tué après tant d'années ?

– Comme l'enquête n'avance guère, nous explorons un peu toutes les pistes. Vous voyez quelqu'un d'autre qui serait susceptible de me renseigner sur ces années-là à Ventura ?

– Le patron de maman était un psychiatre du nom d'Emil Cahane. Il était directeur adjoint, ou quelque chose du genre. (Elle épela le nom.) Je l'ai rencontré plusieurs fois, en particulier à la fête de Noël. Il est venu dîner à la maison. Plus âgé que maman, il doit avoir plus de quatre-vingts ans.

– Avez-vous connu d'autres élèves de votre mère ?

– Non. Elle ne les invitait jamais à la maison et ne parlait pas d'eux. Avant le jour où elle a évoqué cet article, je n'avais jamais entendu parler de vous.

– Colin Quigg et Emil Cahane sont les seuls collègues à être venus chez vous ?

– Pour le Dr Cahane, c'était à titre amical. Oui, eux seuls.

– Elle vous a donc dit que Quigg traversait une passe difficile.

– Ce qui peut signifier tout et n'importe quoi. Maintenant que j'y réfléchis, pour que maman enfreigne ses principes, c'était certainement sérieux. Vous tenez peut-être une piste. Tout de même, garder rancune si longtemps… mon Dieu, ça fait froid dans le dos !

– Votre frère et votre sœur m'ont aussi laissé un message. Pensez-vous qu'ils auront quelque chose à ajouter ?

– Magnus étant un peu plus âgé, il a peut-être eu un point de vue différent, mais à l'époque il n'habitait plus vraiment à la maison. Ava est la benjamine, ça m'étonnerait qu'elle sache des choses que je ne sais pas, mais essayez quand même.

– Merci d'avoir pris le temps de me parler.

– Merci de m'avoir donné l'occasion d'évoquer maman.

– Je viens d'avoir Trude, m'informa le Dr Ava McClatchey. Au début, je ne me souvenais même pas de ce type, puis ça m'est vaguement revenu quand elle m'a rappelé les calembours idiots de Magnus sur son prénom, mais je n'ai rien de plus à vous dire. Je dois vous laisser, j'ai une césarienne. Bonne chance.

Il ne me restait plus qu'à parler au frère.

– Rien de plus, dit le Dr Magnus Vanderveul. Nous sommes allés au cinéma avant que le type soit là et à notre retour il était déjà reparti. J'ai infligé de nouveaux calembours à maman, Colin avait-il filé parce qu'elle était tout ouïe ? (Il pouffa.) J'ai compris à son expression que j'avais intérêt à mettre la pédale douce.

— Elle était fâchée ?

— Contrariée. D'ailleurs, c'est étonnant. Maman était une vraie superwoman. Il en fallait beaucoup pour la perturber.

25

Je n'avais pas eu l'honneur d'être présenté à Emil
Cahane. Le directeur adjoint n'avait aucune raison de
s'intéresser à un stagiaire. Avec un peu de chance,
nous allions enfin faire connaissance. Cahane, qui
ne figurait pas dans l'annuaire, n'était pas membre
de la société américaine de psychiatrie, ni d'aucune
société psychanalytique ou association médicale. Pas
de licence en cours de validité pour la Californie, ni
dans les États voisins. Je vérifiai aussi les centres
urbains sur la côte Est à forte concentration de psy-
chiatres : rien pour la Nouvelle-Angleterre, New
York, la Pennsylvanie, l'Illinois, le New Jersey et la
Floride où Gertrude avait pris sa retraite.

Un homme de plus de quatre-vingts ans, je com-
mençais à craindre le pire. Puis je lançai une recherche
sur internet et appris que la Commission pour la santé
mentale de Los Angeles lui avait décerné, un an et
demi auparavant, une récompense pour l'ensemble
de sa carrière. Une photo accompagnait l'article. Un
vieillard maigre et chenu, nez crochu et sourire de
guingois, posture bancale héritée d'une attaque ou
d'une maladie. On mentionnait le poste qu'il avait
occupé à Ventura et vingt années de bénévolat auprès
de jeunes maltraités, de familles d'accueil et des

enfants d'anciens combattants. Il avait mené divers travaux de recherches sur les troubles de stress post-traumatique, les traumatismes crâniens fermés et la prise en charge de la douleur. Il avait financé une étude sur les effets psychiques chez l'enfant d'une séparation prolongée d'avec les parents, à la faculté de médecine située de l'autre côté de la ville et où il occupait un poste de professeur clinicien. Là même où l'on m'avait conféré le même titre. Les deux décennies de bénévolat signifiaient qu'il avait dû quitter Ventura quelques années après Colin Quigg.

J'appelai la faculté de médecine, tombai sur une réceptionniste qui me connaissait et lui demandai les coordonnées actuelles de Cahane.

– Voici, docteur...

Une adresse à Encino, Ventura Boulevard. Forcément un bureau, compte tenu du quartier. Toujours en activité alors qu'il ne disposait plus d'une licence en cours de validité ? À quel titre exerçait-il ? Une voix féminine me répondit, ton efficace.

– Cahane et Geraldo. Que puis-je faire pour vous ?

– Je suis le Dr Delaware et je souhaite parler au Dr Cahane.

– Vous êtes au cabinet de Michael Cahane.

– Un avocat ?

– Consultant en entreprise.

– C'est la faculté de médecine qui m'a donné ce numéro.

– La faculté ?... Ah, l'oncle de M. Cahane nous utilise comme adresse postale.

– Le Dr Emil Cahane.

– Vous appelez à quel sujet ?

– J'ai eu le Dr Cahane comme directeur de stage autrefois, à Ventura, et je cherche à reprendre contact.

– Je ne peux pas vous communiquer ses coordonnées.

– Puis-je parler à M. Cahane ?

– Il est en réunion.

– Quand sera-t-il disponible ?

– Si je lui transmettais votre numéro ?

Une invite qui ne souffrait pas la discussion.

– Merci. Et vous seriez aimable de prévenir le Dr Cahane qu'un de ses collègues à Ventura est décédé. Colin Quigg. J'ai pensé qu'il souhaiterait en être informé.

– C'est triste, dit-elle sans aucune émotion. Arrivé à un certain âge, on voit disparaître ses amis.

Le téléphone sonna au bout de neuf minutes. Je décrochai, prêt à servir mon petit laïus à M. Cahane.

– Petra et moi avons prévu une séance de cogitation, annonça Milo. Tu es le bienvenu.

– Où et quand ?

– L'endroit habituel, dans une heure.

Le Café Moghol était désert, à part les deux inspecteurs moroses. Milo n'avait pas touché à sa montagne d'agneau tandoori, ni Petra à sa salade de la mer. Il me salua d'un vague geste qui aurait pu passer pour de l'apathie. La jeune femme esquissa un demi-sourire. Je pris place à leur table. Ancienne dessinatrice dans la publicité avant d'atterrir à la brigade des homicides d'Hollywood, Petra a le regard aiguisé et une discrétion réfléchie que d'aucuns prennent à tort pour de la froideur. Elle est dotée de cette beauté anguleuse qui donne une impression, trompeuse ou non, de confiance et de sang-froid. Elle s'en tient toujours à la même frange pratique, ses beaux cheveux noirs et droits toujours impeccablement coiffés. Son maquillage discret, du meilleur goût, met en valeur ses yeux foncés et limpides. Le plus souvent vêtue d'un élégant tailleur-pantalon noir ou marine, elle est économe de ses gestes et écoute davantage qu'elle ne s'exprime. Bref, elle a tout de la fille qu'on montre en exemple au lycée. D'après les quelques confidences qu'elle m'avait faites au fil des ans, je savais qu'elle n'avait pas eu un parcours si simple.

Ce jour-là, elle avait les lèvres pâles et sèches, les yeux cernés de rouge. Pas un cheveu de travers, mais ses délicates phalanges étaient livides tant elle serrait fort les poings, et une cuticule avait été rongée jusqu'au sang. Elle semblait avoir traversé une longue épreuve. D'avoir vu l'insoutenable. Elle desserra les mains, les posa à plat sur la table. Milo se gratta le nez.

La patronne à lunettes s'approcha dans un froufrou de sari rouge et me demanda ce qui me ferait plaisir. Je commandai un thé glacé. Petra mordilla une feuille de laitue, vérifia machinalement son mobile. Milo se laissa aller à prendre une bouchée d'agneau et grimaça comme si c'était du vomi. Il éloigna le plat, rajusta sa ceinture et recula sa chaise de quelques centimètres, prenant ses distances avec l'idée même de nourriture. Il interrogea Petra du regard.

– Vas-y, fit-elle.

– La victime numéro cinq s'appelle Lemuel Eccles. Un pauvre bougre de soixante-sept ans. Un Blanc sans-abri qui créchait dans diverses venelles, dont l'une où il a trouvé la mort. À East Hollywood, pour être précis, au nord d'Hollywood Boulevard et à deux pas de Western, derrière un magasin de pièces détachées pour automobiles.

– Qui l'a retrouvé ?

– Le service privé de collecte des ordures. Le cadavre gisait près d'une benne.

– Il a subi le même sort ?

Petra tressaillit, marmonna « mon Dieu » et détourna le regard.

– Eccles était connu des flics qui patrouillent le secteur, il avait un épais dossier : mendicité, vols à l'étalage, ébriété sur la voie publique, empoignade avec un touriste. Multiples séjours dans les geôles du comté.

– Un de ces poivrots qui sont une vraie nuisance et ont un abonnement chez nous, grommela Milo.

– Pour lui faire subir ça, nota Petra, c'est que quelqu'un voyait en lui plus qu'une simple nuisance.

– Pas obligatoirement, dis-je.

Tous deux me dévisagèrent.

– Il se peut que des choses qui nous semblent vénielles prennent de l'ampleur dans l'esprit de notre meurtrier. Redresser des torts, réels ou imaginaires, lui procure la justification pour se livrer à ses fantasmes d'investigation corporelle.

– Il éventre les gens qui l'agacent ? dit Petra. Un fou.

– D'où la présence de notre ami, dit Milo en me tapotant l'épaule.

Elle ferma les yeux, se massa les paupières et expira longuement.

– Glenda Usfel l'avait chassé de la clinique, dis-je. On peut aisément concevoir que Vita Berlin, méchante par nature, ait eu maille à partir avec lui. Quant à M. Eccles, qui mendiait avec insistance et devenait agressif sous l'emprise de l'alcool, on imagine bien comment ça s'est joué. Là où la plupart des gens passent leur chemin, notre homme à la canadienne a réagi autrement. Cette partie d'Hollywood Boulevard comprend surtout des commerces et des entreprises. Le soir, il n'y a pas grand monde. Un vieil ivrogne assoupi constituait une proie facile. D'autres blessures à part l'incision abdominale ?

– Des ecchymoses noires et bleues à la lèvre supérieure, répondit Petra.

– K.O. d'un coup de poing, comme pour Quigg, mais de face, Eccles étant ivre ou endormi.

– C'est possible, mais il avait des bleus partout sur le corps, la plupart anciens. Peut-être un problème de circulation lié à l'alcool, ou bien c'est qu'il se cognait souvent.

– Le coup à la lèvre m'a paru plus récent, dit Milo. Je penche pour le K.O. tandis qu'il cuvait.

– Ou bien il a entendu le tueur approcher, dit Petra, a voulu se relever et a été renvoyé illico au pays des songes.

– Bon, soupira Milo. Une fois encore, le comment se précise, mais le pourquoi est loin d'être clair. Je n'écarte pas pour autant ton hypothèse, Alex. Le type qui surréagit à de petits affronts, prétexte pour se livrer à ce qui l'excite. Seulement, ça ne colle pas avec Colin Quigg. À moins que tu n'aies découvert que Quigg était son prof quand il était en culotte courte et qu'il était particulièrement sévère, genre coups de règle métallique sur les doigts.

– Pas tout à fait, mais ça se précise.

Je leur fis part de ce que m'avaient appris les enfants Vanderveul.

– Quigg lui a rendu visite pour qu'elle lui remonte le moral ? dit Milo. Difficile d'en déduire quoi que ce soit.

– Gertrude veillait à ne pas mêler sa vie de famille

et son travail. C'est la seule fois qu'elle a reçu un collègue chez elle de cette manière. Donc, ce qui préoccupait Quigg était grave. Et elle a pris soin d'éloigner ses enfants pour qu'ils ne puissent pas entendre.

– Thérapie de choc.

– En tout cas, les conseils n'ont pas été donnés à la légère. Démissionner de l'hôpital, peut-être. Ce que Quigg a fait peu de temps après. Il a changé de métier et a menti à sa femme sur la raison de cette réorientation.

– Quelque chose serait survenu au travail qui l'aurait ébranlé, dit Petra.

– Imaginons qu'il soit tombé sur un patient qui se livrait à des activités inquiétantes et qu'il en ait averti le personnel, dis-je. Si on n'en a pas tenu compte, cela a pu entraîner une profonde remise en cause. Et si on l'a écouté, le patient a peut-être été transféré aux soins spécialisés et Quigg s'est fait un sérieux ennemi.

Je leur décrivis le service isolé et le silence figé qui y régnait, entrecoupé de rares bruits étouffés.

– Si Quigg a obtenu qu'un patient y soit interné, celui-ci aura subi un changement radical de ses conditions d'existence, quittant un lieu de thérapie ouvert pour ce qui était en gros une prison, sans doute pour plusieurs années.

– Le centre principal était si confortable que ça ? s'étonna Milo.

– Les rares services fermés l'étaient pour la sécurité des patients, des individus profondément retardés qui risquaient de se blesser si on leur permettait d'aller et venir librement. Alors qu'aux soins spécialisés le seul but était de se protéger des patients.

242

– Camisole et murs rembourrés ?

– Je n'ai jamais su ce qui s'y passait car Gertrude m'a tenu à l'écart. Parce que je lui étais sympathique.

– Des enseignants y exerçaient ?

– Même réponse : je n'en sais rien.

– En tout cas, dit Petra, Quigg a vécu une expérience qui l'a poussé à s'en aller. Nous parlons d'un enfant terrifiant de quel âge ?

– D'après les quelques signalements dont nous disposons, le suspect serait un homme dans la trentaine. Sachant que Quigg a quitté Ventura il y a vingt-cinq ans, je vous laisse calculer l'âge du patient à l'époque. L'hôpital a fermé il y a dix ans. S'il y a été interné jusqu'à la fin, il avait donc à peine vingt ans. Un jeune homme très perturbé et en colère que l'on a peut-être lâché dans la nature. À moins qu'on ne l'ait transféré à Atascadero ou à Starkweather, d'où le délai avant qu'il ne passe à l'acte, quand il est enfin sorti.

– Autre possibilité, dit Milo, il est libre depuis un bon moment et il a d'autres meurtres à son actif.

– Il aurait déjà joué les chirurgiens ? fit Petra en secouant la tête. Personne n'a jamais vu de cas similaire, même pas le FBI.

– Tous les meurtres ne sont pas découverts, ma jolie.

– Pendant dix ans, il veille à dissimuler ses prouesses, et soudain il fait ça au grand jour ?

– Ça arrive, dit Milo. Excès de confiance.

– Ou bien l'ennui les gagne et ils recherchent de nouvelles stimulations, renchéris-je.

Milo sortit son portable.

– Il nous faut retrouver ce psychiatre, Cahane.

243

Il lança une recherche d'adresse, n'obtint aucun résultat.

– À quatre-vingts ans passés, dit Petra, il vit peut-être dans une structure avec assistance.

– Prions pour qu'il ne soit pas trop sénile, grogna Milo.

– Même si ça ne marche pas avec lui, dis-je, d'autres gens seraient susceptibles de nous renseigner, par exemple ceux qui travaillaient aux soins spécialisés.

– Nous pourrions mettre la main sur les dossiers du personnel, suggéra Petra qui sortit un tube de rouge, retoucha ses lèvres et sourit. Fins limiers que nous sommes.

Comme nous quittions le restaurant, leurs portables sonnèrent en même temps. Pas une coïncidence : deux laquais du chef les convoquaient instamment au QG pour une réunion de planning. Nous nous dirigions vers le parking du central de West L.A. quand le téléphone de Petra se manifesta à nouveau. Cette fois-ci, c'était son partenaire Raul Biro qui l'appelait depuis son bureau au poste d'Hollywood. Il avait localisé le fils de Lemuel Eccles, un avocat de San Diego. Compte tenu de la distance, Raul l'avait prévenu par téléphone, mais M. Eccles profiterait d'un déplacement professionnel le lendemain à San Gabriel pour s'entretenir *de visu* avec eux.

– Tu pourrais l'interroger avec nous, proposa Petra à Milo. À moins que tu ne sois pris ailleurs. Et à condition qu'il ne soit pas prévu au planning de nous retirer le dossier.

– Pas gagné, dit-il.

Ils s'éloignèrent, un ours flanqué d'une gazelle. Petra s'arrêta au bout de quelques pas et se retourna.

– Merci pour les pistes, Alex.

Sans ralentir l'allure, Milo lança d'une voix toni-
truante :

– Je ne peux qu'approuver !

26

De retour chez moi, je comptais chercher dans le passé de Ventura quelqu'un qui soit susceptible de me renseigner sur les patients du service des soins spécialisés. Sur un curieux garçon en particulier. Si cela échouait, j'insisterais auprès du neveu d'Emil Cahane pour être mis en contact avec le psychiatre. Je venais de m'installer dans mon fauteuil quand mon secrétariat appela.

– J'ai un Dr Angel au bout du fil. Elle dit que c'est urgent.

Donna Angel est une vieille connaissance, nous nous sommes rencontrés au service cancérologie du Western Pediatric, mon premier poste à la fin de mes études. Brillante interne en oncologie, elle s'y était vu offrir une place de médecin titulaire. Depuis que je m'étais installé à mon compte, elle m'adressait quelques patients de temps à autre, toujours avec perspicacité et à bon escient. Je n'avais pas vraiment la disponibilité souhaitable pour prendre quelqu'un de nouveau, mais les enfants cancéreux ont toujours la priorité.

– Passez-la-moi.

– Ça fait plaisir de te parler, Alex.

La voix de Donna, qui rappelle celle de l'actrice Tallulah Bankhead, était plus rauque que jamais. Elle

246

fumait à l'époque où j'avais fait sa connaissance, une habitude prise pendant ses années d'études et dont elle avait peiné à se défaire. Pourvu que l'altération vocale ne signale rien de funeste.

— Maudits gosses ! dit-elle en toussotant. Avec eux, nul besoin d'une boîte de Petri pour cultiver les virus !

— Faut se soigner. Quoi de neuf ?

— J'ai quelqu'un à te présenter.

— D'accord.

— Pas un patient. Pour une fois, c'est à moi de te rendre service.

Elle m'expliqua brièvement.

— Quand ça ? demandai-je.

— Tout de suite, si tu es dispo. Je sens une certaine urgence.

Il me fallut un peu moins d'une heure pour atteindre le croisement Sunset-Vermont. Comme toujours, le Western Pediatric était en travaux. Un nouvel immeuble étincelant émergeait d'un gouffre hérissé de barres d'armature, la façade principale avait eu droit à un ravalement et à du marbre en prime, et tant pis pour le déficit chronique ! Ce complexe constituait un filon de nobles intentions dans le lit rocailleux et asséché d'East Hollywood. Un kilomètre au nord, Lemuel Eccles avait été trucidé et abandonné au pied d'une benne. Ce n'était pas le moment de se laisser aller à des réflexions métaphysiques sur le karma ou le hasard.

Je me garai sur le parking réservé au personnel médical, pris l'ascenseur jusqu'au quatrième étage d'une tour de verre nommée en hommage à un donateur depuis longtemps décédé, souris à la secrétaire du service hématologie-oncologie et frappai à la porte de Donna. Elle m'ouvrit avant même que mon poing ne s'écarte du bois, m'étreignit et me fit entrer. Son

247

bureau était encombré du fatras habituel. Un homme se tenait près de l'une des deux chaises destinées aux patients.

– Docteur Delaware, je vous présente M. Banforth.

– John, dit l'homme en me tendant la main. Merci d'avoir accepté de me voir.

– Ce sera peut-être à moi de vous remercier.

Banforth attendit que je sois assis pour en faire autant. Noir baraqué aux cheveux courts prématurément grisonnants, il avait dans les trente-cinq ans et mesurait un mètre quatre-vingts. Lunettes à monture d'écaille sur un nez court et droit. Pull cachemire marron à col V, pantalon moka, chaussures de sport en daim acajou. Pin's figurant une balle de golf épinglé à la poitrine gauche. Une fine chaîne en or autour du cou avec deux médaillons, les silhouettes d'un garçon et d'une fille.

– Je vais vous laisser tranquilles, dit Donna.

Quand la porte se fut refermée derrière elle, John Banforth soupira :

– Ça me pèse…

Il croisa les jambes, parut insatisfait de cette posture décontractée et les décroisa.

– Bon, on se lance, fit-il en inspirant un bon coup. Comme vous l'a expliqué le Dr Angel, ma fille Cerise est sa patiente. Cerise a cinq ans, on lui a diagnostiqué une tumeur de Wilms au stade trois. Elle a subi l'ablation d'un rein et nous avons bien cru la perdre. Mais elle va beaucoup mieux, elle réagit bien au traitement, et nous sommes tous convaincus, y compris le Dr Angel, que Cerise est promise à une longue vie.

– C'est merveilleux.

– Je ne dirai jamais assez tout le bien que je pense du Dr Angel. Si quelqu'un porte bien son nom, c'est

248

elle ! Mais ça reste une épreuve. Le traitement. L'organisme de Cerise est hypersensible, un rien déclenche
une réaction. Il y a quelques semaines, elle a terminé
une nouvelle phase et il a fallu l'hospitaliser le temps
que les différents taux se stabilisent. Le jour où on a
enfin pu la ramener, on roulait sur la voie express en
direction de la maison quand elle s'est mise à pleurer
parce qu'elle avait faim. J'ai pris la première sortie,
celle pour Robertson. Il y avait surtout des fast-foods,
puis on a repéré un café qui semblait sympa, le Bijou.
Quitte à ce qu'elle mange un morceau, nous tenions à
ce que ce soit quelque chose d'équilibré. Et puis, c'était
l'heure du déjeuner, ma femme et moi avons décidé
d'en profiter pour prendre notre repas. Madeleine est
professeur de danse et moi de golf, nous surveillons
notre ligne.

— Logique.

— Donc, on s'installe et on commande à manger,
mais voilà que Cerise devient grincheuse. On aurait
sans doute mieux fait de rentrer à la maison, mais
les résultats étaient vraiment bons. Quand votre gosse
vient de subir une terrible épreuve, c'est normal de
chercher à lui faire plaisir, non ?

— Bien sûr.

— Cela dit, on aurait dû se méfier, car il arrive que
Cerise surestime ses forces au sortir d'une phase de
traitement. (Ses yeux se mouillèrent.) Elle a souffert
le martyre, mais elle veut toujours se montrer forte.

Il sortit son portefeuille et me présenta des photos.
Une enfant joufflue aux boucles cuivrées, et la même
fillette, à peine plus âgée, chauve et blafarde, ses yeux
paraissant énormes au milieu du visage amaigri et où
se lisait la question : « Pourquoi moi ? »

– Elle est adorable, dis-je avec une fêlure dans la voix dont je m'étonnai moi-même.

– Vous voyez ce que je veux dire ? Ça vous serre le cœur, vous cédez même si ça n'est pas très raisonnable.

– Forcément.

– Donc, on s'est retrouvés dans ce café et tout se passait bien au début. Puis Cerise est devenue franchement irritable. Elle n'arrêtait pas de geindre. On a cru qu'elle souffrait, mais elle nous a dit que non, sans pouvoir nous expliquer ce qui n'allait pas. Je suis sûr que c'est parfois la stricte vérité. Tout d'un coup, elle nous a sorti qu'elle avait envie d'une glace. Normalement, elle doit d'abord terminer son assiette, mais… (Nouvelle tentative de croisement de jambes, avortée après un moment de gêne.) Oui, nous la gâtons. Notre fils Jared, qui a dix ans, s'en plaint sans arrêt. Mais avec tout ce qu'elle a subi… Enfin, on lui a donc commandé une glace, mais quand on la lui a apportée, Cerise avait changé d'avis, elle n'en voulait plus et a recommencé à se plaindre. La serveuse est venue lui proposer un donut et elle a accepté. (Il essuya son front en nage avec un mouchoir en tissu.) C'est vrai qu'on se laisse manipuler, mais nous nous mettons à sa place, c'est le seul pouvoir qu'elle peut exercer. Quand elle sera tirée d'affaire, il sera toujours temps… En tout cas, là, le moment était visiblement venu de régler et de s'en aller, mais avant que j'aie le temps de sortir mon portefeuille, la femme assise dans le box voisin a bondi comme si on venait de lui mordre les fesses. Elle s'approche d'un pas furieux et lance un regard mauvais, franchement haineux, à notre fille. Une gamine hypersensible comme Cerise, la voilà qui pique sa crise et se met à hurler. Une personne normale comprendrait et s'effacerait. Pas cette dame, qui au contraire a durci son expression, comme si elle voulait briser Cerise, vraiment la briser en deux, vous comprenez ?

– Incroyable.

– Ma femme et moi, on n'en revient pas. La dame me fusille du regard et je lui lance : « Quel est le problème ? » Elle me renvoie : « Vous ! Les gens malades, ça mange à l'hôpital, pas au restaurant ! » Je n'en crois pas mes oreilles, je suis incapable de répondre, mais Madeleine, qui est quelqu'un de très rationnel, cherche à lui expliquer. La femme la coupe d'un geste et lui lance : « Vous êtes sans gêne ! Vous trouvez ça normal de nous infliger votre sale gosse ? » Là, j'ai pété un câble, je ne me contrôlais plus du tout. (Il fixa le sol.) J'aurais dû me raisonner. Je suis un ancien militaire, on m'a appris à supporter la pression. Mais c'était ma fille qu'elle traitait de sale gosse. On aurait dit que cette femme assemblait des explosifs pour me faire sortir de mes gonds, et j'en étais conscient, mais c'était plus fort que moi. Je ne l'ai pas touchée, je ne suis pas fou à ce point, mais j'ai bondi de ma chaise et je me suis planté devant elle. Croyez-moi, docteur, j'étais à deux doigts de faire une vraie bêtise, heureusement que les réflexes de militaire ont pris le dessus. Mais Madeleine m'a retenu par la main et m'a supplié de laisser tomber. Je me suis raisonné et la connasse est retournée à sa place, mais elle nous regardait avec un petit sourire satisfait, comme si elle avait eu gain de cause. Nous avons vite filé, dans la voiture on était tous silencieux, même Cerise. En arrivant à la maison, elle nous a sorti : « Je fais tout mal. » Pour le coup, Madeleine et moi avons franchement perdu pied. Dès que Cerise

251

s'est endormie pour sa sieste, on s'est effondrés et on a pleuré à chaudes larmes.

– Je suis sincèrement désolé que vous ayez eu à subir cela.

– Oui, sale moment, mais on s'en est remis. Dès le lendemain, Cerise allait très bien, comme si ça n'était jamais arrivé. Vous vous rendez compte ? (Haussement d'épaules.) Faut savoir encaisser les coups, Cerise nous montre l'exemple. (Il porta la main aux pendentifs, caressa l'un et l'autre.) Bon. Vous vous demandez certainement pourquoi j'ai demandé au Dr Angel de vous en parler. En fait, l'idée est venue d'elle. Je lui ai fait part d'autre chose qui se rapporte à l'incident parce que ça me turlupinait. Elle m'a dit : « Je connais un psychologue qui a travaillé ici, qui collabore avec un policier… » Non, je mélange tout, ça ne va pas… (Le troisième essai de croiser les jambes se prolongea, mais Banforth donnait l'impression d'être contraint de se livrer à de douloureuses contorsions.) J'en viens au point qui va vous étonner, docteur. J'y suis retourné.

– Au Bijou.

– Quelques jours plus tard. Je me doute que ça doit vous sembler insensé, mais j'ai eu envie d'y retourner à tête reposée, en me disant que si par hasard cette femme s'y trouvait, je pourrais tenter de lui expliquer. Pour la faire évoluer, vous comprenez ? Au sujet des enfants malades, la nécessité de se montrer flexible. J'étais décidé à bien me conduire, à me montrer raisonnable quelle que soit sa réaction. Pour me prouver à moi-même que j'étais clair avec ça. (Il détourna le regard.) C'était bête. Que voulez-vous que je vous dise ? Je m'y suis donc rendu et le patron, un type aux cheveux longs avec une boucle d'oreille, m'a reconnu. Il a été très sympa, il s'est excusé de ce qui était arrivé et m'a dit que nous étions toujours les bienvenus chez lui. Je l'ai remercié et je lui ai demandé si cette femme était une habituée, parce que j'aimerais bien un jour lui parler des enfants malades, lui expliquer, tout ça d'un ton très amical. Il m'a dévisagé bizarrement et m'a dit : « Vita ? Elle a été assassinée. » Moi, je lâche : « Merde... Quand ça ? – Quelques jours après votre passage. » Je reste sans voix et je repars. Un peu plus tard, je suis au volant, me rendant au boulot, quand un truc me revient, quelque chose qui s'est passé le jour où cette Vita nous a agressés. Je mets ça de côté, certain que ça n'a aucune signification, mais ça a continué à me trotter dans la tête. J'y pense sans arrêt, à tel point que j'ai fini par en parler au Dr Angel.

Il se tut, mais je restai muet.

– Quand nous avons quitté le restaurant, un autre client est sorti juste derrière nous. Il a commencé à s'éloigner dans la direction opposée, puis il a fait demi-tour et il est venu vers nous. J'ai pensé : « Merde, un autre cinglé » et je me suis dépêché de faire monter Madeleine et Cerise dans la voiture. Quand il s'est approché, j'ai vu qu'il souriait, mais je ne savais pas si c'était amical ou non, parfois on a du mal à dire. J'ai dû me raidir et lui s'en apercevoir, car il s'est arrêté à un ou deux mètres et a fait ça... (Il brandit les mains, paumes en avant.) Genre, mes intentions sont pacifiques. Je suis malgré tout resté sur mes gardes, lui m'a souri et m'a adressé un clin d'œil. Sympathique et en même temps bizarre. Je ne peux pas vous expliquer pourquoi, mais je n'étais pas tranquille. Il m'a décoché une nouvelle œillade, il a fait le V de la victoire et il est parti. J'étais décontenancé, même méfiant, mais je ne pensais qu'à rentrer à la maison pour que Cerise soit au calme. Sauf que, quand j'ai appris que Vita était morte, j'y ai pas mal réfléchi. D'un côté, je me disais : allons, n'importe quoi. C'était juste un mec sympa qui voulait nous réconforter. Oui, mais le V de la victoire ne collait pas. Comme si on faisait partie de la même équipe et qu'on l'avait emporté. Ça n'avait aucun sens. Ça me tracassait vraiment. Et s'il s'était mis en tête d'intervenir pour notre compte ? Non, ce n'est sans doute rien, j'ai tendance à gamberger. J'ai tout de même appelé la police et demandé qui enquêtait sur la mort d'une certaine Vita. On m'a fait patienter, et on m'a enfin répondu que c'était l'inspecteur Sturgis et qu'on allait me le passer. J'ai raccroché, puis je me suis dit qu'on devait garder une trace de tous les appels et qu'on allait me recontacter, mais rien n'est venu.

— Les lignes de la police n'affichent pas le numéro de l'appelant pour ne pas décourager les gens de communiquer des renseignements.

— Oui, c'est compréhensible. Mais bon, je n'arrêtais pas de me dire que ça pourrait être lui l'assassin, un cinglé qui se serait figuré que nous étions du même camp. J'en ai donc parlé au Dr Angel qui m'a fait part de ce hasard étonnant, le fait que vous travaillez avec l'inspecteur en question, et je me suis exclamé : « Waouh, c'est le karma ! Le signe qu'il faut vraiment que je m'en délivre ! » (Petite moue.) Me voici donc, docteur.

— Merci de vous être manifesté. À quoi ressemblait cet individu ?

— Il y a donc un rapport avec le meurtre ? Merde !

— Pas obligatoirement, John. À ce stade, les flics examinent toutes les pistes.

— Ils n'ont pas de suspect ?

— On dispose de divers éléments dont l'importance reste à déterminer. Décrivez-moi cet homme.

– Un type blanc, dans les trente-cinq, quarante ans. Assez épais, visage rond. Voilà.

– La couleur des cheveux ?

– Châtains. Courts, comme s'ils repoussaient après une coupe en brosse.

– Les yeux ?

– Je ne sais pas.

– Il n'a rien dit.

– Non. Juste les clins d'œil et le V de la victoire. Pas franchement des indices. C'est pour ça que j'étais hésitant.

– Votre première impression a été qu'il y avait chez lui quelque chose de bizarre.

– Mais je suis incapable de vous dire pourquoi. Désolé.

Je lui laissai le temps d'y réfléchir. Il secoua la tête.

– Comment était-il habillé ?

– Ce type portait une canadienne alors qu'il faisait chaud… voilà un détail singulier. C'est peut-être ça qui m'a mis la puce à l'oreille.

– Décrivez-moi ce vêtement.

– Il était doublé de peau, je crois bien. Marron, il me semble. L'extérieur était peut-être en tissu ou en suédine, je n'ai pas vraiment fait attention. Ah, autre chose me revient : il avait un livre à la main. Assez gros, comme les manuels qu'ont toujours les étudiants. Mais il n'avait pas une tête d'étudiant.

– Quel genre de livre ?

– Une couverture souple, à la réflexion, c'était peut-être une sorte de magazine. Peut-être des jeux de logique, car il y avait un grand point d'interrogation en couverture.

Mon cœur s'emballa. Je comprenais enfin pourquoi le croquis d'Alex Shimoff m'évoquait quelque chose.

Le lendemain du meurtre, quand Milo et moi nous étions rendus au Bijou, un homme à la bouille ronde s'y trouvait. Installé dans un box derrière les deux mères avec leurs bambins. Devant une assiette d'œufs brouillés accompagnés d'un steak, un crayon à la main avec lequel il résolvait quelque jeu ou problème. Il s'offrait un solide petit déjeuner et un moment de détente, quelques heures après avoir étripé Vita.

– Qu'est-ce qu'il y a ? s'étonna John Banforth.

– Vous avez bien fait de parler.

– C'est lui l'assassin ? Mince...

– Rien n'est sûr, mais c'est une piste et le lieutenant Sturgis s'en félicitera.

– Tant mieux, alors. J'avais peur de vous faire perdre votre temps.

– Vous seriez prêt à travailler avec un dessinateur de la police, pour affiner le portrait-robot ?

– Ça existe encore ? Je m'imaginais que tout se faisait par ordinateur.

– Non, on dessine encore à la main.

– Mon nom y figurerait ?

– Non.

– Bon, d'accord. À condition que ça se fasse pendant un trou dans mon emploi du temps, et que Madeleine ne soit pas au courant. Elle ne sait rien de tout ça, même pas que je vous ai rencontré aujourd'hui.

– Cela s'organisera à votre convenance.

– Parfait, dit-il en me tendant sa carte. Appelez-moi au premier numéro, c'est celui pour mes cours particuliers de golf.

– Merci infiniment.

– Je n'ai fait que mon devoir.

Il atteignit la porte le premier, marqua un arrêt et se tourna vers moi.

– C'était une vraie harpie, cette Vita. Madeleine et moi l'avions surnommée la méchante. On se lançait de temps à autre : « Je me demande bien à qui la méchante s'en prend en ce moment ! » C'était une plaisanterie, manière d'atténuer le traumatisme. Cela dit, personne ne mérite d'être assassiné.

Sa voix flancha sur le dernier mot.

27

Sur le chemin du retour, je fis un crochet par le quartier où avait vécu Vita Berlin. Je parcourus les rues ensoleillées et les venelles sombres, à l'affût d'un individu trop couvert pour la douceur ambiante. Après quatre circuits infructueux, je me rendis au Bijou. Il était quinze heures passées, l'établissement venait de fermer. Par la devanture, j'aperçus Ralph Veronese qui balayait, ses longs cheveux noués en un chignon qui lui donnait une allure à la fois de samouraï et de fillette. Je frappai au carreau. Sans s'interrompre, il indiqua l'affichette « fermé ». J'insistai et il releva la tête. Il entrouvrit la porte et appuya le balai contre le chambranle.

— Salut.

— J'ai d'autres questions à propos de Vita.

— Vous avez arrêté quelqu'un ?

— Pas encore. Je souhaite vous parler d'un client qui se trouvait ici le jour où nous sommes passés.

Je lui décrivis l'homme à la canadienne.

— Non, ça ne me dit rien.

— Il est venu chez vous au moins à deux reprises.

— Ça n'en fait pas un habitué. La moitié du temps, je suis en cuisine.

— Il était dans ce box d'angle, il a pris un steak

accompagné d'œufs brouillés et il avait un magazine de jeux de logique.

— Ah…

— Vous vous souvenez de lui ?

— À cause du magazine. Je me suis dit : encore un campeur qui se croit à la bibliothèque municipale ! Mais il a commandé à manger. Les campeurs, ils se contentent généralement d'un café qu'ils font durer, ils sortent leur ordi et ils râlent quand ils découvrent qu'on n'a pas le wi-fi.

— Est-il passé à d'autres moments ?

— Pas que je sache.

— Vous pourriez vérifier les reçus pour les deux journées où l'on sait qu'il était là ?

— Toutes les pièces sont chez la comptable, je les lui transmets le vendredi.

— Je veux bien que vous l'appeliez.

Il appuya sur une seule touche, s'entretint avec une certaine Amy et raccrocha.

— Elle dit que tout est déjà archivé. Elle peut y jeter un coup d'œil, mais ça prendra du temps.

— Le plus rapide sera le mieux, Ralph.

— Elle me facture à l'heure.

— Envoyez-moi la note.

— Sérieux ?

— Tout à fait.

Il écrivit un texto à Amy.

— Peut-être que vous êtes souvent en cuisine, mais Hedy est toujours en salle. Appelez-la. Si elle ne répond pas, je veux bien son numéro.

— Son fixe est le même que le mien. On envisage de se marier.

— Félicitations.

J'indiquai son portable. Il joignit Hedy, lui expliqua la situation et me tendit l'appareil.

– Le gars qui faisait des jeux de logique ? Je me rappelle très bien, mais je vous préviens, il a réglé en espèces. Ça m'a marquée parce qu'il n'avait que des billets d'un dollar et un tas de pièces, comme s'il avait cassé sa tirelire.

– Qu'est-ce que vous pouvez me dire d'autre sur lui ?

– Hum… il n'a pas laissé une miette dans son assiette, et il n'a pas ouvert la bouche si ce n'est pour commander. Il avait une voix de fillette, haut perchée, qui détonnait avec son physique. Il a plutôt une carrure de rugbyman, vous savez.

– Et pas très porté sur la conversation.

– Il gardait le nez plongé dans son magazine, même en mangeant.

– C'était quel genre de jeux ?

– Aucune idée. Vous pensez que c'est lui qui a tué Vita ?

– Nous souhaitons simplement l'interroger.

– Parce qu'il n'est pas très net ?

– Comment ça ?

– Vous savez, un peu toqué.

– Vous avez eu cette impression ?

– Je ne suis pas psy, mais il paraissait… par exemple, il ne vous regardait pas dans les yeux. Et il marmonnait de sa petite voix flûtée. Comme s'il voulait chuchoter, genre se faire tout discret.

– Pas sociable.

– Exactement. Tout le contraire. Genre, je veux rester dans mon monde à moi. J'ai respecté ça. Dans notre métier, faut être psychologue.

– Avez-vous noté autre chose de bizarre ?

– Ses vêtements. Il fait assez chaud au Bijou, la clim

ne fonctionne pas très bien. Pourtant, le gars portait une canadienne doublée de mouton. J'en ai une dans ma penderie, du temps où j'habitais à Pittsburgh. Je ne l'ai pas sortie une seule fois depuis que je suis à L.A.

– Il transpirait ?

– Hum… non, je ne crois pas. Ah, une dernière chose : il a une cicatrice à la gorge, sur le devant. Rien de répugnant, juste une ligne blanche à la base du cou.

– En travers de la pomme d'Adam ?

– Plus bas, dans la partie charnue. Comme une estafilade qu'aurait bien cicatrisé.

– D'autres marques ou signes distinctifs ?

– Pas que j'aie vus.

– Des tatouages ?

– Rien de visible. Il était bien couvert.

– Mis à part la canadienne, comment était-il habillé ?

– Vous pensez vraiment que c'est lui ? Ça fout la pétoche. Et s'il revenait ?

– Vous n'avez rien à craindre, mais si jamais il se présente, appelez le numéro suivant.

Je lui donnai la ligne directe de Milo.

– C'est noté. Comment était-il habillé ? Il devait porter un polo sous la canadienne… désolée, je n'ai pas fait attention. J'ai remarqué le manteau parce que c'était insolite. J'étais surtout concentrée sur les commandes. Je peux vous dire exactement ce qu'il a pris : steak et œufs brouillés, accompagné d'oignons et de champignons. Steak saignant, pas d'indication pour les œufs. Il m'a laissé dix pour cent comme pourboire. Rien que des pièces, mais je ne l'ai pas mal pris. Ce n'était pas fait exprès pour m'embêter.

– Plutôt parce qu'il ne savait pas que ça ne se fait pas.

– C'est exactement ça. Un peu déphasé. Ces gens-là sont à plaindre.

Je m'arrêtai chez un marchand de journaux qu'il m'arrivait de fréquenter, dans Robertson à proximité du carrefour avec Pico. On y vendait principalement des magazines people et porno. Petit choix de jeux et mots croisés dans un coin. Aucune couverture arborant un gros point d'interrogation. Je présentai ma pseudo-carte de consultant au Sikh qui tenait le kiosque et lui décrivis l'individu à la canadienne.

– Non, monsieur. Je ne le connais pas.

Je lui laissai malgré tout la carte de Milo, avec pour consigne d'appeler si l'individu se présentait.

– Il se pourrait qu'il vous achète un magazine de jeux.

Le Sikh sourit comme si ma requête était parfaitement raisonnable.

– Bien, monsieur. Si ça peut vous rendre service.

Pour le récompenser de son attitude positive, j'achetai une revue de design sur papier glacé. Robin aime contempler des demeures de rêve.

De retour dans la voiture, je tentai de joindre Milo puis Petra, en vain. En désespoir de cause, je composai le numéro de Raul Biro, tombai sur sa boîte vocale et raccrochai sans laisser de message. La présence de l'homme à la canadienne au Bijou signifiait-elle qu'il avait longuement traqué sa victime, ou bien s'y était-il trouvé par hasard et avait-il décidé que Vita Berlin méritait d'être supprimée après l'avoir vue tourmenter Cerise Banforth ? Si c'était la deuxième solution, peut-être habitait-il dans les environs. Je fis demi-tour et effectuai une nouvelle ronde dans le quartier, en commençant par la rue de Vita. Stanleigh Belleveaux était dehors, occupé à arroser ses arbustes. Une pancarte « À louer » était plantée dans le gazon devant le bâtiment bleu ciel à un étage. Deux appartements libres. Je roulais très lentement, mais Belleveaux ne releva pas la tête. Je poursuivis vers le sud. Aucun homme vêtu d'une canadienne et, à l'exception d'une jeune femme promenant un bébé dans une poussette, la seule activité était celle des voitures sortant des allées ou s'y engageant. Je vis tout de même une porte d'entrée s'ouvrir et en jaillir une grande perche d'adolescent muni d'un ballon de basket avec lequel il se mit à tirer des paniers. Retour à la normale. Les gens se raccrochent au quotidien.

Il était près de vingt-trois heures quand Milo me rappela.

– Je conserve l'enquête, Petra aussi.

– Félicitations.

– Des condoléances seraient mieux venues. Sa Magnanimité m'a signifié sans ménagements que je ne le méritais pas, mais si on repartait de zéro le dossier risquait de tomber aux oubliettes.

– À la prochaine fête de Noël, il fera le père Noël.

Il ne put s'empêcher de rire.

– Petra et moi savons la vraie raison qui le retient de confier le dossier à une unité plus prestigieuse : tous les enquêteurs vedettes qui ne sont pas en arrêt maladie de longue durée ont droit à un voyage en Arizona aux frais du contribuable pour une conférence sur les cartels de la drogue au Mexique. Powerpoint à gogo. As-tu du neuf ?

Je lui rapportai la visite de la famille Banforth au Bijou, la présence de l'homme à la canadienne et la description que m'en avait faite Hedy.

– Un cinglé qui aime le steak.

– Cette façon de manger, concentré sur sa nourriture, est typique de ce que l'on peut observer en collectivité.

Dans les trente-cinq, quarante ans, cela signifie qu'il en avait entre onze et seize quand Quigg enseignait à Ventura.

– Un gamin. Mais tellement effrayant qu'on l'a transféré aux soins spécialisés.

– La piste d'un problème à la thyroïde se précise aussi. La serveuse a remarqué qu'il avait une cicatrice au cou, l'examen interrompu à la clinique de North Hollywood était peut-être pour une visite de contrôle. La première cause d'ablation de la thyroïde est le cancer. Il y a aussi certaines maladies auto-immunes, comme la thyroïdite d'Hashimoto. Quelle qu'en soit l'explication, il serait contraint de prendre un cachet quotidien pour réguler son métabolisme. Le dosage n'est pas simple, si notre homme est SDF, peut-être n'est-il pas suivi comme il faut. Ce qui expliquerait la sensation d'avoir froid et la prise de quelques kilos.

– Le cancer ? Voilà que j'ai affaire à un psychopathe susceptible d'attirer la compassion ?

– Le cancer de la thyroïde est l'un de ceux qui se guérissent le mieux. Il aurait toutes les chances de vivre jusqu'à un bel âge.

– Sauf qu'il est un peu déréglé.

– D'où le scanner. Pour renouveler son ordonnance, il est obligé tôt ou tard de consulter un médecin. Au vu des symptômes et du manque de suivi, le praticien juge préférable de réaliser un bilan complet pour ajuster le dosage. La clinique de North Hollywood a beau donner principalement dans l'accident, on y traite aussi les maladies. Rien d'étonnant, donc, qu'on l'y adresse pour un examen.

– Il s'y présente pour se faire irradier, irrite le Dr Usfel qui le fiche dehors.

– Elle a mal choisi à qui s'en prendre.

– Mesdames et messieurs les jurés, certes, mon client est un peu susceptible, mais en plus d'être un cinglé confirmé, il a les glandes déréglées et a dû faire face au méchant crabe.

– La charrue avant les bœufs, mon grand.

– Je sais, je sais, commençons par l'interpeller avant que quelqu'un d'autre ne le caresse dans le mauvais sens du poil. Comment puis-je remonter la piste de la thyroïde, Alex ? J'appelle tous les endocrinos des environs ?

– Je doute qu'on accepte de te répondre, mais le grand public n'aura pas les mêmes scrupules. Il faut aussi organiser une rencontre entre Banforth et Shimoff pour affiner le portrait-robot. Si besoin, j'essaierai de fournir quelques indications supplémentaires, comme j'ai vu le bonhomme d'assez près. Avec un nouveau croquis, plus la cicatrice, la canadienne et le magazine avec un point d'interrogation, peut-être que cela suscitera un souvenir chez quelqu'un. Même s'il vit caché, il doit bien se montrer à l'occasion. S'agissant d'un individu qui a fréquenté des établissements spécialisés, j'interrogerais les dispensaires, les structures d'accueil et de réinsertion et les bureaux d'assistance sociale aux alentours des divers lieux où ont été commis les meurtres. Autre chose, il a réglé son repas au Bijou avec de la petite monnaie. Je doute que ce soient les intérêts d'un compte titres.

– Il touche une allocation, ou bien il fait la manche, comme Eccles. Bigre, il l'a peut-être éliminé pour ça. Ils se faisaient concurrence et l'homme à la canadienne n'a pas hésité à recourir à des pratiques déloyales… Bon, je vais réunir Banforth et Shimoff. Je sens qu'on avance, amigo.

– Une dernière chose. Tu devrais faire le tour des

marchands de journaux, le magazine de jeux avec un gros point d'interrogation en couverture doit bien se vendre quelque part. J'ai vérifié chez celui à proximité du domicile de Vita, négatif.

– Il y a le gros kiosque dans Hollywood Boulevard, non loin de l'endroit où Eccles a été retrouvé. D'ailleurs, Jernigan m'a appelé pour me communiquer les résultats de l'autopsie. L'ecchymose à la lèvre supérieure a été provoquée soit par un coup de poing, soit, plus probable, par un coup de pied avec une chaussure à bout arrondi. Pas mortel, mais suffisant pour le sonner. Le fils d'Eccles passe demain. Seras-tu des nôtres ?

– Je ne raterais ça pour rien au monde.

28

Âgé de trente-huit ans, Lemuel Eccles junior, sur-nommé Lee, avait la mâchoire et les épaules carrées. Son regard bleu peinait à se fixer et ses cheveux châtains mi-longs étaient plus clairs aux pointes. Le type même du surfeur vieillissant. Il avait les mains manucurées et arborait un costume anthracite à fines rayures coûtant deux mille dollars au bas mot, une cravate Hermès pourpre et une pochette de soie violette et jaune serin. Avocat spécialisé dans l'immobilier, d'après sa carte.

– Baux et hypothèques ? s'enquit Milo.

– Avant, oui. Aujourd'hui, c'est plutôt évictions et saisies. En gros, je suis un charognard.

Sourire élégant et maîtrisé, mais un peu court. Nous nous trouvions depuis moins d'une minute dans la salle d'interrogatoire et Eccles peinait déjà à détacher le regard de Petra Connor. Compréhensible, d'autant qu'il n'y avait pas de concurrence. Les lèvres de la jeune femme avaient retrouvé du lustre depuis la veille, ses yeux de l'éclat et son teint de la chaleur. Elle portait une simple chaînette en or et de discrets brillants aux oreilles. La coupe de son tableur noir n'avait rien à envier à celle du costume de l'avocat. Les premières fois qu'elle le surprit à la détailler, elle fit mine de ne pas le remarquer. Elle finit par lui sourire et rapprocher son siège. Elle a une relation sérieuse avec un ex-inspecteur du nom d'Eric Stahl, mais tous les atouts méritent d'être joués. Milo flaira vite l'attirance et laissa Petra mener l'entretien.

– Lee, dit-elle comme si elle savourait ce prénom. Nous tenons à vous présenter nos plus sincères condoléances.

– Merci, dit Eccles en défaisant un bouton de sa veste. C'est gentil. Je sais bien que je ne devrais pas être surpris, vu qu'il menait ce que vous autres policiers appelez une existence à haut risque. Malgré tout, on n'est jamais préparé.

Les yeux de Lee Eccles se voilèrent légèrement. Une boîte de mouchoirs était posée sur la table, mais Petra s'abstint de la lui proposer. Inutile de souligner sa vulnérabilité. Il s'essuya avec sa pochette, prit le temps de la replier avec soin et de la repositionner parfaitement.

– Qu'est-il arrivé au juste ?

– Votre père a été assassiné et nous sommes déterminés à coincer le coupable. Tout renseignement nous sera très utile.

– La première chose que vous devez savoir, c'est qu'il était fou. Au sens propre, j'entends. Une schizophrénie de type paranoïaque. Diagnostiquée il y a très longtemps, juste après ma naissance. Ma mère et lui ont divorcé quand j'avais quatre ans, je le voyais très peu. Il m'a retrouvé après mes études de droit, il a débarqué un jour au cabinet. J'ai commis la bêtise de le ramener à la maison. C'est vite devenu angoissant. Tracy, ma femme, a tout de suite eu peur de lui. Moi aussi, par la suite.

– En quoi vous faisait-il peur, Lee ?

– Sans être violent à proprement parler, la menace

planait toujours autour de lui. D'une certaine manière, c'était pire. Cette expression qu'il avait dans le regard, cette manie de devenir subitement silencieux pendant une conversation. Un jour qu'il dormait chez nous, il s'est mis à frapper la cloison, plusieurs coups de poing qui ont fait des trous. Ça nous a réveillés en pleine nuit, on était épouvantés. Quand je suis allé voir ce qui se passait, je l'ai trouvé assis par terre, blotti dans un coin. Il prétendait qu'il avait dû refouler un inconnu. Mais l'alarme était toujours activée et personne ne s'était introduit chez nous. Je suis parvenu à le calmer et je l'ai laissé. Plus tard, je l'ai entendu qui sanglotait dans son lit.

– Quelle épreuve ! dit Petra.

– J'ai compris que ces crises étaient liées à l'alcool. Le problème, c'est qu'il buvait souvent. Tracy et moi avons décidé qu'on ne pouvait plus le recevoir, qu'il fallait couper les ponts. Nous l'en avons informé la fois suivante où il s'est présenté, il a pris la mouche et nous a injuriés. J'ai proposé de lui payer une chambre d'hôtel pour la durée de son séjour, et qu'on se voie la journée. Ça l'a mis hors de lui et il est parti sans décolérer. Il est revenu quelques semaines plus tard et a tenté de s'introduire de force chez nous, alors que je bloquais la porte. Là, j'ai résolu de le faire interner. J'ai essayé à trois reprises. Pour notre sécurité autant que la sienne, il ne devait plus être à la rue, mais soigné dans un cadre surveillé. Chaque fois que je me suis présenté au tribunal, il y avait une de ces bonnes âmes de l'aide judiciaire pour s'y opposer. Un connard qui n'avait jamais rencontré mon père mais prétendait défendre ses droits. Apparemment, ils épluchent la liste des affaires en instance et se pointent pour contester le bien-fondé, ne serait-ce que d'une simple mesure conservatoire limitée à soixante-douze heures.

– C'est insensé, compatit Petra.

– Je vous parle de minables payés aux frais du contribuable, qui connaissent toutes les ficelles juridiques, et sont comme cul et chemise avec ces magistrats à l'encéphalogramme plat qu'ils invitent certainement à déjeuner. Moi qui suis pourtant avocat, je n'ai pas su m'y prendre. Après le troisième échec, j'en ai parlé à un copain spécialiste en droit de la santé. Il m'a répondu : « Ne perds pas ton temps et ton argent. Tant qu'il n'agresse pas quelqu'un, et seulement si du sang est versé, ou ne tente pas de se suicider, rien ne se fera. Et si ça en arrive là, on se contentera de l'enfermer deux jours, puis on le relâchera dans la nature. »

– Pas de danger imminent, dit Petra.

– Foutaises. Le seul fait d'être SDF suffisait à le mettre en danger. Évident. Vous savez ce que j'aimerais faire ? Amener un de ces minables à la morgue pour lui montrer le résultat de son intervention. (Il resserra son nœud de cravate.) Vous savez qui l'a tué ?

Toujours « le », « lui » ou « il ». Jamais « papa », ni « père », ni même « le vieux » ou « le paternel ».

– Non, malheureusement. Et vous, Lee, avez-vous des soupçons ?

– J'aimerais bien. Où est-ce arrivé ?

– Dans une ruelle à proximité du croisement d'Hollywood et Western.

– Mon Dieu, c'est là que je l'ai déposé après l'avoir récupéré au poste.

– Quand ça, Lee ?

– Il y a environ un mois. Il avait été arrêté pour avoir poussé un passant alors qu'il mendiait. Ayant droit à un coup de fil, il m'a appelé. Je me suis dit qu'on le libérerait de toute manière, qu'il m'en voudrait si je refusais de l'aider, alors j'ai versé la caution, je suis passé le prendre et je l'ai déposé où ça l'arrangeait. Plus exactement, là où monsieur a exigé d'être conduit, comme si j'étais son chauffeur. Il a donc été assassiné par là-bas ?

– Avez-vous remarqué dans quelle direction il est parti ? s'enquit Petra.

– Non, je me suis tiré vite fait.

– Vous ne l'auriez pas vu aborder quelqu'un ?

– Non, par contre quelque chose me revient. Probablement un délire de psychotique, mais autant vous en parler. Dans la voiture, il s'est lancé dans une de ses diatribes, comme quoi il avait peur d'un type qui le harcelait. Puis il a déversé sa parano sur moi, j'étais un avocat, les avocats dirigeaient le monde, alors pourquoi je n'étais pas fichu de l'aider ? J'ai proposé de lui trouver un endroit où aller s'il craignait pour sa sécurité, mais ça l'a mis hors de lui, il m'a accusé de vouloir l'enfermer à l'asile. Je n'étais qu'un fumier, comme tous les avocats. Je lui ai répondu : « C'est toi qui dis que quelqu'un t'en veut, moi je cherche simplement à t'aider. » Pour le coup, il s'est refermé comme une huître et m'a entièrement ignoré. Quand on est arrivé là où il le souhaitait, il m'a dit : « Arrête-toi ici. » Il est descendu et s'est éloigné, sans un merci.

– De qui avait-il peur ?

– Croyez-moi, ce n'était qu'un délire. Un vieux délire.

– Comment ça ?

– Ce type n'existe pas. Je l'ai entendu s'en plaindre toute ma vie. D'après ma mère, ça lui a pris quand il a été interné en hôpital psychiatrique.

– Où ça ?

– Un établissement qui a fermé. Ventura State. On l'y avait envoyé pour une durée indéterminée, mais ma mère m'a raconté qu'il était sorti assez vite. À l'époque, on internait plus facilement les gens. Un juge avait ordonné le traitement après que mon père avait mis un coup de poing à un type dans un bar. Au procès, il avait soutenu que le mec cherchait à lui implanter des haut-parleurs dans le crâne.

– Cela remonte à quand, Lee ?

– Voyons, j'avais treize... non, plutôt quatorze ans. J'étais dans l'équipe de base-ball, au lycée. Donc il y a vingt-trois ans. Je me souviens du base-ball parce que je redoutais toujours qu'il me fasse honte en venant assister à un match.

– Quel était ce délire ?

– Pendant qu'il était interné là-bas, l'un des gardiens aurait tué sa femme. Pas ma mère, quelqu'un avec qui il n'était même pas marié, une ivrogne de son espèce qui vivait sous le même toit.

– Où résidait-il avant son hospitalisation ?

– À Oxnard, et nous à Santa Monica. Ça peut sembler une distance rassurante, mais j'avais toujours peur de le voir débarquer, après tout ce que maman m'avait raconté. Elle aussi, d'ailleurs. C'est pour ça qu'elle a préféré déménager dans le comté d'Orange.

– Votre mère aurait-elle précisé le nom de la femme prétendument assassinée ?

– Je me souviens vaguement d'un prénom comme Rosetta, ou Rosita. Je ne sais plus très bien. Mais ne perdez pas votre temps avec ces affabulations. Ça semble inconcevable qu'un gardien puisse empoisonner quelqu'un. Même si cette femme a existé, ce dont je doute, j'ai peine à croire à l'histoire qu'il a sortie à ma mère.

– C'est-à-dire ?

– Rosita vient lui rendre visite et au moment de repartir elle s'effondre sur le parking, morte. Lui s'est persuadé que le gardien l'a fait pour se venger. Pourquoi, je ne saurais vous le dire. Mais bon, voilà qu'il prétend que le même type le harcèle à Hollywood et je suis censé intervenir, vu que je suis avocat.

– Cet individu a un nom ?

– Petty, à moins que ça ne soit Pitty. Mon père était originaire de l'Oklahoma, il avait un accent qui devenait plus prononcé quand il était agité. Il m'explique donc que le type apparaît de temps à autre, se met à le suivre et braque sur lui « son regard de rayon laser » – son expression à lui. L'histoire était déjà ridicule autrefois et ne s'est pas améliorée à force d'être ressassée. Mais bon, autant que vous disposiez de tous les éléments.

– Merci beaucoup, dit Petra. Accepteriez-vous que nous parlions à votre mère, simplement pour compléter les détails ?

– Je ne demanderais pas mieux, car cela signifierait qu'elle est encore en vie. Malheureusement, la maladie de Parkinson en a décidé autrement.

– Je suis sincèrement désolée, Lee.

– Moi aussi. On dit qu'on ne grandit vraiment que le jour où l'on perd ses parents. Franchement, je préférerais être encore immature.

Petra avait perdu son père quelques années auparavant et sa mère était morte en la mettant au monde.

– Oui, j'ai entendu dire ça, murmura-t-elle.

Eccles se leva et vérifia les plis de sa pochette.

– J'imagine que c'est à moi de disposer du corps.

Un agent en tenue l'escorta vers la sortie.

– Il n'a pas idée de l'importance de ce qu'il vient de nous rapporter, dit Petra. Colin Quigg travaillait à l'hôpital à l'époque où Lem Eccles y a été interné. Vous avez visiblement raison, Alex : il s'est passé quelque chose autrefois.

— Pour ces deux-là peut-être, dis-je, mais je ne pense pas qu'il existe un lien entre Ventura State et Vita Berlin ou Glenda Usfel. Cette dernière n'était qu'une fillette à l'époque et Vita a grandi à Chicago.

— Soit, convint Milo. Elles ont eu maille à partir avec l'homme à la canadienne plus récemment. Avec lui, tout le monde a sa chance d'être étripé.

— Eccles Junior en a lourd sur le cœur, dit Petra. Voilà un fils qui en veut à son père, et je dois bien avouer que je le comprends. Malgré tout, il peut s'estimer heureux que le meurtre s'inscrive dans une série, car si c'était un geste isolé, j'en ferais mon principal suspect. Voyant la haine qu'Eccles a suscitée chez son propre enfant, vous imaginez quelle animosité il a pu déchaîner chez un fou meurtrier, surtout s'ils s'étaient connus à Ventura State.

— Quand un fou croise un psychopathe… dit Milo. Et que penser de ce Petty-Pitty-Patty ? S'il existe vraiment, ça complique la donne, vu que le type à la canadienne est trop jeune pour avoir été gardien à l'époque.

— Il se pourrait que l'histoire soit vraie en partie, avançai-je. Eccles a connu un Pitty il y a des années, il s'est persuadé que celui-ci lui en voulait. Longtemps après, repérant qu'on le suit, il ressuscite son croque-mitaine personnel.

— Vous croyez à l'histoire du type qui le harcelait ? fit Petra.

— Eccles a été assassiné.

— Comme dit la devise sur certains pare-chocs… lança Milo.

— Laquelle ?

– Même les paranos ont des ennemis.

Petra rit.

– Même si Pitty a réellement existé, poursuivit Milo, Alex a sans doute raison et il n'est pas impliqué. Soit Eccles est retombé dans une de ses fixations de schizo, soit Pitty est une pieuvre en costume trois-pièces ou un autre mirage sorti de son esprit. Quoi qu'il en soit, les témoignages s'accumulent sur l'homme à la canadienne.

– S'il était à Ventura comme patient, suggéra Petra, ça pourrait nous fournir des indications sur ses proches ou les gens avec qui il traînait, des pistes pour tenter de le retrouver. Le psychiatre ne s'est pas manifesté, Alex ?

– Toujours pas.

– J'ai obtenu ses coordonnées juste avant qu'Eccles Junior n'arrive, dit Milo. Via la sécurité sociale. Je ne vous en dirai pas plus.

– Génial, dit-elle. Si on lui rendait visite, Milo ?

– Je ne sais pas trop... rien ne l'oblige à nous recevoir, sans parler de nous lâcher des infos sur un patient. Si on cherche à lui forcer la main, il invoquera le secret médical. Je propose donc qu'Alex fasse une première tentative. De psy à psy.

Petra m'interrogea du regard.

– Il pourrait me rembarrer aussi, mais pourquoi pas ?

Milo me tendit un papier. Adresse à Van Nuys, téléphone fixe.

– En attendant, on va demander à Shimoff d'affiner le portrait avec Banforth et insister pour qu'il soit diffusé, ainsi que les nouveaux renseignements. Moe et Sean écument les kiosques à journaux au cas où quelqu'un se souviendrait d'avoir vendu un magazine de jeux à un connard.

– Raul interroge des sans-abri, dit Petra. Jusqu'ici, il

n'a recueilli aucun grief précis contre Eccles. En gros, tout le monde le trouvait pénible de manière générale. Je peux lui suggérer de rechercher un céphalopode en costume, dit-elle en souriant.

– La dernière fois qu'Eccles a été arrêté, dis-je, quand son fils a versé la caution, c'était pour avoir violenté un touriste. Avez-vous lu le procès-verbal ?

– Le résumé. Histoire banale, un quidam aux prises avec un cinglé.

– A-t-on le nom du quidam ?

– Je n'ai pas fait attention. Pourquoi ?

– Ça pourrait avoir son importance. Il existe une chance infime que ce soit l'homme à la canadienne.

– Un cinglé aux prises avec un cinglé ? dit Milo.

– D'une part, un psychotique patenté, de l'autre, quelqu'un qui est capable de maintenir une apparence de contrôle. Quelles étaient les charges ?

– Eccles a demandé de l'argent à un touriste qui a refusé. Eccles s'est mis à l'insulter et l'a bousculé.

– C'est le touriste qui a prévenu la police ?

– Non, un passant. Une patrouille se trouvait à un bloc.

– Imaginez la scène telle que l'ont perçue les agents. Deux versions contradictoires, face à face entre un jeune homme discret et un ivrogne irascible déjà connu pour faire la manche de manière agressive et provoquer des ennuis dans le quartier.

– Notre homme à la canadienne sait jouer les types normaux ? dit Milo.

– Cinq meurtres sans laisser la moindre trace matérielle, c'est le signe qu'il est organisé et méticuleux, capable d'arriver et repartir sans éveiller les soupçons. Hedy, la serveuse, n'a pas eu peur, il lui a juste semblé un peu excentrique. John Banforth a trouvé son comportement étrange, mais il ne s'en est alarmé qu'après avoir appris le meurtre de Vita. Nous parlons donc d'un individu qui n'a pas l'air menaçant. Comparé aux élucubrations d'Eccles, on devine qui les flics prendraient pour l'agresseur.

— Le monstre dame le pion au maniaque, dit Petra. Okay, je vais lire le PV entier. Et quitte à ne rien négliger, je vais appeler la police d'Oxnard et voir ce que je peux dénicher sur cette Rosetta. (Clin d'œil à Milo.) Fions-nous aux pare-chocs !

Elle nous accompagna vers le parking.

— Les fous, grommela Milo, je les préfère sur l'échiquier.

29

Pris dans un embouteillage sur Wilshire puis Westwood, j'en profitai pour joindre mon secrétariat. Trois appels, aucun d'Emil Cahane. Je composai le numéro obtenu par Milo, mais ça sonna dans le vide. À la maison, je me lançai dans des recherches sur internet. Je finis par dénicher un vieil organigramme du personnel de Ventura State. Directeur adjoint, Emil Cahane n'avait qu'un seul supérieur hiérarchique, le Dr Saul Landesberg. Assez vite, je tombai sur l'avis de décès du Dr Landesberg, datant de quatre ans. Avec Gertrude, deux de chute. Quant à Cahane, rien ne disait qu'il avait encore toute sa tête. De l'histoire ancienne. Pas pour l'homme à la canadienne.

Je passai voir Robin qui travaillait à l'atelier, l'embrassai et caressai Blanche. Bref échange à propos du dîner. Oui, du japonais me tentait bien, pourquoi pas se faire un petit plaisir, par exemple Matsuhisa. Quand je regagnai mon bureau, le téléphone sonnait.

– Devine quoi ? fit Milo. Pour une fois, on n'est pas bredouilles. Le vendeur d'un kiosque dans San Vicente, à Brentwood, a dit à Reed qu'il avait vendu toute une pile de revues de jeux à un type il y a environ une semaine. Malheureusement, il ne se souvient que des magazines, pas du bonhomme. Le type a vidé le

278

rayonnage et a réglé avec de la monnaie et des petites coupures.

– Poursuis vers l'ouest, prends Sunset en direction du nord et tu te retrouves à l'appartement de Quigg. Quelques kilomètres plus loin, tu arrives à Temescal Canyon.

– De la lecture en vue d'une surveillance prolongée ? Intéressant... Deuxième info : Petra a appris qu'il existait vraiment une Rosetta qui était morte sur le parking à Ventura State. Nom de famille Macomber. Elle habitait dans un lotissement miteux, avait un problème d'alcool et de coke. Eccles était donc parfois en prise avec la réalité. Cela dit, rien de louche quant au décès, crise cardiaque comme cause probable.

– En l'absence de la moindre égratignure, Eccles a cru à un empoisonnement. Elle était réellement là pour lui rendre visite ?

– Le policier à qui Petra a parlé ne savait pas. S'il s'en souvenait, c'est qu'il patrouillait dans les environs à l'époque et avait été alerté par le vigile de Ventura. L'ironie de la situation l'avait frappé, qu'elle calanche à la sortie de l'hôpital, même si c'était un établissement d'un genre particulier. Dernière chose : le nouveau portrait réalisé par Shimoff est bien plus détaillé que le premier conçu avec Wheeling. Je travaille à sa diffusion dans les médias. Merci de nous avoir adressé Banforth. Du nouveau pour Emil Cahane ?

– Toujours pas.

– S'il te rappelle, tant mieux. Sinon, on verra comment procéder. *Sayonara*.

Je repris la liste du personnel de direction à Ventura State, tentai ma chance avec le nom suivant : Helen Barofsky, assistante sociale en chef. Je cherchais sa trace en vain depuis une heure quand mon secrétariat appela.

– Un Dr Cahane a cherché à vous joindre. Il dit que ce n'est pas urgent.

Question de point de vue.

Le numéro qu'elle m'indiqua était identique à celui fourni par Milo. Au bout de sept sonneries, une voix délicate dit :

– Oui ?

– Docteur Cahane ? Alex Delaware, je vous rap…

– Delaware ?

Il m'interrompit d'une voix chevrotante et éthérée. Chaque mot s'achevait en un tremblement, comme un ampli réglé pour produire un léger vibrato.

– Je suis navré, votre nom ne me dit rien.

– C'est normal. J'ai effectué un stage à Ventura il y a très longtemps, sous la direction de Gertrude Vanderveul. Plus tard, quand l'établissement a fermé, j'ai été consulté pour proposer un suivi satisfaisant aux patients du pavillon E.

– Un suivi satisfaisant… des engagements ont été pris… (Soupir.) Mais j'étais déjà parti. Gertrude… Vous avez de ses nouvelles ?

– Malheureusement, elle est décédée.

– Oh, comme c'est triste. Elle était jeune… enfin, relativement. La secrétaire de mon neveu m'a indiqué qu'un certain Quigg était lui aussi mort, mais je ne vois pas qui c'est.

– Colin Quigg.

J'épelai le nom.

– Désolé, ça ne me dit rien.

Pourtant, il m'avait rappelé. Comme s'il lisait dans mes pensées, il ajouta :

– J'ai réagi à votre message car, à mon âge, toute diversion est la bienvenue. Mais bon, je ne vois pas en quoi je pourrais vous aider.

– Colin Quigg enseignait à Ventura à l'époque où vous y étiez.

– Nous avions quantité de professeurs. À notre apogée, nous étions un établissement très progressiste.

– Cet enseignant a été assassiné et la police a des raisons de penser que son meurtre est lié à son passage à Ventura.

Silence.

– Docteur Cahane ?

– Permettez que je digère cela, docteur. La police a des raisons de le penser, et pourtant ce n'est pas eux mais vous qui me contactez ?

– Je travaille avec eux.

– En quelle qualité ?

– Comme consultant.

– Mais encore ?

– Il leur arrive parfois d'estimer que la psychologie présente un intérêt. Pourriez-vous m'accorder quelques minutes de votre temps pour que nous en discutions ?

– Hum… Si j'appelle la police, Alex, on me confirmera que vous agissez en tant que consultant ?

J'énonçai le nom de Milo, son grade et son numéro personnel.

– Il se fera un plaisir de vous répondre, docteur. C'est lui qui m'a demandé de vous appeler.

– Pourquoi ?

– Vous étiez le directeur adjoint à Ventura à l'époque où Colin Quigg y travaillait, vous aviez accès à toutes sortes de renseignements.

– Concernant les patients ?

– Plus spécifiquement, les patients dangereux.

– Voilà qui est délicat, vous vous en doutez.

– Nous sommes bien au-delà de la jurisprudence

Tarasoff. Il ne s'agit plus d'un danger imminent, mais de sévices déjà pratiqués, avec un fort risque de récidive.

– Vous dramatisez, il me semble.

– J'ai vu le cadavre, docteur Cahane.

Après un silence, il demanda :

– Que cherchez-vous au juste ?

– L'identité d'un jeune que Quigg aurait eu comme élève et dont le comportement l'aurait effrayé, peut-être au point de proposer son transfert aux soins spécialisés.

– Et cette personne l'aurait assassiné ? Après tant d'années ?

– C'est possible.

– Vous vous livrez à des suppositions, sans la moindre certitude.

– Si je le savais avec certitude, docteur Cahane, je n'aurais pas besoin de vous parler.

– Les soins spécialisés, murmura-t-il. Y êtes-vous passé au cours de votre stage ?

– Non, Gertrude n'a pas voulu.

– Et pourquoi donc ?

– Parce qu'elle m'appréciait, m'a-t-elle dit.

– Je vois. Nous avons tous à porter des jugements et ceux de Gertrude étaient le plus souvent fondés. Néanmoins, les soins spécialisés n'avaient rien d'un enfer. Loin s'en faut. Les mesures prises pour maîtriser les patients étaient toujours judicieuses.

– Ce n'est pas l'organisation de l'hôpital qui est en cause, docteur Cahane. L'enjeu est de retrouver un assassin redoutable et hautement calculateur, qui passe à l'acte après des années de ressentiment et de fantasmes.

– Pourquoi au juste la police pense-t-elle qu'il existe un lien entre Ventura et le décès de M. Quigg ?

Parce que je le leur ai soufflé.

– C'est complexe, répondis-je. Serait-il possible de se rencontrer ?

– Vous souhaitez avoir le temps de me convaincre.

– Je pense que vous vous laisserez facilement convaincre.

– Pourquoi donc ?

– Le meurtrier a laissé quelque chose sur le cadavre, une feuille sur laquelle figurait un point d'interrogation.

J'entendis la respiration de Cahane, courte et précipitée.

– Je ne conduis plus, finit-il par dire. Ce sera à vous de vous déplacer.

Je me rendis à l'adresse fournie par Milo, un quartier d'Encino situé quelques kilomètres à l'est des bureaux du neveu de Cahane. L'immeuble en question, un losange à un étage décoré d'un stuc framboise, était agrémenté de yuccas, de palmiers et d'agaves en nombre suffisant pour se concocter des margaritas pendant un an. La voie express passait à deux blocs, son grondement évoquant le bâillement d'un ogre de méchante humeur au réveil. La porte d'entrée était fermée, pas verrouillée. L'allée centrale, fraîchement repeinte, était parfaitement entretenue. Cinq appartements en haut, cinq en bas. Cahane résidait au rez-de-chaussée, côté cour. Comme j'atteignais sa porte, le grognement de l'ogre n'était plus qu'un murmure grincheux. Je frappai.

– C'est ouvert.

Cahane était assis dans un fauteuil en cuir râpé qui faisait face à l'entrée. Corps penché sur la gauche, traits encore plus émaciés que sur la photo publiée à l'occasion de la récompense, cheveux blancs plus longs et en bataille, menton et joues blanchies d'une barbe de quelques jours. Longs membres, torse chétif. Il portait, sous une robe de chambre en tissu écossais pelucheux, un pantalon bleu marine à pli et une chemise blanche propre. Pantoufles en chevreau noir, usées mais qui avaient coûté leur prix, contrairement aux chaussettes blanches. Sur un guéridon en acajou étaient posés une tasse de thé encore fumant et un livre – les récits de voyage désopilants d'Evelyn Waugh.

– Ne m'en veuillez pas si je ne me lève pas, dit-il en me tendant une main tremblante. Mes articulations font des leurs aujourd'hui.

Paume fraîche et cireuse, poigne d'une fermeté étonnante, même si le contact fut aussi bref que l'autorisait la correction.

– Non, franchement, je ne me souviens pas de vous, dit-il en secouant la tête.

– Aucune raison que vous…

– Parfois, le souvenir d'un visage se fixe malgré tout. Souhaitez-vous boire quelque chose ? proposa-t-il en indiquant la cuisine au-delà du séjour. J'ai du soda et du jus de fruit, et l'eau est encore chaude dans la bouilloire. Ou du bourbon, si vous préférez.

– Rien, merci.

– Dans ce cas, asseyez-vous.

Aucune hésitation quant au choix : l'unique possibilité était le sofa de brocart bleu contre le mur face au fauteuil de Cahane. Un meuble luxueux mais usé, comme les souliers. Comme le guéridon et le tapis persan qui gondolait sur la moquette bistre. Hormis les ouvertures vers la cuisine et la chambre, les murs étaient entièrement tapissés de bibliothèques disparates dont les rayonnages étaient pleins à craquer, certains sur deux épaisseurs. Un rapide coup d'œil aux titres m'apprit que les goûts de Cahane étaient éclectiques :

histoire, géographie, religion, photographie, sciences physiques, jardinage, cuisine, large éventail de romans, satire politique. Deux étagères situées derrière lui étaient consacrées à la psychologie et à la psychiatrie. Des ouvrages de base, moins nombreux qu'on ne pourrait s'y attendre. Un fauteuil confortable, robe de chambre et pantoufles, une tasse de thé à portée de main, de la lecture. Il avait eu les moyens de financer une chaire de recherche, mais se contentait pour lui-même de l'essentiel.

Il s'obstinait à détailler mon visage, comme s'il s'efforçait de retrouver un souvenir. Ou bien il en revenait à ce qu'on lui avait enseigné à l'université : dans le doute, s'abstenir. Je n'aurais été qu'à moitié surpris qu'il me tende une planche avec la tache de Rorschach.

– Docteur… entamai-je.

– Racontez-moi la fin de Colin Quigg.

Je lui décrivis le meurtre, avec le degré de détails dont j'estimais qu'il conviendrait à Milo. Le but était de faire passer l'horreur sans trop en dire et surtout sans dévoiler l'existence des autres victimes, de crainte que Cahane n'en conclue que Ventura n'avait rien à voir avec cette affaire.

– Ce sont plus que de simples sévices, dit-il.

– Le point d'interrogation vous évoque-t-il quelque chose ?

Ses lèvres se retroussèrent vers l'intérieur. Il se frotta le menton.

– Si vous alliez nous chercher le bourbon ? Prenez deux verres.

Propre mais vétuste, la cuisine était aussi peu meublée que le salon. Je trouvai des verres en cristal et du bourbon Knob Creek.

– Un doigt et demi pour moi, dit Cahane. Je vous laisse fixer votre propre dose.

Je me servis un petit fond de liquide ambré. Il me tendit son verre pour que j'y choque le mien, mais aucun toast ne fut porté. Je m'assis et le regardai s'enfiler l'alcool en deux rasades. Il fit à nouveau crisser sa barbe naissante.

– Vous vous demandez pourquoi je vis ainsi.

– Ce n'est pas la première question qui m'a traversé l'esprit.

– Mais ça vous intrigue.

À quoi bon le détromper ?

– Comme beaucoup de gens, poursuivit-il, j'ai consacré une bonne partie de ma vie d'adulte à accumuler les biens matériels. Après le décès de ma femme, j'ai eu l'impression d'étouffer sous les objets, aussi je me suis débarrassé d'une bonne partie de ce que je possédais. Toutefois, je ne suis ni bête ni impulsif, pas plus que je ne suis gouverné par une anhédonie névrotique. J'ai conservé quelques revenus qui font que je suis à l'abri du souci. C'était une expérience, à la vérité. Voir comment l'on réagit à se dépouiller de toute cette profusion rococo que l'on croit désirer. Il m'arrive de regretter ma grande maison, mes voitures, mes œuvres d'art. Mais la plupart du temps, nullement.

Long monologue. Sans doute une manœuvre dilatoire. Je n'avais d'autre choix que l'écouter.

– Vous me placez dans une posture délicate, reprit-il. Vous vous présentez avec de simples hypothèses. Je vous accorde que les hypothèses se fondent souvent sur la logique, mais le problème, voyez-vous, c'est que vous ne disposez d'aucun fait, et vous me demandez d'enfreindre le secret médical.

— Le secret médical ne s'applique pas obligatoirement à vos fonctions à Ventura.

Contraction des sourcils.

— Que voulez-vous dire ?

— On peut argumenter que les administrateurs ne sont pas soumis aux mêmes obligations que les soignants. Naturellement, si vous avez suivi le patient en question, cette thèse devient contestable.

— Vous voulez bien m'apporter la bouteille ? dit-il en brandissant son verre vide.

Je m'exécutai. Il se servit deux doigts, en but la moitié d'un trait. Son regard était agité. Il ferma les paupières. Ses mains s'étaient mises à trembler. Elles se figèrent soudain et il ne bougea plus. Je patientai. S'était-il endormi ? Il ouvrit les yeux et me fixa d'un air triste. Je me préparai à essuyer un refus.

— Il y avait un garçon… Un curieux garçon…

30

Emil Cahane versa un bon centimètre de bourbon dans son verre. Il contempla le liquide ambré comme si celui-ci recelait autant de promesses que de menaces, y trempa les lèvres délicatement, puis le vida d'un trait comme un pilier de bar. Les yeux fermés, il inclina la tête en arrière. Sa respiration s'accéléra.

– Bien, fit-il.

Mais il laissa s'écouler une minute supplémentaire.

– Donc, un enfant, un garçon singulier, nous a été adressé. Inutile que je vous précise de quel État il venait, cela n'a aucune importance. Là-bas on ne savait pas quoi en faire, or nous étions réputés être l'un des meilleurs établissements. Il est arrivé dans une berline vert pâle, une Ford, escorté par deux policiers. Encadré de ces solides gaillards, il paraissait vraiment tout petit. J'ai tenté de l'interroger, mais il refusait de parler. J'ai décidé de le placer dans le pavillon G. Peut-être vous en souvenez-vous ?

J'y avais passé la plus grande partie de mon stage.

– En service ouvert plutôt qu'en soins spécialisés.

– Il n'y avait aucun enfant en soins spécialisés. J'aurais trouvé barbare d'exposer quelqu'un de si jeune aux adultes qui y étaient internés. Je vous parle de gens ayant commis des meurtres, des viols, des actes

288

de nécrophilie et de cannibalisme. Des psychotiques jugés trop perturbés pour le système carcéral mais tenus à l'écart du monde, pour leur sécurité autant que pour la nôtre. (Il caressa le verre vide.) Ce n'était qu'un enfant.

– Quel âge avait-il ?

Il changea de position dans son fauteuil.

– Il était jeune.

– Préadolescent ?

– Onze ans. Vous voyez que nous étions confrontés là à des circonstances exceptionnelles. Il avait une chambre individuelle dans le pavillon G, un environnement qui mettait l'accent sur le traitement et non l'isolement. Vous vous souvenez de la palette de moyens dont nous disposions. Il tirait bien parti de nos programmes, ne causait aucune difficulté.

– Son crime aurait justifié le placement en soins spécialisés, mais son âge posait problème.

Il me décocha un regard sévère.

– Vous cherchez à me soutirer des détails que je ne suis pas certain de vouloir livrer.

– Je vous sais gré de me parler, docteur Cahane, mais faute de dét…

– Si vous n'êtes pas satisfait de ma prestation, sentez-vous libre de prendre la porte.

Je restai assis.

– Veuillez m'excuser, dit-il. Ceci m'est pénible.

– Je comprends tout à fait.

– Avec tout le respect que je vous dois, docteur Delaware, vous ne pouvez pas comprendre. Vous pensez que je me livre à des circonvolutions à cause de contraintes médico-légales, mais pas du tout.

Nouvelle rasade de bourbon, aussi vite engloutie que les précédentes. Cahane tapota ses cheveux blancs, ce qui eut pour seul effet de décoiffer un peu plus les longues mèches hirsutes. Ses yeux avaient rosi, ses lèvres tremblaient. J'avais devant moi un vieillard tourmenté.

– Je suis trop âgé pour me soucier du système médico-légal. Mes réserves sont purement égoïstes, je ne pense qu'à protéger mes arrières décrépits.

– Vous pensez vous être planté.

– Je ne pense pas, je sais, docteur Delaware.

– Avec ce genre de patient, les certitudes ne…

Il me fit signe de me taire.

– Merci de vouloir me témoigner votre empathie, mais vous ne pouvez pas savoir. Ventura était comme une ville, dont j'étais en quelque sorte le maire, notre directeur n'étant qu'un incapable. Tout passait par moi.

Ses yeux s'emplirent de larmes.

– Malgré tout… dis-je.

– Arrêtez, je vous en conjure. (Le ton aimable, le regard sympathique.) Quand bien même vous seriez sincère et ne chercheriez pas à établir un rapport dans le seul but de vaincre mes défenses, la compassion hors contexte me révulse.

– Parlons du patient. Qu'a-t-il commis à onze ans pour désemparer les autorités de son État ?

– À onze ans, il avait encore tout d'un enfant. Un petit garçon prépubère, avec sa petite voix fluette, ses petites mains si douces, et ses petits yeux si innocents en apparence. Je l'ai pris par la main et je l'ai mené vers la chambre où il vivrait désormais. Sa paume en sueur agrippait très fort la mienne. Il m'a demandé : « Quand est-ce que je pourrai rentrer à la maison ? » Je n'avais pas de réponse réconfortante, mais je ne mens jamais, aussi j'ai eu la réaction naturelle du thérapeute désarçonné, se laisser aller à des propos mièvres et rassurants : il aurait une vie confortable, nous allions prendre bien soin de lui. Puis j'ai changé de tactique, je l'ai bombardé de questions pour ne pas avoir à lui répondre. Quels étaient ses aliments préférés ? À quoi aimait-il jouer ? Il est devenu silencieux et s'est voûté, comme s'il laissait tomber. Malgré tout, il a continué d'avancer comme un bon petit soldat, il s'est assis sur son lit et il a commencé à lire l'un des livres mis à sa disposition. Je me suis attardé, mais il m'ignorait. J'ai fini par lui demander s'il avait besoin de quoi que ce soit. Il a relevé la tête, m'a souri et m'a répondu : « Non merci, monsieur. Tout va bien. »

Cahane grimaça.

— Ensuite, j'ai fait le lâche. Je prenais régulièrement de ses nouvelles, mais je me gardais de tout contact direct. Officiellement, cela ne faisait pas partie de mes attributions. J'avais un poste administratif, je ne suivais plus aucun patient. Mais la raison véritable était, bien entendu, que je n'avais pas de solution à lui offrir et ne tenais pas à me le voir rappeler.

— Vous étiez perdu face à son cas.

Plutôt que de réagir à mon propos, il dit :

— Je suivais son évolution. De l'avis général, il réagissait bien mieux qu'on ne s'y attendait. Vraiment aucun problème.

Il empoigna les accoudoirs du fauteuil, tenta de se lever mais retomba et afficha un sourire douloureux. Quand je voulus l'aider, il secoua la tête.

— C'est bon, dit-il en se dressant péniblement. Un petit passage aux toilettes.

D'un pas chancelant, il disparut par l'ouverture entre les bibliothèques. Au bout de dix minutes, j'entendis la chasse d'eau et le robinet du lavabo. Quand il revint, il avait repris des couleurs, mais ses mains tremblaient toujours autant. Il se rassit dans le fauteuil.

— Donc, le garçon allait bien, puis ça n'a plus été le cas. On m'en a informé.

— Colin Quigg.

— Un responsable m'a prévenu, lui-même averti par un interne qui le tenait d'un enseignant. (Il soupira.) Oui, votre Quigg. Un de ces jeunes gens à l'idéalisme fiévreux, qui s'imaginait avoir trouvé sa vocation.

— Qu'a-t-il signalé ?

— Une régression sévère du comportement.

— Retour à ce qui avait motivé le transfert du garçon à Ventura.

— Mon Dieu, fit Cahane avec un rire étrange.

— Il montrait une curiosité pour l'anatomie ?

Le vieillard plaqua ses mains l'une contre l'autre, marmonna quelque chose.

— Quel crime avait-il commis à l'origine ? insistai-je.

Cahane agita l'index. Je m'attendais à des reproches, mais le doigt se recourba, revint vers son propriétaire et s'enfonça dans une oreille.

— Il a tué sa mère. D'une balle dans la nuque pendant qu'elle regardait la télé. Comme c'était le week-end, elle n'était pas attendue à la ferme où elle nettoyait les granges. Elle n'avait pas de vie sociale, vivait seule avec son fils dans le Kan… dans une caravane au bout d'un champ, à côté de la ferme.

— Il est resté auprès du cadavre.

Hochement de tête.

— Quand il a été certain qu'elle était morte, continuai-je, il a fait usage d'un couteau.

— Plusieurs couteaux de cuisine. Aussi des outils pour travailler le bois. Un cadeau de Noël de sa mère. Il s'est servi de la pierre à aiguiser sur laquelle elle préparait les volailles qu'elle rapportait parfois pour leur dîner. Elle les égorgeait devant lui, ne laissait rien perdre, conservait le sang pour faire des saucisses. Quand la police est enfin arrivée, la puanteur était insoutenable. Mais ça ne semblait pas le déranger, il n'affichait aucune émotion. Sidérés, les flics ne savaient pas où l'emmener et ils ont fini par l'enfermer dans une pièce à la clinique du coin. La prison du comté était bondée, on n'a pas voulu prendre le risque de le mettre avec des adultes. Lui ne se plaignait pas, un garçon très poli. Un peu plus tard, quand une infirmière lui a demandé pourquoi il était resté avec le cadavre, il a répondu qu'il voulait apprendre à mieux la connaître.

Je lui décrivis les blessures que l'homme à la canadienne avait infligées à Quigg.

— Les policiers qui nous l'ont amené nous ont laissé des photos de la scène de crime dans la caravane, murmura-t-il. Quand le remords me prend, je n'ai qu'à me rappeler ces images et je plonge pour de bon dans le désespoir. Le domicile était une vraie porcherie, un capharnaüm indescriptible, mais pas sa chambre. La chambre du garçon était bien rangée. Il en avait décoré les murs avec des schémas d'anatomie. Il en avait accroché partout. J'étais stupéfait qu'un enfant si jeune ait pu se les procurer. La police n'avait pas eu cette curiosité, mais j'ai tellement insisté qu'ils se sont renseignés. Il y avait un médecin, un généraliste que le garçon voyait trop peu souvent, qui s'était pris de sympathie pour lui. Ce charmant enfant qui s'intéressait à la biologie. Peut-être en ferait-on un médecin…

— Que savez-vous de la mère ?

— Une femme solitaire, qui travaillait dur. Elle était arrivée là un jour, avec son garçon de deux ans. J'ignore

293

d'où elle venait. On l'avait embauchée pour nettoyer les granges et elle n'était plus repartie. La caravane se trouvait au bout d'un champ de blé appartenant au fermier, elle y logeait gratis.

– A-t-on relevé des signes de préméditation ?

– Il l'a abattue pendant qu'elle regardait son émission préférée. Je n'en sais pas davantage.

– A-t-il exprimé des remords ?

– Jamais.

– Comment a-t-on découvert le meurtre ?

– Le lundi, elle n'est pas venue travailler. C'était la première fois que ça lui arrivait, une femme très fiable, toujours ponctuelle. Comme elle n'avait pas le téléphone, un garçon de ferme est allé voir. Il a senti la puanteur, il a entrouvert la porte de la caravane et il a vu le cadavre. Le garçon était assis à côté, en pleine exploration. Il s'était préparé un sandwich au beurre de cacahuète. Sans confiture. (Sourire.) Les policiers notent ce genre de détail dans leurs rapports. Sur place, on a relevé de curieuses taches sur les schémas dans la chambre du garçon, sans que les enquêteurs parviennent à se les expliquer. À mon avis, il voulait comparer ce que disait la science et ce qu'il... ce qu'il avait palpé. Apparemment, il s'intéressait particulièrement aux intestins.

– Il se formait lui-même à la biologie. Comme le Kansas se sentait dépassé, vous en avez hérité.

– Plusieurs établissements ont été sollicités mais ont refusé. J'ai accepté par arrogance. Je suis certain que vous connaissez le passé de Ventura State, les choses épouvantables qui s'y sont pratiquées au nom de la médecine. Quand j'y suis arrivé, tout cela était terminé, sans quoi je n'aurais pas accepté le poste, et nous jouissions d'une réputation méritée pour nos méthodes d'avant-garde. (Il me détailla.) Lors de votre stage, avez-vous vu quoi que ce soit pour le démentir ?

– Nullement. J'ai beaucoup appris.

– Heureux de vous l'entendre dire. Heureux et fier. Pour le jeune garçon, on estimait aussi qu'il ne serait jamais en sécurité au Kansas. Un trop grand battage médiatique.

– Comment les soupçons de Quigg ont-ils été éveillés ?

– Je suis sûr que vous n'avez pas oublié la beauté du parc.

Quel rapport ? J'acquiesçai.

– Le qualificatif de « pastoral » était souvent employé à tort et à travers, poursuivit-il. Une faune et une flore abondantes.

– Des animaux. Il en prenait au piège afin de poursuivre ses investigations.

– Des bêtes de petite taille. D'après l'analyse des squelettes, des souris, des écureuils et des lézards. Une couleuvre et même un chat errant. Des oiseaux, aussi. Nous n'avons jamais su comment il s'y prenait pour les attraper. Il a agi en cachette pendant plusieurs mois. Il avait choisi un endroit tranquille derrière une remise isolée, s'y livrait à ses expériences, enterrait les restes et faisait place nette. Il avait obtenu l'autorisation de sortir deux fois par jour, une heure avant le déjeuner et une heure avant le dîner. Au vu du nombre de cadavres, nous avons calculé qu'il devait s'occuper d'un animal par jour.

Place nette. L'expression m'évoqua le sol impeccable autour du corps de Colin Quigg.

– Comment a-t-il été découvert ?

– Le jeune Quigg, qui soupçonnait quelque chose,

a décidé de le suivre un soir. Le spécimen du jour était un bébé taupe.

– Qu'est-ce qui lui avait mis la puce à l'oreille ?

– Le garçon communiquait de moins en moins, il était même devenu renfrogné. Quelqu'un d'autre aurait-il dû s'en apercevoir ? Peut-être bien. Que voulez-vous que je vous dise ?

– Les enseignants et les infirmières passent davantage de temps avec les patients que nous autres soignants.

– Certes. Quoi qu'il en soit, les nouveaux faits rendaient nécessaire un changement radical d'approche, mais nous hésitions entre plusieurs solutions. Certains membres de l'équipe, dont Colin Quigg avec une insistance particulière, militaient pour un transfert immédiat aux soins spécialisés. D'autres s'y opposaient. (Son regard se tourna vers la droite, dans le vide.) J'ai écouté chacun et j'ai annoncé que je m'accordais un délai de réflexion. L'air de délibérer. À la vérité, j'étais incapable de prendre une décision. En partie parce que j'étais démuni face aux problèmes que présentait son cas, mais pas seulement. Ma propre vie était un désastre. Je venais de perdre mon père, ayant postulé à Harvard et à UC San Francisco, j'avais essuyé deux échecs, et mon mariage battait de l'aile. Nous avions toujours connu des difficultés, mais j'ai aggravé la situation en ayant une relation avec une femme belle et brillante, ce qui n'excuse rien, bien évidemment. Tentative pitoyable pour me réconcilier avec mon épouse, je l'ai emmenée en croisière sur le canal de Panamá. Sous couvert de me montrer attentionné, ce n'en était pas moins un geste égoïste : j'avais toujours rêvé d'emprunter le canal.

Il s'empara de son verre, se ravisa et le reposa brutalement.

– Vingt-quatre jours sur le paquebot, précédés de quinze jours sur la côte de Caroline du Nord, berceau de la famille d'Eleanor. J'ai été absent de l'hôpital quarante-trois jours et quelqu'un en a profité pour s'occuper du garçon. Le psychologue qui était venu me soumettre les inquiétudes initiales de Quigg. Il partageait l'avis de ce dernier, considérait que l'enfant ne guérirait jamais, qu'il était vicié. Son expression à lui. Un homme sot et autoritaire, excessivement confiant en ses maigres capacités. J'avais depuis longtemps des réserves à son sujet, mais il avait d'excellentes références, même si elles avaient été obtenues à l'étranger. En tant que salarié de l'État, il bénéficiait d'un statut protecteur et n'avait jamais commis la moindre faute pouvant justifier son renvoi.

Les doigts tremblants de Cahane s'enfouirent dans ses cheveux.

– Jusqu'à cet épisode. Et voilà où cela nous conduit aujourd'hui, ajouta-t-il, le regard absent. Moi, je voguais sur un paquebot, je faisais bonne chère, je dansais et j'admirais les eaux du canal. (Il se servit du bourbon, en renversa un peu et fixa les gouttes sur sa manche.) Mon Dieu…

– Le garçon a été transféré aux soins spécialisés.

– Si seulement il n'y avait que ça ! Ce psychologue, cet imbécile trop sûr de lui, a décidé tout seul, sans éléments concrets ni la moindre concertation, que les problèmes du garçon étaient avant tout de nature hormonale. Un dérèglement glandulaire, voilà comment il a formulé les choses. Comme dans les manuels de médecine de l'époque victorienne. Il a préparé les papiers voulus et a envoyé le garçon dans une clinique de Camarillo où un chirurgien peu regardant l'a opéré.

– Ablation de la thyroïde.

Cahane releva brusquement la tête.

– Vous êtes au courant ?

– Un témoin a décrit une cicatrice au cou.

Il empoigna le verre à deux mains et le jeta maladroitement. Il atterrit sur la moquette et roula.

– Une thyroïdectomie complète sans la moindre justification ! Après une semaine de convalescence, le garçon a été placé au service des soins spécialisés. Le charlatan soutenait qu'il avait agi dans l'intérêt de l'enfant, pour tenter de réguler son comportement après que tout le reste avait échoué. Mais j'ai toujours soupçonné qu'il y avait une part de vengeance basse et méchante.

– Tu aimes opérer, petit ? Tiens, regarde ce que ça fait !

– Ce crétin s'était attaché à l'une des créatures victimes des expériences du garçon. Un chat errant qu'il nourrissait de temps en temps. Bien entendu, il s'est inscrit en faux. À mon retour, j'ai été horrifié d'apprendre ce qui était arrivé et furieux que mon équipe ne soit pas intervenue. Mes collaborateurs ont tous soutenu que cela s'était fait à leur insu. J'ai pris le connard entre quatre z'yeux, on s'est longuement expliqués et j'ai décidé sa mise à la retraite immédiate, avec la promesse de prendre ma plume illico s'il osait postuler dans un autre hôpital d'État. Il a commencé par protester, puis monsieur a pleurniché et a tenté de négocier, avant de se livrer à un chantage lamentable : il n'avait fait qu'agir sous ma responsabilité, donc je me retrouverais aussi sur la sellette. Je lui ai dit « chiche ! » et il s'est dégonflé. De toute manière, il était très âgé, pas loin de quatre-vingts ans… (Sourire.) Plus jeune que je ne le suis aujourd'hui. On ne se dégrade pas tous à la même vitesse.

— Vous avez parlé de références à l'étranger. Où précisément ?

— En Belgique.

Ma poitrine se contracta.

— L'université de Louvain ?

Cahane acquiesça.

— Un petit crétin maniéré avec un accent germanique ridicule, qui portait des nœuds papillon grotesques, se gominait les cheveux et paradait comme s'il était sorti de la cuisse de Freud.

— Comment s'appelait-il ?

Question superflue.

— Shacker. *Berrrhn-hard* Shacker. Ne perdez pas votre temps à le rechercher, il est tout à fait mort. Une crise cardiaque le lendemain de son renvoi, il s'est effondré sur le parking de l'hôpital. Le stress a sans nul doute été un facteur, mais les sandwichs qu'il apportait comme déjeuner ont aussi dû y être pour quelque chose, de la charcuterie bien grasse et des tartines de beurre.

— Qu'est-il advenu du garçon ?

— L'ai-je retiré des soins spécialisés ? Cela ne semblait pas souhaitable, compte tenu des signes annonciateurs de la puberté et de la gravité de ce qu'on lui avait fait subir. J'ai préféré lui aménager un espace au sein du pavillon des soins spécialisés. Pas de cellule à barreaux, mais une pièce avec verrou qui avait servi de débarras et qui disposait d'une fenêtre avec une belle vue sur les montagnes. On a repeint les murs en bleu, une teinte gaie, et on a installé un vrai lit, mieux qu'un simple lit de camp. On lui a mis de la moquette, une télé, un poste de radio et une chaîne hi-fi, avec un tas de cassettes. Il était confortablement installé.

– Vous l'avez maintenu en soins spécialisés parce que vous redoutiez une escalade dans la violence.

– Pourtant, il a démenti mes craintes, docteur Delaware. Il est devenu un adolescent agréable et docile, qui consacrait ses journées à la lecture. Pour le coup, j'avais adopté une approche plus interventionniste, je passais le voir régulièrement pour m'assurer que tout se passait bien. J'ai consulté un endocrinologue pour ajuster son traitement. Il réagissait favorablement à la thyroxine.

– A-t-il bénéficié de soins psychiatriques ?

– Il ne le souhaitait pas et ne montrait aucun symptôme. Après ce qu'il avait subi, je ne voulais surtout pas de mesure coercitive. Ce qui ne veut pas dire qu'il n'était pas suivi. Nous avons tout fait pour prévenir une régression.

– Il n'avait plus accès aux animaux.

– Il était toujours sous surveillance pendant ses moments de loisir et confiné à l'enceinte des soins spécialisés. Il avait un panier de basket à sa disposition, il faisait de la gymnastique ou il se promenait. Il se nourrissait correctement et prenait soin de sa personne, niait avoir la moindre hallucination ou le moindre délire.

– Qui le supervisait ?

– Des surveillants.

– Un surveillant en particulier ?

– Non.

– L'un d'eux ne s'appelait pas Pitty ou Petty ?

– Je ne connaissais pas leur nom. Pourquoi ?

– Ce nom a été cité.

– À quel sujet ?

– Un meurtre.

– Celui de Quigg ?

– Oui, mentis-je.

– Un duo de meurtriers ? dit Cahane en me fixant.

– C'est possible.

– Pitty… Petty… non, ça ne me dit rien.

– Qu'est devenu le garçon à la fermeture de Ventura ?

– Je n'y étais plus.

– Vous n'avez aucune idée ?

– J'avais déménagé ailleurs.

– À Miami ?

Il voulut prendre son verre, se rappela qu'il l'avait lancé. Serra fort les paupières, comme sous le coup d'une douleur, les rouvrit et me regarda droit dans les yeux.

– Qu'est-ce qui vous fait penser ça ?

– Gertrude s'était installée à Miami et il arrive que les hommes suivent les femmes belles et brillantes.

– Gertrude. Vous a-t-elle parlé de moi ?

– Pas nommément, mais elle m'a laissé entendre qu'elle était amoureuse.

Nouveau mensonge, éhonté et manipulateur. On utilise les armes qu'on peut.

Il soupira.

– Non, je suis venu vivre à Los Angeles. Ce n'est que des années plus tard que je me suis rendu à Miami. J'ai frappé chez elle à l'improviste, espérant qu'elle était toujours seule. Je lui ai ouvert mon cœur. Elle m'a rejeté avec douceur. Certes, nous avions eu une merveilleuse aventure, m'a-t-elle dit, mais c'était de l'histoire ancienne, il n'était pas souhaitable de revenir en arrière. J'étais foudroyé, mais j'ai encaissé sans broncher et je suis rentré ici par le premier avion.

Incapable de me fixer, j'ai pris un poste dans le Colorado, un travail lucratif et dénué d'intérêt. J'ai vite démissionné, mais à peine de retour à L.A. que je remettais ça. Au bout du quatrième épisode semblable, j'en ai eu assez d'être un robot juste bon à rédiger les ordonnances. J'ai décidé de me contenter de ma retraite et j'ai donné à peu près tout ce que je possédais. À force de générosité, je suis maintenant obligé de compter. D'où le palace où je vis désormais. (Il eut un petit rire.) Narcissique invétéré, il faut toujours que je me vante !

– Où pensez-vous que le garçon se soit retrouvé après la fermeture de Ventura ?

– De nombreux patients des soins spécialisés ont été transférés vers d'autres établissements.

– Lesquels ?

– Atascadero, Starkweather. Nul doute que certains ont terminé en prison. Notre système est ainsi fait, punir avant toute chose.

– Aidez-moi à bien cerner la chronologie. Le garçon est arrivé à Ventura en quelle année ?

– Il y a un peu plus de vingt-cinq ans.

– Il en avait onze.

– Presque douze, à un ou deux mois près.

– Combien de temps a-t-il passé en service ouvert ?

– Un an et quelques mois.

– Il avait donc treize ans au moment de l'opération et de son transfert aux soins spécialisés.

À peu près en même temps que Colin Quigg quittait Ventura et abandonnait l'enseignement. Une décision provoquée par l'horreur de ce qu'il avait vu derrière l'ancienne remise, ou par le remords de ce que ses soupçons avaient entraîné ? Quoi qu'il en soit, Quigg l'avait chèrement payé.

– Comment s'appelait le garçon ?

Cahane se détourna.

– Docteur, il me faut un nom. Avant que d'autres personnes ne meurent.

– Moi, par exemple ?

Si peu narcissique !

– Oui, c'est possible.

– Ne vous inquiétez pas pour moi, docteur Delaware. Si vous avez raison et qu'il a tué Quigg par vengeance, je ne pense pas courir le moindre danger. Car c'est Quigg qui a tout déclenché, sans lui rien ne serait arrivé. Alors que, pour ma part, j'ai tout fait pour venir en aide au garçon et il m'en a été reconnaissant.

– Une chambre agréable.

– Un environnement qui le protégeait des autres patients.

– Qu'est-ce qui vous permet de croire à sa gratitude ?

– Il m'a remercié.

– Quand ça ?

– Quand je lui ai annoncé mon départ.

– Quel âge avait-il ?

– Quinze ans.

– Il avait déjà passé deux années aux soins spécialisés.

– Oui, *stricto sensu*, mais dans la réalité il avait droit à son propre service personnalisé. Il m'a remercié, docteur Delaware. Il n'a aucune raison de s'en prendre à moi.

– En présumant qu'il soit rationnel.

– Avez-vous des éléments concrets pour supposer que je sois en péril, docteur Delaware ?

– Nous parlons là d'un individu hautement pertur...

– Vous cherchez à me soutirer des renseignements, me coupa-t-il avec un sourire narquois.

– Il ne s'agit pas de vous. Cet homme doit être appréhendé. Il me faut un nom.

J'avais haussé le ton, durci ma voix. Sans raison apparente, Cahane se détendit.

– Auriez-vous l'amabilité d'aller vérifier si je n'aurais pas laissé mes lunettes dans les toilettes, Alex ? Je compte passer l'après-midi en compagnie de Spinoza et de Leibniz. La question de la rationalité et tout ça.

– Dites-moi d'abord…

– Jeune homme, je n'apprécie pas le flou. Aidez-moi à retrouver un peu de cohérence visuelle et peut-être poursuivrons-nous cette conversation.

Je gagnai les toilettes. Un espace confiné, carrelage blanc aux joints crasseux. Une serviette grise élimée accrochée à la paroi en verre bullé d'une douche. Odeurs de vieille eau de Cologne, de savon bon marché et de canalisations défectueuses.

Aucune paire de lunettes à l'horizon. Une chose blanche et anguleuse reposait sur la cuvette des toilettes. Une feuille de papier pliée façon origami, les froissures et les pliages approximatifs trahissant une main mal assurée. Une sorte d'animal trapu. Les bords dentelés indiquaient que la feuille avait été arrachée d'un cahier à spirale. Je le repérai dans le panier en osier à gauche du siège, où se trouvaient également quelques numéros de *Smithsonian* et un pamphlet philosophique. Les pages du cahier étaient toutes vierges.

Je dépliai la feuille. Au centre, des lettres capitales au stylo bille noir, interrompues par l'hésitation en plusieurs endroits :

GRANT HUGGLER
(Le garçon curieux)

Je retournai précipitamment dans le séjour de Cahane, la feuille à la main. Le grand fauteuil en cuir était vide. Cahane n'était plus là. À gauche des toilettes, une porte close. J'y frappai. Pas de réponse.

– Docteur Cahane ?

– J'ai sommeil.

J'actionnai la poignée. Verrouillée.

– Vous n'avez rien d'autre à me dire ?

– J'ai sommeil.

– Merci.

– J'ai sommeil.

31

Le nouveau croquis d'Alex Shimoff fut montré au journal de dix-huit heures. Un présentateur blasé précisa que le suspect portait une canadienne et souffrait peut-être d'insuffisances thyroïdiennes. Durée totale de la diffusion : trente-deux secondes.

Je fis un arrêt sur image. Ce portrait était beaucoup plus ressemblant, une large figure impassible. C'était bien l'homme que j'avais aperçu au Bijou, replié sur lui-même dans un box d'angle, tout près des jeunes mères avec leurs bambins.

– Il a l'air vide, dit Robin. Comme si quelque chose lui faisait défaut. Peut-être que Shimoff a manqué d'éléments.

– Au contraire, dis-je.

Elle me dévisagea. Je lui avais déjà confié en partie ce que Cahane m'avait appris. Je choisis d'en rester là. Blanche nous regarda à tour de rôle. Pensifs et immobiles l'un et l'autre.

– Onze ans, murmura Robin.

Sur ce, elle quitta la pièce.

Milo, aux abonnés absents toute la journée, appela une heure après la diffusion. Mes recherches sur internet concernant Grant Huggler n'avaient rien donné.

– Tu étais devant le poste ? dit Milo. Sacré progrès, non ? Son Exaltation a daigné user de son influence car, pour le citer : « Au point où nous en sommes, autant retourner le merdier pour masquer la puanteur ! » Quoi qu'il en soit, nous tenons un bon portrait dont même Shimoff se satisfait. Ça commence tout juste à s'animer au standard, pour l'instant c'est plus calme que la première fois, peut-être que le public n'a plus rien à nous confier. Moe a tout de même obtenu un tuyau qui mérite d'être vérifié. Une femme qui n'a pas voulu donner son nom, selon laquelle un individu ressemblant au type à la canadienne s'est fait prescrire un traitement contre l'hyperthyroïdie dans un dispensaire d'Hollywood. Elle a raccroché dès que Reed lui a demandé lequel. Un dispensaire à Hollywood, cela colle avec un type à la rue, et c'est par là-bas que traînait Lem Eccles. Petra a contacté quelques établissements, tous fermés pour la soirée. Elle doit les rappeler demain. Si Dieu est d'humeur généreuse, nous obtiendrons un nom.

– Dieu te veut du bien. Notre homme s'appelle Grant Huggler.

– Quoi ?

Je lui racontai la visite chez Cahane.

– Il t'a laissé le fichu nom dans les chiottes ? Pourquoi un tel cinéma ? Pour se donner l'illusion qu'il n'est pas une balance ?

– Un pliage, genre origami. Une mise en scène, tout en cherchant à s'en abstraire. Cahane est un type compliqué, qui dépense beaucoup d'énergie à s'autojustifier.

– Fiable ?

– Je crois qu'il m'a dit la vérité.

– Grant Huggler. Onze ans il y a un quart de

siècle. Il en a donc trente-six aujourd'hui, ce qui correspond aux signalements. Pas un nom très courant. Voyons s'il est inscrit chez nous… Tiens, tiens… type caucasien, un mètre quatre-vingts, cent sept kilos, interpellé à Morro Bay il y a cinq ans pour s'être introduit par effraction chez un médecin, probablement dans l'intention d'y commettre un cambriolage. J'en déduis qu'on l'a pincé alors qu'il s'apprêtait à faire main basse sur des substances stupéfiantes, logique pour un SDF atteint de troubles psychiatriques. Il a plaidé coupable, la détention provisoire couvrait la peine d'emprisonnement. Voici sa photo. Cheveux longs, barbe hirsute. Le visage sous cette prodigieuse pilosité m'a l'air dodu. Quel regard étrange ! Des yeux éteints, qui semblent contempler le grand vide.

– Pas d'arrestation antérieure ?

– Non, c'est tout. Un peu léger comme casier pour un type qui est devenu éventreur en série.

– Morro Bay est situé près d'Atascadero, indiquai-je. L'un des établissements où les patients dangereux ont été transférés à la fermeture de Ventura State. Une première infraction il y a cinq ans, cela signifie peut-être qu'il était interné jusque-là. Ce qui ferait vingt ans d'enfermement.

– Le temps de bien mariner.

– Et de fantasmer.

– Il a dû avoir droit à un traitement, non ?

– C'est possible.

– Je dis ça parce qu'il est peut-être devenu accro à ses médocs, d'où la tentative de s'en procurer chez un médecin. Cela dit, à sa sortie, il a sans doute été suivi quelque part en externe, l'occasion de s'approvisionner légalement.

– À condition qu'il se rende aux consultations. Et

puis l'addiction aux psychotropes est assez rare. Je pencherais plutôt pour une drogue à usage récréatif. Et je parie qu'il ne s'est soumis à aucun suivi médical, au moins pour la simple raison qu'il préfère éviter les salles d'attente.

– Une petite phobie médicale ? Oui, ça se conçoit chez quelqu'un à qui on a ouvert le cou sans raison. D'ailleurs, peut-être qu'il cherchait à chourer des médicaments pour s'épargner la salle d'attente.

– L'angoisse du milieu médical pourrait expliquer son attitude tendue dans la salle d'examen de Glenda Usfel. Ajoute l'irritabilité due à un déséquilibre hormonal et le tempérament brusque d'Usfel, et tu te retrouves avec une situation explosive. Mais il n'a pas réagi de manière impulsive, tout au contraire. Il a su attendre son heure, planifier, la traquer avant d'agir. J'imagine qu'avoir passé la majeure partie de sa vie dans un environnement hautement structuré peut instiller la patience et une singulière persévérance.

– Lui retirer un organe sans aucune justification, grommela-t-il. Faire ça à un gosse. Barbare. Maintenant, il est sorti et pratique la chirurgie à sa façon.

– Pour venger les torts d'hier et d'aujourd'hui. Je serais curieux de connaître le nom du chirurgien qui l'a opéré. Cahane a simplement su me dire que le cabinet se trouvait à Camarillo.

– Une autre victime avant qu'il ne vienne à L.A. ? Aucun crime similaire n'a été signalé nulle part.

– En tout cas, le psychologue qui a organisé la thyroïdectomie a connu, lui, une curieuse fin. Cahane n'a pas perdu de temps pour le renvoyer dès son retour, et le type est mort le lendemain, sur le parking de l'hôpital. Apparemment d'une crise cardiaque. Ça te rappelle quelque chose ?

– La compagne de Lem Eccles. Rosetta. Mon Dieu… Lem Eccles était toqué mais ne divaguait pas ?

– Ce n'est pas tout, mon grand. Le psychologue en question s'appelait Bernhard Shacker.

– Comme celui qui a évalué Vita Berlin pour Well-Start ? Qu'est-ce que c'est que ce bordel ? Un vol d'identité ?

– Je ne vois que ça. L'homme à qui j'ai parlé avait une bonne quarantaine, alors que le psychologue de Ventura en avait quatre-vingts quand il a passé l'arme à gauche. Le vrai Shacker était belge, or j'ai remarqué un diplôme d'une université belge dans le cabinet de l'imposteur. Comme il voyait que je m'y intéressais, il a évoqué sa « période catholique ». Avec Photoshop, pas très compliqué de pondre un beau diplôme.

– Un charlatan qui a pignon sur rue à Beverly Hills.

– Je me demande s'il n'aurait pas à son actif d'autres transgressions que le fait d'exercer sans licence. À deux, nettement plus facile de commettre les meurtres.

– D'où tu nous sors ça ?

– Eccles craignait un gardien à Ventura. Huggler a beau être l'exemple type du marginal asocial, cela n'exclut pas que quelqu'un ait su gagner sa confiance. Une personne rencontrée à Ventura.

– Un autre cinglé, employé comme gardien ? Et qui se fait maintenant passer pour psy. Nous voilà bien !

– Avoir arpenté pendant des années des services où l'on a pu s'imprégner du jargon, voilà qui donnerait un avantage pour jouer la comédie. Eccles a été interné à Ventura à la même époque que Huggler, pour avoir agressé un type dans un bar. Pourquoi veux-tu qu'il ait changé de comportement pendant son séjour ? Il a dû s'y montrer pénible et violent. De quoi se mettre à dos un gardien. Mais le gardien a eu l'intelligence de ne pas s'en prendre à lui, de se venger sur la seule personne qui lui rendait visite : celle qu'Eccles considérait comme sa femme. Elle a bel et bien été empoisonnée. Fort de cette première réussite, le gardien a réservé le même sort à Bernhard Shacker.

– Tu me gonfles, je te bute. Un second lascar à prendre avec des pincettes ?

– Un point commun sur lequel nouer une relation. D'après Cahane, Huggler était docile et coopératif. Néanmoins, pour sa sécurité, on le supervisait pendant ses temps de loisir. Dès qu'il quittait sa chambre, il était sous escorte. Et si ce rôle avait toujours été confié au même gardien, à tel point qu'un lien se serait créé ? Le type qui se fait passer pour Shacker avait la vingtaine à l'époque, l'âge idéal pour prendre sous sa coupe un adolescent isolé. La relation s'est cimentée quand il a supprimé celui qui avait fait subir à Huggler l'ablation injustifiée. Si l'attachement était très fort, qui sait si le mentor n'a pas suivi Huggler à Atascadero, y postulant quand son protégé y a été transféré.

– Aujourd'hui, ils se déplacent ensemble.

– Depuis au moins cinq ans. Si c'est le cas, Huggler n'est pas à la rue. Il est à l'abri chez le tuteur qu'il s'est choisi. Lequel jouit d'une situation confortable à Beverly Hills. Et charge peut-être Huggler de soumettre à sa curiosité particulière les patients qui lui déplaisent. Exemple, Vita. Huggler a certes assisté à la scène avec la famille Banforth, mais je ne l'imagine pas en justicier. Je pense plutôt qu'il se trouvait au Bijou parce qu'il suivait Vita depuis un certain temps. Le motif ? Vita avait insulté le faux Dr Shacker. Je le sais parce qu'il m'a confié qu'elle l'avait quasiment traité de charlatan. Jamais aucun patient ne s'était conduit ainsi. Il en était perturbé. C'est la seule fois au cours de notre rencontre qu'il a baissé sa garde de praticien.

— Quelle langue de vipère, cette Vita. Pitty est sans pitié. Un instant… (Cliquetis de clavier et de souris.) Aucun Pitty ni Shacker dans nos fichiers, ni dans celui du permis de conduire. Je n'obtiens que le cabinet dans Bedford.

— Je propose qu'on arrête un plan ce soir. Demain, on lui rend visite.

— Oui, analysons l'analyste. S'il est dangereux à ce point, on ferait mieux d'envoyer l'armée.

— Mon idée serait que je lui parle, avec toi en soutien.

— Quel angle d'attaque ?

— Je lui demande si autre chose lui est revenu à propos de Vita. Si je sens une ouverture, j'évoque à nouveau l'accusation de charlatanisme, en insistant. Sinon, j'aborde le sujet des autres victimes, je lui demande s'il a des lumières. Quand tu fais parler les gens, des choses leur échappent.

— Laisse-moi appeler Petra, voir ce qu'elle en pense.

Six minutes plus tard :

— La pauvre, elle était en tête à tête avec son chéri au restaurant L'Oise à Brentwood. Pas très loin de chez toi. Ça te dérange si on débarque dans… disons une heure ?

— Aucun problème.

— Demande quand même à Robin.

— C'est bon.

312

– Qu'en sais-tu ?

– Elle t'adore.

– Une faute de goût qui m'étonne de sa part. À dans une heure.

32

Petra fut bientôt là, un sac en papier à la main. Elle portait un fourreau sans manches en soie marine et des sandales rouges à talons. Rang de perles élégant et rouge à lèvres plus foncé que de coutume. C'était la première fois que je la voyais en robe.

– On a interrompu votre soirée en amoureux ? se désola Robin.

– La femme fait des projets et Dieu s'en moque !

Petra se baissa pour caresser Blanche, laquelle se mit aussitôt sur le dos et se vit récompenser d'un massage.

– Nous en étions au plat de résistance, précisa Petra. J'ai pris le dessert à emporter.

– Un café ? proposai-je.

– Corsé, si vous n'y voyez pas d'inconvénient.

J'optai pour du Kenya, dosage musclé. Les femmes prirent place autour de la table et Petra sortit les barquettes qu'elle avait apportées : une sélection de cookies, quatre parts de gâteau au chocolat.

– C'est carrément de la livraison à domicile, dit Robin.

– J'en ai pris pour tout le monde, comme vous sacrifiez votre intérieur paisible à la force obscure !

Un tambourinement sur la porte d'entrée annonça

314

l'arrivée de Milo, le pas pesant. Il était muni d'un sachet en papier kraft graisseux et taché de sucre.

– Qui a braqué une pâtisserie ? demanda-t-il en fronçant les sourcils.

Robin huma l'air.

– Ce roi mage-ci nous apporterait-il des churros en offrande ?

– Ça me semblait une bonne idée, dit-il en posant le regard sur le gâteau au chocolat.

– Sans farine, dit Petra.

– Je n'ai rien contre la farine, mais pourquoi pas ?

Il posa les churros et engloutit une bouchée de gâteau avant même que ses fesses n'atteignent la chaise. Blanche s'approcha et se frotta le museau contre son mollet.

– Mais oui, mais oui, fit-il en daignant la caresser derrière l'oreille.

Elle se mit à ronronner comme une chatte.

– Je sais, faut surtout pas que j'arrête, grogna-t-il.

Robin prit sa tasse et se dirigea vers la porte du jardin, suivie de Blanche.

– Bonne chance ! nous lança-t-elle.

Personne ne chercha à la retenir. Par bienveillance.

– Le faux psychologue serait le comparse de Huggler et le Pitty dont Eccles prétendait qu'il le harcelait ? dit Petra.

– Une hypothèse de travail, petite, dit Milo. Mais je le sens bien. S'il a volé une identité, pourquoi pas une autre ? Je n'ai trouvé aucun Pitty dans nos fichiers, ce n'est peut-être qu'un surnom. Ou bien Eccles délirait complètement et nous faisons fausse route.

Elle se tourna vers moi.

– Quelle impression vous a fait l'imposteur quand vous l'avez rencontré ?

– Un homme cordial, professionnel. Les diplômes requis affichés aux murs. Il ne s'est départi de son rôle qu'une seule fois, pour se plaindre que Vita ait laissé entendre qu'il était un charlatan. Sur le moment, je n'y ai vu que des bavardages entre collègues.

– Apparemment, Vita avait vu juste. Je me demande parfois si les méchants n'ont pas un flair particulier. Peut-être parce qu'ils perçoivent une menace chez tout le monde.

– Mais vois où ça les mène une fois qu'ils sont élus ! dit Milo.

– Très juste. Selon vous, Alex, elle a été tuée parce qu'elle l'avait insulté ?

J'opinai du chef.

– L'un dégaine, l'autre s'en donne à cœur joie. Nous avons deux individus qui agissent de concert, des strates de pathologie qui se nourrissent mutuellement. À la base, on trouve la fascination de Huggler pour la plomberie du corps humain, dont je suis bien incapable de vous dire d'où elle vient. Il est normal pour les enfants de s'interroger sur le fonctionnement de l'organisme et chez certains cette curiosité peut perdurer et trouver un prolongement professionnel. Cela donne des mécaniciens, des ingénieurs, des anatomistes, des chirurgiens. Chez une infime minorité, l'intérêt vire à l'obsession et s'enchevêtre à la sexualité de manière effroyable.

– Dahmer, Nilsen et Gein[1], cita Petra.

– Tous ont été décrits comme ayant été des enfants atypiques, mais aucun n'a eu une enfance horrible. Le meurtre de sa mère par Huggler laisse entendre que son éducation a été tout sauf optimale, mais cela ne suffit

1. Célèbres tueurs en série.

nullement à expliquer son geste. Pour une raison ou une autre, un court-circuit s'est produit dans son cerveau et il a commencé à lier la gratification sexuelle et le fait de plonger les mains dans des boyaux visqueux. Enfermé la majeure partie de sa vie, il était un sujet d'observation tout désigné et je suis prêt à parier que son observateur le plus assidu et le plus perspicace n'a pas été un médecin. Ce fut un jeune homme qui occupait un poste déconsidéré. Quelqu'un qui n'était pas convié aux réunions de service, mais qui aspirait à la reconnaissance et avait le temps d'être attentif à quantité de signes intéressants.

— Les médecins vont et viennent, dit-elle, alors que les gardiens passent huit heures d'affilée dans le service.

— Et le gardien en question avait sans doute un flair aiguisé pour les dépravations, un sujet qui le touchait personnellement.

— Ses propres déviances.

— Phéromones de psychopathes, dit Milo. On se reconnaît entre monstres.

— Pitty, appelons-le ainsi, dis-je, a longuement observé Huggler, jusqu'à devenir expert. Il a sympathisé avec l'enfant et une relation mentor-disciple s'est développée. Le garçon se trouvait enfin face à quelqu'un qui comprenait ses pulsions au lieu de les condamner. Pitty se chargeait peut-être de lui procurer des animaux avec lesquels s'amuser.

— Qu'y gagnait Pitty ?

— L'adulation, la soumission ou bien le simple fait d'avoir un alter ego avec qui communiquer. Compte tenu de la jeunesse de Huggler et de son apparente adaptation, il avait bon espoir de sortir à l'âge adulte. Mais Colin Quigg est venu tout gâcher en exerçant lui-même son sens de l'observation. Huggler a subi une opération injustifiée et a été transféré aux soins spécialisés. S'il est en liberté depuis seulement cinq ans, c'est qu'il a dû être transféré dans un autre hôpital, sans doute Atascadero, où il aura subi un internement à la dure. La relation avec ce type prétendument attentionné était son seul lien avec la réalité.

– Pitty le suit, la réalité de Pitty devient la sienne ? dit Petra. Cette opération, quel exemple inouï de maltraitance par une institution ! On pourrait presque y voir un prêté pour un rendu : on lui ouvre le cou, lui tord le cou à d'autres. D'ailleurs, pourquoi ne leur tranche-t-il pas la gorge ? Ce serait une vengeance plus symbolique, non ?

– Je pourrais vous échafauder des théories jusqu'à demain matin. Peut-être évite-t-il d'égorger pour ne pas appuyer là où ça fait mal, façon de parler. À la vérité, il est possible qu'on ne comprenne jamais ce qui alimente le moteur de Huggler.

– Ventura ferme, dit Milo. Le mentor suit son disciple, lequel finit par sortir, et son mentor le façonne en arme létale. C'est ta deuxième strate ?

– Oui, l'arme qui frappe les personnes à qui l'un ou l'autre garde rancune. Pitty n'est peut-être pas du genre à se salir les mains, mais s'il est bien l'être narcissique, avide de pouvoir, froid et calculateur que je pense, il aura soif de vengeance pour des affronts que la plupart d'entre nous balaierions d'un revers de main.

– Faut-il tabler sur quelque chose de sexuel entre eux ? s'enquit Petra.

– Peut-être, mais pas nécessairement. Il est possible que ni l'un ni l'autre n'ait de vie sexuelle au sens conventionnel.

– Les gens qui m'agacent, fit Milo, je leur adresse

mon jeune camarade et il s'en sert pour ses expériences d'anatomie.

– Et le jeune camarade s'en donne à cœur joie, dis-je. C'est la troisième strate. La parfaite collaboration qui satisfait aux besoins de chacun. Prenons le cas de Vita Berlin. Une femme insupportable, hargneuse, qui semait la méchanceté partout où elle passait. Comme tous les bourreaux, elle avait l'art de repérer qui ferait une bonne victime. L'homme qu'elle connaissait sous le nom de Dr Shacker semblait la cible parfaite : physique anodin, comportement affable, psychologue de métier. On nous imagine comme des gens patients, pondérés dans leur jugement. Songez aux personnages de thérapeutes au cinéma : la plupart du temps, on nous dépeint comme des poltrons distraits. Vita n'avait pas d'autre choix que de rencontrer cette mauviette si elle voulait toucher son indemnité, mais elle ne laisserait pas passer l'occasion de se défouler. D'emblée, elle résiste et lui envoie des piques, et elle finit par le traiter ouvertement de charlatan. Malheureusement pour elle, il est tout sauf pondéré. Je ne serais pas surpris que la condamnation à mort soit tombée dès que l'injure a franchi les lèvres de Vita.

– Il confie ça à Huggler, dit Milo. Une opération des plus simples, vu que le faux Shacker avait l'adresse et le téléphone, et pouvait fournir un signalement.

– Et malgré ses réticences, renchéris-je, Vita avait peut-être laissé échapper quelques renseignements au cours de l'évaluation avec Shacker, des éléments qui ont facilité la traque. Huggler a été aperçu près des poubelles du bâtiment de Vita. À mon avis, il les a fouillées et il est tombé sur les bouteilles vides, en a déduit qu'elle buvait souvent, en solitaire. S'il y avait des cartons à pizza, ça a pu lui donner une idée pour son guet-apens. De manière générale, les habitudes de Vita n'étaient pas compliquées à cerner, vu qu'elle sortait peu, excepté pour faire ses courses et manger de temps en temps au Bijou.

– Crois-tu que Pitty ait pris part au meurtre ?

– Peut-être qu'il tenait les victimes en respect avec un pistolet, ou jouait les guetteurs. Deux complices, ça expliquerait l'absence de résistance, même de la part d'une furie comme Vita.

– Avec son caractère, dit Petra, ce n'était pas gagné pour le coup de la pizza. Elle aurait pu être à peu près sobre et faire un esclandre, non ?

– « Désolé, madame. Je me suis trompé d'adresse… » dis-je. Huggler repart et ils attendent une autre occasion.

– Eccles qui somnolait dans une ruelle, dit Milo, c'était un jeu d'enfant. Idem pour Quigg.

– Si nos suppositions concernant Quigg sont fondées, dit Petra, c'était lui la cible principale, le responsable tout désigné des malheurs de Huggler. Avec une telle rancœur, pourquoi attendre cinq ans pour l'éliminer ?

– Peut-être qu'il y avait d'autres cibles non moins importantes, Shacker par exemple, une liste qu'ils cochent dans l'ordre.

– Ou encore, dit Milo, le chirurgien qui lui a tranché la gorge.

– Oh… dis-je.

Tous deux me dévisagèrent.

– Huggler a été interpellé à l'arrière d'un cabinet médical où il s'apprêtait à entrer par effraction. La police a supposé qu'il voulait se procurer des narcotiques. Et s'il existait un lien plus personnel entre Huggler et le médecin ?

– Traque au chirurgien ? dit Milo. Le seul problème, c'est que l'arrestation s'est déroulée à Morro Bay, soit à cent cinquante kilomètres de Camarillo où a eu lieu l'opération.

– Les gens déménagent.

– Le même chirurgien aurait été installé à proximité de deux hôpitaux où Huggler a été interné ?

– J'y ai réfléchi. Peut-être que Huggler lui a été amené en vertu d'un arrangement qui existait avec Ventura, une sorte de consultant externe. Quand Ventura a fermé, le type a mis en place un système similaire avec Atascadero.

– Un médecin qui n'a pas réussi dans le privé, dit Petra. Lui-même a peut-être certains problèmes.

– Seules les questions d'éthique ne lui posent pas de problème, dis-je.

– Vivre aux crochets de l'hôpital public ? dit Milo. Après tout, pourquoi pas.

Petra sortit son iPhone, joua de l'index et fit défiler du texte.

– C'est quoi ? demanda Milo.

– Mes notes.

– Tu es passée au tout-numérique ?

– Je pioche certaines données du registre d'enquête pour y réfléchir à la maison... Voici. Huggler a été interpellé à la clinique chirurgicale Bayview, comté de San Louis Obispo. Déjà, c'est la bonne spécialité.

Ils me suivirent dans mon bureau où j'effectuai une recherche sur la clinique Bayview. Rien dans l'annuaire. Toutefois, une télé locale de San Louis Obispo avait diffusé un reportage, quatre ans auparavant, sur la disparition d'un certain « Louis Wainright, chirurgien en poste à la clinique Bayview. Wainright, âgé de cinquante-quatre ans, a été aperçu pour la dernière fois il y a onze jours, alors qu'il marchait avec son

321

chien dans les collines au-dessus de San Luis Obispo. Son SUV a été retrouvé sur un parking destiné aux promeneurs, mais ni lui ni Ned, son braque allemand à poil court, n'ont été vus depuis. »

Ailleurs, il était question des recherches qui n'avaient rien donné, menées par les forces de l'ordre et une patrouille de scouts. J'obtins la photo de Wainright : un barbu à la mine sévère, cheveux gris, puissante mâchoire et peau burinée.

– Un petit air d'Hemingway, dit Petra. Il promenait son chien, comme Quigg. Et notre jeune ami est attiré par les bêtes.

– On va déjà s'assurer que Wainright n'a pas réapparu, dit Milo.

Il appela la police de Morro Bay, tomba sur un officier du nom de Lucchese qui se souvenait de Wainright car celui-ci lui avait enlevé un fibrome graisseux dans le dos.

– Bon chirurgien ?

– Pas vraiment. J'ai gardé une cicatrice en bourrelet. Et le type n'était pas franchement à l'écoute, genre je charcute et je me tire. Mais j'ai fait appel à lui parce qu'il avait un accord avec notre assurance-maladie.

– Des hypothèses sur ce qui lui est arrivé ?

– Il faisait une randonnée dans un coin assez escarpé. Il s'est probablement fracturé la jambe, ou il s'est évanoui, ou il a fait une crise cardiaque ou une attaque, enfin vous voyez. Coincé dans un endroit inaccessible, il est mort soit sur le coup, soit d'hypothermie ou de déshydratation. Puis les pumas ou les coyotes, voire les deux, lui ont fait un sort.

– Vous n'avez jamais envisagé la piste criminelle ?

– Aucune raison. Pourquoi vous intéressez-vous à lui, lieutenant ?

– Un ancien patient de Wainright est soupçonné dans une affaire de meurtre.

– Ah bon ? Qui ça ?

– Un ancien patient interné à Ventura State et à Camarillo, quand Wainright y bossait.

– Un timbré ? Ça ne manque pas à Atascadero, et j'imagine que l'un d'eux aurait pu connaître Wainright. Mais ces types-là ne sortent jamais, ils sont le cadet de nos soucis. (Il gloussa.) C'est encore la meilleure thérapie : les enfermer et jeter la clé !

– Wainright travaillait à Atascadero ?

– À temps partiel, répondit Lucchese. Encore un arrangement. Mais il n'y a pas eu la moindre évasion à l'époque de sa disparition, aucune alerte, pas le moindre problème. Je veux bien me renseigner pour vous, mais je doute d'apprendre quoi que ce soit.

Milo le remercia et raccrocha.

– Mon Dieu, murmura Petra.

– Shacker a été le premier, dis-je. Et dès que Huggler est sorti, ils se sont occupés de Wainright. L'interpellation a juste retardé les choses, sans décourager notre duo. Un an plus tard, Wainright y passait à son tour.

– Facile de le traquer pendant ses randonnées, dit Milo. Comment pouvait-il craindre la vengeance d'un patient traité près de vingt ans auparavant ?

– Même l'arrestation de Huggler ne lui aurait pas mis la puce à l'oreille. Peu probable qu'il se souvienne de son nom, s'il l'avait jamais connu. Quand bien même, la police de Morro Bay pensait avoir affaire à un junkie qui voulait se procurer de la came, aucune raison de communiquer l'identité du suspect interpellé au chirurgien. Et puis pourquoi Wainright ferait-il le lien entre un adulte et un enfant opéré deux décennies auparavant ?

– Le chirurgien devient le patient, dit Petra. Dingue. Combien d'autres victimes allons-nous retrouver ?

– Si Huggler et son mentor ont su patienter avant de se faire Wainright, Quigg et Dieu sait qui encore, quelle urgence y avait-il à supprimer Shacker ?

– Shacker, Pitty s'en est occupé tout seul, dis-je. Une manière pour lui de faire ses preuves et de cimenter le lien avec Huggler. Il lui fallait frapper fort et vite.

– Regarde un peu ce que j'ai fait pour toi, mon pote ! dit Petra.

– D'autant que le temps pressait. Shacker était âgé, il venait d'être renvoyé et risquait de déménager. Pitty a donc eu recours à une technique qui lui avait bien réussi quelques mois plus tôt.

– L'empoisonnement, dit Petra. La compagne d'Eccles. Ça fait deux personnes qui tombent raides mortes quelques instants après avoir quitté l'hôpital. Quel type de poison permet un dosage aussi précis ?

– Pas forcément un poison en tant que tel, dis-je. Pour un homme de l'âge de Shacker et avec ses habitudes alimentaires, une forte dose de stimulant cardiaque a pu faire l'affaire. Quant à l'amie d'Eccles, alcoolique et accro à la cocaïne, elle avait aussi le cœur fragile.

– Pas de poison à proprement parler, dit Milo, ça signifie des analyses toxicologiques négatives. (Il se leva, arpenta la pièce en se caressant le lobe de l'oreille droite.) Tout ce que tu avances se tient parfaitement, Alex. Mais à moins que l'un des deux monstres ne passe aux aveux, je vois mal ce qu'on pourra coller au mentor, mis à part l'usurpation d'identité et l'exercice illégal de la psychologie. Et le disciple pourrait bien s'en sortir également : il n'a laissé aucune trace, nous n'avons que des témoignages équivoques et le V de la victoire adressé à John Banforth, qui peut donner lieu à diverses interprétations.

— Il faut mettre la main sur eux et les séparer. Huggler est susceptible de craquer.

— Fasse que Dieu nous ait mis sur écoute ! dit Petra. Moi, la chronologie me pose un autre problème. Si Pitty en a eu assez de se faire cracher dessus par Eccles et s'est vengé sur sa copine, pourquoi attendre autant d'années avant de s'en prendre au cracheur lui-même ?

— Peut-être a-t-il trouvé plus jouissif de voir Eccles souffrir que de le supprimer. Parce que Eccles savait très bien ce qui était arrivé, mais ne pouvait rien y faire.

— Qui prêterait attention aux divagations d'un déséquilibré ? dit Milo.

— Pitty comptait peut-être se faire Eccles à sa sortie, dis-je, mais Eccles a disparu dans la nature et Pitty n'a pas réussi à le retrouver. Quant à expliquer pourquoi Eccles n'a pas cherché à se venger de Pitty, c'est peut-être sa maladie mentale qui l'en a empêché : il était trop perturbé et confus pour mettre au point une stratégie.

— Ou tout simplement il a pris peur et a préféré disparaître, suggéra Petra.

— Et Pitty tombe sur Eccles à Hollywood des années plus tard, par hasard ? dit Milo.

— Pas une si grosse coïncidence que ça, objectai-je. Tu as reçu un tuyau selon lequel Huggler s'est rendu dans un dispensaire d'Hollywood. Ce quartier attire les marginaux et les gens de passage. Shacker s'offrant un cabinet à Beverly Hills, je supposais qu'il devait loger dans les beaux quartiers. Mais peut-être qu'il est obligé d'économiser pour se le payer et que Huggler et lui louent une chambre à la semaine.

– Dans mon secteur, dit Petra. Réjouissant.

– On peut continuer à pondre des scénarios toute la soirée, dit Milo, mais pour l'instant on n'est même pas certains que Huggler a été transféré à Atascadero, ni que Pitty, dont ce n'est probablement pas le nom, l'y ait suivi. Il ne nous reste qu'à filer le faux psy, l'arrêter pour usurpation d'identité et voir ce que ça donne. Le quartier commerçant de Beverly Hills est peu étendu, il va falloir la jouer discret, autrement dit effectifs supplémentaires et profil bas. Je vais convier Moe et Sean, et les hommes que le central de Beverly Hills voudra bien me prêter, à condition qu'ils acceptent de coopérer. Et je ferais bien signe à Raul, si tu es d'accord.

Petra joignit son partenaire.

– C'est bon, dit-elle.

– Au fait, vous avez pu obtenir le PV pour la dernière arrestation d'Eccles ? demandai-je.

– Tout à fait. La personne qui a porté plainte ne s'appelait pas Pitty, ni rien d'approchant. Ed quelque chose.

– Quelle adresse a-t-il fournie ?

– Vous pensez vraiment qu'il pourrait s'agir de Pitty ?

– Pour une raison ou une autre, Eccles s'est emporté en le voyant.

Nouvelle consultation de l'iPhone.

– M. Ed Loyal. (Elle lut l'adresse et le téléphone, plissa les paupières.) Main Street, à Ventura. Un quartier commerçant, non ?

– Surtout, Camarillo est tout proche, un peu au sud.

Elle saisit l'adresse dans le GPS.

– Il n'y a là qu'un vaste parking, les gars.

Elle composa le numéro de téléphone qu'Ed Loyal

avait fourni à la police. Numéro non attribué. Après vérification, la ligne n'avait jamais existé.

– Ed Loyal, ça sonne faux, observa Milo.

– Ce n'est pas un nom, renchéris-je. C'est ainsi qu'il se perçoit. *Aide loyale.*

33

Milo pianota sur le clavier de mon ordinateur avec le sérieux d'un enfant absorbé par un jeu vidéo. Ed Loyal n'avait ni adresse, ni permis de conduire, ni casier judiciaire.

– Quelle surprise ! maugréa-t-il.

Il appela Maria Thomas qui s'agaça d'être dérangée chez elle et rechigna à prévenir le chef. Après une entrée en matière pleine de tact, Milo en vint à insister d'un ton doucereux, avant d'en arriver à des menaces à peine voilées. Comme souvent les bureaucrates, Maria Thomas manquait de volonté face aux interlocuteurs déterminés. Milo eut le chef quelques minutes plus tard et en fut réduit à l'écouter, la mine impassible. Ensuite, ce fut au tour d'un inspecteur galonné de Beverly Hills nommé Eaton de le joindre. Comme Milo voulait se justifier, l'autre l'interrompit.

– L'ordre vient directement de mon boss. Vous croyez que j'ai le choix ?

Quand Milo eut raccroché, Petra dit :

– J'aimerais bien être lieutenant, un jour.

– C'est comme si tu rêvais d'avoir des rides !

À six heures le lendemain matin, nous n'étions pas moins de huit à épier l'immeuble de Bedford Drive où un individu non encore identifié se faisait passer pour le Dr Bernhard Shacker. Le jour dessinait des marbrures jaunes dans le ciel gris satin de Beverly Hills qui émergeait à peine du sommeil. Un camion de livraison passait de temps à autre. À l'exception de quelques joggeurs et des maîtres esclaves du système digestif de leur adorable toutou, les trottoirs étaient déserts.

La police de Beverly Hills connaissait l'adresse en question pour y avoir interpellé, trois ans auparavant, un chirurgien esthétique et son épouse, tous deux coupables de violences conjugales.

– Scène de ménage dans la salle d'attente, nous avait dévoilé l'inspecteur Roland Munoz. Belle panique pour les clientes anorexiques liftées de partout !

Nous étions en place depuis une heure quand le concierge déverrouilla la porte d'entrée en laiton. Les locataires disposaient de leur propre clé et d'un code, leur permettant un accès sept jours sur sept et vingt-quatre heures sur vingt-quatre. Toutefois, Munoz et son collègue Eaton, chargés d'une planque qui promettait d'être fructueuse en heures sup, n'avaient noté aucun mouvement depuis vingt et une heures la veille, après avoir vu sortir au compte-gouttes les ultimes soignants harassés, parmi lesquels ne figurait pas Shacker. Les voitures de patrouille qui étaient passées une fois par heure au cours de la nuit n'avaient signalé aucune activité aux abords de l'immeuble. Pas de certitude absolue, certes, mais on était à peu près sûr que l'usurpateur d'identité ne s'était pas encore présenté.

La porte à l'arrière du bâtiment, qui s'ouvrait elle aussi avec une clé, était surveillée par Sean Binchy depuis une camionnette empruntée à la compagnie d'électricité. Munoz s'était joint à lui, un homme au tempérament jovial et ravi de cette opération qui le changeait des fausses alertes au cambriolage chez de riches hystériques. Sans parler des chats perdus : la semaine précédente, une habitante de North Linden Drive avait appelé le 911 pour signaler la disparition de Melissa. À entendre sa voix paniquée, le dispatcheur avait cru à une adolescente en danger, pas à un angora bloqué en haut d'un arbre.

Le centre médical ne disposait pas d'un parking, mais les médecins et leurs assistants bénéficiaient d'un tarif préférentiel au parking payant situé deux numéros plus loin et qui ouvrait à six heures et demie. De si bonne heure, il restait toutefois quantité de places disponibles aux parcmètres, mais seules sept voitures en avaient profité pour l'instant. Milo vérifia les numéros d'immatriculation, rien d'intéressant. Nous stationnions dans Bedford Drive côté est, à une vingtaine de mètres de la porte d'entrée en laiton, installés dans une Mercedes 500 gris métallisé aux vitres fumées. Milo l'avait réquisitionnée à la fourrière du LAPD ; l'ancien propriétaire était un dealer en ecstasy de Torrance. L'intérieur était impeccable : cuir de vachette noir, acier brossé, revêtement blanc soyeux au sol et au plafond, dont la moindre peluche avait été aspirée pour l'enquête. À la forte odeur de détergent se mêlait celle des cacahuètes enrobées de miel que Milo grignotait. Il m'avait conseillé de m'habiller à la mode de Beverly Hills.

– C'est-à-dire ?

– Lâche-toi un peu pour te fondre parmi les m'as-tu-vu.

Je m'étais contenté d'un jean et d'un pull-over gris, orné du nom d'un couturier italien, que j'étrennais pour l'occasion. Un cadeau offert dix ans auparavant par la sœur que je ne vois jamais. Dans un vêtement griffé, je me fais l'effet d'un imposteur. Milo avait opté pour un jogging bleu roi dont les larges bandes de lamé argent évoquaient des coulures de mercure. Logo surdimensionné aux manches et sur une cuisse, un chanteur hip-hop qui m'était inconnu. Milo flottait dans l'accoutrement, pas un mince prodige. Les nombreux plis, bouchons et bourrelets auraient rendu jaloux un sharpeï. J'étais parvenu à tenir ma langue jusque-là, mais ne pus m'empêcher de lancer :

– Bravo !

– Pourquoi ?

– Tu t'es lâché sur les enchères à la vente des fonds de placard de Suge Knight.

– Hum. Je l'ai eu à un prix très intéressant chez Barneys. Aux soldes privés pour VIP, je te prie. Si ce genre de détail te semble pertinent.

– Dans mon domaine, tout est signifiant. Comment as-tu obtenu un sésame ?

– Le directeur du magasin a eu un accident de voiture, Rick lui a sauvé son nez.

Une silhouette svelte passa sur le trottoir, jolie foulée. Vêtue d'une culotte de cycliste et d'un sweat noir, Petra achevait un deuxième tour du pâté de maisons. Le rôle que lui avait assigné Milo ne la changeait guère de sa routine matinale et elle s'en acquittait avec entrain. Près du carrefour de Wilshire, un sans-abri vêtu de guenilles d'un gris marronnasse n'avait pas l'air de savoir où aller, dodelinant de sa tête coiffée d'un bonnet de ski. Il lança un regard au soleil matinal, traversa hors des clous et marcha vers l'est. Moe Reed s'était porté volontaire pour ce rôle.

– Un garçon soigné comme toi ? s'était étonné Milo.

– Je l'ai déjà fait l'an dernier, boss. Pour surveiller une crapule à Hollywood.

– Je vous assure qu'il était très convaincant, était intervenue Petra.

– Parfait. On va te procurer des fringues miteuses.

– Pas besoin, j'ai conservé celles de l'autre fois.

– Tu les as lavées ?

– Bien sûr.

– Tant pis pour l'authenticité. C'est bon, à toi de jouer !

Les septième et huitième membres de l'équipe étaient des agents en tenue du central de Beverly Hills, deux femmes qui passaient en voiture toutes les dix minutes. Le second portrait-robot de Grant Huggler réalisé par Shimoff était fixé à la plage avant de leur véhicule de patrouille, ainsi que le signalement du faux Dr Shacker tel que je l'avais fourni. Une forte présence policière n'avait rien d'étonnant dans ces quartiers riches : le temps moyen d'intervention n'excède pas les trois minutes et les habitants sont toujours rassurés de constater qu'on veille sur eux.

Quelques voitures s'engageaient dans le parking payant, à présent ouvert. Treize véhicules supplémentaires avaient profité des places encore disponibles dans la rue. Les numéros ne donnèrent rien, mis à part une femme domiciliée dans South Doheny Drive et qui en était à six cents dollars de contraventions impayées, toutes pour mauvais stationnement. Ce matin-là, sa Lexus était conduite par une femme asiatique en tenue blanche d'employée de maison, venue chercher une commande à emporter au délicatessen du coin. Toujours aucun signe de l'un ou l'autre suspect à huit heures, quand les patients commencèrent de franchir la porte en laiton à double battant. Toujours rien à neuf heures, dix heures, dix heures et demie. Milo bâilla et se tourna vers moi.

– Tu démarrais tôt, quand tu avais ton cabinet ?

– C'était variable.

– En fonction de quoi ?

– Le nombre de patients, les urgences, les dépositions au tribunal. Peut-être se contente-t-il d'expertises médicales. Avec des horaires tranquilles.

– Un escroc doublé d'un assassin recruté par des compagnies d'assurances ? dit-il en souriant. J'imagine la lettre de motivation !

Il descendit, marcha jusqu'au déli, commanda quelque chose et détailla les trois clients au comptoir. Au bout de quelques minutes, il nous rapporta des bagels et du café bouilli. Le silence se prolongea, entrecoupé de bruits de mastication et de déglutition. À onze heures, Milo eut un nouveau bâillement et s'étira.

– Bon, ça suffit.

Il contacta Reed par radio et lui signifia de déplacer ses guêtres trouées de Wilshire à Bedford où il pourrait surveiller l'entrée. Puis il informa les autres membres de l'équipe qu'il allait jeter un coup d'œil à l'intérieur.

– Je t'accompagne, dis-je. Je pourrai te signaler Shacker.

Il y réfléchit.

– D'accord, même si je doute de l'y trouver.

Comme nous traversions l'entrée à moquette bleue et boiseries en chêne, son jogging flottant lui valut quelques regards amusés. Mon chandail griffé n'avait rien de drôle en soi, mais deux jeunes infirmières me sourirent et pouffèrent dès que je leur eus tourné le dos. Deux apprentis clowns, rien de tel pour détendre l'atmosphère.

Je suivis Milo dans l'escalier jusqu'au palier du premier où il entrebâilla la porte et scruta rapidement le couloir. Le 107 était tout proche. La plaque au nom de Shacker n'était plus là. Milo s'approcha et observa le panneau attentivement. Il me fit signe de le rejoindre. Des traces de colle étaient visibles. Dépose récente.

– Shimoff est trop bon dessinateur, grogna-t-il. Le fumier aura reconnu la figure de son prodige à la télé et décidé de se terrer.

Il informa les autres que les suspects n'allaient sans doute pas se présenter, leur commanda de rester malgré tout en place. Au rez-de-chaussée, aucun gérant parmi les occupants listés. Un employé de la pharmacie nous vint en aide au moyen d'une carte de visite soigneusement rangée. Nourzadeh Immobilier, bureau dans Camden Drive, à deux pas de là. Carte au nom d'Ali Nourzadeh, le directeur. Absent, mais Milo obtint une secrétaire au bout du fil. La jeune femme qui se présenta dix minutes plus tard portait un pull cachemire rouge à col bénitier et poignets brodés de strass, un fuseau noir et des talons de dix centimètres. L'anneau qu'elle avait à la main retenait plus de clés qu'il n'en fallait pour dévaliser un quartier tout entier.

– Je suis Donna Nourzadeh. Quel est le problème ?

Milo exhiba son badge, indiqua les traces de colle.

– À moins que vos panneaux n'aient tendance à se décrocher, on dirait que votre locataire a filé.

– Mince. Vous êtes sûr ?

– Non, mais on n'a qu'à vérifier à l'intérieur.

– Je ne suis pas certaine que ce soit autorisé.

– Pourquoi donc ?

– L'occupant a des droits.

– Pas s'il abandonne les lieux.

– Nous n'en savons rien.

– Il suffit d'entrer pour en avoir le cœur net.

– Hum…

– Depuis combien de temps avez-vous le Dr Shacker comme locataire, Donna ?

– Ça fait sept mois.

Peu de temps avant l'expertise de Vita Berlin pour Well-Start. Où l'on avait négligé de vérifier son CV, peut-être appâté par un tarif avantageux.

– Bon locataire ? demanda Milo.

La jeune femme prit le temps d'y réfléchir.

– Nous n'avons jamais reçu aucune plainte et il a versé six mois d'avance.

– Ce qui fait quel montant ?

– Vingt-quatre mille.

Milo fixa le trousseau de clés.

– Il a fait quelque chose de mal ? s'enquit Donna Nourzadeh.

– C'est fort probable.

– Il ne vous faut pas un mandat ?

– Comme je vous l'ai dit, dès lors que le Dr Shacker a vidé les lieux, vous êtes seule responsable et votre autorisation suffit.

– Hum…

– Pourquoi vous n'appelez pas votre patron ?

Elle suivit son conseil, eut un court échange en farsi, puis choisit une clé et la tendit vers la serrure. Milo l'arrêta d'un index puissant, posé sur son menu poignet.

– Il est préférable que je m'en charge.

– Et je fais quoi en attendant ?

– Vous vaquez à vos occupations.

Il lui prit la clé et elle se dépêcha de disparaître.

La salle d'attente exiguë et blanche n'avait pas changé depuis que j'y étais passé. Même trio de fauteuils, mêmes magazines. Même musique new age en sourdine, une sorte de solo de harpe réalisé par ordinateur. Quant aux deux voyants, le rouge était allumé. En consultation.

Milo sortit son 9 millimètres, s'approcha de la porte intérieure et frappa. Pas de réponse. Nouvelle tentative, même résultat. Sa main enserra la poignée qui tourna en grinçant. Il se positionna à gauche de la porte.

– Docteur ?

Toujours rien. D'une voix plus forte :

– Docteur Shacker ?

Un air de flûte succéda à la harpe, arpège nasillard et vibrato grossier. Cela tenait de la plainte mécontente et geignarde. Du bout du pied, Milo poussa le battant de quelques centimètres. Attendit, agrandit l'entrebâillement pour pouvoir jeter un coup d'œil.

Un renflement de la taille d'une cerise lui déforma soudain les joues. Ses dents s'entrechoquèrent et il rangea son revolver. Il me fit signe d'entrer avec lui.

34

Des voilages obstruaient la fenêtre donnant sur Bedford Drive. Le faible éclairage de la lampe à abat-jour conférait un aspect grisâtre aux murs bleu canard. Le bureau en noyer était nu. Les diplômes étaient toujours accrochés. Le pseudo-psychologue n'en aurait plus besoin dans son nouveau rôle.

Dans la pénombre, le tableau d'inspiration cubiste figurant du pain et des fruits semblait terne et miteux. Les deux fauteuils scandinaves avaient été rapprochés pour un entretien plus intime.

L'un d'eux était inoccupé, tandis qu'un objet reposait sur son vis-à-vis. Milo alluma le plafonnier pour mieux voir. Un bocal rempli d'un liquide transparent et visqueux était appuyé au dossier. À l'intérieur flottaient deux formes rondes et grisâtres. Milo se ganta, s'accroupit et s'en empara. L'un des globes pivota, nous dévoilant d'autres coloris. Du bleu pâle, et en son centre un cercle noir. À l'opposé sur la sphère, des filaments rosés qui faisaient penser à des vermisseaux. Quand il fit tourner le récipient, la deuxième chose oscilla et nous vîmes qu'elle présentait les mêmes teintes, les mêmes franges.

Une paire d'yeux. Des yeux d'être humain. Tels

deux gros oignons grelot s'agitant dans un cocktail monstrueux.

Milo reposa le bocal où il l'avait trouvé et demanda par radio une équipe de la police scientifique, en urgence. Pendant qu'il prévenait les autres, je remarquai un détail qui clochait. Le cadre le plus imposant, celui qui figurait pile au centre derrière le fauteuil du praticien, avait été altéré. La première fois que je l'avais vu, il exhibait le diplôme attestant que Bernhard Shacker avait obtenu son doctorat à l'université de Louvain. Une feuille blanche cachait désormais cet objet de fierté. Je m'avançai précautionneusement. La colle se devinait au pourtour du verre, parce que le papier avait gondolé. Un rectangle blanc, pourvu d'un unique message :

?

35

Un enquêteur du coroner du nom de Rubenfeld se chargea du bocal.

– Jamais rien vu de pareil, dit-il. Il y a une première à tout.

– Peut-on estimer depuis combien de temps ils sont conservés là-dedans ? demanda Milo.

Rubenfeld plissa les paupières.

– Si ça datait, la décoloration serait sans doute plus avancée, mais c'est difficile à dire. (Il agita doucement le liquide.) La partie amputée a un peu terni. Vous voyez ce qui ressemble à des plumes ? Ce sont de petits vaisseaux sanguins. Les globes ont un aspect légèrement caoutchouteux, non ? Il pourrait s'agir de spécimens de laboratoire.

– Ça, pour être des spécimens… Mais je doute que ça vienne d'un labo.

L'enquêteur s'humecta les lèvres.

– À mon niveau de salaire, vous savez, on n'est pas qualifié pour dater les morceaux de corps. Le Dr Jernigan saura peut-être vous en dire plus. (Il contempla les deux fauteuils.) Il y a une chose dont vous pouvez être à peu près sûr. Avec des iris de ce bleu, votre victime est certainement quelqu'un de blanc.

– Merci pour le tuyau.

Milo n'avait pas attendu l'arrivée de la police scienti-fique pour obtenir les caractéristiques physiques figurant sur le permis de conduire du Dr Louis Wainright : yeux bleus, acuité ne nécessitant pas le port de verres correcteurs.

– Au moins, pas besoin de brancard, dit Rubenfeld en secouant délicatement le bocal.

Milo apprit de Donna Nourzadeh qu'une équipe de cinq personnes se chargeait du ménage en semaine. Toutefois, l'entretien n'était plus assuré dans l'immeuble depuis trois jours en raison d'un contretemps.

– Un problème de planning. Maintenant, lieutenant, si vous permettez que j'y aille…

Il la laissa partir et se tourna vers moi.

– Le monstre a déposé le bocal au cours des der-nières soixante-douze heures.

S'il a décidé d'exhiber les yeux, songeai-je, c'est qu'il s'attendait à être démasqué. Par le point d'interro-gation, il confirmait son implication dans les meurtres. Il nous narguait, avec aplomb. Parce qu'une nouvelle phase commençait pour lui ?

Quelles que soient ses intentions, l'homme qui se faisait appeler Shacker s'était livré à un ménage soi-gneux. L'aspirateur avait été passé sur la moquette qui ne livra que quelques miettes de pain. Toutes les surfaces avaient été essuyées, jusqu'aux endroits où des empreintes sont souvent oubliées. Les techniciens se décourageaient alors que les opérations touchaient à leur fin. Soudain, une jeune femme poussa un cri victorieux et brandit le ruban adhésif qu'elle venait de décoller du verre d'un diplôme, celui accroché à gauche du doctorat recouvert du point d'interrogation. L'inscription de Shacker à l'ordre des psychologues, date retouchée avec Photoshop et papier de qualité : un faux convaincant, même vu de près. La technicienne tendit le ruban à la lumière : bel échantillon de crêtes et de plis, relevé sur le coin supérieur droit.

– On dirait un pouce et un index, dit-elle. Comme si quelqu'un s'était appuyé.

J'indiquai le verre voisin.

– Peut-être pour garder l'équilibre pendant qu'on collait cette feuille.

– Ou bien ce ne sont que les empreintes d'une femme de ménage, dit Milo.

– Allons, lieutenant, soyez positif !

– D'accord. J'ai cotisé pour ma retraite, avec un peu de chance je vivrai assez vieux pour en profiter un tantinet. Ça vous va ?

Les empreintes étaient répertoriées dans AFIS, le nom de leur propriétaire tomba à dix-neuf heures treize. Sean Binchy se déplaça pour livrer l'information à Milo, au Café Moghol où celui-ci présidait une réunion autour d'une table encombrée de victuailles. Petra, Moe Reed, Raul Biro et moi-même étions présents, tous tenaillés par une de ces faims compulsives, née de la frustration et de l'abattement. Nous engloutissions l'agneau, le riz, les lentilles et les légumes sans vraiment y goûter. Milo lut la fiche, eut un rictus carnassier et la passa aux autres.

James Pittson Harrie, type caucasien, quarante-six ans, avait fourni ses empreintes lors de son recrutement à l'hôpital de Ventura State, il y avait un peu plus de vingt-cinq ans de cela. Je reconnus sur la photo du permis de conduire, qui datait de cinq ans, le visage souriant, mine de lutin et joues roses, du faux psychologue que j'avais rencontré. Les cheveux étaient un peu plus longs, le coup de peigne un rien négligé. Un mètre soixante-cinq, soixante et un kilos. Contrairement à beaucoup de gens, il n'avait pas menti sur ses mensurations. Le sens de l'honnêteté chez une crapule ? En guise d'adresse, une boîte postale à Oxnard.

– J'ai déjà vérifié, précisa Sean. C'est le comptoir d'un transporteur, situé dans un centre commercial. Toujours en activité, mais ça fait bien six ans qu'ils ne louent plus de boîtes aux particuliers, autrement dit, Harrie a fourni une fausse indication. À mon avis, il habitait aux environs et a menti pour brouiller les pistes.

– Camarillo est juste au sud d'Oxnard, fis-je remarquer, et la ville de Ventura, où il a également fourni une fausse adresse sous le pseudo d'Ed Loyal, juste au nord.

– Toujours sur la côte, dit Biro. Retour au bercail ? J'acquiesçai.

– Son dernier véhicule immatriculé est une Acura bleue vieille d'une quinzaine d'années. Il a cessé de payer les vignettes, son permis n'est plus valide. Je lance quand même un avis de recherche ?

– Et comment ! dit Milo. Bon boulot, Sean ! Ça te dit de manger un morceau avec nous ?

– Merci, mais je préfère travailler… (Il rougit.) Euh, je ne dis pas que vous ne fichez rien…

– Vas-y, mon garçon. Sois productif.

Sean ne demanda pas son reste.

Petra examina le portrait de James Pittson Harrie.

– D'où le surnom de Pitty. Nous tenons enfin un nom et un visage. On peut supposer que ce genre d'individu ne voit pas d'inconvénient à conduire sans permis. S'il a été assez bête pour garder la même voiture sans changer ses vieilles plaques, l'avis de recherche de Sean pourrait porter ses fruits.

– Où diable ces deux-là se planquent-ils ? grommela Milo en faisant craquer ses phalanges.

– Comme l'a souligné Raul, les villes côtières reviennent toujours. Ce qui ne les empêche pas de descendre jusqu'ici pour y commettre leurs forfaits, et même de s'attarder dans le coin.

– Si Harrie a suivi Huggler à Atascadero, dis-je, il a peut-être laissé une adresse où faire suivre son courrier quand il en est parti.

L'appel à l'hôpital d'Atascadero ne donna rien : deux employés et leur supérieur décrétèrent que les dossiers des anciens membres du personnel ne seraient consultables qu'à l'ouverture des bureaux le lendemain.

– Quand bien même, n'y comptez pas trop, déclara le responsable. Nous avons un problème de place, tout n'est pas conservé.

Il fallut déranger Maria Thomas chez elle une fois de plus, et quelques minutes plus tard le directeur du personnel d'Atascadero rappelait, étant parvenu par miracle à se procurer le dossier de Harrie en dehors des horaires de bureau. Milo lui demanda de tout faxer au restaurant, au numéro qu'indiqua la patronne en sari. Il posa quelques questions supplémentaires à son interlocuteur, griffonna des notes illisibles, le remercia et nous livra le résultat dès qu'il eut raccroché.

Quand il avait postulé à Atascadero, James Pittson Harrie avait prétendu être titulaire d'une licence en psychologie de l'université d'Oregon, à Eugene. Après l'obtention de son diplôme, il avait travaillé pendant un an comme technicien dans une clinique vétérinaire, puis il avait déménagé à Camarillo où il avait posé sa candidature comme technicien en psychiatrie à Ventura State.

– Des quadrupèdes aux bipèdes, dit Petra. Peut-être qu'ils enlèvent les chiens pour Harrie qui les aime.

– La question est : Il les aime pour en faire quoi ? dit Moe Reed.

– Beurk !

Milo reprit sa lecture.

– On ne l'a pas embauché comme technicien mais comme concierge, un poste qu'il a tenu pendant treize, quatorze mois. Il a été promu agent de surface de premier échelon. Contrairement au technicien de surface, l'agent est chargé de surveiller, pas de balayer… Apparemment, il n'est pas allé plus haut. Il a obtenu son transfert à Atascadero dans le cadre d'un recrutement spécial : le personnel dont on s'était séparé à la fermeture de Ventura était prioritaire à l'embauche dans les établissements publics de Californie. Là-bas, son vœu a été exaucé : il y est entré comme technicien en psychiatrie, échelon un. Le responsable du personnel m'assure qu'il n'y a aucune trace des services précis auxquels il était affecté, mais Harrie a dû donner satisfaction, vu qu'il avait atteint l'échelon trois quand il a démissionné il y a cinq ans. Soit peu de temps avant la sortie de Grant Huggler. Par contre, devinez qui est resté ? Le Dr Louis Wainright. Il était consultant à mi-temps à Atascadero, où il pratiquait des opérations en externe. Il avait bénéficié du même transfert prioritaire.

– Huggler a été arrêté aux abords de la clinique de Wainright combien de temps après la démission de Harrie ?

Milo plissa les yeux pour déchiffrer ses propres hiéroglyphes.

– Trois jours, on dirait. Ils n'ont pas attendu pour se mettre au boulot.

– Je prends les paris sur le nom de celui qui a versé la caution de Huggler, dit Reed.

– Et ils ne s'attaquent à Vita Berlin que quatre ans plus tard, nota Petra. Trop long, il y a forcément eu une victime supplémentaire entre-temps.

– Un autre médecin qui aurait participé à l'opération de Huggler ? suggéra Reed. L'anesthésiste, ou une infirmière ?

– On n'a pas retrouvé de cadavre car, à l'époque, Huggler et Harrie dissimulaient encore leurs prouesses, dis-je. Je me concentrerais sur les disparitions dans la zone entre Morro Bay et Camarillo, toute personne travaillant dans le secteur de la santé.

– Wainright devait avoir une clientèle en libéral à Camarillo, qu'il a sacrifiée pour préserver son accord avec l'État, dit Milo. Sans se douter qu'il leur facilitait la tâche.

– Ils ont tout de même attendu la sortie de Huggler, dit Petra. Quinze ans, ça fait long.

– Il était essentiel que Huggler soit impliqué, dis-je. Voyez-le comme une thérapie.

– Je me demande si ce sont les yeux de Wainright, dit Biro en alignant des lentilles avec sa fourchette.

– Un volontaire pour contacter la famille du chirurgien et leur expliquer pourquoi on aurait besoin d'un échantillon d'ADN ? lança Petra.

– Pire encore, dit Reed, on fait l'analyse et on découvre que ce ne sont pas ses yeux à lui.

– Trêve de bavardages, les petits, déclara Milo. Rassasié, Raul ?

Biro contempla son assiette.

– Oui, j'ai terminé.

– Tu te charges de contacter les polices locales, en partant de Morro Bay vers le sud ? Toute disparition non élucidée d'une personne employée dans le secteur de la santé, survenue entre la dernière randonnée du bon docteur Wainright et le meurtre de Vita Berlin.

– Tout de suite.

Il s'installa à l'écart, dans un coin tranquille. La femme au sari arriva, un plateau en argent à la main.

– Des fax pour vous, lieutenant.

– Miam, le dessert.

Il parcourut les documents, les tendit à Petra qui les feuilleta et fit passer. Sur la photo de son dossier à Atascadero, James Pittson Harrie était un jeune homme au front entièrement dissimulé par d'épais cheveux raides. Le reste du visage était en grande partie recouvert d'une barbe fournie. Hippie en uniforme. Quant au patient Grant Huggler, sa chevelure était encore plus longue et une barbe irrégulière cachait le bouton du col de chemise.

– Wainright a été vu pour la dernière fois en montagne, dit Reed. Ces deux types ont une tête de montagnard. Ils ont pu camper sur place, en attendant de le cueillir.

Milo compara le cliché plus ancien et la photo du permis de conduire de Harrie.

– Il a adopté un look plus sage pour être crédible comme psy à Beverly Hills, a même décroché des expertises. Mais il devait déjà bien se débrouiller avant de louer son cabinet, pour être capable d'aligner vingt-quatre mille dollars en espèces. Peut-être qu'il avait une clientèle ailleurs, ou une autre escroquerie.

– Ou tout simplement il touche une pension, dis-je. Avec vingt ans d'hôpital public, il doit avoir droit à une belle retraite. Peut-être même qu'il a touché une prime pour départ anticipé. Huggler, lui, a droit à toutes sortes de prestations sociales. S'ils ont été raisonnables, ils ont pu accumuler un joli pactole. Et s'ils vivent aux crochets de l'État, les chèques leur sont forcément adressés quelque part.

Milo composa le numéro de Maria Thomas, laissa sonner en tapotant les doigts sur la table.

– Tu vas décrocher, bon sang ?

Prière non exaucée. Nouvel appel, nouvel échec.

– Qui as-tu essayé en deuxième ? demanda Petra.

– Sa Pesanteur.

– Tu as son téléphone personnel ?

– Un portable auquel il daigne parfois répondre.

Les renseignements lui fournirent le numéro de l'administration des retraites et pensions, à Sacramento. Fermé jusqu'au lendemain matin. Il jura, enfourna une bouchée. Biro revint à notre table.

– J'ai une piste intéressante. Une certaine Joanne Morton, disparue il y a dix-huit mois. Partie en randonnée dans les collines de Camarillo, pas très loin de l'endroit où était situé Ventura. Jamais revue. L'affaire n'a pas été jugée prioritaire, puis on a privilégié la piste du suicide car Joanne Morton était dépressive. Son troisième divorce l'avait beaucoup affectée. C'est l'ex qui a signalé la disparition, mais on l'a vite rayé comme suspect : il vit à Reno et avait un alibi solide.

– Pourquoi a-t-il alerté la police ? s'étonna Petra.

– Inquiet pour elle. Ils s'étaient quittés en bons termes. Il a expliqué qu'elle était fragile, qu'il redoutait qu'elle ne se soit suicidée. J'oubliais de préciser : elle était infirmière en chirurgie, bossait en intérim.

– Si elle avait aidé Wainright à mutiler le gamin, dit Reed, ça pourrait expliquer ses problèmes psychologiques.

– Un chien l'accompagnait pour sa randonnée ? s'enquit Milo.

– Ça n'est pas précisé dans le rapport.

– Le toutou n'est pas une condition nécessaire pour se faire charcuter, dit Petra. C'est juste un bonus pour les meurtriers. Dix-huit mois. Ils ont une liste qu'ils cochent.

– Un an et demi, fit Reed, ça laisse largement le temps pour quelqu'un d'autre entre Wainright et Morton. Aussi entre Morton et Berlin.

– Ou bien ils ont commencé lentement et augmentent progressivement la cadence, dis-je. Parce qu'il ne s'agit plus de se venger.

– Il s'agit de quoi, alors ? demanda Milo.

– De s'amuser.

Tout le monde resta silencieux un moment.

– Moe, finit par dire Milo, toi et Sean et tous les collègues compétents disponibles allez reprendre le porte-à-porte dans le voisinage de chaque scène de crime, avec le portrait de Shimoff et la photo du permis de conduire de Harrie. Petra, toi et Raul pourriez rechercher la clinique où, selon notre informatrice anonyme, Huggler aurait obtenu son ordonnance. Si ça ne donne rien, retournez à la clinique de North Hollywood et faites pression sur Mick Ostrovine pour obtenir le dossier médical de Grant Huggler. Nous savons que ce dernier s'y est rendu pour un examen et je ne crois pas aux dénégations du directeur. Moi, je rappelle le service des pensions dès la première heure demain matin et je vois s'ils versent quelque chose à l'un ou l'autre de nos cinglés. Si j'obtiens une adresse, on se réunit pour planifier une descente, sans doute avec le soutien du SWAT. Je vais aussi interroger Jernigan au sujet des yeux : si elle me confirme qu'une analyse ADN peut être envisagée, je prends contact avec la famille de Wainright.

Il appela le central et se fit communiquer les renseignements figurant sur le permis de conduire de l'infirmière Joanne Morton.

– Yeux marron, dit-il après avoir raccroché. Ce ne sont pas les siens. Des questions ?

Sans attendre la réponse, il se leva, épousseta son pantalon et lança des billets sur la table. Comme nous nous apprêtions à sortir notre portefeuille, il nous arrêta d'un geste.

– Allons, chef, protesta Reed. C'est toujours vous qui régalez.

– Remboursez-moi en résultats.

36

Petra et Raul se répartirent le travail : pendant que lui se chargeait des dispensaires où Grant Huggler aurait pu obtenir son ordonnance, elle tenterait sa chance auprès de Mick Ostrovine qui serait peut-être plus sensible à la manière douce qu'à une nouvelle dose de flic viril.

Ostrovine commença par soupirer, se plaignit d'être dérangé à nouveau et lui opposa le principe du secret médical. Malgré tout, il rendit les armes plus vite qu'elle ne s'y attendait.

– Bon, d'accord. Venez voir, puisque vous y tenez.

Petra le rejoignit de son côté du bureau comme il ouvrait un listing à l'écran.

– Voyez ?

Il se rapprocha d'elle, son eau de Cologne infecte dégageant des effluves de vieux whiskey. Liste alphabétique des patients, pas de Huggler.

– Et un James Harrie ? I-E, pas *y*. Peut-être avec l'initiale P entre le prénom et le nom ?

Long soupir théâtral. Ostrovine cliqua.

– Rien, comme vous pouvez constater. Je l'ai déjà dit à vos collègues, la clinique n'a rien à voir avec cette histoire.

– Je ne demande qu'à vous croire, Mick, mais

M. Huggler est bel et bien venu chez vous pour un scanner.

– J'ai déjà expliqué ça l'autre fois. Comme il n'a pas subi l'examen, nous n'avons pas de dossier.

Elle le gratifia de son sourire le plus sincère.

– Par acquit de conscience, Mick, j'aimerais montrer une photo de M. Harrie et un portrait de M. Huggler à votre personnel.

– Vraiment, on est débordés.

La horde entraperçue en salle d'attente prouvait que le lascar ne mentait pas.

– Je sais, Mick, mais je vous en serais très reconnaissante.

Elle commença par lui montrer les deux visages. Aucune réaction pour la photo, mais il cilla devant le croquis. Elle se rassit pour lui permettre de chercher ses mots.

– Quoi ? fit-il, agacé.

Son charme féminin perdrait-il de son effet ?

– Vous n'avez jamais vu cet individu ?

– Ni dans ce monde ni dans un autre.

Les deux visages ne donnèrent rien auprès du personnel. Margaret Wheeling elle-même, qui s'apprêtait à préparer un sans-abri à la mine endormie en vue d'une IRM probablement fort coûteuse, parut indécise à la vue du nouveau dessin de Shimoff.

– Peut-être bien.

– Quand vous avez parlé au lieutenant Sturgis, dit Petra, vous étiez certaine de l'avoir vu.

– C'est que mon dessin était différent.

Comme si c'était elle l'artiste.

– Celui-ci ne ressemble pas à l'homme qui s'est accroché avec le Dr Usfel ?

Wheeling plissa les paupières.

– Il faudrait que je mette mes lunettes.

Pour injecter des matières radioactives aux patients, voir flou ne lui posait aucun problème.

– Je vous en prie, madame.

Wheeling expira longuement, puis roula les yeux. Encore une comédienne. On se serait cru dans un camp de vacances pour gamins cabotins passionnés de comédie musicale. Lunettes sur le nez, cette idiote restait plantée là, sans rien dire.

– Madame Wheeling ?

– Je crois que c'est lui. Peut-être. Ne m'en demandez pas plus. C'était il y a longtemps.

– Et cet homme-ci ? C'est un ami de Huggler.

Dénégation emphatique.

– Là, je peux vous répondre clairement : jamais vu.

Dès qu'elle fut sortie de la clinique, Petra fit son rapport à Milo.

– Bon boulot, petite. Continue.

Elle fronça les sourcils à ce compliment immérité.

Au troisième dispensaire, le Centre de soins gratuits d'Hollywood, Raul Biro parvint jusqu'à la réceptionniste bénévole. C'était là une installation rudimentaire, cloisons à roulettes et matériel médical d'allure fatiguée, au sous-sol d'une église dans Selma, tout près du carrefour avec Vine. Une belle église catholique, un vieil édifice à moulures et dont la porte en chêne devait peser au minimum une tonne. Elle ressemblait, en plus petit, à Sainte-Catherine de Riverside où le jeune Biro avait accompagné ses parents à la messe.

Au sous-sol, ce n'était plus l'élégance raffinée qui prévalait. L'endroit était humide et dépourvu de fenêtres, éclairé de façon inégale par des ampoules nues – quand elles n'étaient pas cassées – suspendues à des rallonges mal agrafées au plafond. Là où les blocs gris des murs n'étaient pas apparents, c'était le plâtre blanc qui s'effritait. Des affiches gondolées étaient scotchées au petit bonheur la chance, relayant des messages dans un espagnol administratif sur les MST, la vaccination et la nutrition. La salle d'attente n'était pas une pièce en tant que telle, mais un simple espace aménagé, délimité sur trois côtés par des empilements de longues tables pliantes en bois. La moitié des chaises de jardin étaient occupées par des femmes, toutes hispaniques, qui gardèrent les yeux baissés et firent mine de ne pas avoir remarqué son arrivée. Comme il s'approchait du bureau, son costume beige impeccable, sa chemise blanche et sa cravate en soie à motifs cachemire vert olive lui valurent quelques regards admiratifs. Mais à peine eut-il sorti son badge que l'une d'elles laissa échapper un petit cri étouffé et toutes les têtes reprirent leur posture inclinée. Sans doute accueillait-on ici des sans-papiers. Il aurait voulu leur crier qu'il n'était pas *La Migra*. Un point pourrait jouer en sa faveur : un Blanc comme Huggler ne passerait pas inaperçu en ces lieux. Croiser les doigts.

La réceptionniste, latino elle aussi, avait dans les vingt-huit, trente ans. Fausse blonde, mise soignée, courbes plus que généreuses là où ça compte. Pas de badge nominatif, pas de sourire accueillant. Raul prit néanmoins un air avenant pour lui expliquer ce qu'il cherchait. Les traits de la jeune femme se verrouillèrent aussitôt.

– Nos médecins sont tous bénévoles, ça n'arrête pas d'aller et venir. Je ne vois pas à qui vous pourriez parler.

– Au médecin qui a vu Grant Huggler, par exemple.

– Je ne sais pas qui c'est.

– Vous parlez du médecin ou de Huggler ?

– Les deux. Je ne connais ni l'un ni l'autre.

– Vous pourriez vérifier dans vos dossiers ?

– Nous n'avons pas de dossiers.

– Comment ça ?

– Je vous dis, nous n'avons aucun dossier.

– Comment pouvez-vous fonctionner sans l'historique des patients ?

– Il existe des dossiers, mais les médecins les emportent avec eux.

– Pourquoi donc ?

– Ce sont leurs patients, pas les nôtres.

– Allez, soyons sérieux…

– Je vous assure que ça fonctionne comme ça, depuis toujours. Nous ne sommes pas un établissement de soins officiel.

– Vous êtes quoi, alors ?

– Un espace.

– Un espace ?

– L'église se contente de mettre à disposition un espace où l'accès aux soins peut s'organiser.

Ça sonnait comme une réponse toute faite. Oui, à l'évidence on accueillait ici des clandestins. Des gens terrorisés, souffrant de Dieu sait quelles maladies, qui n'osaient même pas s'aventurer dans les hôpitaux du comté où, pourtant, l'on ne posait pas de questions. Il lança un regard aux femmes qui attendaient et continuaient toutes de faire comme s'il n'était pas là. Aucune n'avait l'air très malade, mais allez savoir. Sa mère venait de lui parler d'une amie qui avait attrapé la tuberculose pendant une visite à sa famille à Guadalajara. De ce ton qu'elle prenait toujours pour lui raconter ce genre d'histoire, comme si Raul avait le pouvoir d'empêcher de tels malheurs.

354

– Vous ne conservez aucun dossier ici ? dit-il.

– Rien du tout.

– Ça m'a l'air assez mal organisé, mademoiselle...

– Au contraire, c'est parfaitement bien organisé, répondit-elle sans indiquer son nom. Ça nous permet d'être polyvalents.

– C'est-à-dire ?

– Dès que l'église a besoin de la place pour d'autres activités, il suffit de tout déplacer.

– Les médecins utilisent souvent les lieux ?

– À peu près tous les jours.

– Donc, ce n'est pas si souvent que ça qu'il vous faut tout déplacer.

Moue indifférente. Raul se pencha vers elle et dit, en un demi-murmure :

– Vous avez beaucoup de malades qui attendent, pourtant je ne vois pas de médecin.

– Le Dr Keefer va arriver.

– Quand ça ?

– Bientôt, mais il ne pourra pas vous aider.

– Et pourquoi ?

– Il est nouveau. Hier, c'était son premier jour. Donc il ne connaît pas votre monsieur dont j'ai oublié le nom.

– Huggler.

– Drôle de nom.

Il la dévisagea avec insistance.

– Je ne le connais pas.

Il lui montra sa carte de visite.

– J'ai déjà vu votre badge, dit-elle. C'est bon, je vous crois. Vous êtes de la police.

– Lisez bien ce qui est écrit.

Moment d'hésitation.

– Oui...

– Brigade des homicides. C'est ma seule préoccupation, résoudre des meurtres.

– Okay.

– Si drôle que vous paraisse son nom, Grant Huggler est soupçonné d'avoir commis plusieurs crimes atroces. Il faut absolument l'arrêter avant qu'il n'en commette d'autres.

Il eut un regard en direction des femmes qui attendaient, façon d'insinuer qu'elles pourraient être ses prochaines victimes. La réceptionniste cilla. Il lui montra le portrait-robot. Elle fit non de la tête.

– Je ne le connais pas. Nous ne voulons pas de meurtriers ici. Si je l'avais déjà vu, je vous le dirais.

– Vous êtes la seule réceptionniste ? Comment vous appelez-vous ?

– Leticia. Non, on est un tas de bénévoles.

– Combien, au juste ?

– Je ne sais pas.

Il sortit un agrandissement de la photo du permis de conduire périmé de James Pittson Harrie.

– Et lui ?

Biro eut la surprise de la voir blêmir.

– Qu'est-ce qu'il y a ?

– C'est un médecin.

– Quelle spécialité ?

– Les troubles mentaux. Un thérapeute. Il s'est présenté un jour, il a posé des questions, et on ne l'a plus revu.

– Quel genre de questions ?

– Il voulait savoir si on travaillait avec les compagnies d'assurances. Soi-disant qu'il avait une longue expérience dans ce domaine, se proposait de prendre en charge des patients blessés dans un accident ou victimes d'une chute. Je lui ai répondu qu'on ne s'occupait pas du tout de ça. Il m'a laissé sa carte, mais je l'ai jetée sans même regarder son nom.

— Pourtant, vous vous souvenez de lui.

— C'est rare qu'un médecin vienne démarcher ici.

— Quelle était son attitude ?

— Une attitude de docteur.

— Mais encore ?

— Pas de sentiments. Je ne l'avais pas pris pour un de ceux-là, mais il devait en être.

— C'est-à-dire ?

— Un magouilleur de l'indemnisation. On a souvent des gens qui rabattent pour des avocats peu scrupuleux.

— Dans l'idée d'exploiter vos patients.

Acquiescement. Elle ne chercha pas à nier qu'il s'agissait effectivement de « leurs » patients.

— M. Harrie s'est donc présenté comme un psychologue ?

— Ou un psychiatre, j'ai oublié. C'est faux ?

— Oui.

— Ah.

— Comment a-t-il réagi à votre refus ?

— Il m'a juste remerciée et m'a remis sa carte.

— Et cette visite remonte à quand ?

— Il y a longtemps. Plusieurs mois.

— Combien ?

— Je ne sais pas, cinq ou six.

— Pourtant, vous vous en rappelez.

— Comme je vous ai dit, c'était inhabituel. Et puis, c'était un Blanc. On en voit très peu, mis à part les sans-abri d'Hollywood Boulevard.

Raul ouvrit son dossier et lui montra la photo de Lemuel Eccles.

— Comme lui ?

— Oui, c'est Lem. Il passe de temps en temps.

– Il consulte à quel sujet ?

– Il faudrait demander ça à son médecin.

– Qui est-ce ?

– Le Dr Mendes.

– Prénom ?

– Anna Mendes.

Raul maintint le cliché devant le visage de Leticia qui détourna le regard.

– Donc, Lem se fait soigner ici, mais ce type blanc, dit-il en troquant la photo pour le croquis, vous ne l'avez jamais vu ?

– Exact. Ils se connaissent, ou quoi ?

– On peut dire ça.

– L'autre aussi, le psychologue ?

– Que pouvez-vous me dire de plus sur Lem ?

– Juste qu'il passe ici. Il peut se montrer difficile, mais la plupart du temps ça va.

– Difficile comment ?

– Nerveux, un peu tendu. Il parle tout seul. Comme s'il était fou.

– Comme ? fit Biro.

– Ce n'est pas à nous de juger.

– Vous auriez la liste des autres réceptionnistes ?

– Non, et je ne sais pas qui elles sont, vu que quand je suis là, c'est à leur place.

– Toutes bénévoles.

– Oui.

– Pour quelle association ?

– Pas une association. C'est un travail d'intérêt général.

Elle était trop âgée pour être envoyée par l'aumônerie d'un lycée, n'avait pas du tout une tête de racaille, sans parler de repris de justice.

– Vous le faites à quel titre ?

– C'est pour un cours de questions urbaines. Je suis en dernière année à Cal State L.A.

– Vous pensez qu'on pourra me fournir une liste à la réception de l'église, au rez-de-chaussée ?

– Possible.

– Bon. Je vais vous laisser ma carte, comme M. Harrie, mais je vous demande de ne pas la jeter.

Elle marqua une hésitation.

– Prenez-la, Leticia. Bien agir, ce n'est pas qu'une affaire de bénévolat.

Elle en resta bouche bée, mais Biro grimpait déjà les marches. L'une des patientes dit quelque chose en espagnol, trop bas pour qu'il comprenne, mais aucun doute quant à l'émotion exprimée : pur soulagement.

En haut, il croisa un jeune homme en blouse blanche, une boîte sous le bras. M. Keefer, interne en médecine à County General, qui trouvait le temps pour du bénévolat malgré les semaines de quatre-vingt-dix heures.

– Salut, docteur. Auriez-vous déjà croisé ce type ?

– Non, désolé, répondit Keefer qui s'engageait déjà dans l'escalier.

La réception était fermée à clé, le chœur et la nef de marbre blanc étaient déserts. Dans la voiture, Raul obtint le numéro d'une Anna Q. Mendes, médecin à Boyle Heights. Il tomba sur une secrétaire qui s'exprimait en espagnol et se montra fort réceptive, peut-être parce que lui-même avait adopté la même langue, allez savoir. Quelques instants plus tard, une voix féminine et chaleureuse prenait le relais.

– Dr Mendes. Que puis-je faire pour vous ?

Elle écouta les explications de Biro.

– Le patient qui avait subi une thyroïdectomie ? Oui, c'est moi qui l'ai envoyé pour une scintigraphie. Il est venu pour renouveler son ordonnance, mais l'historique était incomplet. Son traitement m'a paru sous-dosé et son dernier examen du cou commençait à dater. Il était récalcitrant, mais son thérapeute m'a aidée à le convaincre.

– Son thérapeute ?

– Un psychologue l'accompagnait, je dois dire que j'ai été impressionnée d'un tel engagement. D'autant que le psychologue avait son cabinet à Beverly Hills et que Huggler n'avait visiblement pas les moyens de s'offrir ses services.

Biro s'étonnait de la facilité avec laquelle le Dr Mendes lui communiquait les renseignements. Pas la moindre réticence. À se demander si ce n'était pas elle l'informatrice anonyme.

– Le psychologue a-t-il précisé son nom ?

– Oui, mais je ne m'en souviens pas.

– Le Dr Shacker ?

– Vous savez, je crois que c'est ça. Il a tout à fait convenu que davantage de données étaient nécessaires pour optimiser le traitement. En attendant, j'ai très légèrement augmenté la dose et j'ai rédigé une ordonnance pour trois mois.

– Que pouvez-vous me dire d'autre sur Huggler ?

– Si vous êtes de la brigade des homicides, c'est qu'il a commis un meurtre, non ?

Biro n'avait pas précisé pour quel service il travaillait. Qui plus est, Huggler aurait pu être tant la victime que l'agresseur. C'était bien elle l'informatrice, aucun doute possible.

– Ça en a tout l'air, répondit-il.

– Mon frère a été tué il y a six ans. Des types en voiture l'ont abattu à la kalachnikov, dans son sommeil. Les crétins s'étaient trompés d'adresse.

– Toutes mes condoléances.

– Les salauds n'ont jamais été arrêtés. C'est pour ça que je vous parle. Si quelqu'un commet un meurtre, il doit payer. Malheureusement, je n'ai pas grand-chose à ajouter.

– Quel était le comportement de Huggler ?

– Calme, passif. Le regard fuyant. C'est à peine s'il a ouvert la bouche. D'ailleurs, il était tellement silencieux que j'ai pensé à des troubles mentaux avant même que le psychologue ne se joigne à nous.

– Cette attitude pourrait-elle être liée à l'ablation de la thyroïde ?

– Pas du tout. S'il souffre d'hypothyroïdie comme je le pense, ça pourrait induire un manque d'énergie, une certaine lenteur, une prise de poids, mais pas de manière significative. Aussi la sensation d'avoir froid, le premier indice qui m'a mise sur la voie. Il portait une canadienne doublée de mouton, un vêtement bien trop chaud pour le temps qu'il faisait. Mais je n'ai pas pu confirmer mon diagnostic car il n'est jamais revenu avec les résultats des examens.

– Doit-on s'attendre à une aggravation des symptômes ?

– Non, pas s'il prend ses médicaments. Même avec l'ancien dosage, il était loin d'être affaibli. J'ai vérifié sa tonicité qui était très bonne, même excellente. Il a les muscles bien développés. Habillé, ça ne se voit pas. Il a l'air grassouillet.

– Il se couvre parce qu'il a froid.

– À moins que ce ne soit le symptôme d'un trouble mental. Ça arrive.

– Puisque vous abordez le sujet, on m'a confié au dispensaire que Lem Eccles était votre patient.

– Oui. Pourquoi ? Il lui est arrivé quelque chose ?

– Il est mort.

Après un silence :

– Et Huggler est impliqué ?

– Peut-être.

– Incroyable… Si vous voulez savoir si je les ai vus ensemble au dispensaire, la réponse est non.

– Vous pourriez vérifier dans vos dossiers s'ils ont consulté le même jour ?

– Je le ferais volontiers si j'étais à mon autre cabinet, à Montebello, où je conserve les archives du dispensaire.

– Étrange comme organisation, fit Biro. Que les médecins soient obligés de trimballer les dossiers de leurs patients.

– Super-pénible, mais ils y tiennent. Comme ça, ils se contentent de fournir un local, ne sont pas un établissement de soins en tant que tel.

– Au cas où La Migra exigerait des renseignements.

– Pas très subtil ! s'esclaffa Anna Mendes. Je ne me mêle pas de ces histoires. Moi, je soigne les patients, sans me soucier de politique.

– Vous y intervenez bénévolement.

Nouveau rire, plus prononcé.

– Vous avez eu l'impression qu'il y avait beaucoup d'argent à se faire ? Oui, je suis bénévole. J'étais boursière à l'Immaculée Conception et le diocèse m'a aidée pour mes études de médecine. Quand on me demande de rendre service, je le fais volontiers. Alors, qu'a fait au juste ce Huggler ?

– C'est assez atroce.

– Alors je préfère ne pas savoir. J'ai été formée à County General où j'ai été servie en atrocités. J'espère sincèrement que vous allez le coincer et si jamais je le revois, vous serez le premier averti.

– Deux autres choses. Vous avez dit que le Dr Shacker vous avait rejoints après. Huggler est donc arrivé seul ?

– Oui et non. Shaker s'est présenté quelques minutes plus tard, en expliquant qu'il avait eu du mal à se garer. J'ai eu la nette impression qu'ils étaient venus ensemble. Bon, j'ai des patients qui attendent...

Se garer. Détail anodin pour le Dr Mendes, mais le cerveau de Biro avait réagi au quart de tour : un véhicule, prometteur pour l'avis de recherche.

– Une dernière question. Pourquoi avez-vous adressé Huggler à la clinique de North Hollywood ?

– C'est le Dr Shacker qui l'a suggéré. Vous devriez l'interroger, il semblait très attentionné envers Huggler. Cela dit, ça risque d'être délicat pour lui à cause du secret médical. Moi aussi, en principe, mais pour un meurtre, c'est différent.

Raul appela ensuite Petra pour la mettre au courant.

– Il y a fort à parier que Shacker ait repéré Eccles au dispensaire, dit-elle. Je vais interroger de nouveau les agents qui ont interpellé Eccles, au cas où quelque chose d'autre leur reviendrait sur Ed Loyal. Et puis, sachant que c'est Harrie qui a suggéré North Hollywood, un psy qui pond des expertises et une clinique qui donne dans l'expertise complaisante, il semble évident que mon charme a moins agi sur Ostrovine que je n'imaginais et qu'il nous fait des cachotteries. Tu te sens de jouer les flics méchants ?

– Si je me sens ? Vivement qu'on y soit !

En route vers la Vallée, il contacta Milo et lui fit son rapport.

– Bien joué, petit. Continue.

363

Je venais d'arriver à son bureau. Il fit rouler son fauteuil en arrière.

– T'as vu comment j'encourage la jeunesse ?

– Admirable.

– Entre nous, tant qu'on ne met pas la main sur les deux cinglés, ce qu'ils ont appris ne vaut pas tripette.

Il me fit un résumé succinct. J'avais quant à moi veillé tard, occupé à ressasser quelques questions. À passer en revue mon bref entretien avec James Harrie, au cas où quelque chose m'aurait échappé. Autant je pouvais concevoir qu'un Huggler accueille volontiers les attentions d'un Harrie, autant je peinais à voir ce que Harrie en retirait. Dès lors que cet individu calculateur avait su s'y prendre pour se venger à sa manière, pourquoi augmenterait-il les chances d'être démasqué en s'associant à un personnage aussi profondément perturbé ? En gros, il avait joué les parents adoptifs pendant vingt ans. Quelle était la contrepartie ? Si les questions mineures s'étaient vite résolues, le tableau d'ensemble restait flou et je ne pouvais me départir du sentiment d'avoir fait plusieurs fois fausse route.

– La piste des pensions n'a rien donné ? demandai-je.

– La caisse de retraite certifie qu'aucune pension d'aucun organisme public n'est versée à un James P. Harrie, de même qu'aucun Grant Huggler ne touche la moindre allocation. J'ai essayé toutes les orthographes imaginables, connaissant les fantaisies de l'Administration. J'ai même fait une recherche avec le nom de Shacker, vu qu'il a travaillé dans le public, me disant que Harrie s'était peut-être attribué sa retraite en même temps que son identité. J'ai fait chou blanc. Finalement, peut-être avons-nous affaire à deux crapules aux idées libérales, qui veulent réussir au mérite.

– As-tu une idée du montant que ça pourrait représenter ?

– D'après l'estimation que j'ai pu obtenir, quelqu'un ayant le parcours de Harrie pourrait toucher une pension de trois ou quatre mille, selon la pénibilité et l'incapacité qu'il aura fait valoir. Quant à Huggler, c'est difficile à dire sans savoir ce qui lui a été accordé. Pour qui sait manœuvrer le système, il existe une foule d'allocations, rien que des acronymes, la bonne soupe aux pâtes alphabet. Ça pourrait se chiffrer à deux mille par mois.

– S'ils font cagnotte commune, c'est peut-être soixante ou soixante-dix mille dollars par an qu'ils engrangent, nets d'impôts. Je les vois mal s'en priver, mon grand, même si Harrie a des rentrées comme faux psychologue. Il a sorti une coquette somme pour louer son cabinet, il avait forcément de l'argent de côté. Et s'il avait usurpé d'autres identités, en plus de celle de Shacker ? Pour lui et pour Huggler ?

– Il suffirait d'un contrôle avec recoupement des numéros de sécu pour que le pot aux roses soit découvert.

– Peu probable. Mais bon, admettons. Je te réponds qu'ils ont pu agir en toute légalité, s'adresser au tribunal pour obtenir un changement d'identité. Pour Huggler, ce serait forcément intervenu au cours des quatre dernières années, vu qu'il a été arrêté sous son vrai nom aux abords de la clinique de Wainright.

– Soyez aimable d'adresser les chèques à Jack l'Éventreur et à son jeune ami le tueur du Zodiaque ? Ces fichus ordinateurs acceptent sans broncher ? Génial.

Il joignit le greffier d'une juridiction d'appel avec qui il avait sympathisé, raccrocha d'un air abattu.

– Devine quoi ? Plus besoin de recourir au tribunal pour changer de nom. Il suffit maintenant d'utiliser régulièrement son nouveau sobriquet dans ses rapports avec l'Administration et le changement finit par être pris en compte dans la base de données du comté.

Il ouvrit un tiroir d'un geste brusque, y piocha un cigarillo qu'il fit rouler entre ses doigts sans en retirer le plastique.

– Mais tu as entièrement raison, ils ne vont pas cracher sur de l'argent aussi facile.

Son portable entonna une mélodie de Satie.

– Sturgis ! aboya-t-il, avant de rugir : Quoi ?

Son visage s'empourpra.

– Holà, Sean. Recommence depuis le début, en détail.

Il écouta un long moment, prenant des notes d'une main rageuse qui déchira le papier par deux fois. Quand il raccrocha, il avait le souffle précipité.

– Quoi ? dis-je.

Il secoua la tête, s'en prit au téléphone avec ses deux pouces.

L'image s'afficha bientôt sur le minuscule écran du portable, voyeurisme pixélisé en noir et blanc. Des chiffres en en-tête, l'indication du temps qui défilait et le matricule du terminal embarqué d'un véhicule de patrouille du shérif de Malibu.

Six heures treize. Malibu. Pacific Coast Highway. Montagnes à l'est, on se situe donc au nord du quartier de Colony, au-delà duquel la cité balnéaire retrouve des paysages préservés.

Le shérif adjoint Aaron Sanchez justifie le contrôle d'une Acura, un modèle datant de quinze ans. Rien à voir avec l'avis de recherche, le numéro d'immatriculation correspond à des plaques volées au centre commercial de Cross Creek. Procéder avec prudence, situation délictuelle.

Six heures quatorze. Sanchez réclame des renforts, puis intime l'ordre par son haut-parleur :

– Veuillez sortir du véhicule, monsieur. Les mains sur la tête.

Rien.

Sanchez :

– Veuillez descendre immédiatement, monsieur, et mettre...

La portière s'ouvre côté conducteur. Un petit homme maigre apparaît, en jean et sweat. Il pose les mains sur sa tête. Calvitie naissante, mal dissimulée d'un coup de peigne.

Le shérif adjoint Sanchez sort à son tour de sa voiture, arme au poing, braquée sur l'individu.

– Avancez vers moi, lentement.

L'homme lui obéit.

– Stop.

L'homme s'arrête.

– Allongez-vous par terre.

L'homme fait mine de se baisser, mais se retourne soudain en s'emparant d'un objet glissé dans la ceinture de son jean. Il s'accroupit et vise le policier.

Sanchez tire à cinq reprises. Sous les impacts, la frêle silhouette se gonfle comme une voile. L'homme s'écroule.

Au loin, les sirènes s'amplifient. Les renforts, trop tard. La scène s'est jouée en moins d'une minute.

– Salopard ! lâche Milo. L'avis de recherche a été lancé, on a retrouvé la voiture et Sean a été appelé, comme c'était lui qui en avait fait la demande.

– C'était une arme véritable qu'il avait à la main ?

– Un 9 millimètres. Non chargé.

– Suicide par flic interposé.

– Le shérif a immédiatement songé à cette hypothèse parce que ça n'avait aucun sens pour Harrie de réagir ainsi simplement pour une affaire de plaques volées. En plus, au premier coup d'œil, il ne transportait rien d'illicite : des fruits et des légumes, du bœuf séché, de l'eau minérale, le tout provenant sans doute d'une cahute en bord de route. Puis on a découvert dans le coffre d'autres armes, des munitions, du ruban adhésif, de la corde, des menottes et des couteaux.

– Le kit du violeur assassin.

– Et on a relevé des taches sur le tapis qui ressemblent fort à du sang. En revanche, aucun signe d'un éventuel complice.

– Parce que Huggler attend à la maison que Harrie rentre du marché. Quelque part au nord de l'endroit où Harrie a été interpellé.

– Ça fait une vaste étendue. Que t'inspire le kit ?

– Aucune de nos victimes n'a été ligotée et les femmes n'ont pas subi d'agression sexuelle. Je parie sur une série de victimes distinctes.

– Les jeux auxquels Harrie s'adonnait en solo.

– Plutôt avec Huggler en soutien.

– Putain.

– Voilà qui clarifie une zone d'ombre. Harrie qui prend Huggler sous sa coupe par altruisme, ça ne tenait pas. Il s'est rapproché de cet enfant perturbé car tous deux partageaient une fascination pour la domination et la violence. Leur relation, c'était en quelque sorte la thérapie alternative de Huggler. Pendant que les équipes à Ventura et Atascadero s'évertuaient à mettre en place un programme de soins, Harrie le sabotait en encourageant Huggler dans ses pulsions. Et en lui apprenant à dissimuler ses mauvais penchants. Quand Huggler a été transféré, Harrie l'a suivi. Et quand

Huggler a enfin retrouvé la liberté, ils ont entamé une nouvelle existence à deux.

– Une relation saine, aux bases solides, grommela-t-il. Dommage que ce pauvre Harrie ait passé l'arme à gauche avant qu'ils puissent faire la tournée des talk-shows.

37

Sean Binchy rappela pour préciser la localisation de la confrontation : James Pittson Harrie avait été abattu à Malibu, à 5,27 kilomètres au nord du quartier huppé de Colony. La ville balnéaire se prolongeait bien au-delà, une vingtaine de kilomètres où pouvait se terrer le duo, si ce n'est plus loin encore.

– Je les vois mal crécher sur le sable ou s'offrir un ranch dans les collines avec vue sur la mer, dit Milo. En supposant qu'ils jouent toujours les montagnards, ce ne sont pas les coins paumés qui manquent dans les hauteurs.

– Je suis certain qu'ils touchent des pensions ou des allocations, dis-je. L'un ou l'autre est obligé de sortir de temps à autre pour se procurer des espèces. Donc, des gens les ont aperçus. Mon esprit fait une fixation sur les cités côtières au nord de Malibu. Nous savons que Harrie a eu recours à deux fausses adresses au moins, le parking dans Main Street à Ventura quand il s'est fait passer pour Ed Loyal et la boîte postale à Oxnard sur son permis de conduire. Cette région l'attire.

– Moi, je veux attirer Huggler dans une geôle avant qu'il ne sévisse davantage. Dès que les médias s'empareront de la mort de Harrie, ce qui est inévitable car un homicide commis par un flic est toujours un sujet brûlant, il va prendre la poudre d'escampette.

– À condition que Huggler ait accès aux médias.

– Pourquoi voudrais-tu qu'il n'y ait pas accès ?

– Harrie a peut-être pris soin d'être le seul lien entre lui et le monde extérieur.

– Ce pauvre Grant est privé de MTV ? Il a le nez plongé dans ses magazines de jeux en attendant que Harrie lui confie une nouvelle leçon d'anatomie visant à rééquilibrer les choses ? Quand bien même, Alex, le garçon finira par s'inquiéter en constatant que son mentor ne rentre pas. S'il cède à la peur, il pourrait se dévoiler et se laisser cueillir facilement. Par contre, si c'est la rage qui prime, d'autres personnes vont y perdre la vie. Harrie ne se trimballait peut-être pas avec la totalité de leur arsenal dans son coffre. Un cinglé armé jusqu'aux dents, je préfère ne pas y penser.

Équilibrer les choses. Déséquilibres. Mon cerveau s'emballa, marqua un soudain arrêt. Une agréable sensation m'enveloppa, de clarification. Le titillement aux confins de mon esprit avait enfin disparu.

– Tu es parti ailleurs, dit Milo.

– L'expression que tu viens d'employer, rééquilibrer les choses, m'a rappelé une phrase de Harrie quand je l'ai rencontré. Il m'a interrogé sur mon travail avec la police, puis m'a confié qu'il n'était pas attiré par ce que la vie a de plus sombre. Ce qu'il a appelé les « épouvantables déséquilibres ». Il mentait, bien évidemment, et je pense même qu'il s'est amusé à mes dépens en y glissant une allusion au principe directeur qui guide les meurtres depuis le début : rétablir l'équilibre en dénouant symboliquement le passé. Peut-être doit-on s'en inspirer pour cibler les recherches : entamons-les là où tout a commencé.

– Ventura State. Tu les vois retourner là-bas ?

– Oui, si Harrie pensait que cela pouvait contribuer au traitement de Huggler.

– Tu disais que le traitement consistait à l'encourager à jouer avec des boyaux.

– En effet, mais j'ai négligé un aspect : Harrie en est venu à se prendre pour un véritable thérapeute. Comme tous les psychopathes, il surestime ses propres capacités. Nul besoin d'obtenir un diplôme quand on est déjà plus intelligent que n'importe quel psy. Il s'est contenté d'apprendre le jargon pour être convaincant dans son rôle. Et quitte à se lancer dans la profession, autant démarrer au plus haut niveau : à Beverly Hills, là où l'heure de divan coûte les yeux de la tête. Il s'est fait une spécialité des évaluations pour les assureurs, car c'est lucratif et peu supervisé, et surtout c'est du court terme sans visées cliniques. Les patients passent trop peu de temps avec lui pour devenir soupçonneux et on ne lui demande pas de soigner qui que ce soit.

– Vita s'est méfiée.

– Elle a peut-être flairé quelque chose, ou bien elle n'a fait qu'être elle-même. Globalement, Harrie a trompé son monde et j'imagine à quel point ça devait flatter son ego. Ce qui l'a conduit à se prendre pour un thérapeute d'exception. Avec un seul patient à sa charge, mais de longue haleine. Depuis cinq ans, il est non seulement question de vengeance et de pulsions sanguinaires, mais aussi d'un programme que Harrie a concocté pour Huggler : recouvrer l'équilibre en réglant d'anciens traumas. Et quel meilleur moyen d'y parvenir qu'un retour triomphal à l'endroit même où l'on vous a dépouillé de tout contrôle ?

– Rompre les cous et arracher les tripes au nom du

recentrage sur soi, maugréa-t-il. L'hôpital a fermé il y a des années. Qu'y a-t-il à la place ?

– Si on se renseignait ?

Il pianota sur son clavier. Quelques minutes suffirent pour établir un historique succinct, grâce à une association de sauvegarde du patrimoine. À l'origine, il était prévu de conserver les bâtiments et d'en faire un campus universitaire. Cela avait traîné, faute de budget. Six ans auparavant, un groupe de promoteurs avait racheté la propriété à un tarif très avantageux et y avait aménagé une résidence baptisée « Hameau des Mouettes ». Milo consulta leur site.

– Habitat luxueux pour retraités exigeants ? Je vois mal nos garçons là-dedans.

Je fis défiler le texte.

– Il est aussi précisé : « niché dans un cadre sylvestre ». S'il y a des bois, notre duo a pu y trouver refuge.

Il se leva d'un bond, ouvrit la porte de son cagibi, fit quelques allers et retours dans le couloir, revint. Des deux mains, il dessina une fenêtre imaginaire par laquelle il feignit de regarder, mime dénué de poésie.

– Le temps m'a l'air idéal pour une petite virée. En route !

38

Il nous fallut à peine cinquante minutes pour atteindre Camarillo, grâce à Milo qui garda la pédale au plancher.

Même sortie sur la 101 que tant d'années auparavant, même route bordée de vieux arbres. Même sentiment d'arriver en un lieu étrange, sans repères ni certitudes, prêt à être surpris. Le champ autrefois abandonné aux fleurs sauvages était devenu une plantation : des citronniers alignés par centaines, pas un fruit au sol. Plusieurs pancartes en bordure du verger, avec le logo d'une coopérative d'agrumes. Le ciel était d'un bleu pastel trop parfait. Sans que Milo ralentisse, je scrutai l'espace entre les rangées d'arbres, à l'affût d'une présence humaine. Rien, si ce n'est un tracteur à l'arrêt.

Un kilomètre plus loin, une enseigne nous apparut. Belles lettres bleu turquoise, surmontées de trois oiseaux dessinés, tout sauf indolents :

HAMEAU DES MOUETTES
Résidence aménagée.

Un peu au-delà, un portail bleu ciel, guère plus haut qu'un mètre cinquante, chevillé à des piliers enduits de stuc couleur crème. Conçu pour rassurer de manière superficielle, rien à voir avec la grille rouge sang de l'hôpital psychiatrique et ses six mètres. Empêcher de sortir n'est pas la même chose qu'empêcher d'entrer.

Le vigile dans la cahute textotait. Il releva la tête au coup de klaxon de Milo, sans pour autant délaisser son portable, et ouvrit son carreau. Ses lèvres se plissèrent à la vue du badge du LAPD.

– On ne vous a pas appelés…

– Non, mais peut-on entrer ?

Le vigile y réfléchit. Il se remit à pianoter sur son portable, dut s'y reprendre à deux fois pour appuyer sur un bouton de la console devant lui. Le portail s'ouvrit enfin.

La rue principale – allée des Mouettes – montait en serpentant une pente de plus en plus accentuée. De petits immeubles se dressaient des deux côtés. Le paysagiste n'avait pas fait dans l'originalité : dattiers, pruniers pourpres, parterres de succulentes exigeant peu d'entretien et bordant la chaussée comme du cachemire vert. Les bâtiments étaient tous identiques : architecture néo-hispanisante, stuc du même ton crème que les poteaux à l'entrée, toits d'une matière composite rouge qui s'évertuait à passer pour de la tuile authentique. Les différences avec Ventura n'étaient pas mineures. Dorénavant, point de barreaux aux fenêtres. Et plus personne ne circulait à pied. Du temps de l'hôpital, il avait régné une animation tranquille dans le parc où allaient et venaient le personnel et les patients à risque faible. Curieusement, l'impression d'enfermement était plus forte au Hameau des Mouettes.

Milo roulait au ralenti depuis une centaine de mètres quand je reconnus enfin un bâtiment d'origine : l'imposante réception où j'avais été accueilli. « Club-house des Hippocampes » annonçait un panneau planté dans le sol. Plus loin, ce furent d'autres constructions datant de l'époque de Ventura : la Brise marine – une salle pour les joueurs de cartes – et l'Écume de Mer, un lieu de rencontre. Les anciens locaux hospitaliers – pavillons, services de soins et autres – s'intégraient parfaitement au nouvel ensemble, miracle de la chirurgie esthétique.

Nous aperçûmes enfin une présence humaine : des couples chenus, tenue décontractée et teint hâlé, qui se promenaient tranquillement. J'en étais à me demander s'ils connaissaient la fonction originelle de ces lieux quand un rouquin qui flottait dans son blazer marine en synthétique et son pantalon kaki dont dépassaient des souliers à semelle crantée s'avança au milieu de la voie et nous barra le passage. Milo s'arrêta. L'homme nous observa, puis s'approcha côté conducteur.

– Rudy Borchard, responsable de la sécurité.

– Milo Sturgis, LAPD. Enchanté.

Présentation réciproque des badges. Celui de Borchard était nettement plus imposant que celui de Milo, une étoile dorée digne d'OK Corral. Wyatt Earp n'aurait sans doute jamais porté un insigne aussi voyant – à quoi bon fournir une cible généreuse ?

– Bien… fit Borchard d'une voix hésitante, comme s'il n'avait pas mémorisé le reste du scénario.

Il porta l'index au nœud de sa cravate à clip, réflexe protecteur. Trop longs par endroits et trop courts ailleurs, ses cheveux teints avaient une couleur de citrouille oubliée sur le feu. Sa moustache d'une semaine formait comme un saupoudrage de poivre de Cayenne sur sa lèvre bouffie.

– LAPD ? Ici, ce n'est pas L.A.

– Ni le Far West, rétorqua Milo.

Les yeux de Borchard fléchirent de confusion. Il bomba le torse par compensation.

– Nous n'avons signalé aucun problème.

– Certes, mais…

– Voyez-vous, coupa Borchard, la tranquillité de nos résidents est primordiale. Je vous parle de retraités aisés, qui tiennent à se sentir au calme et en sécurité.

– La sécurité est aussi notre objectif, Rudy. Nous recherchons un suspect qui pourrait se trouver dans les environs.

– Un suspect, ici ? Je ne pense pas, les amis.

– Pourvu que vous ayez raison.

– Dans les environs ou carrément chez nous ?

– Tout est possible.

– Non, je vous assure. Personne ne pénètre ici sans mon autorisation.

La facilité avec laquelle nous avions franchi le contrôle le démentait.

– Tant mieux, dit Milo, mais nous aimerions malgré tout jeter un coup d'œil.

– C'est qui, votre suspect ?

Milo lui montra le portrait-robot de Huggler.

– Non, pas chez nous. Ce type n'a jamais mis les pieds ici.

Milo maintint le dessin sous le nez de Borchard qui recula.

– Je vous dis que non. M'a tout l'air d'un bon à rien. On aurait vite fait de le repérer. Soyez gentil, rangez-moi ça. Je ne tiens pas à ce qu'un de nos résidents souille sa culotte.

– Gardez-le, Rudy. Si vous voulez l'afficher, ce serait parfait.

Borchard prit la feuille, la plia et la mit dans sa poche.

– Il a fait quoi au juste, ce minable ?

– Il a tué un tas de gens.

Borchard inspira plusieurs petites bouffées, les taches rousses sur sa lèvre tremblaient.

– Vous plaisantez ? Je me garderai bien d'afficher ce portrait ! S'il est question de meurtre, quelqu'un nous fera une crise cardiaque à coup sûr.

– Si Grant Huggler s'introduit ici, Rudy, vous aurez bien pire qu'un infarctus.

– Faites-moi confiance, ça ne risque pas.

– Vos conditions de sécurité sont très strictes ?

– Plus strictes que les dessous d'une religieuse. Croyez-moi, on est au taquet.

– Combien d'entrées y a-t-il ?

– Vous avez vu la seule.

– Il n'y a que l'entrée principale ?

– En gros.

– Et en détail ?

– Il y a une entrée de service à l'arrière, dit Borchard en pointant le pouce vers l'est, mais elle est réservée aux livraisons. C'est verrouillé en permanence et sous vidéosurveillance. Nous maîtrisons parfaitement les flux entrants et sortants.

– À quoi est utilisée l'entrée de service ?

– Aux grosses livraisons. Les plus petites passent par l'entrée principale. Tous les paquets sont contrôlés.

– Quelle est la procédure ?

– Les résidents nous laissent une procuration pour UPS et FedEx. L'adresse est soigneusement vérifiée et le paquet remis en main propre. Ainsi, personne n'est dérangé. Ça fait partie du service.

Un coup de klaxon retentit derrière nous. Un couple âgé s'impatientait dans une Mercedes blanche. La femme affichait un air stoïque, mais le mari marmonnait.

– Vous feriez mieux de vous ranger, dit Borchard.

Milo se gara et nous descendîmes. L'ample salut de Borchard fut ignoré par les deux occupants qui tournèrent au croisement suivant, vers la rue de la Brume-de-Mer.

– Je vous souhaite une belle journée, messieurs, dit Borchard.

– Vous entendez quoi par grosses livraisons ? s'enquit Milo.

– Vous savez, tout ce qui est livré en gros. Nous sommes comme une petite ville, les commerces se font sans cesse approvisionner, le club-house et les restaurants, nous en comptons deux, un convivial et un plus chic. Nous avons plus de huit cents résidents.

– Le club-house se trouvant dans cette direction, dis-je, il doit exister un accès pour permettre aux camions d'arriver par l'arrière, directement à l'aire de livraison.

– Exact. Vous imaginez les semi-remorques traversant le parc, le revêtement bousillé et le raffut ?

– Où passe la voie de service ?

– Elle coupe à travers.

– À travers quoi ?

– Le reste du site.

– Il existe une partie non aménagée ?

– Exact. Ce sera la deuxième phase.

– Quand sont prévus les travaux ?

Borchard fit la moue.

– Et comment accède-t-on à la voie de service sans passer par l'entrée principale ? demanda Milo.

– J'imagine que vous avez emprunté Lewis en quittant la voie express ? La prochaine fois, prenez la sortie d'avant, puis vous tournez deux ou trois fois et vous vous retrouvez sur des chemins de ferme. Mais faites-moi confiance, personne ne peut s'introduire par là. Et quand bien même, il n'y a nulle part où se cacher. En plus, chaque appartement est équipé d'un bouton d'alarme, les résidents peuvent même disposer d'un bip portable, moyennant supplément.

– La voie de service coupe donc par l'arrière et aboutit à une aire de chargement.

– Toute une série d'aires, vous voulez dire. Il y a toujours du monde. Croyez-moi, votre minable se ferait repérer en moins de deux. Qu'est-ce qui vous fait penser qu'il est dans le coin ?

– Il a vécu ici.

– À Camarillo ? C'est grand.

– Pas en ville, Rudy. Ici.

– Ah bon ? Un de ceux-là...

– C'est-à-dire ?

– Un fou. À l'époque où c'était un asile.

– Les résidents sont au courant ? demandai-je.

Il sourit.

– Ça n'est pas mis en avant dans la brochure, mais forcément, certains d'entre eux le savent. Les gens s'en moquent. C'était il y a longtemps. Aujourd'hui, tout est normal et tranquille. Et puis, pourquoi voudriez-vous qu'un timbré revienne là où il a été enfermé ? Ça n'a aucun sens, sur le plan psychologique.

Milo réprima un sourire.

– Si vous le dites, Rudy. Vous êtes combien à la sécurité ?

– Cinq, en me comptant. C'est plus que suffisant. Il ne se passe jamais rien ici. L'asile, on en rigole bien. Par exemple, quand on déterre des trucs.

– Comment ça ?

– Pendant les travaux de jardinage. Quand on retourne la terre pour les plantations, par exemple. On tombe sur des choses.

– Comme quoi ?

– N'allez pas imaginer les indices d'un crime. Des

cuillers, des fourchettes, des gobelets. Marqués du V de l'hôpital. Une fois, on a retrouvé une sangle et des boucles qui provenaient sans doute d'une camisole.

– Et vous en faites quoi quand vous tombez dessus ?

– Pas moi, les équipes de jardinage. On me les apporte et je m'en débarrasse. Vous croyez quoi ? Rien que des cochonneries. (Il consulta sa montre.) Votre maniaque n'est pas ici, mais je saurai l'accueillir s'il se pointe.

Il déboutonna le blazer trop grand et nous laissa entrevoir un Glock dans son étui.

– Beau pétard, dit Milo.

– Et je sais m'en servir.

– Vous étiez dans l'armée ?

Borchard rougit.

– Non, je m'entraîne régulièrement.

– Vous pourriez nous montrer la voie de service ?

– Vous plaisantez ?

– C'est juste histoire de prouver à notre chef qu'on a fait ça sérieusement.

– Ah, les chefs ! Je sais ce que c'est. Bon, d'accord, mais c'est vraiment à l'opposé, trop loin pour y aller à pied.

– Dans ce cas, prenons la voiture.

Borchard contempla le véhicule banalisé.

– Je ne tiens pas à monter à l'arrière. Les résidents pourraient mal l'interpréter.

– Promis, je ne vous passerai pas les menottes.

– J'aime bien votre humour. Ou pas. (Il tâta l'arme sous sa veste.) Vous y tenez vraiment ?

– Maintenant qu'on s'est déplacés depuis L.A.

– Vous pourriez vous offrir un taco au poisson en ville et raconter à votre chef que vous avez fait le nécessaire.

Sourire de Milo.

– Bon, d'accord. Une seconde…

Il se pressa d'intercepter un homme qui s'approchait, marchant à l'aide d'une canne. Borchard, tout sourire, lui fournit quelque explication. L'homme finit par s'éloigner en marmonnant, sans lui laisser le temps de terminer sa phrase. Borchard nous lança un regard qui en disait long, disparut derrière un virage feuillu et réapparut quelques instants plus tard au volant d'une voiturette de golf.

– En voiture !

Milo prit place à côté de lui, moi sur la banquette arrière. Le revêtement des sièges était bleu turquoise à motifs de hérons verts.

– Messieurs, je vous accorde cette faveur entre collègues. Croyez-moi, votre cinglé n'a pas pu se cacher dans un dix tonnes. Tous les fournisseurs sont répertoriés, les flux entrants et sortants notés scrupuleusement. Maintenant, si les tunnels étaient toujours en service, ce serait une autre histoire, mais comme ce n'est pas le cas, je vous assure que vous faites fausse route.

– Quels tunnels ?

– Ah, je m'attendais à cette réaction ! pouffa Borchard. Je vous fais marcher ! Oubliez, ce n'est rien.

– Il n'y a pas de tunnel ?

– Aucun, tous ont été bétonnés.

– Si on les a bouchés, c'est qu'il y en a…

– Vous comprenez ce que je veux dire : on ne peut plus y circuler.

Milo se retourna vers moi et je secouai la tête.

– Voyez-vous, dit Borchard, à l'époque il existait des tunnels entre certains bâtiments de l'hôpital. Pour déplacer du matériel, j'imagine. (Rire accentué.) Peut-être qu'on y faisait courir les fous ! Pour l'exercice ou en guise de punition, je ne sais pas. Mais bon, quand les promoteurs ont racheté la propriété, le comté a exigé que les tunnels soient obstrués avec du béton, en cas de tremblement de terre. Vous voulez que je vous montre ?

– Pourquoi pas ? répondit Milo, l'air de rien.

– Pour la visite complète, c'est plus cher ! gloussa Borchard.

Il donna un coup d'accélérateur et fit rapidement demi-tour. Nous devions bien faire du huit kilomètres heure. Il s'arrêta un peu plus loin, à la hauteur de l'allée des Grandes-Marées, une rue adjacente menant à un groupe d'immeubles. Il nous fit signe de descendre, écarta des buissons et s'accroupit. Une plaque métallique circulaire s'insérait dans le sol. Semblable à une plaque d'égout surdimensionnée, peinte en marron et dépourvue de toute inscription, environ deux mètres de diamètre, percée de deux trous.

– Regardez, c'est épatant…

Il inséra un index dans un trou et tenta de soulever. La plaque ne bougea pas. Il tira plus fort.

– Ça doit être coincé…

– Vous voulez de l'aide ? proposa Milo.

– Non, non, non…

Borchard s'y prit à deux mains et devint écarlate. La plaque se souleva enfin d'un ou deux centimètres. Il la lâcha et une sorte de mécanisme pneumatique prit le relais jusqu'à ce que le disque se retrouve perpendiculaire au sol. Borchard se positionna sur le rond de béton en dessous et sauta comme un gosse sur un trampoline.

– C'est du solide ! Béton et barres d'armature jusqu'au fond pour résister le jour où ça tremblera pour de bon.

– Combien d'ouvertures de ce genre y a-t-il, Rudy ?

– Allez savoir. La plupart sont enterrées, sous les bâtiments. C'est seulement dans les parties paysagères qu'on en découvre. Moi, j'en connais quatre, toutes aussi solides que celle-ci. (Nouvelle série de sauts.) Le cinglé qui passe par les tunnels, ça ferait un super-film. Malheureusement, ceci n'est que la réalité. Dites, vous tenez vraiment à voir la clôture à l'arrière ?

– Qu'est-ce que vous voulez que je vous dise ? fit Milo, l'air embêté.

– Je me doutais un peu de la réponse.

Au son du moteur pétaradant de la voiturette, notre hôte prit l'allée aux Mouettes, puis le chemin des Étoiles-de-Mer qui nous mena à l'arrière du site. La voie de service, étroit ruban d'asphalte, franchissait un haut portail grillagé. Une caméra de vidéosurveillance était fixée au montant droit. Par l'ouverture, on apercevait un bout de ciel bleu, de champ marron et de montagnes mauves. À droite et à gauche, toutefois, seul était visible l'azur au-dessus d'une haie de ficus mesurant bien six mètres. Plantés serrés, les arbustes constituaient un rideau de verdure infranchissable. Je me penchai pour tenter de voir sur le côté, mais Borchard tourna et longea la haie qui délimitait au sud le pourtour de la zone aménagée. Au bout de quelques minutes, nous atteignîmes un embranchement, la voie de service partait dans trois directions.

– C'est bon ? Satisfaits ?

– Où mènent ces voies ? demanda Milo.

– Nulle part... enfin, celle-ci mène au club-house, celle-là au centre de loisirs, en gros, elle est utilisée par la blanchisserie qui gère les serviettes, et la dernière dessert La Mer, le restaurant chic où l'on ne sert qu'à dîner, ainsi que le Café des Mouettes qui est juste à côté, où les trois repas sont assurés, et qui compte également un salon de thé où l'on peut manger sur le pouce… après tout, autant que je vous montre.

Trois aires de livraison, verrouillées. Pas un camion à l'horizon. Malgré les assurances de Borchard quant à l'animation, pas le moindre employé dans les parages.

– Une journée calme ? dit Milo.

– C'est toujours calme, dit Borchard avec une note de regret.

Il fit demi-tour et repartit en sens inverse. Au moment où nous passions devant le portail annexe, Milo dit :

– Arrêtez-vous un instant.

Il descendit et jeta un coup d'œil par le grillage. Revint, la mine impassible.

– Alors ? fit Borchard. Vous voyez bien que c'est désert. Aucun fou ne se cache par ici. C'est bon, je peux y aller ?

– Vous conservez les enregistrements de la vidéo-surveillance ?

– Je savais que vous alliez me poser la question. L'autonomie est de vingt-quatre heures, inutile d'archiver quoi que ce soit vu qu'il ne se passe jamais rien. Allez, je vous ramène. J'ai déjà trop de résidents curieux qui commencent à se poser des questions.

– Qu'allez-vous leur dire ?

– Que vous êtes des inspecteurs du comté venus vérifier le respect des normes antisismiques. D'ailleurs, on est parfaitement en règle.

De retour au véhicule banalisé, Milo demanda à Borchard les indications pour atteindre la partie qui restait à aménager.

– Comme je vous ai expliqué.

– Et sans reprendre la voie express ?

Borchard se caressa les cheveux.

– Oui, c'est faisable. En repartant, vous tournez à gauche, puis encore à gauche. Mais c'est beaucoup plus long, vous allez faire un grand détour. Faut que vous alliez jusqu'à un champ d'artichauts. En tout cas, en ce moment, c'est de l'artichaut. Ça arrive qu'ils plantent autre chose. Quand c'est de l'oignon, faites-moi confiance, ça se sent ! Vous dépassez les artichauts et vous continuez, jusqu'à ce que vous atteigniez un vaste espace où il n'y a rien, comme vous venez de voir par le portail. (Il se gratta une incisive de l'ongle de l'index.) C'est comme ça que vous saurez que vous y êtes : c'est encore plus désert qu'ici.

39

Après avoir un peu tourné en rond, nous atteignîmes enfin le champ d'artichauts. Ils n'étaient pas encore à maturité, mais la récolte promettait d'être abondante. Une silhouette solitaire se tenait à l'extrémité sud, postée en sentinelle sur un chemin de terre surplombant un fossé d'irrigation. Petit homme au teint mat, il sirotait un soda marron foncé. Tenue de travail grise, chapeau de paille à large bord. Il n'esquissa pas le moindre geste quand Milo s'arrêta à un mètre de lui. Un épouvantail vivant. Efficace : pas un oiseau à l'horizon. Il se retourna enfin en nous entendant descendre. Sa boisson était mexicaine, du Jarritos Tamarindo. Sa chemise comportait deux poches à rabat ; l'une était vide et l'autre déformée par un demi-sandwich, une charcuterie quelconque, inscriptions en espagnol sur la cellophane.

– *Hola, amigo !* dit Milo.

– *Hola !*

– Reconnaissez-vous cette personne ?

L'homme secoua la tête quand il lui présenta le portrait de Huggler. Même réaction pour la photo de feu James Pittson Harrie.

– Vous voyez quelquefois passer des gens ?

– Non.

– Jamais ?

– Jamais.

– Okay. *Gracias.*

L'homme nous salua en soulevant son chapeau et reprit son poste d'observation, tournant le dos à la voiture. Milo consulta les notes qu'il avait griffonnées à partir des vagues indications de Borchard, roula environ cinq cents mètres, tourna et s'arrêta.

– Il faut croire que ce cher Rudy n'avait pas tort.

Il fredonna les sept premières mesures de « Plenty of Nothing » en se frottant l'œil du poing. Une vaste étendue broussailleuse se déployait à l'ouest de la haie de ficus et de l'entrée de service du Hameau des Mouettes, des hectares de ronces et de mauvaises herbes qui atteignaient souvent un à deux mètres. S'y mêlaient de hautes herbes blanchies au soleil et des fleurs sauvages accommodées à la sécheresse, leurs feuilles grises et rabougries. Le sol nu rocailleux transparaissait ici et là, jonché de ferraille rouillée et de gravats hérissés de grillage sectionné. Au fond se dressait une seconde haie de ficus, mesurant deux ou trois mètres de plus que celle à l'arrière du Hameau. Il s'agissait de la partie orientale de l'ancien hôpital, là où se dressait autrefois le service des soins spécialisés. Au-delà du mur de verdure, les contreforts semblaient de gigantesques plantes tubéreuses. L'ambiance était morose dans la voiture. L'échec de mon hypothèse signifiait que Huggler pouvait se trouver n'importe où.

– Dommage, fit Milo en allumant un cigarillo. On a tenté le coup.

Il recracha une volute âcre par sa vitre et prit des nouvelles de l'équipe, à commencer par Petra. Les agents qui avaient interpellé Lemuel Eccles convenaient que le plaignant Ed Loyal pourrait bien être Harrie, mais ils s'étaient focalisés sur l'agresseur et ne pouvaient donc le certifier. Raul Biro, pour sa part, avait fait pression sur Mick Ostrovine qui avait enfin dit toute la vérité. Oui, le Dr Shacker avait adressé des patients indemnisés à North Hollywood. Non, il n'avait pas touché de pots-de-vin, pas plus que les autres professionnels qui intervenaient. Chez Well-Start, on ne répondait même plus au téléphone.

— Ça m'étonnerait fort qu'il n'y ait pas de pots-de-vin, dit Biro. J'ai enfin découvert à qui appartient la clinique : des Russes basés à Arcadia. Ils facturent des milliards à la Sécu. Mais je ne vois pas l'intérêt de creuser cette piste, à moins que le crime organisé n'ait trempé dans notre affaire.

— Ne parle pas de malheur, soupira Milo.

— Je me suis fait la même réflexion. Je ne vois pas ce qu'on peut espérer de plus de ce côté-là, lieutenant.

— Prends ta soirée. Invite ta copine au restau.

— Pas de copine ce mois-ci.

— Eh bien, trouve-toi quelqu'un. C'est moi qui régale.

— En quel honneur ?

— Tu fais ton boulot sans râler.

— Je n'ai pas accompli grand-chose pour cette enquête.

— Et alors ? Considère-le comme une avance.

Amusé, Biro raccrocha. Milo appela ensuite les services du coroner. Jernigan était absente, mais elle avait autorisé son assistant à lui communiquer les résultats de l'autopsie de James Pittson Harrie. La victime avait eu le cœur et les poumons transpercés par cinq balles tirées avec l'arme de service du shérif adjoint Aaron Sanchez, toutes blessures potentiellement mortelles. Aucune pièce d'identité sur le cadavre, mais les empreintes correspondaient à celles que Harrie avait fournies vingt-cinq ans auparavant lors de son recrutement à Ventura. Le sang relevé dans le coffre de l'Acura provenait de trois individus distincts, deux de groupe A et un de groupe O. Les analyses ADN prendraient un certain temps, mais le sexe féminin était déjà établi. Milo posa son portable et contempla le champ envahi par la végétation.

– Un petit tunnel nous aurait bien rendu service. Tu n'en avais pas entendu parler pendant ton stage ?

– Non.

– D'ailleurs, qu'est-ce qui t'a amené ici ?

– Je voulais apprendre.

– Ce qu'il y a dans la tête des gosses comme Huggler ?

– Les patients que j'ai vus n'étaient pas dangereux, loin s'en faut.

– Ils allaient mieux après leur passage ici ?

– Ils vivaient mieux.

– Hum.

Il ferma les yeux, étira ses longues jambes et se cala contre l'appui-tête. Garda cette posture un long moment. S'il n'avait tiré une bouffée de cigarillo de temps en temps, on aurait cru qu'il dormait. Je pensais à cet enfant atypique, enfermé dans sa chambre individuelle. Milo s'ébroua soudain comme un chien qui a pris la pluie et il écrasa son mégot dans le cendrier dont la municipalité proscrit l'utilisation.

– On va faire un tour à Camarillo, vérifier les postes restantes, les motels miteux et autres endroits susceptibles d'accueillir des squatters. Ensuite, on célébrera notre échec chez Andrea à Ventura. As-tu déjà goûté à leur poisson ?

– Robin et moi sommes allés observer les baleines l'an dernier. Le restaurant est à côté de l'embarcadère.

– Rick et moi avons aussi fait la sortie en mer. Le seul cétacé que j'ai vu, c'est quand je me suis regardé dans le miroir des toilettes.

Je laissai échapper le petit rire que l'on attendait de moi. Il cracha une miette de tabac par sa fenêtre. Au moment où il mettait le contact, quelque chose bougea au loin.

40

Une chose floue, en mouvement. Une tache qui apparaissait par intermittence, sautillant au milieu de l'étendue broussailleuse. Nous étions trop éloignés pour jauger à quelle distance de la haie de ficus cela se situait. Tantôt la forme bondissait au-dessus de l'herbe rase, tantôt elle disparaissait dans la végétation plus épaisse. En l'air puis en bas, visible puis cachée. Les rayons de soleil lui conféraient par moments des contours dorés. Le coloris se précisa. Une silhouette fauve. Un animal. Trop gros et trop peu furtif pour être un coyote. Il approchait d'un pas nonchalant. Un chien. Qui continuait d'avancer parmi les fourrés sans se soucier de notre présence.

Milo descendit et j'en fis autant. Je le suivis jusqu'au bord du champ d'où l'on put mieux distinguer la bête. Un chien de belle taille, qui avait indéniablement des gènes de golden retriever, même si le museau fin et allongé excluait le pure race. Une oreille dressée, l'autre repliée. Il s'arrêta pour faire pipi. Sans lever la patte, rien qu'une brève et machinale inclinaison du bassin. Puis il repartit, tête baissée. Il avançait, s'arrêtait, reniflait sans but précis. Peut-être obéissait-il à un atavisme de chien de chasse. Nous le suivions sans nous cacher. Il se redressa, huma l'air. Se tourna vers nous. Yeux doux, museau grisonnant. Aucune trace de nervosité.

– Ravi de faire ta connaissance, Louie, dis-je.

Nouvelle pause pipi. Suivie peu après d'une station assise plus longue et besogneuse pour déféquer. Quand cela fut fait, Louie tapota la terre et reprit sa promenade.

Une deuxième silhouette apparut bientôt sur la droite, surgie elle aussi de nulle part. Ce chien-ci semblait très âgé, boitillant et peinant à rattraper Louie. Il entrecoupait ses pas claudicants de pauses vacillantes. Au bout de quelques secondes, l'animal parut pris d'une convulsion et partit à la renverse. Il se débattit, geignit et parvint à se relever, tout tremblant. Louie se retourna, puis rejoignit l'éclopé qui restait planté là, le poitrail agité. Louie lui lécha le museau. Revigoré, son compagnon fit quelques pas.

Les chiens atteignirent une partie dégagée où on les voyait parfaitement. Je m'engageai sur le champ à la suite de Milo. Tous deux avaient les côtes saillantes sous la peau. Là où Louie n'était que maigre, l'autre était carrément émacié, son ventre encore plus creusé que celui d'un lévrier. Un abdomen anormal au regard de la race. Du corps musclé il ne restait qu'une peau blanchâtre tachetée de marron et déployée sur un squelette effilé. La tête conservait sa noblesse : brun élégant, oreilles repliées, belle ossature, yeux inexpressifs mais toujours vifs à se porter dans telle ou telle direction. Le dos, déformé par l'âge et la malnutrition, comportait une seule tache. Un braque allemand à poil court.

– Et voici Ned, dis-je. Le compagnon de randonnée du Dr Wainright. Disparu depuis des années.

– Ils dissèquent toutes sortes de bestioles mais épargnent ces deux-là ? s'étonna Milo.

– Une grande énigme, les garçons et leurs bêtes.

Ned marqua un nouvel arrêt, le souffle court, peinant à garder l'équilibre. Louie le caressa du museau et se plaça à côté de lui, suffisamment près pour permettre au vieux chien de prendre appui contre son flanc. Ils poursuivirent leur exploration, Louie soutenant Ned dès que celui-ci flanchait. Et chaque fois qu'il parvenait à maîtriser ses gestes, le braque se voyait récompenser d'une papouille. La thérapie comportementale, version canine.

Un quart d'heure durant, nous observâmes leurs zigzags à travers champ. Ils ne s'intéressaient pas au véhicule banalisé, garé à l'écart. Louie releva une fois la tête pour nous regarder à nouveau, mais de manière détachée, sans aucune crainte. Une créature confiante.

– Ils sont affamés, dit Milo. Si eux sont là, lui aussi, forcément.

Il scruta l'horizon, portant la main à son holster.

– Allez, mon cinglé, montre-toi. Sinon, je t'envoie les services vétérinaires !

Les chiens continuèrent d'errer sans but apparent. Le braque s'accroupit et mit très longtemps à faire ses besoins, tandis que son jeune compagnon attendait patiemment. Puis Louie le soutint à nouveau dans leur trek éprouvant. À un moment, tous deux disparurent parmi les broussailles. Vingt minutes plus tard, ils n'avaient toujours pas reparu.

Milo me fit signe de le suivre. Nous nous engageâmes dans la végétation, l'attention fixée sur l'endroit où nous les avions aperçus pour la dernière fois. Pour atténuer le bruit, nous ouvrions le passage de nos bras avant d'avancer. Un arrêt tous les dix pas pour s'assurer que personne ne nous épiait. Aucun signe de Louie et Ned, ni d'aucune autre créature.

Au bout d'une cinquantaine de mètres, les herbes

hautes s'interrompaient. Nous nous trouvions face à un espace dégagé, sans forme précise, à une vingtaine de mètres de la haie de ficus. De la terre brune, parfaitement aplanie et nettoyée. Comme autour du cadavre de Colin Quigg. Deux séries d'empreintes de pattes traversaient cette zone désherbée. Milo s'accroupit et pointa un endroit à gauche des traces canines. Le dessin d'une semelle. Plusieurs, même, en grande partie brouillés par les chiens. Je pus distinguer la forme d'un talon. Comme un boomerang découpé dans la terre. Les pieds se dirigeaient vers la route. Quelqu'un avait quitté les lieux.

La piste de Louie et Ned s'interrompait au bord d'un trou. Pas un orifice irrégulier, mais un cercle parfait. Environ deux mètres de diamètre, bordé de métal rouillé. Une bouche béante, au niveau du sol. Du fait de l'inclinaison du champ et de la végétation, elle n'était visible que de près. Une entrée de tunnel semblable à celle que nous avait montrée Borchard. Ici, point de plaque à ouverture pneumatique.

Milo m'intima de rester en arrière, sortit son revolver, s'approcha et risqua un coup d'œil. Le bras armé se figea et la tête de Louie émergea du trou. Pantelant, il affichait un sourire benêt. Le Glock ne l'impressionnait nullement. À l'invite de Milo, il sortit en agitant la queue. Il se mit sur le dos, geste théâtral de soumission. Milo lui caressa le ventre de sa main libre. Louie ferma les yeux, aux anges. Une brave bête certes peu futée, mais qui avait eu fière allure autrefois. À présent, il avait le poil râpé et grisonnant aux pointes.

Milo lui indiqua de s'asseoir et, dès que l'animal eut obéi, retourna vers le trou sur la pointe des pieds. Un bruit s'en échappait, chuintement mouillé amplifié par le boyau souterrain. L'oreille pointue de Louie se dressa, mais il garda le bassin posé sur les pattes arrière. Les sons se précisaient : une respiration sonore, des raclements. Ned le braque sortit la tête. Il observa Milo, puis moi et Louie. Sans doute rassuré par le calme de son jeune camarade, Ned se laissa tomber et appuya le museau sur le rebord. Milo me fit signe de venir, me remit les clés du véhicule et m'expliqua ma mission.

L'homme chargé de veiller sur le champ d'artichauts n'avait pas bougé. Je me garai à quelques mètres pour l'avertir de ma présence, m'approchai dans son dos et dis :

– Pardon...

Il se retourna comme s'il m'attendait, porta la main au bord de son chapeau. Il tenait toujours la bouteille de soda, désormais vide, mais n'avait pas touché au sandwich dans sa poche. Je sortis un billet de vingt dollars et pointai le casse-croûte.

– *¿Para esto ?* demanda-t-il en arquant les sourcils.

– *Si.*

Il me le tendit.

– *Gracias.*

Je voulus lui donner le billet, mais il secoua la tête.

– *Por favor,* insistai-je en glissant l'argent dans la poche de sa chemise.

Avec un haussement d'épaules, il reprit sa surveillance.

Grâce à la nourriture, Milo put attirer les deux chiens loin du trou. Tandis qu'il se chargeait de Louie, je retins Ned par la peau du cou, ce qui est beaucoup dire ; la pauvre bête, qui avait dû peser dans les trente kilos, n'en faisait même plus la moitié. Je le soulevai délicatement et j'eus la sensation de porter un tas de brindilles. En chemin vers la voiture, il pivota la tête et je vis qu'une de ses orbites ne présentait plus de convexité, simplement recouverte d'une pellicule d'un gris bleuté.

– T'es super, Ned, dis-je.

Il gémit, me gratifia d'un coup de sa langue sèche et fétide. Milo n'eut qu'à poser doucement l'index derrière l'oreille de Louie pour le guider. Les deux chiens furent placés à l'arrière de la voiture, la vitre entrouverte pour qu'ils aient de l'air. Le sandwich se limitait à une portion chiche de charcuterie et du pain blanc, mais ils ne firent pas la fine gueule. Milo le répartit équitablement en petites bouchées qu'il leur présenta à tour de rôle. Louie mastiquait plutôt bien, mais le braque n'avait plus que quelques dents et était donc obligé d'utiliser les gencives. Ils eurent aussi droit à un peu d'eau minérale en quantité raisonnable, provenant des bouteilles que nous avions apportées pour nous. Ned s'allongea sur le dos et se lova contre la portière. Louie posa une patte sur le flanc de son copain et tous deux s'endormirent, ronflant à l'unisson en un rythme de valse des plus comiques.

Milo sortit et verrouilla les serrures. Je le suivis vers le champ et me postai à côté de lui, tourné vers l'entrée du tunnel.

– Une seule série de pas, dit-il. En supposant que ce sont ceux de Harrie, quelle est la probabilité pour que Huggler soit en dessous ?

– Entre bonne et très forte. Il commence à vraiment s'inquiéter que l'autre ne soit toujours pas rentré du marché, mais il n'a nulle part où aller.

– On va donc présumer qu'il est en bas. Le problème, c'est qu'on n'a aucun moyen de savoir où débouche le tunnel. Tu imagines si Borchard se trompe ? S'il existe des issues non bouchées au Hameau des Mouettes et que Huggler y débarque ?

– Fais-moi confiance, je gère la sécurité et ça ne peut pas arriver.

Il rit, redevint sérieux.

– Tu avais vu juste, c'est une histoire d'équilibre. On ferait peut-être mieux de suivre leur exemple, fit-il avec un regard en direction des chiens. Au bout de l'ignorance, le bonheur.

Il se remit au volant et orienta le véhicule face au champ, les roues avant dans l'herbe. Grant Huggler n'aurait qu'à se diriger vers la route pour nous repérer à coup sûr. Si toutefois il restait aux abords de sa cachette, la topographie qui dissimulait l'entrée du tunnel jouerait en notre faveur. Et si je me trompais et qu'il s'était absenté, qu'il revienne de n'importe quelle direction, nous lui fournirions de parfaites cibles. Milo se posta à gauche de la voiture, et je me tins à côté de lui.

– C'est parti, fit-il. Tu veux bien surveiller nos arrières de temps en temps, que je puisse me concentrer sur ce qui se trouve devant ?

– Pas de problème.

– Si, nous avons plein de problèmes, mais nous savons les résoudre.

Un oiseau passa dans le ciel, une mouette qui s'éleva et finit par disparaître à l'ouest. De nouveau un calme immobile.

– Maudit paysage d'aquarelle, grommela Milo.

– Le tunnel est situé à l'emplacement des soins spécialisés, dis-je.

– Retour à son cher bercail… (Regard à l'intérieur du véhicule.) Il faudra montrer ces pauvres bougres à un vétérinaire.

Une longue pétarade s'échappa de l'habitacle. Un pet de Louie, en *ré* mineur.

– Je te comprends, mon vieux. Malheureusement, le véto devra attendre son tour.

– Le moment est venu de convoquer la police des humains ?

– Ce serait la procédure habituelle, non ? dit-il en dévoilant ses gencives. Mais voilà, quels renforts sont les mieux adaptés ? Si j'appelle la police de Camarillo et que je leur décris la situation, ils pourraient se montrer coopératifs. Tout comme ils pourraient n'en faire qu'à leur tête et avoir la main lourde, vu qu'on est sous leur juridiction.

– Faire appel au SWAT, par exemple ?

– Ou à un de ces négociateurs chevronnés, voire les deux ensemble. La moitié du temps, ça foire. Soyons francs, il est à peu près impossible de dissuader quelqu'un qui est décidé à tirer sa révérence. Alors, avec un cinglé comme Huggler, à supposer qu'il soit bien là… bon sang, pourvu qu'il soit terré dans son tunnel… ce n'est pas d'avoir suivi un stage en tractations et cajoleries qui aidera, non ?

– En effet.

– S'ils optent pour la manière forte, je ne pourrai pas les en empêcher et ça virera au siège qui traîne en longueur, jusqu'à ce que Huggler tombe sous leurs balles, comme Harrie. Et quelques flics en prime, pour peu qu'il ait un arsenal à sa disposition. Un tunnel à entrée unique, c'est un vrai cauchemar. Le gaz lacrymogène pourrait être une solution si la galerie est peu profonde, mais s'il a la place de reculer, ça compliquerait les choses. (Il se frotta les joues.) Personnellement, j'en ai rien à cirer de Huggler, mais j'ai besoin de l'interroger. Lui seul pourra me dire pourquoi Harrie se trimbalait avec un kit de viol, combien de cadavres il nous reste à trouver, à qui appartenaient ces globes oculaires.

Il rappela Petra, l'informa de l'existence du tunnel, la chargea d'avertir les autres, puis de gagner Camarillo en compagnie de Reed, Binchy ou Biro, celui qui était le plus proche d'elle.

— Mais restez en ville. Je vous ferai signe si j'ai besoin de vous.

— Vous êtes où précisément ?

Il lui indiqua l'endroit.

— Je connais une pizzeria correcte dans le coin, dit-elle. Eric et moi y mangeons quand nous faisons une virée shopping aux magasins d'usine.

— Eric aime le lèche-vitrines ?

— Moi, oui. Lui, il fait semblant. Bon, j'arrive le plus vite possible. Bonne chance.

Comme Milo raccrochait, Louie fut pris d'un nouvel accès de flatulence.

— Eh bien ! C'était à quoi, ce sandwich ?

— Une sorte de mortadelle.

— Si l'attente se prolonge, je sens que je vais regretter de le leur avoir laissé...

41

La première heure s'écoula lentement et la deuxième stagna pour de bon. Plongés dans un sommeil entre-coupé de flatulences et de moments de torpeur, les chiens n'auraient pas déparé dans une chambrée d'étudiants camés.

– J'en connais qui ont tout compris, maugréa Milo qui s'autorisa un somme.

Comme j'avais les yeux grands ouverts, ce fut moi qui le repérai. Au même endroit où nous avions aperçu les chiens, une silhouette différente. Plus haute, se tenant debout, enveloppée dans un vêtement marron au col clair. Elle fit quelques pas, s'arrêta. Repartit et stoppa à nouveau. Elle se dirigeait dans une direction qui n'était pas la nôtre. Ça se présentait bien.

Un léger coup de coude à Milo qui se réveilla et scruta le champ. Il s'empara de son arme, sortit et repoussa délicatement la portière, sans enclencher le pêne. Il s'avança en silence, se posta derrière de hautes herbes qui le dissimulaient en grande partie et épia l'homme à la canadienne. Celui-ci marchait en gardant le regard fixé au sol. Son allure était déter-minée mais saccadée, entrecoupée d'arrêts sans but apparent. Comme une machine mal huilée. Son Glock dans la main droite, Milo se servit de la gauche pour écarter les broussailles. Le dos voûté, il s'engagea dans la végétation.

Je patientai un instant, puis baissai davantage la vitre ; une ouverture trop étroite pour que les chiens y glissent la tête, mais suffisante pour bien aérer l'habitacle. Comme les deux bêtes demeuraient prostrées dans leur somnolence, je m'autorisai à descendre. J'optai pour une trajectoire en biais par rapport à la traque de Milo, qui me permettrait de rester derrière l'homme à la canadienne. Nous formions les trois sommets humains d'une sorte de triangle.

Concentré sur l'objectif, Milo avançait sans se douter de ma présence. Quand il m'aperçut enfin, il se figea. Me gratifia d'un regard insistant, sans se donner la peine de me faire signe de rebrousser chemin. Conscient que ça serait inutile.

Il repartit et moi aussi, mon allure calquée sur la sienne. Notre suspect continuait de serpenter sans but apparent. Tête baissée, perdu dans son monde. Crâne nu et pâle, récemment rasé. Milo et moi n'étions plus qu'à trente mètres de lui, bientôt ce fut vingt. Je ne cherchais plus à être discret, je ne m'embarrassais plus d'écarter les herbes pour atténuer le bruit de frottement. L'homme marquait de fréquents arrêts pour scruter l'horizon au nord. Peut-être cherchait-il les chiens qui se promenaient souvent par là-bas. Ou bien il s'orientait en fonction de sa propre logique mystérieuse. J'accélérai le pas, gagnai du terrain par rapport à Milo. Celui-ci se raidit quand il en prit conscience, ce qui me procura quelques précieuses secondes. Je les mis à profit pour me précipiter vers l'individu. Il déambulait toujours, mains dans les poches, épaules rentrées. J'en étais réduit à trotter. Il s'arrêta, releva l'arrière de la canadienne et se gratta les fesses. Il ne m'avait toujours pas repéré.

Mon pantalon s'accrocha à une ronce plus coriace que les autres et un craquement sonore se fit entendre quand je tirai dessus pour me dégager. L'homme se retourna et me vit. Il n'esquissa aucun geste. Je le saluai du bras, comme un vieil ami que j'aurais croisé par hasard. Il restait bouche bée, son visage flasque tremblait comme un aspic de volaille. Je m'approchai, tout sourire, gesticulant de plus belle.

– Salut, Grant ! Ça faisait longtemps !

Ses joues se contractèrent. Il écarta les jambes, planta fermement les pieds et agita les bras. Un visage bouffi aux traits aplatis, où ne transparaissait ni réflexion ni perplexité, ni aucune des contraintes mesquines de la bonne santé mentale. Un air de pure terreur. C'était donc là le croquemitaine, l'apparition cauchemardesque, le cruel messager de la nuit qui avait semé la panique et le malheur. Il demeurait figé, paralysé par la peur dans sa canadienne trop grande au col effiloché, au cuir graisseux et râpé comme les chiens, sac informe par-dessus une chemise blanche et un jean crasseux. J'étais arrivé à moins d'un mètre.

– Salut Grant, moi c'est Alex…

Moulinant des deux bras, il tituba à reculons.

– Tu n'as rien à craindre de moi, Grant…

Il ouvrit la bouche, ses lèvres formèrent un O. Aucun son ne s'en échappa dans un premier temps, puis un couinement, semblable à celui des souris engluées dans des pièges et sur lesquelles s'écrasait le pied botté de mon père. Il pivota pour s'enfuir. Se jeta dans les bras d'un grand gaillard armé. De sa main libre, Milo retourna Huggler, lui empoigna le bras gauche, le lui ramena dans le dos et lui passa une menotte. Conformément à la procédure pour les suspects costauds, il avait accroché deux paires ensemble. Huggler renifla et se mit à pleurer. Son bras droit pendait le long de sa cuisse. Les deux mains occupées, Milo ne savait comment s'y prendre avec le membre récalcitrant.

– Passe la main droite dans ton dos, Grant.

Huggler se relâcha, comme s'il allait lui obéir, mais le bras resta figé. Je voulus m'avancer, mais Milo m'en dissuada d'un signe de tête et répéta l'ordre. Huggler avait les joues ruisselantes de larmes. Et il gardait la même posture. Milo rangea le Glock dans son holster, lui prit le poignet gauche à deux mains et le tordit violemment. Le bras droit de Huggler se soumit enfin, se replia et passa dans son dos. Milo tenta de lui mettre la seconde menotte, mais la corpulence de Huggler et l'épaisseur de la canadienne faisaient qu'il manquait encore quelques centimètres. Quand Milo força pour rapprocher les deux mains, Huggler poussa un cri de douleur.

– Ne t'inquiète pas, Grant, dit Milo.

Un de ces mensonges dont les policiers ont le secret.

– Vraiment ? fit Huggler d'une voix haut perchée, enfantine.

– Ça y est presque, petit. Voilà…

On n'était plus qu'à quelques millimètres du but quand les épaules de Huggler s'agitèrent comme celles d'un rhinocéros réveillé malencontreusement. Pris de court, Milo sentit son pied déraper. L'espace d'un instant, il s'attacha à garder l'équilibre. Huggler en profita pour se retourner et lui attraper la tête entre ses mains énormes, lisses et glabres. Le visage inexpressif, il imprima une torsion, dans le sens des aiguilles d'une montre. De la part de Milo, la réaction la plus efficace aurait sans doute été de saisir son arme. Toutefois, quand de puissantes mains vous prennent la tête en étau et cherchent à la faire pivoter, quand vous comprenez qu'il en faudra peu pour vous rompre la moelle épinière et priver votre cerveau du nectar qui lui insuffle la vie et y engendre les pensées, vous vous en prenez à ces mains. Faire que ça cesse. Milo planta les doigts dans les paluches assassines, tira dessus et les griffa, jusqu'au sang. Impassible, Huggler continuait à tordre. Patient, les yeux secs. Le réconfort du familier. Une routine bien rodée, aux résultats prévisibles : torsion dans un sens, puis dans l'autre, et le corps qui soudain n'offre plus aucune résistance. On l'étend délicatement. On s'assoit et on attend de pouvoir entamer l'exploration.

Milo n'arrivait pas à se dégager. Il avait les yeux exorbités et le visage écarlate. Il s'était déplacé en se débattant, de sorte que son arme m'était cachée. Pouvais-je espérer m'en emparer et parvenir à tirer sans le mettre en danger ? Je réagis moi aussi d'instinct, me précipitai dans le dos de Huggler et lui décochai un puissant coup de pied derrière le genou. Une attaque qui suffit souvent à réduire de solides gaillards en éclopés criards. Huggler ne broncha pas, parvint à tourner la tête de Milo d'un degré supplémentaire, lui arrachant une plainte. Je m'en pris à l'autre genou. Autant gifler le tronc d'un chêne. Je plongeai les mains sous le col de mouton synthétique, tentai de comprimer la carotide. Sa peau était moite, impossible d'assurer une prise. Le cou de Milo pivota encore un peu, nouvelle progression dans la rotation fatale. Je sentis la pomme d'Adam de Huggler, descendis mes pouces un peu plus bas, jusqu'à la cicatrice qu'il gardait de l'opération par laquelle on l'avait privé d'une glande parfaitement saine. Je plantai mes deux ongles dans la chair. Il hurla, lâcha Milo. Il recula en vacillant et porta les mains à son cou. Je lui assénai un coup de poing au plexus et lui fis un croc-en-jambe en le poussant de toutes mes forces. Se tenant toujours le cou, il tomba et son dos heurta violemment le sol. Il gisait là, vulnérable. À son tour.

Haletant, ses yeux verts en proie à une peur qui tardait à s'en effacer, Milo chercha son revolver à tâtons, dut l'empoigner à deux mains tant il tremblait et pointa la masse sans défense de Huggler. Celui-ci aperçut l'arme, détacha les mains de son cou enflé et rosi. Il toussa, sourit. Se releva en position assise et se jeta en avant.

Milo lui tira une balle dans la chaussure gauche. Huggler contempla son pied. Sa petite bouche, assez délicate, s'entrouvrit de stupeur. L'extrémité de la basket crasseuse rougissait. La menotte à son poignet gauche émit un cliquetis quand il fut saisi de tremblements. Il observait le sang s'écouler de ce qu'il restait de son gros orteil. Captivé. Les mystères du corps humain.

Milo le retourna sans ménagement, ramena son bras droit dans son dos sans se soucier de lui déboîter l'épaule et put enfin menotter les deux poignets. Huggler resta sur le ventre. La terre prenait une teinte violacée à l'endroit où le sang continuait de goutter. Faible débit, seules des veines étaient touchées. Huggler voulut dire quelque chose, mais le sol étouffa ses mots. Il tourna la tête de côté.

Milo inspira une bouffée d'air. Il se toucha la joue, grimaça. Son regard fuyait le mien. Il s'éloigna de quelques pas. Une mouette passa dans le ciel. Peut-être la même qu'avant, curieuse du raffut.

– Waouh ! lâcha Huggler.

– Qu'est-ce qu'il y a ? dis-je.

– Mon pied. J'aimerais bien le voir, s'il vous plaît.

42

On venait d'apporter sa pizza à Petra quand Milo l'appela. Elle n'y toucha pas et arriva neuf minutes plus tard. En route, elle s'était occupée des affaires courantes : réclamer une ambulance, contacter la police de Camarillo avec qui elle avait dû user de tout son charme, sans compter quelques éléments dévoilés à bon escient, pour calmer le jeu. Elle observa Huggler qui était assis par terre, poignets menottés et chevilles ligotées, son pied blessé bandé avec l'un des chiffons propres que Milo garde toujours dans le coffre. Depuis le temps qu'il a affaire à des cadavres, il sait comment s'équiper pour le sanglant. Huggler avait le cou de plus en plus enflé et violet. Il toussait beaucoup, mais respirait correctement. Les marques de doigts sur le visage de Milo n'étaient plus que des taches informes. Petra sentit qu'il s'était passé quelque chose. Je perçus l'animation de ses pupilles tandis que son cerveau cherchait à comprendre. Elle eut l'intelligence de ne pas poser de question.

Huggler n'avait pas réagi à son arrivée, toujours aussi passif. Il regarda Milo et dit d'un ton plaintif :

– Hum… monsieur ? Je pourrais ravoir de la bouillie ?

– Pardon ?

Huggler contempla le chiffon imbibé de sang.

– Vous pourriez retirer le bandage ?

– C'est trop serré ?

– Euh…

– Quel est le problème ?

– Je veux regarder.

– Regarder quoi ?

– L'intérieur.

– Comment ça, l'intérieur ?

Huggler fit la moue.

– À l'intérieur de moi.

– Désolé, dit Milo. Il faut le garder.

Il trouvait le moyen de s'excuser envers celui qui avait failli lui rompre le cou.

– Bon. Okay.

Le visage de Huggler reprit sa pose figée, lisse et sereine. Je pensai à ses victimes. Ce grand disque pâle avait été la dernière image à imprimer leur rétine avant l'extinction finale des lumières.

Petra, pourtant douée pour garder son flegme, avait été déstabilisée par la requête de Huggler. Le front plissé, elle se détourna de nous et contempla la splendeur du ciel. Elle prit un chewing-gum dans son sac et le mâcha vigoureusement. M'en proposa un que j'acceptai. Comme je m'apprêtais à mastiquer, la douleur irradia mon visage tout entier. Chaque muscle et chaque nerf étaient à vif, d'avoir été si longuement crispés.

Milo consulta sa montre, jeta un coup d'œil à la basket de Huggler. Le chiffon avait encore rougi, mais le prisonnier avait assez bon teint et ne semblait pas en état de choc.

– Ça va ?

Huggler acquiesça.

– Vous avez une sacrée force dans les mains.

– C'est ce qui m'a sauvé contre toi, Grant.

– Les autres fois, fit Huggler d'un air interloqué, ça m'avait toujours réussi.

Les urgentistes de Camarillo installèrent Huggler sur un brancard avec menottes et entraves. L'inspecteur, un certain Ramos qui avait les cheveux blancs, pria le conducteur de patienter pendant qu'il s'entretenait avec Milo. À mesure qu'il apprenait les détails de l'affaire, sa défiance se mua en curiosité professionnelle, puis en sympathie.

– On dirait que vous nous avez rendu un fier service. Combien de victimes, au juste ?

– Six au minimum, sans doute davantage.

– Une situation délicate. En trente années de métier, jamais je n'ai connu ça.

– Il ne tient qu'à vous que ça ne soit pas votre problème, à moins que vous ne souhaitiez vous compliquer l'existence dans un élan de masochisme.

– Vous souhaitez gérer la totalité du dossier.

– Comme c'est nous qui avons commencé, autant terminer le travail. Rien que la paperasse, ça va occuper à plein temps.

Ramos sourit et sortit un paquet de Winston. Milo accepta la cigarette offerte et fuma avec son collègue.

– Votre argumentation a du bon, fit Ramos. On fait comment ? On le soigne, puis on vous le livre dans un camion de la Brinks ?

– Une cage serait préférable, dit Milo en effleurant son visage meurtri du bout des doigts.

Nos regards ne s'étaient toujours pas croisés depuis l'arrestation de Huggler. J'avais veillé à me tenir en arrière pour ne pas exacerber la gêne.

– Je vais en parler à mon chef, dit Ramos. Paresseux comme il est, je ne pense pas qu'il y verra d'objection.

– Tous les moyens sont bons, dit Milo. Les aspects juridiques seront examinés de près. Mon service contactera le vôtre.

– C'est ça, et on se fait une bouffe. Six cadavres ? Il serait peut-être préférable que ce fumier soit accompagné ? Juste par précaution. (Il lança un regard en direction de l'ambulance.) Franchement, il ne paye pas de mine. Le gosse qui n'était jamais retenu pour les parties de foot.

– Ça fait partie de son charme.

– Parce qu'il est charmant ?

– Pas vraiment.

– Ma pire affaire, dit Ramos. Avant, c'était une enquête qui m'est tombée dessus il y a un peu plus de trois ans. Une mère qui a tiré une balle dans la tête de son gamin parce qu'il parlait trop. Elle a pris un flingue et elle l'a buté. Je vous parle d'un gosse de douze ans. La mère avait un look d'institutrice. (Nouveau regard à l'ambulance.) Là, rien à voir. Vous m'ôtez une sacrée épine du pied. Je viens avec vous, informa-t-il le secouriste. Ainsi que l'agent Baakeland, dit-il en faisant signe à un policier baraqué.

– Faudra se serrer, dit le secouriste.

– On survivra, dit Ramos. C'est précisément le but. Tiens, qui voilà ?

– Les services vétérinaires, dit Milo.

– Ah, oui, c'est pour eux, dit Ramos en regardant les chiens, toujours endormis. Dommage qu'ils ne puissent pas parler !

Avoir accès au tunnel en toute légalité ne fut pas chose aisée. En l'absence de preuve qu'un crime y avait été commis, le procureur adjoint John Nguyen estimait qu'un mandat était probablement nécessaire.

– Probablement ? releva Milo.

– Une zone grise. Dans ce genre de situation, mieux vaut se tromper par excès de prudence.

– John…

– La seule solution est de contacter le propriétaire des lieux pour obtenir son consentement.

– C'est un promoteur.

– Il ne te reste qu'à l'appeler.

La société À la Mer était basée à Newport Beach, Californie, et Coral Gables, Floride. Personne ne répondit aux deux bureaux, ni au numéro de l'assistance téléphonique. Milo laissa un message, puis s'approcha de l'ouverture du tunnel, s'accroupit pour regarder et se releva.

– Trop sombre. On n'y voit que dalle.

– Ils ont retiré la plaque, mais il doit y avoir une trappe un peu plus bas.

Il rappela John Nguyen.

– Je n'arrive pas à les joindre. Un juge à me recommander ?

– Les mêmes que d'habitude.

Les quatre premiers magistrats que Milo contacta, d'ordinaire coopératifs, étaient absents.

– Camarillo ? bougonna le cinquième. Appelez quelqu'un sur place.

– Un nom à me souffler ?

– Quoi, vous me prenez pour un imprésario ?

Milo sortit la carte de Rudy Borchard, composa rageusement le numéro. Jura et raccrocha.

– Plus personne ne répond au téléphone ! La semaine prochaine, on nous promet des robots pour nous torcher le cul !

Il s'exprimait en ma présence, mais pas à moi directement.

– Ça va s'arranger, dit Petra.

– Facile à dire quand on est svelte et jolie !

Il regagna la voiture d'un pas traînant, s'y installa. Quand je pris place côté passager, il fit semblant de dormir. Son portable sonna et il mit du temps à répondre.

– Oui, Maria... Tout à fait, Maria. Je leur ai parlé et la totalité du dossier est pour nous... Pourquoi ? Parce que c'est comme ça... Si tu le dis, Maria...

À peine la conversation terminée, le téléphone sonnait à nouveau. Il l'éteignit et reprit son faux somme. Je descendis. Petra s'approcha, huma l'habitacle.

– Ça sent le chenil.

– Faut que je change de déodorant, grogna Milo en ouvrant les yeux.

– En parlant d'odorat, dit-elle, on dirait vraiment que la terre a été retournée. Si on faisait venir un chien capable de repérer les cadavres ?

– Dès qu'on aura le fichu mandat.

– C'est vraiment étrange, me dit Petra. On vient d'élucider une grosse affaire et on est là à se tourner les pouces.

– Dans ce cas, faisons quelque chose. On pourrait mettre du ruban autour du trou, voire sur tout le périmètre de la zone dégagée.

– De quelle quantité de ruban dispose-t-on ?

– Pas assez.

Le portable de Milo entonna un air de Mendelssohn.

– Maudits technocrates ! Quoi, maintenant ? aboya-t-il en mettant le haut-parleur.

– Je vous demande pardon ? s'étonna une voix masculine profonde.

– Qui êtes-vous ?

413

– Je suis Norm Pettigrew, je rappelle le lieutenant Sturgis qui a laissé un message.

– Sturgis à l'appareil. Vous travaillez pour À la Mer ?

– J'en suis le directeur adjoint, chargé de coordonner les activités. Que puis-je faire pour vous ?

Milo lui expliqua la situation.

– Incroyable, dit Pettigrew. Nous ignorions tout de la présence de ces squatteurs, et de l'existence de ce tunnel. Nous pensions les avoir tous condamnés.

– On dirait que l'endroit a été défriché pour y accéder.

– Qui aurait pu connaître l'existence de ce tunnel, lieutenant ? Et que venait-on y faire ?

– Bonnes questions, mentit Milo sans vergogne.

– Eh bien, ne vous privez pas pour y descendre et y faire ce que vous devez.

– Merci, monsieur.

– Naturellement, lieutenant, notre compagnie préfé-rerait ne pas être mêlée à cette affaire.

– Je ferai de mon mieux.

– Permettez que je sois encore plus clair : nous vous serons reconnaissants de toutes les complications que vous pourrez nous épargner. Connaissez-vous Laguna Beach ?

– J'y suis allé il y a un certain temps.

– Nous y avons monté un projet. Résidence de luxe avec vue sur la mer. Il y a deux appartements témoin parfaitement équipés, plus que convenables pour un séjour de courte durée. S'agissant de vous, un fonctionnaire loyal, compétent et soucieux de préser-ver l'ordre public, je suis certain que nous pourrions arranger quelque chose. Vous et madame, un week-end tous frais compris. Et même un deuxième, si vous vous y plaisez. Un magnifique restaurant italien est sur le point d'ouvrir.

– Très tentant.

– Les Villas du Rivage, c'est le nom de cette résidence. Appelez-moi personnellement, je me chargerai d'organiser ça.

– Merci, monsieur. Et merci d'autoriser les investigations.

– Pas de problème. Pour Laguna, je suis tout à fait sérieux. Offrez-vous un séjour en bord de mer, à nos frais.

Pettigrew raccrocha.

– La seule fois qu'on m'a proposé un cadeau, dit Petra, c'était un dealer. Un fix de crack pour que je le laisse filer.

– Tu aimes le bord de mer ?

– Oui. Pas vous ?

– Trop paisible. Bon, les enfants. Si on jouait les spéléos ?

43

Une échelle métallique nous mena à une dalle de béton quelques mètres plus bas, à peine assez large pour y tenir à trois. Une ampoule grillagée était fixée à l'entrée du tunnel qui partait sur la gauche, boyau de ciment dans lequel Milo parvenait tout juste à se tenir droit. Une plaque métallique semblable à celle que nous avait montrée Borchard en barrait le passage. Une légère pression suffit pour qu'elle s'ouvre en un sifflement. Un couloir vide, long de cinq ou six mètres. Aucun système d'aération apparent, et pourtant il y faisait frais et sec, une atmosphère étonnamment agréable. Ça ne sentait pas la mort, on décelait tout juste une vague odeur de moisi et de roche, et les premiers effluves de transpiration à mesure que nous avancions. Milo et Petra n'eurent pas besoin d'allumer leurs lampes torches : disposées tous les deux ou trois mètres, les ampoules grillagées baignaient le tunnel d'une lumière crue et jaune héritée de l'hôpital psychiatrique, grâce à un circuit électrique oublié mais toujours en état de marche. Le sol était propre comme la terre en surface.

Une nouvelle bouche circulaire se présenta, dont la plaque était en position ouverte. Un peu au-delà, une pièce sur la droite. Une vieille enseigne émaillée était vissée à la pierre, marquée d'une inscription en lettres gothiques : « Réserve hospitalière – biens non périssables. » Un espace de six mètres carrés environ. Au sol, deux futons soigneusement roulés, de part et d'autre d'une paire de meubles de rangement arborant toujours l'étiquette Ikea. Sur celui de gauche étaient posés un réveil à piles, deux paires de loupes de lecture, un tube de lubrifiant, une boîte de mouchoirs et trois livres : *Introduction à la psychologie, La Psychologie de l'anormal* et *Leçons de psychopathologie criminelle*. Dans chacun des trois tiroirs, quelques vêtements masculins taille S (dont certains avec une étiquette de pressing agrafée) et une plaquette de bois de cèdre contre les mites. Le meuble de droite était encombré de quatre piles d'une vingtaine de revues et de magazines. Uniquement des jeux de lettres et de logique : mots croisés, anagrammes, sudokus, kakuros, énigmes, mots mêlés, acrostiches. De ce côté-ci, les habits étaient de taille XL : sweats, tee-shirts, caleçons, chaussettes de sport. Un cagibi attenant, où la température était plus fraîche, comprenait deux toilettes chimiques, les unes propres et les autres infectes. Bouteilles d'eau minérale alignées contre le mur. Serviettes blanches empilées sur une table de bridge. Par terre, encore sous plastique, des rouleaux de papier hygiénique, taille collectivité. Dans un angle, deux cartons de nourriture : cookies, pain de mie, céréales, viande séchée, spaghettis et chili en boîte. Et aussi trois gros sacs d'aliments pour chiens.

– Ils étaient bien installés, dit Petra. Très cosy.

Un détail attira mon attention derrière les provisions. Je pointai l'index. Milo souleva un carton à pizza. Sur l'emballage marron, immaculé et non déplié, figurait la caricature du chef jovial, bedonnant et moustachu. *Mamma mia ! Bon appétit !* Trois autres étaient glissés au même endroit.

De retour dans le tunnel, je suivis Milo et Petra par une troisième ouverture pneumatique. Nous arrivâmes bientôt à une dernière pièce. « Sans issue » annonçait une plaque émaillée à l'extrémité de la galerie.

– Un peu superfétatoire, dit Petra en tapotant le mur de pierre auquel on l'avait apposée.

– Un fabricant d'enseignes qui a su graisser des pattes, nota Milo.

– Voilà bien mon lieutenant ! dit-elle alors qu'elle n'était pas sa subalterne. Cynisme et sagesse.

Milo pénétra dans la salle et s'approcha de l'unique meuble. Un bureau simple, de la même marque que les tables de nuit.

– Un effort méritant pour soutenir l'économie suédoise, marmonna-t-il en ouvrant le tiroir du haut.

Celui-ci contenait des papiers, une mine d'or pour enquêteur. Des liasses de reçus se rapportant à diverses allocations et pensions versées par l'État de Californie, comtés de Santa Barbara et Ventura, adressées à une boîte postale de Malibu, aux environs de Carbon Beach, et promptement encaissées dans une agence de la Bank of America. Les montants variaient entre mille deux cents dollars et près du double. Le bénéficiaire était un certain Lewisohn Clark.

– Quel nom excentrique ! dit Petra.

– Prononce-le à voix haute, suggérai-je.

– Ah… dit-elle après l'avoir fait.

– *Lewis and Clark*[1], dit Milo.

– De grands explorateurs, dis-je.

Rangés à part, d'autres reçus visaient un versement mensuel de trois mille huit cents dollars et quatorze

1. L'expédition conduite par Lewis et Clark en 1804 fut la première à traverser les États-Unis d'est en ouest, jusqu'au Pacifique.

cents, adressé à la même boîte postale. Un récent courrier du service des retraites annonçait une augmentation d'un peu moins de cent quatre-vingts dollars pour le mois suivant, du fait de l'indexation sur le coût de la vie. Le bénéficiaire de la retraite : Sven Gally.

Milo consulta son calepin.

– Ce sacré Harrie ne s'est pas embêté : il a fourni son propre numéro de sécurité sociale.

– Comme quoi l'Administration n'est pas très curieuse, dit Petra. Svengali[1], dit-elle en inspectant un reçu, la mâchoire crispée. Je préfère le savoir mort.

Sous les liasses, une boîte en simili croco vert foncé nous dévoila d'autres secrets. Des clichés polaroïds fanés de jeunes femmes ligotées et terrorisées. Pour chacune, la même séquence atroce : la corde passée autour du cou, les yeux tétanisés par la peur, le regard sans vie et la bouche ouverte. Sous les photos, une liasse d'articles obtenus sur internet. Des disparitions de jeunes filles, huit en tout, classées par ordre chronologique. La première, étudiante à UC Santa Cruz, avait été enlevée dix ans auparavant pendant qu'elle visitait Carmel. L'affaire la plus récente était une ado en fugue, seize ans, originaire du New Hampshire, aperçue pour la dernière fois cinq mois auparavant sur Ocean Avenue où elle faisait du stop, non loin de l'embarcadère de Santa Monica. Il nous fut aisé de mettre un nom sur chaque visage.

Dans le tiroir du bas, Milo trouva une autre boîte, celle-ci en chagrin gris esquinté, posée sur des feuilles. Il appuya sur un bouton et le couvercle se souleva. Elle

1. Personnage d'un roman de George Du Maurier, figure du manipulateur qui exerce son emprise sur les autres à des fins maléfiques.

contenait du matériel chirurgical, chaque instrument rangé dans un emplacement à sa forme et doublé de velours vert. À l'intérieur du couvercle figurait l'inscription, en petites lettres dorées : Chiron-Tuttlingen. Les papiers en dessous semblaient vierges, mais Milo en prit un malgré tout. Au dos figurait l'inévitable point d'interrogation, parfaitement centré.

– La question ne se pose plus, mon salaud, maugréa-t-il. Allez, il est temps de ressortir.

– Bonne idée, se félicita Petra. Moi aussi, j'ai besoin de respirer.

– Ce n'est pas ça, petite, dit-il en brandissant son mobile. Il n'y a pas de réseau.

En route vers la sortie, je me rapprochai de Milo et le fixai jusqu'à ce qu'il croise mon regard. Il hocha la tête, puis s'éloigna.

Quand le labrador noir et le springer arrivèrent enfin, la nuit était tombée. Grâce à l'intervention d'Arthur Ramos, des projecteurs avaient été installés sur-le-champ. Leur maître, une civile du nom de Judy Kantor, était basée à Oxnard où elle élevait ces deux races et dressait des chiens de concours.

– L'obscurité leur convient bien, expliqua-t-elle. Ils sont moins distraits. Où est-ce ?

– Cette zone dégagée, dit Milo.

– C'est tout ? fit Kantor. Pas d'arbres ? Pas d'eau ? Pas de broussailles ? Trop fastoche. S'il y a quoi que ce soit, ils vous le trouveront. (Elle frappa dans ses mains.) Hansel ! Gretel ! Allez, montrez-nous que vous avez du flair !

Elle les mena le long du périmètre, puis les laissa explorer librement. Au bout de quelques instants, les chiens s'étaient assis, à trois mètres l'un de l'autre.

Judy Kantor marqua les emplacements et leur fit signe de continuer. Ils indiquèrent deux nouveaux endroits, mais cette fois-ci ne bougèrent plus.

– C'est tout, lieutenant.

– Nous pensons qu'il pourrait y avoir jusqu'à huit victimes, dit Milo.

– S'il y avait une autre tombe aux environs, ils vous la signaleraient, à moins qu'elle ne soit vraiment très profonde. Ou peut-être que les corps sont superposés.

Milo la remercia. Les chiens eurent droit à leur récompense et le trio repartit, visiblement ravi.

Les cadavres n'étaient pas empilés. Quatre squelettes intacts, enterrés à moins d'un mètre de profondeur.

– Tous d'un petit gabarit, nota Petra. Pas besoin d'un anthropologue pour reconnaître des jeunes filles.

44

Il fallut malgré tout recourir à l'anthropologie pour analyser les ossements. Le rapport du Dr Liz Wilkinson, l'amie de Moe Reed, arriva sur le bureau de Milo neuf jours plus tard. Les squelettes présentaient certaines ressemblances avec les quatre victimes les plus récentes dont James Harrie avait conservé les photos. La denture permit l'identification de deux des jeunes filles et l'on put différencier les deux autres par la longueur du fémur. Wilkinson estimait que deux d'entre elles avaient probablement accouché. Il n'en fut pas question lors des entretiens avec les parents, inutile d'aborder le sujet. Milo veilla à faciliter le transfert des ossements et assista aux obsèques des quatre victimes.

Les fouilles entreprises dans le champ, en profondeur et sur un périmètre plus large, ne donnèrent rien, ni cadavre supplémentaire ni le moindre indice.

Les corps du Dr Louis Wainright et de l'infirmière Joanne Morton restaient introuvables. Les yeux laissés au cabinet du faux Dr Bern Shacker étaient trop abîmés par le formol pour qu'on puisse pratiquer une analyse ADN. Le Dr Clarice Jernigan jugeait qu'ils ne provenaient pas obligatoirement d'une victime, qu'il pourrait très bien s'agir de spécimens anatomiques comme on en vend à l'intention des optométristes et ophtalmologistes. Forte d'une longue expérience de pathologiste, elle a le cœur endurci. Néanmoins, il nous arrive à tous de nous voiler la face.

Il n'existait qu'un seul vendeur de pizza entre Santa Barbara et Malibu à utiliser des boîtes comme celles retrouvées dans le tunnel, une cahute à Oxnard fréquentée principalement par les gens circulant sur la 101. Aucun des employés n'avait remarqué de vol d'emballages. Une adolescente qui y travaillait en soirée les week-ends était à peu près certaine de reconnaître en James Harrie un client occasionnel, un monsieur très aimable. Brillante lycéenne, elle se souvenait avec quasi-certitude de ce qu'il commandait, toujours la même chose : une petite au fromage, et une grande champignons pepperoni.

Dans l'attente des suites judiciaires, Grant Huggler avait été interné à l'hôpital de Starkweather, dédié aux criminels atteints de pathologie mentale. C'était un patient modèle, mais le diagnostic était tout sauf simple. L'avocat commis d'office et le procureur adjoint John Nguyen m'avaient chacun fait savoir qu'ils envisageaient de me convoquer à la barre comme expert si un procès devait avoir lieu. Je leur avais exprimé mes réserves sur le sujet et ils n'avaient pas insisté. Sans pour autant abandonner l'idée, en bons professionnels du prétoire. L'incertitude m'était supportable. Milo m'avait demandé – par deux fois, distraction inhabituelle – si je pensais que Huggler serait jamais présenté à un tribunal ou resterait confiné à l'isolement.

– Et pourquoi on ne lui trouverait pas un asile au Kansas ? On leur doit bien ça !

Les deux fois, je lui avais répondu que je ne me sentais pas de jouer les pronostiqueurs.

Pour ma part, je reste un peu tendu, même si je fais bonne figure en compagnie de Robin et de Blanche. Mon comportement et mes paroles font illusion, je joue la comédie de la vie normale. Les cauchemars ont cessé, pour l'essentiel. Malgré tout, je repense souvent aux yeux dans le bocal, aux quatre filles dont le corps n'a pas été retrouvé. À Louis Wainright et à Joanne Morton. Belle Quigg n'a pas souhaité reprendre Louie, expliquant à Milo que chaque jour était déjà une épreuve difficile. Louie et Ned ont finalement été adoptés par des mormons d'Ojai, une famille de douze enfants qui recueille avec générosité de vieilles bêtes éclopées et abandonnées. Aux dernières nouvelles, les deux compagnons ont repris du poids et il arrive même que Ned ait l'énergie de jouer.

J'ai refusé plusieurs patients qui m'ont été adressés, ce qui me laisse davantage de temps pour courir et écouter de la musique dans des genres très variés, du Steve Jai comme le sixième concerto brandebourgeois de Bach. Tous les jours, je m'enferme dans mon bureau où je fais mine de travailler. En fait, je brasse des pensées, puis je m'efforce de ne plus penser à rien. J'envisage de me réessayer à l'autohypnose, ou d'apprendre une nouvelle technique de méditation pour me vider l'esprit. Je me dis que je pourrais rencontrer les parents des quatre filles qui demeurent disparues. Ou parler aux enfants, aujourd'hui adultes, du Dr Louis Wainright. Personne ne s'est manifesté au nom de Joanne Morton, ce qui me perturbe plus qu'il ne le faudrait. Je m'interroge sur ce qui a pu engendrer un Grant Huggler, un James Harrie. À ce stade, je ne suis pas certain de souhaiter des réponses.

Double Miroir
Plon, 1994

Terreurs nocturnes
Plon, 1995

La Valse du diable
Plon, 1996

Le Nid de l'araignée
L'Archipel, 1997

La Clinique
Seuil, 1998
et « Points Policier », n° P636

La Sourde
Seuil, 1999
et « Points Policier », n° P755

Billy Straight
Seuil, 2000
et « Points Policier », n° P834

Le Monstre
Seuil, 2001
et « Points Policier », n° P1003

Dr La Mort
Seuil, 2002
et « Points Policier », n° P1100

Le Rameau brisé
Seuil, 2003
et « Points Policier », n° P1251

Qu'elle repose en paix
Seuil, 2004
et « Points Policier », n° P1407

La Dernière Note

Seuil, 2005
et « Points Policier », n° P1493

La Preuve par le sang

Seuil, 2006
et « Points Policier », n° P1597

Le Club des conspirateurs

Seuil, 2006
et « Points Policier », n° P1782

La Psy

Seuil, 2007
et « Points Policier », n° P1830

Tordu

Seuil, 2008
et « Points Policier », n° P2117

Fureur assassine

Seuil, 2008
et « Points Policier », n° P2215

Comédies en tout genre

Seuil, 2009
et « Points Policier », n° P2354

Meurtre et Obsession

Seuil, 2010
et « Points Policier », n° P2612

Habillé pour tuer

Seuil, 2010
et « Points Policier », n° P2681

Les Anges perdus

Point Deux, 2011
et « Points Policier », n° P2920

Jeux de vilains
Seuil, 2011
et « Points Policier », n° P2788

Double meurtre à Borodi Lane
Seuil, 2012
et « Points Policier », n° P2991

Les Tricheurs
Seuil, 2013
et « Points Policier », n° P3267

L'Inconnue du bar
Seuil, 2014
et « Points Policier », n° P4050

Guitares d'exception
L'art et la beauté des guitares de collection
Nuinui (Chermignon, Suisse), 2014

AVEC FAYE KELLERMAN

Double Homicide
Seuil, 2007
et « Points Policier », n° P1987

Crimes d'amour et de haine
Seuil, 2009
et « Points Policier », n° P2454

AVEC JESSE KELLERMAN

Le Golem d'Hollywood
Seuil, 2015

RÉALISATION : NORD COMPO À VILLENEUVE-D'ASCQ
IMPRESSION : CPI FRANCE
DÉPÔT LÉGAL : MAI 2016. N° 130961 (3016983)
IMPRIMÉ EN FRANCE

CÓMO CREER EN
MÍ MISMO

CÓMO CREER EN MÍ MISMO

MEDITACIONES DIARIAS PARA SANAR Y SENTIRSE BIEN

EARNIE LARSEN Y CAROL HEGARTY

TRADUCCIÓN
LETICIA LEDUC
VIRGINIA AGUIRRE

SIMON & SCHUSTER

AGUILAR
LIBROS EN
ESPAÑOL

SIMON & SCHUSTER
Rockefeller Center
1230 Avenue of the Americas
New York, NY 10020

Datos de catalogación de la Biblioteca del Congreso
puede solicitarse información

ISBN 0–684–82359–4

© Aguilar, Altea, Taurus, Alfaguara, S.A. de C.V.
Av. Universidad 767, Col. del Valle
México, 03100, D.F.
Teléfono 688 8966

CÓMO CREER EN MÍ MISMO
Título original en inglés:
Believing in myself

Aguilar es un sello del **Grupo Santillana** que edita en Argentina, Chile, Colombia,
Costa Rica, Ecuador, España, Estados Unidos, México, Perú, Puerto Rico,
Portugal, República Dominicana, Uruguay, y Venezuela.

Dedicamos este libro a Dorothy Larsen, nuestra madre y bendición, y al padre Jim Mifsud, símbolo de esperanza en los callejones más oscuros de la vida.

AGRADECIMIENTOS

Nuestro particular agradecimiento por las atentas contribuciones de Cathie C. Danielsen, Linda Santwire y Ron Palmer.

1o. de enero

Aunque el tiempo sea real, darse cuenta de su insignificancia es la entrada a la sabiduría.

Bertrand Russell

La mayoría medimos las realidades de la vida según el tiempo. Sin siquiera percatarnos de ello, el contexto del tiempo dirige, define, canaliza y limita casi todos nuestros patrones de pensamiento. Conceptos como el pasado, el presente y el futuro dividen nuestras vidas tan definidamente como una obra está dividida en tres actos: uno empieza donde termina otro, hasta que concluye la obra. Así es el mundo exterior.

Pero el reloj sigue caminando y las páginas del calendario no controlan la acción en el mundo interior. Cuando desarrollamos la conciencia que hace que se desarrolle la autoestima, nos ponemos en contacto con una realidad diferente. En el reino de nuestra mente y nuestro corazón descubrimos un yo que no es ni viejo ni joven, ni principio ni fin, sino sólo ser. En este mundo no hay antes ni después, ni puntualidad o tardanza. Sólo existe la paz y la serenidad del *ahora* —el ahora que fue, es y será.

La gente más sana tiene doble nacionalidad: vive en ambos mundos. Si bien le apena que pase un tiempo valioso y preciado, también le conforta saber que la riqueza de la experiencia humana es eterna. Todo lo bueno vive en el mundo interior —no se perdió, no se desperdició, no pasó. En el alma sólo existe el presente eterno.

La actividad del alma no tiene nada que ver con el tiempo como el mundo lo mide.

2 de enero

Muchos miedos nacen de la fatiga y la soledad.
«Desiderata»

La autoestima no es estática. Nuestro sentido del bienestar fluctúa naturalmente dentro de ciertos límites, dependiendo de las altas y bajas de la marea de nuestra vida. Sin embargo, muchas de nuestras bajas no tienen tanto que ver con un problema en particular como con el estado de ánimo con que vemos ese problema.

Tal vez no siempre controlemos ciertos miedos. Por ejemplo, si alguna vez sufrimos quemaduras graves, quizá en lo sucesivo siempre reaccionemos de manera exagerada ante el fuego —y, por supuesto, hay muchos tipos de fuego. Pero sin duda ejercemos cierto control sobre la fatiga y la soledad que nos prepara para los ataques del miedo. De todos los esfuerzos que podemos hacer para estimular nuestra autoestima, es probable que el más importante sea evitar la fatiga y la soledad.

¿Siempre es necesario trabajar tan duro como lo hacemos? ¿Nunca podemos hacer una pausa o tomar una breve siesta? ¿Cuándo fue la última vez que nos fuimos de vacaciones? ¿Y qué tan a menudo apartamos tiempo para sostener una buena y larga conversación con un amigo? A veces, la soledad no es un lugar saludable donde estar, especialmente si también nos sentimos cansados. En esas ocasiones, nuestros miedos nos encuentran más vulnerables.

Para sentirme bien conmigo mismo, evitaré fatigarme demasiado.

3 de enero

Las comparaciones son odiosas.

Sir John Fortescue

¿Realmente qué estamos haciendo cuando nos comparamos con otros? ¿Estamos reuniendo información o en realidad pruebas de nuestra propia insuficiencia? Si éste es nuestro juego, seguramente ganaremos perdiendo siempre.

Quizá primero aprendimos a hacer comparaciones desfavorables como una forma de autoprotección. Tal vez teníamos la táctica de rebajarnos antes de que «ellos» lo hicieran por nosotros. Cuando niños, a lo mejor recurrimos a la modestia para desviar un abuso verbal que de otra manera podría haber sido peor. Pero ya no somos niños. Y aquellos bravucones que acechaban en los matorrales ya no están —a menos que los llevemos dentro y los personifiquemos en todos los demás.

¿La mayoría de la gente que conocemos nos parece mejor, más bonita o más interesante que nosotros? Si la respuesta es afirmativa, esto es señal de que todavía seguimos el viejo patrón contraproducente. Por temor, voluntariamente nos presentamos como «los peores» para impedir que aquellos que son «mejores» nos hagan daño. Después de años de práctica, hemos hecho de la modestia un hábito.

Pero, si lo deseamos, podemos adquirir otro hábito. Podemos empezar negándonos a idealizar a la gente que en realidad es la misma mezcla de fuerzas y debilidades que nosotros. Podemos dejar de hacer comparaciones para rebajarnos, y comenzar a echarle un vistazo a la persona valiosa que en realidad somos.

Hoy no necesito destrozar la imagen de mí mismo haciendo comparaciones desfavorables.

4 de enero

La verdad, toda la verdad y nada más que la verdad.

Juramento legal

Algunas verdades son más difíciles de encarar que otras. Si, como demasiado y pierdo la paciencia con los niños. Si, a veces tiendo a ser egoísta y manipulador también. Pero no, no recuerdo gran cosa de mi niñez. Supongo que fui tan feliz como la mayoría.

¿Lo anterior le suena conocido? Muchas personas que se esfuerzan por mejorar su autoestima se identifican a sí mismas como Niños Adultos. Para gran crédito suyo, unen fuerzas para brindarse mutuamente comodidad y apoyo. Pero muchos Niños Adultos siguen gastando mucha energía en rechazar el pasado en vez de aceptarlo. Comprensiblemente, les cuesta más trabajo que a la mayoría asumir el ayer. Sus ayeres fueron una pesadilla.

Es probable que sus padres hayan sido alcohólicos empedernidos o fanáticos religiosos, o simplemente no hayan sido accesibles desde el punto de vista emocional. Quizá tenían peleas constantes o hacían comentarios degradantes. ¿Quién no querría olvidar tanta miseria? No obstante, esa miseria realmente sucedió y forma parte importante de la verdad personal del Niño Adulto.

Los Niños Adultos sólo podrán deshacerse de esa verdad si la reconocen y aceptan y prosiguen con la tarea de hacer del hoy todo lo que puede ser. Sólo así podrán iniciar la cura y la restauración de una imagen positiva de sí mismos.

La negación me ata al pasado.

5 de enero

*A cada uno le «dan una bolsa de instrumentos,
una masa informe y un libro de reglamentos»;
y antes de morir tiene que hacer con ellos
una senda de peldaños o de escollos.*

R. L. Sharpe

¿Quién intentaría unir con clavos dos pedazos de madera sin emplear un martillo, o cambiar una llanta sin usar un gato neumático? Sería ridículo negar nuestra necesidad de herramientas, ¿no es cierto? Sin embargo, muchos nos resistimos a aceptar que necesitamos herramientas para reparar nuestra autoestima dañada.

La fuerza de voluntad no basta por sí sola para levantar un auto a fin de cambiarle una llanta —y tampoco para levantar una pesada carga sobre nuestro espíritu. Ni la perspicacia ni los conocimientos de carpintería son suficientes para remachar un clavo —de la misma manera que, sin la ayuda de herramientas, ni la perspicacia ni el conocimiento nos bastan para sacar las abolladuras de nuestra psique maltrecha.

No es signo de debilidad ni vergonzoso reconocer que un dedo humano no es un desarmador y que un ojo humano no es un microscopio. ¿Por qué nos resistimos a admitir la idea de que el trabajo espiritual, como el trabajo físico, requiere herramientas específicas? Leer, compartir, orar y asistir a nuestras sesiones de terapia en grupo son las herramientas que nos ayudan a realizar el trabajo. No son sutilezas opcionales ni muletas. Si necesitamos construir nuevos cimientos, necesitamos excavar un hoyo grande. Y si necesitamos excavar un hoyo, es mejor que estemos dispuestos a utilizar una pala.

Mi disposición a utilizar las herramientas adecuadas determinará el resultado del trabajo.

6 de enero

Nadie puede abusar de la verdad impunemente.
R. Duane Joseph

La integridad de una persona es su propia verdad. Vivir honorablemente es obrar conforme a la verdad que reivindicamos como nuestra. La autoestima es la hermana de la integridad; es el resultado natural, el producto derivado, de la vida honorable. Ésta es la razón por la que tanto la integridad como la autoestima se ven afectadas cuando nos apartamos del camino de la honorabilidad.

Cuando nos metemos en líos amorosos, no cumplimos con nuestra palabra, decimos verdades a medias o exageramos para obtener aprobación, deterioramos un poco nuestra integridad. Y siempre que deterioramos nuestra integridad socavamos nuestra autoestima. Por ello, aun las conductas deshonrosas más insignificantes son muy destructivas, no importa cuánto las justifiquemos.

Si participamos en cualquier actividad que viole nuestro código moral, que vaya en contra de nuestro propio sistema de valores, ponemos en peligro nuestra autoestima. Y si continuamos en ello, no habrá maniobra psicológica en el mundo que pueda devolver la serenidad a nuestra alma.

¿Debemos tomar una decisión básica, liberarnos? Aunque puede requerir un esfuerzo heroico, esa decisión crucial dará alas a nuestra autoestima.

La paz con uno mismo es un tesoro inconmensurable.

7 de enero

Vivimos en un mundo de fantasía, un mundo de ilusión.
Nuestra misión más importante en la vida
es descubrir la realidad.

Iris Murdoch

Emprender misiones imposibles es la mejor manera de desprestigiarnos ante nosotros mismos. Sin embargo, hay algunos que sienten una fuerte atracción por la capa de Supermán, no importa cuántas veces haya dejado de ondear. Algo nos impide olvidar cuán breve fue la cata a la calle.

Para bien de nuestra autoestima, necesitamos recordar la dureza de la acera la próxima vez que nos sintamos tentados a emprender una tarea imposible. Si intentamos pensar por otra persona, desenmarañarle sus embrollos o rescatarla de su terquedad, nos estamos buscando otra caída fuerte. Y lo lastimoso no es que nuestros intentos sigan fallando; lo lastimoso es que nos herimos a nosotros mismos tratando de hacer lo que a nadie de este lado del cielo le está permitido hacer: salvar a otras personas.

Ni las intenciones más puras, más nobles, del mundo harán que la capa de Supermán se despliegue. No importa cuán leales o dedicados seamos, sólo somos humanos. Lo más que podemos ofrecerles a nuestros seres queridos, cuando se encuentran en apuros, es amor y aliento inquebrantables. Si queremos rescatar nuestra autoestima, tenemos que aceptarnos y aceptar a los que amamos con todo y nuestras respectivas limitaciones. Y necesitamos colgar la capa de Supermán.

Incluso en una buena causa, mi grandeza es contraproducente.

8 de enero

Morosidad significa pagar el doble por
no actuar de inmediato.
T. A. McAloon

La relación entre la morosidad y la autoestima no es fortuita, se debe a que la autoestima decae siempre que se sacrifica la integridad y la morosidad siempre exige sacrificar un pedazo de nuestra integridad. La morosidad seria es uno de los primeros signos de depresión en mucha gente.

Algunas personas que están sufriendo dicen que cuando se encuentran deprimidas se sienten abrumadas por tanto quehacer que pierden la esperanza de lograr hacerlo, se sienten impotentes ante las escasas probabilidades de ganar.

Cualquiera que sea la causa específica de una depresión, la morosidad con frecuencia contribuye a ella. Muchos hemos postergado algo hasta que verdaderamente se convierte en un atolladero incontrolable de tareas imposibles. O permitimos que en torno a una decisión se acumule una presión tan terrible que postergamos una y otra vez las cosas. Así, la morosidad atrae la depresión como la miel a las hormigas.

Si domino mi morosidad, puedo eliminar la necesidad de dominar la depresión.

9 de enero

En tu rostro veo
el mapa del honor, la verdad
y la lealtad.
William Shakespeare

¿Hay mayor honor para alguna persona que alguien le diga que es «clara como el agua» o «fiel como un perro»? La lealtad es una de las cualidades humanas más nobles y atrayentes. ¡Qué terrible es cuando ponemos este inapreciable regalo en las manos que no debemos!

Mucha gente que tiene poca estima por sí misma ha establecido límites falsos alrededor de quienes son dignos de confianza y quienes no lo son. Desde luego, lo que significa una amenaza para la autoestima no es el confiar por sí solo, sino que el confiar en gente indigna de confianza siempre es devastador. Si bien todos nos formamos un juicio erróneo, aunque honesto, de vez en cuando, algunos cometemos la misma equivocación una y otra vez con la misma persona. Tal imprudencia sobrepasa los límites de la lealtad.

Depositar la lealtad en quien no la merece, especialmente si es un acto repetitivo, es más bien prueba de terquedad que de amor. Puesto que la autoestima no puede soportar mucho tiempo los golpes de la traición, tenemos que ser honestos acerca de lo que hacemos cuando nos ofrecemos a personas que nos han defraudado. No aprender de nuestros errores pasados es contribuir a herirnos a nosotros mismos.

Siempre que me presto a ser herido, pierdo mi integridad.

10 de enero

No dejes rugir tu Voluntad cuando tu
Poder apenas si puede susurrar.

Thomas Fuller

La rendición, como se enseña y entiende en los programas de Doce Pasos, no es nada vergonzoso. Significa suspender la guerra que hemos venido librando contra la vida como tal. Significa renunciar a la batalla de por sí perdida que hemos peleado con nuestras pistolas de juguete que son el engaño y la negación. En la recuperación, rendirse no es un signo de debilidad sino de valentía y fuerza.

La rendición es decisiva porque el engaño y la negación impiden cualquier paso significativo hacia adelante. Los pensamientos falsos que producen nos dicen que blanco es negro, que hacer las cosas a nuestra manera enfermiza es ganar y que el enemigo está allá, no aquí. Mientras más larga y sangrienta la batalla, más confundidos nos sentimos.

Continuar con nuestra vida, tener una oportunidad de ganar, requiere que renunciemos a lo que funciona, que dejemos de jugar al «General». Ante nuestra manifiesta impotencia, continuar con la farsa nos parece insensato hasta a nosotros. Nuestra rendición no significa derrota, sino que estamos hartos de la derrota.

La rendición de mi voluntad a menudo es mi primera victoria.

11 de enero

Todo pensamiento profundo y honesto no es más que el esfuerzo intrépido del alma por mantener la independencia abierta de su mar cuando los vientos más furiosos del cielo y la tierra conspiran para empujarla a la traicionera y servil orilla.

Herman Melville

Fomentar la autoestima requiere introspección. Pero algunos nos sentimos nerviosos cuando empezamos a pensar en nosotros mismos. De alguna manera, nos parece mal pasar tanto tiempo excavando en los sótanos y áticos de nuestra personalidad. Tememos volvernos egocéntricos y nos sentimos culpables de ello. ¿Acaso no siempre se nos ha enseñado a no ser egoístas?

Pero la búsqueda de la autoestima es más bien una misión de rescate que un viaje del ego. No es egoísta tratar de conocernos y entendernos a nosotros mismos. Y aceptar un crédito cuando se nos debe no tiene por qué provocarnos ningún sentimiento de culpa, del mismo modo que no los provoca recibir un pago al cabo de una semana de intenso trabajo. Merecemos lo que nos ganamos. Y todos nos hemos ganado más autoestima de la que nos hemos atrevido a reclamar.

No tenemos de qué preocuparnos. El egocentrismo difiere de la autoestima como una inundación de un chubasco de verano. Uno causa devastación y el otro propicia el crecimiento. Si queremos crecer, examinar nuestra vida no sólo es permisible sino absolutamente necesario. Y si la introspección nos hace sentir incómodos es porque no estamos habituados a ella, no porque esté mal.

Puede ser que mis escrúpulos respecto del autoanálisis se deban más al falso orgullo que a la verdadera humildad.

12 de enero

Sin duda, un buen matrimonio puede ser un trampolín maravilloso para nuestra autoestima. Cuando somos amados, vivimos frente a un espejo que nos refleja constantemente y nos dice, sin importar nuestras fallas e imperfecciones, que somos personas maravillosas. ¿Hay algo mejor que tener al lado a alguien que nos acaricie la espalda en la madrugada?

Pero el matrimonio, como la autoestima, requiere un esfuerzo diario. El pan no puede ser mejor que el grano con el que se hace. Escuchar cuando más valdría no hacerlo, transigir cuando deberíamos atrincherarnos en nuestra posición, afrontar los problemas en vez de eludirlos y asegurarnos momentos más difíciles posteriormente equivale a simplemente amasar la masa.

Es mucho más fácil soñar con lo maravilloso de un producto terminado que todos los días remangarnos la camisa y hacer todo lo necesario para asegurarnos de obtener al final de la jornada ese producto terminado.

Mis relaciones preciosas valen la pena un esfuerzo extra.

13 de enero

La única manera sensata de vivir es con optimismo —y en gran medida. Sencillamente no es razonable esperar siempre lo peor; no lo es. Tampoco es lógico pintar de negro todas las circunstancias; no lo son.

Aunque a la sociedad le divierte mofarse de los optimistas disparatados, el pesimismo cínico tiene resultados mucho peores. Todos hemos conocido —y evitado— a personas deprimentes que hace largo tiempo perdieron el ánimo para ser felices y las agallas para tener esperanza. Quizá escogieron el pesimismo porque temieron que el sol nunca brillara para ellas. O quizá adoptaron una actitud negativa, malhumorada, ante la vida con el afán de parecer sofisticadas. Pero, en cualquier caso, su negatividad no atrae la compañía.

El optimismo es sano. La gente alegre, optimista, que busca el bien, atrae el bien, del mismo modo que las flores atraen a las mariposas. Es igualmente fácil, como igualmente razonable, ver hacia arriba en lugar de hacia abajo.

La melancolía habitual se puede tanto rechazar como aceptar.

14 de enero

Ser padre es una profesión importante; sin embargo,
nunca se protegen los intereses de los niños
sometiendo a los padres a un examen de aptitud.
George Bernard Shaw

Todos nacemos con hambre de amor. Nuestro espíritu ansía aceptación y aprecio de la misma manera que nuestros pulmones ansían aire fresco. No sólo deseamos o esperamos amor; lo necesitamos para desarrollarnos. Si se nos niega, empezamos a perder nuestro contacto con la vida y nos desesperamos. Es por ello que desde temprana edad buscamos el sentido de la pertenencia.

¿Qué sucedió cuando recurrimos a gente que no se sentía bien consigo misma? Entender que no podía dar lo que no tenía puede tomarnos tanto tiempo como entender a dónde fue nuestra autoestima. Tomar conciencia de ello puede ser muy triste para muchos, pero tiene un lado positivo.

Entender nos permite elegir. Y elegir puede liberarnos de repetir interminablemente patrones de derrota para ambas partes. Si la persona que más se encargó de nosotros en nuestra primera infancia vivía en una verdadera casa embrujada, llena de fantasmas y demonios, no debemos insistir en que esa persona nos proteja del «coco». Si no pudo ahuyentar a sus propios fantasmas, es improbable que pueda ayudarnos con los nuestros. Tal vez tengamos que pasar un tiempo lamentándonos, por ella y por nosotros; pero sobre todo necesitamos recurrir a gente más sana. Ahora que somos adultos, tenemos que elegir por nosotros mismos.

La razón por la que no puedo sacar sangre de las piedras no es que ellas no estén dispuestas a dármela, sino que las piedras no tienen sangre que dar.

15 de enero

¿Quién es apto siempre? Todos creamos
situaciones con las que no pueden vivir los demás,
y después sentimos que nos rompen el corazón porque no lo hacen.
Elizabeth Bowen

Las cosas no siempre son como nos gustaría que fueran. Con frecuencia, nos gustaría volver a nacer si pudiéramos. A algunos les gustaría ser más altos, a otros ser del otro sexo, muchos nacieron con defectos físicos y algunos son simplemente feos. Pero rumiar nuestras desventajas es lo más estúpido del mundo. Necesitamos ser más creativos para trabajar con lo que tenemos.

El gran poeta Lord Byron así lo hizo. Nació con un pie deforme, de modo que no pudo sobresalir como corredor ni escalador, como deseaba. Pero sí logró ser campeón de natación; ganó numerosas competencias y estableció récords en este deporte. Probablemente detrás de su gran éxito en el mundo literario estuvo su sensación de incapacidad.

Simplemente tenemos que aceptar algunas condiciones. Pero esto no significa que necesitemos definirnos por nuestras limitaciones; significa que a pesar de ellas debemos aprovechar al máximo lo que tenemos. La autoestima es el resultado de una definición positiva de nosotros mismos.

Si quiero tener una vida feliz, debo aceptar mis limitaciones y sacarles la vuelta.

16 de enero

*El hombre no es la suma de lo que ya tiene, sino
la suma de lo que aún no tiene o de lo que podría tener.*

Jean-Paul Sartre

A veces la carrera de obstáculos entre nosotros y el mejoramiento de la autoestima es un recorrido solitario. Con frecuencia, el esfuerzo nos deja frustrados y fatigados. Persistir en una nueva conducta a la que nos hemos comprometido puede hacer que cada uno de nuestros músculos físicos y mentales pida auxilio. Nos es fácil preguntar: «¿Por qué yo?» «¿Por qué tengo que trabajar tanto en esto?» Y por lo general nos respondemos que, si tenemos que trabajar así de duro, es que hay algo extraordinario, si no es que irremediablemente malo en nosotros.

Pero la verdad es que en realidad no somos muy diferentes a los demás. Siempre podemos elevar el nivel de nuestra autoestima y la profundidad de nuestra sabiduría. Estamos arriba de unos y abajo de otros; pero todos nos encontramos en algún punto de la pendiente de la autoestima. No estamos solos, ni en el último lugar, ni somos los únicos que se cansan.

El yo de la pregunta «¿Por qué yo?» es el mismo yo de todos los demás. Por supuesto, no todos los demás están empeñados en el mismo esfuerzo de mejoramiento de su autoestima, pero los que sí lo estamos realmente constituimos una gran fuerza. Tal vez lo más apropiado no sea preguntar «¿Por qué yo?», sino responder «Gracias a Dios que estoy bien encaminado».

La fatiga después del trabajo es señal de que tuve un día productivo.

17 de enero

La amistad es casi siempre la unión de una parte de una
mente con una parte de otra: las personas son amigas en partes.

George Santayana

El hambre atroz hace irrazonables a las personas. Esto les sucede a aquellas que han vivido demasiado tiempo sin relaciones sustentadoras. Muchas, especialmente las que nos identificamos como Niños Adultos, imaginamos que en alguna parte deben de existir personas ideales.

Como todas las expectativas irreales, esta fantasía sólo puede traernos frustración y dañar más nuestra autoestima. No cabe duda de que el mundo seguirá haciéndonos morir de hambre si no encontramos amigos. Pero, ¿cómo puede cualquier pareja o amigo ser perfecto? Cuando imaginamos que nunca habrá intervalos en nuestra unión, que siempre habrá conformidad y fidelidad absolutas, nos estamos exponiendo a una desilusión. Aun nuestra amistad con Dios está limitada por nuestra capacidad parcial de ser amigos.

Hay muchos tipos de gente, pero nadie es perfecto. Cuando nos damos cuenta de que quizá estamos pidiendo demasiado, podemos empezar a ver a nuestros amigos como un maravilloso ramo de flores diversas y que cada una de ellas contribuye al conjunto con su fragancia y belleza únicas. La desilusión que nos han causado relaciones pasadas no debe hacernos exigir perfección donde no la podemos encontrar.

Las expectativas irreales son perjudiciales para mi autoestima.

18 de enero

No hay señal más clara de mente cerrada y arrogancia que mantenernos alejados de quienes piensan diferente a nosotros.
Walter Savage Landor

Muchos creemos que la gente ataca nuestra autoestima cuando no está de acuerdo con lo que pensamos. Cuando uno de nuestros análisis o planes nos parece muy profundo y lógico, nos es difícil comprender que alguien no esté de acuerdo con él. Entonces, en lugar de mostrar cierta flexibilidad, nos aferramos a nuestra posición y la emprendemos contra la aparente estupidez o cerrazón de aquellos que prefieren sus propias ideas.

Combatir esa resistencia puede convertirse en una cruzada. Vemos a los otros y sus ideas como un obstáculo para el buen juicio. A menudo, no nos ponemos a pensar que nosotros podemos ser un obstáculo tan irritante para ellos como ellos lo son para nosotros. Nunca consideramos la idea de que pueden estar en lo «correcto» tanto como nosotros. Con el tiempo, nuestros ánimos se tambalean bajo el peso de la negatividad que atribuimos a sus motivaciones. Y cuando nuestros ánimos se tambalean, nuestra autoestima también.

Si somos más flexibles, sin sacrificar nuestra integridad, podemos convertirnos en personas más honestas. Nuestra verdad, cualquiera que ésta sea, no es necesariamente la única. Nuestro razonamiento, que nos parece claro como un cristal, puede ser tan válido como cualquier otro, y aun así no ser el único camino posible para alcanzar una meta. Tenemos todo el derecho de expresar asertivamente nuestras ideas, pero los demás también lo tienen. No hay nada de malo en estar de acuerdo en disentir, y ninguna razón para jugarnos la dignidad cada vez que discutimos por algo.

«Si no es como yo quiero, no quiero nada» es el lema de un abusivo.

19 de enero

Las relaciones no son soluciones a problemas.
Son recompensas por poner la vida de uno en orden.

Horst S.

Muchos pensamos que una relación afectuosa y confiada sería la solución a nuestra soledad y falta de confianza en nosotros mismos. Vemos una relación personal comprometida como la respuesta a nuestros problemas más desconcertantes; por lo tanto, jugamos todas nuestras cartas en una sola relación. En vez de actuar, esperamos. Sin embargo, adoptar tal actitud de entrada sólo puede traernos un desengaño. Una buena relación es más bien un efecto que una causa. En general, una relación es la recompensa por lidiar con la vida de manera que la falta de autoestima, la ira reprimida, la evasividad crónica y la incapacidad de compartir los sentimientos dejan de ser motivos de apremio. Una relación no llega y resuelve nuestros problemas. Somos nosotros quienes resolvemos nuestros problemas para poder tener una relación. Las relaciones nos las ganamos con esfuerzo.

Al igual que la felicidad y la autoestima, las buenas relaciones no son un fin en sí mismas. Son la recompensa y el resultado de vivir una vida capaz de producir tales tesoros.

¿Cómo puedo disfrutar una relación si no tengo la capacidad de disfrutar?

20 de enero

*Dios no muere el día en que dejamos de creer en una
deidad personal. Pero nosotros morimos el día en
que nuestras vidas dejan de estar iluminadas por el
resplandor continuo, diariamente renovado,
de una maravilla que está más allá de la razón.*

Dag Hammarskjöld

No le hacemos un favor a Dios creyendo en él; es él quien nos hace el favor al hacernos creer. A Dios no lo sustenta nuestro interés por él; es a nosotros a quienes nos sustenta la fidelidad de Dios. Alejarnos de Él no disminuye su luz pero sí nos hace más ciegos y buscar el camino entre las sombras.

De alguna manera, con nuestro egoísmo, damos un vuelco a nuestra relación con Dios. Olvidamos quién es Dios, si Él o nosotros. Le pedimos que haga innumerables cosas, intentamos negociar con Él y a veces hasta tratamos de engañarlo. Lo convertimos en un chivo expiatorio de nuestros problemas, lo culpamos de nuestros errores y luego ¡nos quejamos de la injusticia!

Lo increíble es que Dios nos ama de cualquier manera. ¿Por qué debería preocuparse por personas que se comportan de manera tan desagradable? ¿Por qué invitarnos, una y otra vez, a buscar la dignidad de la entereza? ¿Por qué dar tantas lecciones a aprendices tan lentos? ¿Por qué mandarnos ayuda para rescatarnos de las trampas que nosotros mismos nos ponemos? Como dice la cita anterior, es una maravilla más allá de la razón. Quizá no nos toque comprender, pero sí ser agradecidos.

El Dios en el que yo creo puede ser mi ancla en las aguas turbulentas.

21 de enero

Terminar significa acabar definitivamente.

Jonathan Jarvis

¿Qué puede ser más duro para la autoestima de uno que regresar continuamente a una relación o a cualquier situación tóxica? Muchos de nosotros, tratando desesperadamente de liberarnos de una opresión adictiva, hacemos arduos y heroicos esfuerzos para romper. Pero finalmente, al no poder alejarnos por completo, volvemos a deslizarnos, palmo a palmo, al infierno del que estuvimos a punto de escapar.

Cuando una situación ya nos parece letal, cuando llegamos a entender que quedarse es sacrificar la autoestima, entonces podemos liberarnos terminando y sólo terminando. La terminación no es una especie de separación. Significa separarse por completo. Significa que la relación acabó y no hay posibilidad de regresar. Significa que aun si la otra persona llama, invita, ruega, suplica, llora o se arrastra, la respuesta es no. Salirse significa salirse. Terminado significa cancelado, aniquilado, el fin.

¿Difícil? Claro que lo es. ¿Necesario? En algunos casos es la diferencia entre la vida y la muerte, tanto física como espiritual. La mayoría de nosotros necesitamos mucho apoyo por parte de amigos sanos para poder mantenernos firmes cuando estamos tratando de acabar con una relación peligrosa y asfixiante.

Terminar por completo significa estar abierto a lo nuevo y cerrado a lo viejo.

22 de enero

*Si hemos de tener arrugas grabadas en la frente, no dejemos
que se graben en el corazón. El espíritu no debe envejecer.*

James A. Garfield

De todas las facetas de la autoestima, el castigo justo del envejecimiento tiene que ser el más universal. La belleza se va
acabando, las articulaciones se endurecen y los desconocidos
amenazan con tomarnos la delantera en cada vuelta. El calendario es despiadado, no perdona a nadie.

En el sentido común nos dice que debemos enfrentar los
hechos y revalorar nuestras opciones. Sin embargo, ésta no es
tarea fácil en una sociedad que rinde pleitesía a la juventud
rozagante. Justo cuando necesitamos la confianza para seguir
adelante y crecer, figuras de autoridad no mayores que nuestros
hijos pueden despreciarnos, gastarnos bromas y tratarnos de
anticuados. La pérdida de jerarquía lastima nuestra autoestima
aún más que nuestros sentimientos. Si no superamos esto, corremos el riesgo de dejar que nos convenzan de que no somos
mejores de lo que ellos dicen.

Aquí es donde entran en juego nuestra sabiduría y experiencia.
Éstos son nuestros chalecos antibalas. ¿Con los criterios de quién vamos
a permitir que nos juzguen? ¿De quiénes son los juicios que respetamos?
La gente con una alta autoestima se hace estas preguntas a diario —y
toma sus propias decisiones. ¿Acaso no hemos terminado muchas carreras que los jóvenes ni siquiera han empezado? ¿No hemos dejado atrás
muchos momentos difíciles gracias a nuestro valor y determinación?
¿No estamos más tranquilos y somos más sabios que nunca? Éstos son
los premios que hemos ganado con los años. Si queremos que los honren,
primero debemos honrarlos nosotros mismos.

**Soy vulnerable a los juicios de la sociedad en la medida en que
les temo.**

23 de enero

No cabe duda de que Jack el Destripador se
excusó inculpando a la naturaleza humana.

A. A. Milne

Es muy fácil culpar a la «naturaleza humana» de nuestros errores. «¡No pude evitarlo!», gritamos. «¡Así soy yo!» Pero son exactamente esos errores tan humanos, que esperamos sean perdonados, los que comprometen el carácter y, por lo tanto, la autoestima.

Sin duda, se puede argumentar que muchas de nuestras tendencias menos nobles son atribuibles a la naturaleza humana. El instinto de conservación, por ejemplo, puede impulsarnos a ser egoístas y a decir mentiras. Pero la naturaleza humana puede tanto hacernos combatir esas tendencias como ceder a ellas. Después de todo, somos humanos y no animales salvajes.

Hay muchas excusas, pero pocas buenas razones para hacer algunas de las cosas que hacemos. La verdadera razón es por lo general que «tuvimos ganas de hacerlo». En la vida, muchas veces nos «darán ganas» de rehuir la responsabilidad, pero esto no es ninguna justificación. No se puede culpar a la naturaleza humana, somos nosotros los que decidimos.

Finalmente, soy lo que escojo ser; y mi autoestima va de acuerdo con ello.

24 de enero

El divorcio es el equivalente psicológico de una triple
desviación. Toma años enmendar todos los hábitos
y actitudes que llevaron a él.

Mary Kay Blakely

¿Quién de nosotros le diría «¡Apúrate!» a alguien con muletas
o «¡No es para tanto!» a la víctima de un accidente? Nadie podría
ser tan realista o insensible, ¿no es cierto? Falso. Esto es exactamente lo que nos hacemos cuando esperamos recuperarnos
instantáneamente de los traumas graves de nuestras vidas. En lo
que se refiere a las expectativas irreales, ésta es la más irreal de
todas.

Las personas que hemos pasado por el divorcio recientemente —o por la pérdida de una realidad otrora gratificante—
somos especialmente vulnerables a este autoacoso. De alguna
manera, pensamos que podemos saltarnos el periodo de rehabi-
litación que debe seguir a un daño tan serio. Después de todo, no
sólo debemos lidiar con la pérdida misma, sino con los hábitos,
patrones y sistemas producto de esa relación. ¡Qué irrazonable
pensar que podemos hacer desaparecer todo eso en un abrir y
cerrar de ojos!

Aun si estamos contentos de que la relación se haya
acabado, el divorcio es una pérdida, y toda pérdida requiere de
un tiempo de luto, de reflexión y de cura. No sólo tenemos el
derecho de recuperarnos; tenemos la responsabilidad de tomarnos el tiempo necesario para hacerlo. El sentido común, así
como la autoestima, nos prohíbe imponernos apresurar lo que
no se puede apresurar.

¿Cuánto tiempo toma recuperarse? El necesario.

25 de enero

La felicidad surge, en primer lugar,
del disfrute de uno mismo; y en segundo, de
la amistad y las conversaciones con unos
cuantos compañeros selectos.
Joseph Addison

El diccionario define la felicidad como un estado de bienestar y contento, alegría y dicha, lo cual nos excluye si en nuestras vidas todo parece marchar mal. Si no tenemos la cuota que nos corresponde de comodidades y placeres materiales, parece que la felicidad está fuera de nuestro alcance. Quizá lo mejor que podemos hacer, nos decimos a nosotros mismos, es tomar nuestra infelicidad con filosofía.

Sin embargo, cuando pensamos en ello, la mayoría de nosotros hemos conocido personas que parecen sacarle lo mejor a las circunstancias más desafortunadas. ¿Cómo lo hacen? Debe ser que han descubierto una felicidad que va más allá del placer y una serenidad que es una forma más profunda de bienestar que el júbilo. Jane Addams, la gran reformista social estadunidense de principios del siglo xx, era una de esas personas. La suya fue una vida de servicio, no de regocijo o placer. Aun así, encontró la felicidad en lo profundo de su espiritualidad.

La felicidad no se logra obteniendo todo lo que queremos, sino haciendo algo que valga la pena. Así que aun si nos persiguen las desgracias, el ejemplo de la vida de otras personas nos enseña que podemos ser tan felices como sabios.

Puede ser que necesite redefinir la felicidad en vez de posponerla.

26 de enero

El matrimonio es nuestra última y mejor oportunidad
para madurar.
Joseph Barth

El matrimonio tiene muchas ventajas, como la seguridad emocional y solidaridad financiera. Sin embargo, es raro que alguien diga que el matrimonio nos brinda una gran oportunidad para madurar; pero sin duda lo hace. El aumento de la madurez siempre significa un crecimiento de la autoestima.

La vida de soltero puede ser un campo fértil para las fallas, la flaqueza, los defectos de carácter y la actuación egoísta en general. Cuando estamos solos, ¿quién nos dice «Alto», «No», o «No puedes hacer eso aquí»? El matrimonio establece límites dentro de los cuales se confrontan las extravagancias de todo tipo, que de otra manera se darían como si nada. En las relaciones maritales respetuosas, bien equilibradas, nuestro egocentrismo, que ni siquiera notamos cuando estamos solos, no puede salirse con la suya. Nos vemos obligados a escuchar, a compartir más, a transigir.

Si estamos casados, hemos aprovechado las responsabilidades que probablemente también nos han irritado. El matrimonio es bueno para la mayoría de la gente —no a pesar de todas sus dificultades y exigencias, sino por ellas.

Las relaciones comprometidas me comprometen más conmigo mismo.

27 de enero

El inicio es la parte más importante de un trabajo.

Platón

Para mantenernos en buenas condiciones físicas, un comercial de zapatos deportivos nos dice: «¡Hágalo!» Ya sea nadar, correr, jugar tenis o practicar las canastas en el basquetbol, sólo hágalo.

Para mantenernos en buenas condiciones emocionales, eso también es un buen consejo. La formación de la autoestima es como la formación de cualquier otra cosa; no sucede nada hasta que uno empieza a hacerlo. ¡Sólo hágalo!

Es un error pensar que únicamente los grandes logros cuentan. No tenemos que llegar a ser presidentes de una empresa o correr un maratón o graduarnos en la universidad para elevar nuestra autoestima significativamente. Al contrario. La imagen que tenemos de nosotros mismos depende más de las mil y un cosas pequeñas que hacemos diariamente que de los raros momentos gloriosos que tenemos.

Opine en una junta, si eso es nuevo para usted. Escriba esa larga carta que ha estado posponiendo, especialmente si tiene algo importante que decir. Si su intención es defenderse, exprese su opinión. Si está tratando de ocuparse sólo de sus propios asuntos, guárdese su opinión.

Hoy basta conque haga lo que pueda hacer. ¡Sólo tengo que hacerlo!

28 de enero

En verdad, las personas arrogantes y dominantes son una calamidad en la faz de la Tierra. Son verdugos de la autoestima. De niños, muchos de nosotros temblábamos y nos estremecíamos bajo el yugo de nuestros tiranos padres. De adultos, algunos somos intimidados y amedrentados por cónyuges o jefes tiranos. Ahora que estamos trabajando en nuestra autoestima, pensamos en estas personas como blancos fáciles cuando vamos a la caza de los malintencionados que nos lastiman.

La tiranía del pasado es una cosa. Por supuesto, debemos admitir que sucedió. A menudo ayuda hablar de ello con un amigo de confianza, un grupo de apoyo o un consejero. Sin embargo, más allá de la aceptación y el entendimiento, no hay nada que podamos hacer más que curar nuestras heridas y seguir adelante.

Pero la tiranía que estamos padeciendo ahora es otra cosa. Como adultos, debemos asumir la responsabilidad de nuestra participación en una relación tiránica. Dios nos hizo para ser felices, alegres y libres —no apocados y humillados. Hasta que no encontremos el valor para defendernos, será imposible elevar nuestra autoestima. Si necesitamos ayuda, debemos pedirla.

Oponerme a la opresión es mi deber como ser humano.

29 de enero

Aprovecha cualquier oportunidad de actuar con honor.
Ralph Waldo Emerson

¡Cómo nos gustaría que nos honraran! Sólo así nos sentiríamos bien. El honor implica obtener una medalla, ir a la cabeza de un desfile o ser reconocidos por algún gran logro. A menudo, el honor se expresa públicamente en estas formas.

Sin embargo, mucho más a menudo el honor se expresa mediante el ejercicio privado de la moderación, la valentía y el amor. Estas virtudes casi siempre se demuestran con pequeños sacrificios frecuentes. Para estar conscientes de las oportunidades de actuar con honor, primero debemos estar conscientes de las oportunidades de hacer esos sacrificios. Abstenerse de decir algo negativo a alguien cuando todos los demás lo están atacando es un acto de honor, más aún si nos atrevemos a contradecir a los atacantes con una observación positiva. Demostramos nuestro honor cuando rechazamos una segunda o tercera porción de comida porque ya estamos satisfechos, o cuando hacemos ejercicio aun cuando no tenemos ganas de hacerlo. Este tipo de sacrificios nos condecoran con medallas que llevamos dentro, no fuera.

Actualmente, el honor es un concepto pasado de moda, un dinosaurio entre los valores modernos. Aun así, el honor es la base de la autoestima y casi siempre se gana con la voluntad de sacrificar muchas veces cosas pequeñas.

Los honores que concedo no son nada comparados con el honor que me confieren.

30 de enero

*Hay ofensas que nos infligen y
ofensas que hacemos nuestras.*

Izaak Walton

Cuando somos hipersensibles, nos causamos mucho sufrimiento innecesario. ¿Cuán a menudo, por ejemplo, nos sentimos heridos por algo que dijo alguien? Si éste es un estribillo en nuestras vidas, quizá debamos escuchar con más atención lo que en realidad nos están diciendo. Probablemente es mucho menos grave de lo que escuchamos.

Si nuestra postura básica en la vida es defensiva, en todas partes vemos «moros con tranchete». Por lo tanto, nada de lo que nos dicen significa simplemente lo que significa. ¡No! Lo que se dice no es tan importante como por qué se dice. Cuando lo que estamos esperando oír son motivos en vez de mensajes, oímos lo que esperamos. Si esperamos ser atacados, así interpretaremos cualquier cosa que se nos diga. En la mayoría de los casos, ésta no es la intención de nuestro interlocutor y quizá ni siquiera esté consciente de que nos ha lastimado.

La hipersensibilidad es una señal inequívoca de poca autoestima. Es un síntoma de un trastorno más profundo llamado actitud defensiva crónica. Excepto en los tiempos de guerra, no es necesario buscar agresores detrás de càda arbusto. No es correcto «oír» humillaciones e insultos donde no se han dicho. Hasta que no dejemos de tener esta actitud defensiva, debemos aceptar la responsabilidad de sentirnos heridos en nuestros sentimientos.

Conforme crece mi autoestima, disminuye mi vulnerabilidad a los desprecios imaginarios.

31 de enero

Dios nunca llega tarde.
Jo Sibet

¡Montemos el espectáculo! Henos aquí, listos para ponernos en marcha, con un puñado de nuevas percepciones y con las mejores intenciones del mundo. Esta vez desecharemos nuestros hábitos negativos arraigados y emprenderemos de inmediato una vida mejor. Ahora tenemos un plan y vamos a seguirlo. Nada nos puede detener porque ya hemos aprendido a pedir ayuda. Con la oración como parte de nuestra vida diaria, por fin estamos en camino.

Así es que, ¿cuándo despegamos? ¿Por qué la demora? ¿Por qué volvemos a ser los mismos de antes después de tanto tiempo de haber tomado otra dirección? No cabe duda de que estamos haciendo nuestra parte; ¿cuándo van a empezar a surtir efecto todas estas oraciones? ¿Dónde está Dios?

Quizá una mejor pregunta es «¿Cómo trabaja Dios?». Después de persistir el tiempo suficiente haciendo «nuestra parte», generalmente podemos ver que Dios nos ha estado dando fuerzas todo el camino. Los conceptos como *despacio* y *tarde* siempre son relativos a las expectativas. ¿Podemos estar tan seguros de que Dios tiene las mismas expectativas que nosotros? ¿Podemos siquiera estar seguros de que estábamos tan preparados como pensábamos para captar el mensaje?

Más adelante en el camino, a menudo descubrimos que Dios nos ha estado guiando y empujando hacia una puerta que durante meses o incluso años no pudimos ver porque estábamos demasiado ciegos. Entonces, cuando por fin nos damos cuenta, nos volvemos hacia nuestro paciente y fatigado Dios y decimos: «¡Ya era hora!»

El Poder Supremo, como yo lo concibo, nunca es indiferente o caprichoso ni toma vacaciones.

1o. de febrero

Paradójicamente, sólo en el crecimiento, la reforma y el cambio se encuentra la verdadera seguridad.

Anne Morrow Lindbergh

Con frecuencia, la falta de autoestima se debe a la sensación de vulnerabilidad. Cuando nos sentimos amenazados y desprotegidos, nos aferramos lo más posible a nuestra seguridad por temor a perder algo. La seguridad es la garantía de que nada se perderá.

Por supuesto, todos necesitamos un puerto seguro para protegernos de las tormentas. No prever para los tiempos difíciles es negligente e insensato. Sin embargo, depender excesivamente de la seguridad puede convertir los buenos tiempos en momentos difíciles. Puede hacernos reticentes a albergar nuevos pensamientos, a intentar nuevas acciones o incluso a correr riesgos. Por el temor de que nuestro barco se vuelque, tal vez nunca levemos el ancla ni dejemos el puerto.

Preguntarse y cuestionarse puede ser peligroso para las personas obsesionadas con la seguridad. Cualquier nueva información podría poner en peligro el *statu quo*. Aun así, cuestionar el *statu quo* es el sentido de la superación. Si no nos planteamos nuevas preguntas no podemos obtener nuevas respuestas. Si no nos aventuramos en nuevos caminos, no podemos hacer nuevos descubrimientos. ¿Cómo sentirnos bien con nosotros mismos si no hacemos nada para sentirnos bien?

Todos tenemos posibilidades maravillosas, pero sólo si estamos dispuestos a correr algunos riesgos.

Si la seguridad es la de que no perderé nada de lo que tengo, también es la garantía de que no ganaré nada nuevo.

2 de febrero

Dios mío, no tengo idea de adónde
voy. No veo el camino que me
queda por delante, no puedo saber con certeza
dónde termina... mas no temeré, porque tú
siempre estás conmigo.

Thomas Merton

Si la autoestima significa confianza y ésta significa estar seguros de lo que sucederá, entonces se nos acabó la suerte en lo que se refiere a la autoestima. Nadie sabe las respuestas a las preguntas más importantes de la vida. Si esto nos hace sentir terriblemente inseguros, tendremos mucho de qué temer, preocuparnos y estar ansiosos.

La persona que verdaderamente tiene confianza en sí misma sabe que la vida es más un proceso y un viaje que una cuestión de respuestas y destinos. Una cosa es no saber a dónde lleva el camino —y otra muy diferente paralizarse porque no lo sabemos. Si lo incierto del camino nos hace sentir demasiado atemorizados e inseguros, probablemente nos perdamos del hermoso paisaje a lo largo del camino y no aprendamos las lecciones del viaje.

La confianza surge de uno mismo, no de las circunstancias. Que el camino sea incierto no significa que *nosotros* no estemos seguros. Si delante de nosotros va caminando un Poder Supremo, tenemos la seguridad que necesitamos.

La confianza en Dios convierte mi inseguridad en confianza.

3 de febrero

No hay grados de vanidad; sólo hay grados de habilidad para ocultarla.

Mark Twain

¿Qué es lo que dice la gente a nuestras espaldas? Aun cuando la pregunta en sí es inquietante, muchos de nosotros nos la hemos hecho. Quizá digan que somos mandones o perfeccionistas, necios o poco comunicativos —lo cual no sería *muy* malo. Pero no nos gustaría que pensaran que somos vanidosos; sería vergonzoso.

Como hemos aprendido a vanagloriarnos en privado y a jactarnos discretamente, queremos creer que nuestras presunciones son invisibles. Pero el hecho es que la naturaleza humana está henchida de orgullo. La dificultad estriba en que somos demasiado vanidosos para admitir y aceptar nuestra vanidad.

Si no lo cree, compruébelo. ¿Cuántas veces ha repasado mentalmente una situación embarazosa para encontrar una réplica ingeniosa o racionalizar un error? ¿Reacciona de manera exagerada cuando alguien se ríe a sus expensas? ¿Acostumbra rumiar durante días o semanas un pequeño desaire? ¿Permite que los conflictos de voluntad adquieran proporciones descomunales? La mayoría hacemos todas esas cosas hasta cierto grado. ¡Algunos incluso nos vanagloriamos de nuestra falta imaginaria de vanidad! Pero no hay vuelta de hoja. Todos somos vanidosos. Nuestro reto es aceptar esta verdad acerca de nosotros mismos para que podamos controlarla.

Nadie es sobrehumano. El respeto por mí mismo depende de mi aceptación de la naturaleza humana.

4 de febrero

Todo impedimento es como una valla en una carrera de obstácu-
los. Cuando uno la salta, si pone el corazón en ello,
el caballo también lo hará.

Lawrence Bixby

¿Es usted demasiado viejo para conseguir trabajo? ¿Demasiado tímido para hacer una cita romántica? Éstas son sólo condiciones, no obstáculos invencibles. Si deseamos algo realmente, podemos superar *cualquier* condición y seguir adelante. Pero si no ponemos primero el corazón, el resto de nosotros nunca lo logrará.

La autoestima requiere superar obstáculos como el miedo y la indecisión. Si queremos respetarnos y admirarnos, debemos practicar los saltos con el corazón y la mente, quizá varias veces al día, antes de que nuestros músculos nos obedezcan.

¿Tiene miedo de asistir a un evento social? Antes de ponerse los zapatos de baile, visualícese como el alma de la fiesta. ¿Está nervioso porque va a tener una entrevista de trabajo? Practique antes mostrándose relajado, confiado e impresionante. ¿Se pregunta cómo saldrá un nuevo proyecto? Permita que su corazón y su mente se anticipen.

¡Piense en que su proyecto será un éxito rotundo, aparte de divertido! La realidad responderá de ese modo, como los pies siguen la dirección marcada por el cuerpo.

Superar los obstáculos es un asunto de voluntad y de corazón.

5 de febrero

*La solidaridad es una atmósfera de apoyo, y en ella nos
desenvolvemos fácil y adecuadamente.*

Ralph Waldo Emerson

Las personas que quieren saber más acerca de la autoestima probablemente se dividen en dos grandes categorías: aquellas que se ocupan de sí mismas y aquellas que enfocan su energía en la autoestima de otros. Después de todo, la falta de autoestima es el mayor impedimento que alguien puede tener. Ver que un ser querido carece de autoestima es un buen motivo de sufrimiento para nosotros.

Pero, ¿cuál es la mejor manera de ayudar a alguien? Hay quienes le compran libros, cintas y listas de frases motivacionales. O quienes envían a sus seres queridos a talleres y seminarios. Todo esto puede ayudar, pero lo mejor, con mucho, es ofrecerles una firme amistad. Esto significa convertirnos en un espejo polifacético en el que nuestros seres queridos puedan verse reflejados bajo una luz más positiva.

Un espejo polifacético refleja diferentes imágenes en diferentes momentos. A veces refleja valor, a veces desafío, a veces amor sólido y a veces, simplemente, un refugio seguro en el que la otra persona puede descansar un momento. Una persona tiene mucha más influencia sobre otra que una guía didáctica inanimada.

A menudo, la mejor manera de ayudar a alguien es simplemente estar presente.

6 de febrero

Sólo poseemos la felicidad que somos capaces de entender.

Maurice Maeterlinck

Todos podríamos ser felices si no condicionáramos tanto la felicidad. Con todas nuestras condiciones, somos nosotros quienes obstaculizamos nuestras búsquedas. A menos que lo decidamos, no necesitamos esforzarnos por encontrar la felicidad o ni siquiera esperarla ni un minuto más. Si hacemos a un lado nuestras condiciones, podemos conseguirla en este mismo momento.

Un sabio dijo alguna vez que la felicidad es aprender a aceptar lo imposible, prescindir de lo indispensable y soportar lo intolerable. Si esta definición le suena inverosímil, analícela un poco. ¿Qué nos impide ser felices sino nuestras *interpretaciones* de lo que es indispensable, imposible o intolerable? ¿Qué sucedería si fuéramos lo suficientemente sabios y maduros para reconsiderar lo que no podemos aceptar o de lo que podemos prescindir? ¿Qué se interpondría entonces entre nosotros y la felicidad?

Nadie puede torcer las misteriosas reglas del universo. Las peticiones justas se rechazan con frecuencia, los dones se reparten al azar, la tragedia cae sobre los inocentes. Así es el mundo. Cuando podemos aceptar esto, dejamos de luchar contra el destino y aprendemos a amar la vida por lo que es. De esta manera, aceptamos la felicidad que siempre ha estado a nuestro alcance.

Para aceptar las reglas del mundo no tengo que aprobarlas. Para ser feliz, no tengo que salirme con la mía.

7 de febrero

Los planes nos hacen meternos en problemas, pero
nosotros tenemos que encontrar la manera de resolverlos.
Will Rogers

La autoestima decae cuando por alguna razón no hacemos lo que teníamos planeado. Esto es especialmente frustrante para las personas disciplinadas y trabajadoras que son todo menos perezosas. ¿Cómo podemos estar tan ocupados, tan activos, tan cansados en la noche si no tachamos las cosas más importantes en nuestra lista de pendientes? Después de todo, fuimos *nosotros* los que la elaboramos, los que queríamos deshacernos de esas tareas. ¿Qué está sucediendo?

La planeación exagerada puede ser parte del problema. Inconscientes de nuestro patrón de conducta, quizá estemos preparándonos demasiado en lugar de hacer las cosas. ¿Realmente tenemos que practicar tantas veces lo que vamos a decir para solicitar un aumento de sueldo? ¿Tenemos que redecorar *completamente* el cuarto de visitas antes de invitar a un amigo de la infancia? ¿Debemos abstenernos de hacer un regalo si no es el regalo *perfecto*?

El miedo a terminar algo es una manifestación del temor al fracaso. Las tareas que aplazamos planeándolas y preparándolas demasiado suelen ser aquellas cuyos resultados son riesgosos y nos provocan aprensión. Terminarlas es arriesgarnos a sufrir una decepción o quizá a ya no poder recurrir a nuestra última excusa para no dar el siguiente paso. Por lo general, el verdadero problema no radica en la tarea pendiente, sino en el miedo que hay detrás del aplazamiento.

A mayor conciencia de mí mismo, mayor conocimiento de mis verdaderas motivaciones.

8 de febrero

Mi interior es un lugar donde vivo completamente sola y en donde renuevo mis energías, que son inagotables.

Pearl S. Buck

La buena fortuna a veces pone a nuestro alcance a una persona o un lugar especial a los que podemos acudir cuando las cosas se nos dificultan. Quizá, para nosotros, este refugio fue una tía devota y cálida, o una abuela tierna que sólo vio lo bueno en nosotros, o una vieja maestra de escuela, o un entrenador que nos ayudó a creer en nosotros. Quizá fue un escondite al lado del garage, bajo las lilas o un lugar para soñar, como una casita en un árbol o un sombreado porche atrás de nuestra casa. Cuando el tiempo y las circunstancias nos quitan a estas personas y lugares, el mundo nos provoca más miedo.

Conforme crecemos, necesitamos encontrar nuevos santuarios. Aparte de los amigos comprensivos, podemos descubrir que una biblioteca o la orilla de un lago es un lugar tranquilo para reflexionar sobre nuestros problemas y restaurar nuestras almas. Pero a medida que maduramos quizá el lugar más confiable de todos es ese espacio interior que no está bajo la dirección ni la influencia de ninguna otra persona.

Nuestra capacidad para recuperarnos, para mantener nuestra autoestima, depende de nuestra familiaridad con este retiro interior. Cuando tantos factores externos están fuera de nuestro control, nuestro refugio interior puede significar una gran diferencia.

En mi corazón tengo un santuario.

9 de febrero

Si se mira la vida de una sola manera,
siempre hay motivo de alarma.

Elizabeth Bowen

Recorrer la vida con actitudes negativas es muy semejante a recorrer una autopista con neumáticos en mal estado. Es como ir por un camino lleno de baches, peligroso e inseguro; cualquier bache puede causar que se pinche un neumático y dejarnos inmovilizados. Puesto que el trayecto por la vida está lleno de baches, en el mejor de los casos, lo más sensato es revisar nuestras actitudes de vez en cuando. ¿Con qué margen de seguridad estamos viajando? ¿Podemos vislumbrar kilómetros de avance sin problemas o nos espera un accidente?

Responder las preguntas anteriores nos permite hacer una rápida «verificación de actitudes».

• ¿Veo la vida como algo retador e interesante o como una lucha dolorosa que tengamos que soportar?

• ¿Tomo medidas para fomentar mi bienestar o espero que otros resuelvan mis problemas?

• ¿Estoy verdaderamente abierto a nuevas ideas o me niego a desprenderme de formas de pensar anticuadas o familiares?

• ¿Tomo mis propias decisiones o permito que otros dirijan mi vida?

• ¿Vivo a gusto el presente o tengo miedo del futuro y me lamento del pasado?

• ¿Acepto mis imperfecciones y las de los demás o con frecuencia me desilusiona e irrita la imperfección humana?

La mejor manera de mantener mi autoestima es verificar regularmente mis actitudes.

10 de febrero

A veces, aunque uno tenga toda la razón, le tiemblan las piernas.
Otras, aunque esté completamente equivocado, escucha
aves cantando en su alma.
V. V. Rozanov

En muchas formas, los seres humanos somos criaturas perversas. Algunos comportamientos buenos —como el ofrecer disculpas— pueden hacernos sentir mal, de la misma manera que algunos comportamientos muy malos —como reñir con alguien— pueden hacernos sentir realmente bien. Es por esto que no podemos permitir que nuestro comportamiento se rija por nuestros sentimientos.

Desde luego, es importante identificar nuestros sentimientos. Los sentimientos nos dicen mucho de muchísimas otras cosas. Una parte importante de la salud emocional consiste en entender y respetar cómo nos sentimos. Pero muy a menudo los sentimientos son muy malos guías para conducirnos a lo correcto o lo incorrecto.

Dado que los sentimientos son hábitos, gravitan en torno a comportamientos viejos, como las limaduras de hierro alrededor de un imán. *Cualquier cosa* que hacemos con suficiente frecuencia llega a convertirse en una actitud que nos hace sentir cómodos. El guerrero se siente cómodo guerreando; el enajenado en el trabajo, trabajando; el mentiroso, mintiendo. Pero no importa cuán cómodos nos sintamos, eso no necesariamente significa que tales comportamientos nos vayan a conducir a una vida espiritual plena sustentada en la autoestima positiva. Es importante saber cómo nos sentimos, pero es más importante aún saber que nuestros sentimientos tienen memoria, pero no conciencia.

Si practico los comportamientos sanos, mis sentimientos también serán sanos.

11 de febrero

Un sacrificio prolongado en exceso
puede convertir el corazón en piedra.
William Butler Yeats

La gente sana no anda buscando el dolor, la frustración y el fracaso. Sin embargo, algunos de los que tenemos poca autoestima nos sentimos seducidos, validados y reconfortados por esas experiencias deprimentes. Somos del tipo de personas buenas, trabajadoras y sufridas que los demás llaman «mártires».

Como le sucede a todo el mundo, nuestra autoestima se basa en la imagen que tenemos de nosotros mismos. Pero a diferencia del resto del mundo, en nuestro caso esa imagen es prácticamente inexistente; cuando nos vemos en el espejo, vemos a otros. De alguna manera, en alguna parte, llegamos a creer que nuestras necesidades no eran importantes o que el interés personal normal era un pecado. Así, aprendimos a justificar nuestra existencia mostrándonos serviciales. Porque «ellos» eran primero, nos pusimos en segundo término o nos nulificamos, dimos más de lo que podíamos y nos agotamos. Quizá nos dijimos que era la «voluntad de Dios» que sirviéramos y sufriéramos, sufriéramos y sirviéramos hasta desplomarnos.

Pero ahora somos cada vez más sensatos. Estamos conscientes de que nuestros deseos y necesidades son tan legítimos como los de cualquier otro. Sabemos que el buen Dios que nos dio la inteligencia y el libre albedrío no lo hizo con la intención de que devolviéramos estos dones o que los intercambiáramos por la esclavitud. Estamos aprendiendo a reclamar lo que siempre ha sido nuestro.

Cuando los mártires empiezan a abandonarse a sí mismos, lo primero que dejan atrás es su autoestima.

12 de febrero

Si todos contempláramos el infinito en lugar de reparar
los drenajes, muchos moriríamos de cólera.

John Rich

La modestia moderada siempre es digna de admiración. Pero la *extrema* modestia es un terrible obstáculo para la autoestima. Por ejemplo, la tendencia a engrandecer los talentos y habilidades de otras personas, a idealizar sus profesiones y sus vidas personales, sólo puede degradar nuestros propios talentos, ocupaciones y estilos de vida personales. Como «ellos» tienen o hacen tanto, lo lógico es que lo que nosotros tenemos o hacemos es poco, pequeño e insignificante.

Muchas veces, detrás de la modestia extrema hay una actitud disfrazada que obedece a que pensamos que las personas importantes *deben* valorarse más que nosotros, o que somos tan poca cosa que sería ridículo considerarnos iguales a otros que son realmente talentosos.

Sin embargo, todo el que aporta algo es importante. La persona que cambia las bombillas de los semáforos nos protege a todos. La que recoge la basura previene epidemias. La contribución de la persona que cocina para un niño no es menor que la de un chef famoso que cocina para un comedor lleno de comensales. Todos tenemos derecho de estar orgullosos de lo que somos y lo que hacemos. Y estamos obligados a honrar nuestras propias aportaciones si queremos sentirnos bien con nosotros mismos.

La modestia excesiva me despoja de mi dignidad.

13 de febrero

Las palabras, como todos sabemos, son
los peores enemigos de la realidad.
Joseph Conrad

El lenguaje ambiguo es ese lenguaje taimado y evasivo que utilizamos para zafarnos de la verdad. Como todo comportamiento fingido, la ambigüedad generalmente nos lastima más a nosotros que a aquellos a quienes intentamos engañar. Lo que sucede es que nosotros mismos nos engañamos, nos confundimos y nos inducimos a error con las palabras que dicen una cosa pero significan otra. Con suficiente práctica, llegamos a ser tan malos que nos hacemos buenos para ello, o tan buenos en ello que nos hacemos malos. ¿Se da cuenta? Así es como funciona el lenguaje ambiguo.

La mayor parte del lenguaje ambiguo tiene el propósito de desviar la atención de nuestros motivos reales para hacer o no hacer algo. «No tuve tiempo», por ejemplo, a menudo significa «Eso no era importante para mí»; lo mismo significa decir «Lo olvidé». «No lo necesito» puede significar «No quiero esforzarme», y «Es una tontería"» generalmente significa «Eso me da miedo».

El uso de palabras ambiguas es uno de los hábitos contraproducentes que mantiene a nuestra autoestima por los suelos. Si detrás de las palabras engañosas estamos escondiendo pereza y egoísmo, nos agobiamos a nosotros mismos. Nunca seremos íntegros si insistimos en que el negro es blanco —o aun gris oscuro.

La autoestima se basa en la verdad.

14 de febrero

El amor no es fácil. El amor cuesta.

Carl Sandburg

A veces olvidamos la diferencia entre símbolos y sustancia cuando se acerca el Día de San Valentín. Animados por todos esos corazones, cupidos y tarjetas adornadas con encaje que vemos en las tiendas, inconscientemente podemos apostar nuestra autoestima a que alguien nos tendrá presentes obsequiándonos una caja de chocolates o un hermoso ramo de flores. *¡Por supuesto* que queremos ser y tener un enamorado en este día oficial del amor! ¿Quién no?

Pero eso no quiere decir que los que no estamos enamorados no seamos amados o no inspiremos amor. Los símbolos románticos son halagadores y divertidos —pero no son amor en sí mismos. Muchos de los símbolos actuales de San Valentín están inspirados en el sentido de la obligación —¡porqué Humberto, Juan o Pedro saben qué les puede agradar! Algunas personas los dan incluso para aliviar un sentimiento de culpa o para presumir. El amor en sí cuesta mucho más que una rosa de tallo largo o incluso que un diamante.

El amor verdadero se mide por la constancia, el compromiso y la generosidad a largo plazo. Tiene que ver con la buena voluntad y el perdón y la simple entereza. Significa preocuparse constantemente por el bienestar de alguien más. Si mantenemos relaciones de este tipo, en verdad somos afortunados, tengamos o no a la mano ahora a alguien que nos diga lo maravillosos que somos. Lo maravilloso es el amor en sí mismo, no los símbolos.

¡Feliz Día de San Valentín!

15 de febrero

«Es el pecado de la soberbia», dijo la fea mujer a su
confesor. «Cada vez que paso por un espejo,
me asombra mi belleza.»
«Yo no me preocuparía, querida», contestó el sacerdote.
«Eso no es un pecado, sólo es un error.»

Padre Ralph Pfau

Es un hecho. No pocas de nuestras ostentaciones son tan irreales como la belleza de esa fea mujer que se creía hermosa. El problema que estamos dispuestos a admitir puede ser totalmente diferente del problema que hay detrás de las máscaras que llevamos.

«Soy demasiado generoso», decimos muchos cuando tratamos de justificar nuestra incapacidad para decir no. Podemos decir «Soy demasiado honesto» para justificar nuestra tendencia a ser insensibles y bruscos y «Soy demasiado confiado» para justificar nuestra propensión a sentirnos víctimas. Pero éstos son más bien errores que confesiones.

Todos los defectos que describimos como un exceso de virtud son, en realidad, cumplidos indirectos que nos hacemos a nosotros mismos. Son viejas mentiras, no nuevas verdades. No es posible ser demasiado generoso, honesto o confiado. El problema no es el exceso sino la *carencia*. La generosidad imprudente es temeridad; la honestidad sin compasión es crueldad; la confianza sin discernimiento es masoquismo. Si queremos avanzar verdaderamente, necesitamos quitarnos las máscaras y trabajar con nuestros problemas reales.

La adulación de mí mismo es un mal sustituto de la autocrítica honesta.

16 de febrero

Baco ha ahogado a más hombres que Neptuno.

Thomas Fuller

Las estadísticas muestran que hay aproximadamente 12 millones de alcohólicos en los Estados Unidos. ¡Demasiada gente enferma! Los expertos han estimado, además, que la enfermedad de cada alcohólico afecta de manera significativa la vida de por lo menos otras 10 personas, incluyendo familiares, amigos y compañeros de trabajo. Así es que la suma de los pacientes y los afectados asciende a 120 millones —diez veces más el número de habitantes de Nueva York o Los Angeles.

Pocos de los que estamos leyendo estas páginas, u otras, hemos sido afectados por un problema de alcoholismo propio o de terceros. Conforme la epidemia avanza, nos conviene recordar que la recuperación es una decisión personal. Por más que esperemos y recemos por que se acabe el problema de la bebida, no podemos forzar a nadie a que cambie. Podemos negarles dinero y compañía a los enfermos de alcoholismo —a menudo lo debemos hacer por nuestra propia sobrevivencia—, pero la decisión de cambiar debe venir de ellos, no de nosotros.

La herramienta más poderosa que tenemos es el ejemplo de nuestras propias vidas. La única fuerza que podemos ejercer es la fuerza moral de nuestra salud, serenidad y compasión. Podemos encender la luz y sacar el tapete de bienvenida, pero más que nada debemos seguir con nuestras vidas.

Mi autoestima depende de mis propias batallas, no de las de alguien más.

17 de febrero

La distancia entre el egoísmo y la integridad es tan grande como la que separa a las estrellas de la tierra y al fuego del agua.

Lucano

El instinto de conservación es el más fuerte de la humanidad. En el último de los casos, todas nuestras decisiones nobles se vienen abajo si nos sentimos demasiado amenazados o a punto de desfallecer. El hecho es que hacemos lo que tenemos que hacer para sobrevivir. O por lo menos lo que *creemos* que tenemos que hacer. Fomentar nuestra autoestima generalmente significa reinterpretar lo que «tenemos que hacer» para protegernos a nosotros mismos.

Nuestros soliloquios para filtrar y procesar la realidad externa son un buen indicio de nuestra mentalidad de sobrevivientes. ¿Qué nos decimos a nosotros mismos cuando estamos ocupados y alguien nos demanda atención con legítimo derecho? ¿Cuando estamos cansados y alguien nos pide ayuda? ¿Cuando una crisis comunitaria requiere talentos y energías similares a los que tenemos? Nuestra respuesta depende de la perspectiva que tengamos del mundo y de nosotros mismos. ¿Es el mundo un jardín que necesita nuestro cuidado o es una selva demasiado peligrosa como para entrar en ella? Nuestros soliloquios nos dan pistas.

«No servirá para nada», «¿Por qué habría de hacerlo?», «No es asunto mío», «No puedo» y «No tengo tiempo» son frases defensivas que salen de los tambores de la selva. «Quizá pueda ayudar», «¿Por qué no hacerlo?», «Por lo menos podría presentarme e intentarlo» son las respuestas de personas seguras de sí mismas y maduras que han ampliado y profundizado su definición del interés propio.

Mi preocupación por los demás es un indicio de que mi dignidad está creciendo.

18 de febrero

La angustia es la condición fundamental para la creación intelectual y artística.

Charles Frankel

Demasiado estrés puede acabar con nuestra resistencia a las agresiones a la autoestima, así como a las enfermedades físicas. En algún momento, a todos nos ha costado trabajo resistir sencillamente porque estábamos demasiado cansados para defendernos. Cedimos a la fatiga. Pero no debemos sacar la conclusión de que el estrés siempre es tan dañino como la fatiga.

La fatiga requiere administrar la energía —asegurándonos de divertirnos y dormir lo suficiente. Como el agotamiento debilita cualquier programa de desarrollo, es absolutamente necesario que pongamos en orden nuestras vidas para dar cabida al descanso adecuado. Sin embargo, el estrés productivo también es necesario si queremos tener éxito. Cualquier «altibajo» crea ansiedad, y ésta provoca estrés. Siempre que nos esforzamos por ser mañana más de lo que fuimos ayer, sufriremos estrés —¡así que es mejor que nos preparemos para él!

Si traducimos el estrés en experiencias positivas, elevamos nuestra autoestima. Muchos de los nuevos comportamientos que se convierten en los bloques con los que construimos la autoestima son terriblemente incómodos al principio. Aun pensar en ellos puede hacernos sentir escalofríos. Por supuesto, sentiremos estrés —pero el tipo de estrés creativo.

Si la autoestima fuera pan, el estrés sería la levadura.

19 de febrero

Adaptarse o morir es, más que nunca, el imperativo
inexorable de la naturaleza.

H. G. Wells

Algunos tenemos ideas bastante firmes, incluso rígidas, de cómo debieran ser las cosas. Queremos que las personas y los lugares permanezcan como han sido siempre. A veces nuestro descontento con el cambio es sencillamente nostalgia; parte de nuestra juventud desaparece cuando la farmacia de la esquina se convierte en estacionamiento. Sin embargo, a veces nuestra resistencia al cambio es más seria —como si las batallas que hemos peleado nos hubieran costado tanto que lo único que se nos ocurre es atrincherarnos en el lugar donde estamos.

Aun así, todo crecimiento requiere de un cambio y todo cambio implica adaptación. Quizá necesitemos dar un paso hacia adelante o hacia atrás, aflojar o estirar, deshacernos de algo viejo y hacernos de algo nuevo. Quizá debamos reconsiderar una actitud negativa o estar dispuestos a hacer algo que nunca antes hemos hecho.

Las circunstancias y las características que reforzaron nuestra autoestima juvenil seguramente cambiarán con el paso de los años. Conforme la realidad cambie, también debe cambiar nuestra perspectiva si queremos mantenernos completamente vivos por el resto de nuestros días. La adaptación no sólo es necesaria —es natural.

Para que mi autoestima sobreviva, necesito adaptarme.

20 de febrero

Te convertirás en un ser verdarero sólo cuando... estés
dispuesto a despojarte de la piel.
Margery Williams

La autoestima es la recompensa por desprendernos de nuestra falsedad, ver honestamente nuestros defectos de carácter y aprovechar nuestros puntos fuertes. Ya sea que estemos tratando de recuperarnos de un desastre o simplemente de sacarle mayor partido a la vida, todos estamos en el proceso de convertirnos en seres verdaderos.

La autora de *The Velveteen Rabbit* («El conejito de terciopelo») pone énfasis en que nos volvemos seres verdaderos cuando nos aman mucho. Ser amado significa ser utilizado —no puesto en un estante, protegido. El amor no es, y nunca ha sido, seguro.

Nos convertimos en seres verdaderos sólo cuando nos involucramos y, por ende, «nos despojamos de la piel». Quizá aboguemos por una causa aparentemente perdida pero demasiado importante para ignorarla. Tal vez dediquemos tiempo a un niño con problemas que está demasiado afligido por el momento como para respetarnos, ya no digamos para darnos las gracias. Cualquier conflicto en que nos metamos o molestia que nos tomemos por una causa más elevada vale la pena porque es algo verdadero. Nunca nos sentiremos tan vivos como cuando intercambiemos una simple piel por mucho amor.

En la vida, lo que realmente importa es apostarlo todo, entregarse sin contemplaciones.

21 de febrero

*Aquel que no puede tolerar lo malo
no vivirá para ver lo bueno.*

Proverbio judío

Muchas personas que otrora recorrimos alegremente el camino a la recuperación de la autoestima ahora lo seguimos con verdadera precaución. Quizá ya lo hemos emprendido muchas veces y tropezamos con tantos problemas que hemos tenido que retroceder. Probablemente utilizamos mapas o itinerarios poco confiables o tuvimos compañeros de viaje que resultaron ser indignos de confianza. Es por ello que ahora somos cautelosos y tememos esperar demasiado.

Aun así, la búsqueda de cualquier tesoro implica riesgos. Avanzaremos poco si nuestra mayor preocupación es evitarnos decepciones. A pesar de nuestras experiencias desalentadoras, debemos intentarlo de nuevo. Quizá necesitamos ponernos en marcha con nuestras afirmaciones, aunque no hayan obrado su magia la última vez. Puede ser que nos ayude un nuevo grupo o incluso una actitud diferente y más realista de nuestra parte.

¿Es probable que nos decepcionemos una vez más? Claro que sí. Puede suceder que las afirmaciones se nos atoren en la garganta, que algunas reuniones nos resulten aburridas, que los amigos que escojamos tengan más defectos de los que pensábamos. Pese a su parcialidad, todos estos esfuerzos combinados nos *llevarán a ese lugar*, pero no así el estar a la defensiva.

La perseverancia es el medio para elevar la autoestima.

22 de febrero

En este libro hay cientos de páginas que se refieren a la autoestima. Algunas estimulan el pensamiento, otras la acción, otras la comprensión. Sin embargo, pensar, cuestionarse y comprender será inútil para algunas personas; inútil, porque se encuentran ante una importante decisión que está obstaculizando su avance. Hasta que no estén dispuestas a actuar, ni toda la perspicacia del mundo les ayudará.

Cuando se tiene una adicción, se está viviendo una aventura amorosa o se está manteniendo una situación deshonesta como lo es una relación muerta, cualquier esfuerzo por elevar la autoestima resulta infructuoso.

Por supuesto, prepararse para tomar decisiones drásticas puede requerir tiempo; y cualquier esfuerzo que hagamos para tener el estado de ánimo que nos permita tomarlas es válido. Pero no debemos confundir la causa por la que no nos sentimos mejor con nosotros mismos. El problema somos nosotros y nuestra renuencia a actuar.

Generalmente, cuando pospongo mis decisiones, pospongo mi alivio.

23 de febrero

Muchos hombres se han enamorado de una mujer bajo una luz muy tenue; no escogerían un traje bajo esa misma luz.

Maurice Chevalier

La química sexual es una cosa verdaderamente curiosa. ¿Quién puede explicar la atracción repentina e irresistible entre dos personas quizá muy distintas una de otra? Pese a lo mucho que nos hayan lastimado, en cuanto las chispas empiezan a salir nos volvemos a subir a la montaña rusa emocional. Y una vez emprendido ese alocado viaje, nos decidimos a recorrer cada bajada y cada curva.

Sin embargo, los paseos emocionales excitantes raras veces valen el precio del boleto. No importa qué tan alto subamos, las bajas son demasiado fuertes y llegan demasiado pronto. Al sacrificar el frío racionalismo por la emoción ardiente, cedemos demasiada dignidad. Al involucrarnos sin ninguna cautela en relaciones destinadas al fracaso desde el principio, nos degradamos a nosotros mismos. En efecto, cada vez que nos involucramos voluntariamente en relaciones insensatas, jugamos con nuestra autoestima.

El hecho es que no podemos permitírnoslo. Una cosa es *sentir* atracción y otra muy diferente es dejarnos arrastrar por ella. Aunque la tentación sea grande, tenemos que ver si esa nueva relación pasa airosamente la prueba de la razón antes de que saltemos de nuevo a la montaña rusa. La emoción debe ser la compañera, no la enemiga, de la razón.

Las aventuras amorosas insensatas pueden costar más que el tiempo perdido en ellas.

24 de febrero

Ningún hombre sabio o valiente se tiende en las vías de la historia para esperar que llegue el tren del futuro y lo arrolle.

Dwight D. Eisenhower

Muchos de nuestros empleadores promueven conceptos como el de «espíritu de equipo» o de «lealtad a la compañía». Por supuesto, en un mundo cada vez más dominado por la especialización competitiva, el esfuerzo cooperativo es indispensable. Si queremos conservar nuestros empleos, también queremos que nuestras compañías sigan en el negocio, que sean rentables. Damos para recibir; estamos dispuestos a hacer lo que sea necesario y bueno.

Sin embargo, el ser definido como un «miembro del equipo» tiene su lado malo. Si nos dejamos absorber completamente por un equipo o una compañía, podemos perder el sentido común y nuestra seguridad creativa. La compañía de Susana, por ejemplo, piensa en términos de «unidades», no de personas. Como muchas otras, esta compañía se siente en libertad, y es libre, de mudarse y mover operaciones completas de un extremo del país a otro. Nunca considera que con ello está afectando vidas humanas. Cuando Susana oyó rumores de un nuevo cambio, acudió a un consultor. Éste le aconsejó que tomara el asunto en sus manos elaborando una lista de oportunidades de trabajo que podría explorar en caso de que ocurriera ese cambio. Todo sonaba muy bien hasta que Susana dijo, al terminar la sesión: «Sí, pero ¿cuándo nos dirán exactamente cuáles son nuestras opciones? ¿Cuándo vendrán a decirnos qué debemos hacer?»

No lo harán. Las opciones son nuestras, al igual que la responsabilidad.

Los pasajeros pasivos con frecuencia son llevados adonde no quieren ir.

25 de febrero

Ser valeroso es ser el único que sabe que tiene miedo.

Franklin P. Jones

En general, pensamos que los héroes son mejores personas que nosotros. Seguramente sienten gran estima por ellos mismos. Ésta es la razón por la que pueden hacer cosas tan extraordinarias. Aparentemente no sienten temor. Por eso pueden cargar un nido de ametralladoras o rescatar a alguien de un incendio o responder sin miedo ante una emergencia mortal. Sin embargo, puede ser que nuestras suposiciones acerca de los héroes no sean del todo ciertas. Es probable que esas personas hayan sentido un miedo terrible, y aun así siguieron adelante. Tal vez ésta es la esencia del heroísmo: seguir adelante de cualquier manera, con o sin miedo.

Lo que puede ser una rutina para otros, para nosotros puede ser aterrador. Para algunos, solicitar un empleo puede ser un verdadero acto de heroísmo si sienten un gran temor al rechazo. Después de una larga vida de pasividad, quizá requiera mucha valentía levantarle la voz a un amedrentador. Expresar nuestros verdaderos sentimientos puede hacernos sentir escalofríos.

Con todo y su dificultad, estos actos nada notables pueden ser lo que se necesita para romper la barrera de la autoestima. Lo importante no es si tenemos miedo, sino que hagamos lo necesario. Así actúan los héroes.

Cada vez que desafío al temor, realizo un acto de heroísmo.

26 de febrero

La ira no resuelta suele ser el motivo oculto
de la falta de autoestima.

Bill Bartlow

Lo que no vemos no podemos entenderlo. Lo que no entendemos no podemos cambiarlo. Y cuando ese punto débil se relaciona con la fuente de nuestra autoestima, los resultados pueden ser devastadores.

El dolor que hemos negado, catalogado mal o pasado por alto sigue existiendo, no importa hace cuánto tiempo nos lo hayan infligido. De hecho, ese dolor —que es el núcleo de toda nuestra ira— es tanto más fuerte cuanto que no lo hemos reconocido o lo hemos calificado de otra manera. El problema con enterrar algo vivo es que nos devora por dentro. Enterrado no necesariamente significa muerto.

El núcleo de la falta de autoestima es precisamente ese nudo macizo de ira. Ira por la manera en que nos trataron de niños, por los derechos que nos fueron negados, por las atenciones que debimos haber tenido y que no tuvimos; por el amor, el estímulo, el apoyo y quizá la seguridad básica a la que todos tenemos derecho. Esa colección de dolores enterrada se convirtió en ira y se escurrió por los lados. A veces, un escurrimiento se transforma en inundación, se convierte simplemente en un estado de ánimo permanente —siempre estamos enojados, hostiles e irascibles. Esto no nos hace personas muy atractivas; por decir lo menos, no somos una compañía divertida para nadie. Así, nuestra ira por el dolor de antaño genera soledad y rechazo aún hoy en día. Para que no afecte también nuestro mañana, admitamos nuestra ira enterrada.

La ira oculta puede matarme. Debo reconocerla y encararla.

27 de febrero

Quienquiera que espere ver una obra perfecta,
espera algo que nunca fue, es ni será.
Alexander Pope

El perfeccionismo es complejo y sutil. En voz alta, pocos diríamos «La perfección es mi única norma aceptable», pero en la privacidad de nuestra mente, diríamos: «*Siempre* debo esforzarme el 110 por ciento», «*Nunca* debo fallarle a un amigo», «Para los triunfadores, sólo existe el primer lugar y ningún otro».

Establecerse una norma elevada y apegarse a ella indudablemente es una conducta admirable. Nadie con miras muy bajas logra grandes cosas. Pero hay gran diferencia entre luchar por cumplir con una norma elevada y esperar alcanzarla siempre. Nadie puede esforzarse *siempre* el 110%; hay días en que sólo podemos dar el 80%. No hay nadie que «nunca» deje caer el balón o que eche a perder una oportunidad; incluso los actores de primer nivel tienen sus días malos. Obtener el primer lugar es tan grato porque *no* es una posición permanente —para nadie. En la vida no existe tal cosa como un resultado perfecto.

Las exigencias imposibles que uno se impone hacen imposible también la autoestima. Si sólo conseguimos nuestra aprobación realizando hazañas sobrehumanas, no tendremos mucho que celebrar. Cuánto más sanos y felices nos sentiremos cuando eliminemos palabras como *siempre* y *nunca* de nuestro código de conducta interno. Necesitamos oír más aplausos.

Mi opinión de mí mismo no debe basarse en palabras como *siempre* y *nunca*.

28 de febrero

El orgullo es la máscara de nuestros defectos.

Proverbio judío

El miedo tiene muchos disfraces. A veces se viste con ropa sensual y habla con la voz de la lujuria. A veces se pone la máscara de la ira, la codicia o la envidia. A veces finge ser orgullo. «Soy fuerte e inteligente», nos decimos a nosotros mismos. «No necesito ayuda. Lo que sea que tenga que hacer, puedo hacerlo solo.» Éste es el tipo de cosas que decimos cuando nos rehusamos a unirnos a un grupo, o posponemos pedirle a alguien que nos ayude, o incluso cuando nos resistimos a confiar en un amigo.

Pero, ¿quién está hablando por nosotros, el orgullo o el temor? Nuestro orgullo adopta una posición ilógica cuando pensamos que, pese al dolor con el que hemos vivido, en realidad estamos mejor que los demás. Por otro lado, el temor, susurrando, nos sugiere que quizá los demás están mejor que nosotros, por lo que estaremos más seguros si nos reprimimos para que nunca lo sepan. Pedir cualquier tipo de ayuda nos haría vulnerables.

Pero nadie se desarrolla bien sin apoyo. Independientemente de nuestra fuerza y orgullo, necesitamos de la opinión, la perspicacia y el estímulo de otros. Necesitamos que haya gente que nos considere confiables. Necesitamos oír sobre sus luchas y sus éxitos. Cuando insistimos en hacer las cosas solos no es porque seamos más independientes o autosuficientes que otras personas. Es porque tenemos miedo.

Necesito un grupo de compañeros que me apoye.

29 de febrero

Admitir que he cometido un error sólo quiere
decir que soy más sabio hoy de lo que era ayer.
Allan Picket

¿Su autoestima se basa en estar siempre en lo correcto? Puede ser que sí, siempre y cuando cualquier equivocación u opinión errónea lo haga sentirse avergonzado o irritado. Si esto sucede, es posible que un pequeño cambio de actitud sea justo lo que necesita para volver a encarrilarse.

Dependiendo de nuestra actitud, estar en un error puede considerarse como una oportunidad para aprender —una invitación a la sabiduría. Todos cometemos errores. El problema no es que los cometamos o no, sino cómo los manejamos. Si tomamos cada error como una oportunidad para deprimirnos, nuestros errores no nos enseñarán nada, y en adelante ningún error nos servirá como oportunidad de aprender.

¡Piense qué diferente sería si sencillamente reconociéramos nuestro error, corrigiéramos nuestra conducta y nos perdonáramos! Entonces, sin toda esa emoción desproporcionada, podríamos aprender de él. Quizá, a pesar de nuestra vergüenza momentánea, decubriríamos que el traspié valió la pena.

Intercambiar los errores por sabiduría es un buen trueque.

1o. de marzo

Cuando el dinero habla, la verdad calla.

Proverbio ruso

El dinero nos habla a todos. Lo admitamos o no, gran parte de nuestra autoestima se basa en la cantidad de dinero que podemos ganar, atesorar o gastar. ¿Por qué habría de ser diferente? La canción de las sirenas del éxito nos atrae diariamente desde los anuncios publicitarios, los programas de televisión y los periódicos: «Para no ser un fracasado, usted debe tener más.» Como escuchamos el mensaje fuerte y claro y no queremos ser unos fracasados, no es difícil que aceptemos la idea.

Pero el yo tiene que ver con ser, no con tener. Éstas son realidades completamente distintas. La autoestima es un arte en sí misma, no una obra de arte que se puede comprar o vender. Tener autoestima es saber cuánto es suficiente; es valorar más la amistad que las cosas y ser capaz de relajarse más, preocuparse menos y encontrar muchas cosas de las cuales reírse.

Claro está que todos necesitamos dinero suficiente para vivir. La pobreza puede matar el espíritu tan rápido como la riqueza. Ni siquiera una gran riqueza puede comprar lo que no está en venta. Las personas realmente felices saben que su verdadera riqueza está dentro de ellas.

No caeré en la trampa de los adornos exteriores.

2 de marzo

Todo lo que nos irrita de los demás puede ayudarnos a entendernos mejor a nosotros mismos.

Carl Jung

La búsqueda de la autoestima es una búsqueda de la verdad. Implica tratar de vernos a nosotros mismos de la manera más objetiva posible, y de aprender a apreciar lo que vemos. Conforme avanzamos, los espejos que reflejan nuestro verdadero yo a menudo surgen en los lugares más inesperados.

Las personas que nos irritan pueden ser esos espejos. Todos conocemos a gente a la que preferimos evitar. De alguna manera nos saca de nuestras casillas. Sin embargo, si nos ponemos a determinar exactamente *qué* es lo que nos molesta de ella, podemos hacer grandes descubrimientos sobre nosotros mismos.

Tal vez una persona que habla demasiado nos irrita porque nos quita la oportunidad de monopolizar la conversación con nuestras historias. Los jactanciosos quizás nos irritan porque nos hacen sentir que deberíamos tener más logros. Una persona que siempre está alegre puede encelarnos porque nosotros no somos felices. Algunos descubrimientos son menos halagadores que otros, pero no por ello menos valiosos.

Por lo general, detrás de mis problemas con otras personas están mis defectos y flaquezas.

3 de marzo

*Cuando un hombre vende once libras como si fueran doce,
hace un pacto con el diablo y se vende por el valor de una onza.*

Henry Ward Beecher

La gente que se preocupa demasiado porque la puedan timar
con frecuencia se siente perfectamente justificada para aprove-
charse de otros. A diferencia del robo de cajas fuertes, el timo es
más una mezquindad invasora del espíritu que un delito propia-
mente dicho. Sin embargo, los dos son actos deshonestos. La
mayoría de los timadores en realidad ni siquiera saben que lo
son. Se consideran astutos, listos y hábiles. Sin conciencia de la
dudosa reputación que tienen, es posible que estos estafadores
de poca monta no tengan idea de por qué los demás no los
respetan ni admiran. Obviamente, sentimos nuestra autoestima
lastimada cuando nos niegan el reconocimiento.

La mezquindad de cualquier tipo revela viejos rencores.
Como sentimos que nos han engañado, desairado o de alguna
otra forma han sido injustos con nosotros, en el subconsciente
nos vengamos tratando a la gente de la misma manera. Para
asegurarnos de que no estamos dando demasiado, siempre nos
guardamos un pequeño extra.

El timo es un modo de pensar, una traición defensiva y
temerosa de nuestra propia inseguridad. Nos empequeñece en
vez de protegernos. Si nos sorprendemos contando nuestras
ganancias en tiempo o dinero mal habidos, nos estamos timando
a costa de nuestra integridad.

**El desarrollo de mi integridad me prohíbe cualquier acto de
mezquindad.**

4 de marzo

La servidumbre envilece a la gente a tal punto
que termina agradándole.

Vauvenargues

¡Hablemos de placeres culpables! Qué alegría saber que para elevar nuestra autoestima no necesitamos complacer a nadie más que a nosotros mismos. ¿Podemos hacerlo? Debe haber un truco en alguna parte. Suena demasiado bueno para ser cierto, o al menos para ser cierto en *nuestro caso*.

Muchos hemos pasado la mayor parte de nuestras vidas al servicio de otras personas. En nuestros años de crecimiento, aprendimos que ése era nuestro pase para el amor y la aprobación. ¿Queríamos que nos amaran? Teníamos que hacer feliz a otra persona. ¿Queríamos una palmadita en la espalda? Teníamos que hacer el trabajo de otros. Así es como aprendimos a buscar la autoestima fuera de nosotros. Esto fue lo que nos hizo prácticamente esclavos de los deseos y las necesidades de otros.

Ahora que ya somos adultos, nos siguen tentando las antiguas reacciones viscerales que nos llevaron a ponernos ese grillete. Pero ahora que tenemos más experiencia, nos incomoda mucho más entregar todo ese poder. Conforme lo recuperemos, iremos asumiendo la custodia de nuestra autoestima.

La aceptación de mí mismo ya no depende de las respuestas de otras personas.

5 de marzo

Cualquier vida es una historia inconclusa.
Ron Palmer

Algunas de las películas y los programas de televisión más populares tienen los guiones más predecibles. Tal vez por eso nos gustan tanto. Desde el principio vemos a las poderosas fuerzas del mal enfrentarse a las aún más poderosas fuerzas del bien. El argumento nos es tan familiar que podemos sentarnos, relajarnos, ver escapatorias milagrosas y dejar que la historia se desarrolle sin ningún esfuerzo de nuestra parte.

Escribir la historia de nuestra vida es una propuesta diferente. Por un lado, requiere de mucho esfuerzo; por el otro, el desenlace es totalmente impredecible. La historia de una vida en proceso está llena de giros y vuelcos inesperados. Pueden aparecer y desaparecer nuevos personajes. Puede que haya héroes o no. Los errores se corrigen de inmediato o en el último momento. La tragedia puede ceder el paso a la comedia. Pero mientras sigamos vivos, la historia no ha terminado.

Aunque nos encontremos hoy en un predicamento, mañana puede ser distinto. Las posibilidades dependen de nosotros; podemos escribir lo que queramos en las páginas siguientes. ¿Qué pasará después? Eso depende totalmente de nosotros. Estamos escribiendo nuestra propia historia y se irá desarrollando como lo decidamos.

Nunca es demasiado tarde para cambiar el guión de nuestra vida.

6 de marzo

El consejo de un amigo nos ahorra muchos enemigos.
William Shakespeare

Muchos de nosotros, como somos contradictorios, ansiamos recibir atención pero a menudo la rehuimos cuando finalmente la recibimos. Si alguien hace comentarios sobre nuestro comportamiento, ya sea que nos esté alabando o acusando, tendemos a retorcernos como un pez en un anzuelo. Para su desgracia, nuestro viejo yo, aún convaleciente, es demasiado delicado, demasiado susceptible, demasiado consciente de sí mismo. En cambio, nuestro nuevo yo está hecho de un material más resistente.

Ahora que somos menos vulnerables que antes, estamos aprendiendo a aceptar sin temor tanto los cumplidos como las quejas. Sabemos que necesitamos ayuda y estamos dispuestos a aceptarla cuando nos la ofrecen. Si es una palmada en la espalda, qué bueno. Si es una crítica justificada, también qué bueno. Ya no somos tan frágiles como para no soportar oír que nos digan nuestras verdades.

Nuestra nueva fortaleza emocional es un signo de madurez y confianza en nosotros mismos. Quizás por primera vez en la vida nos damos cuenta de que nuestra verdadera valía no depende de lo que la gente diga de nosotros, ya sea bueno o malo. Somos lo que somos. Los comentarios de otros pueden lastimarnos o ayudarnos un poco, pero no cambian lo que somos.

Cuando esté seguro de lo que soy, la opinión de otras personas no será tan importante.

7 de marzo

La culpa siempre busca su complemento: el castigo;
sólo con él se siente satisfecha.
Lawrence Durrell

Quizá la frase más inútil sea «Si tan sólo hubiera...». Lo hecho, hecho está. Vivir recordando errores pasados u oportunidades perdidas es una falla terrible. Parte de nuestro sentimiento de culpabilidad simplemente no está justificado: en primer lugar, lo que pasó no fue culpa nuestra. Y aun cuando los errores hayan sido del todo nuestros, recordarlos constantemente exagera y distorsiona lo que en realidad sucedió.

La culpa consume una gran cantidad de energía que sería mejor utilizar en algo más. La mayoría de nosotros nos castigamos muchas veces. ¿No ha llegado el momento de bajarse del potro de tormento, de alejarse del poste de la flagelación y considerar saldada nuestra deuda? Ya basta. Merecemos un indulto.

La autoestima exige que admitamos nuestros errores y nos responsabilicemos de ellos. Pero también exige que aceptemos y perdonemos lo que no podemos revivir. Las recriminaciones incesantes no tienen sitio en la recuperación.

Cuanto más me conozco, menos me recrimino.

8 de marzo

*El optimismo le permite al hombre llevar la cabeza
en alto, reclamar el futuro para sí y no cedérselo al enemigo.*

Dietrich Bonhoeffer

El optimista y el pesimista encuentran diferentes implicaciones
y augurios en todo lo que ven. Para un optimista, golpearse el
dedo del pie puede ser un precio bajo por virar en la dirección
correcta. El pesimista puede ver esa misma lastimadura insignificante como una prueba convincente de que todos los esfuerzos
son peligrosos y fútiles.

Hay desventajas en ambos extremos, claro está. Los
optimistas quizá no siempre reconocen los peligros reales y
presentes. Por su parte, los pesimistas pueden perderse varias
victorias que habrían podido ser suyas si no se hubieran retirado
tan pronto del juego.

Lo que buscamos es lograr un equilibrio cómodo entre
los dos extremos. Si nuestra naturaleza o experiencia nos inclina
demasiado a uno u otro lado, debemos reconocerlo y comenzar
a tener un punto de vista más sano y equilibrado. La autoestima
depende del realismo, pero realismo y desesperanza no son lo
mismo.

**Mi punto de vista es decisivo; por lo general me ayuda a
obtener lo que espero.**

9 de marzo

La soledad puede expresar el
dolor o la gloria de estar solo.
Paul Tillich

Podemos decir que el camino entre el dolor y la gloria de estar solos es la autopista de la autoestima. Cuando iniciamos nuestra búsqueda, la mayoría de nosotros tememos a la soledad y huimos de ella. Siempre queremos tener mucha compañía y conversar continuamente. Cuando estamos solos, dejamos encendida la radio o la televisión para llenar el silencio hablamos por teléfono.

No obstante, conforme nos vamos conociendo y nos sentimos más cómodos con nosotros mismos se mitiga esa necesidad de oír ruido. El yo desilusionante e incompetente que siempre evitamos comienza a parecernos más interesante, quizás como alguien con quien nos gustaría pasar más tiempo o a quien nos gustaría conocer mejor. Cuando no los interrumpimos o sofocamos, nuestros pensamientos se convierten en nuestra fuente más duradera de desafíos, consuelo, aliento y respeto a nosotros mismos.

El aislamiento es el mismo ya sea que suframos o gocemos la soledad. La diferencia mágica es la actitud hacia nosotros.

Sentirme a gusto en mi compañía es un signo de madurez.

10 de marzo

El remedio de los males es olvidarlos.

Publilio Siro

Una de las mejores maneras de aferrarse a la falta de autoestima es aferrarse al resentimiento. El resentimiento siempre tiene que ver con el dolor. Tiene que ver con sentirse timado, «engañado» y víctima. El hecho de sentirse víctima siempre se da a notar en las definiciones negativas de nosotros mismos, definiciones como «No tengo ningún derecho», «No se puede confiar en nadie» o «Nunca me van a querer».

Fomentar un resentimiento nos ata a nuestro dolor. De modo que la felicidad parece una mariposa atravesada por un alfiler. Como el resentimiento y la libertad se excluyen mutuamente, nadie puede tener ambos. Insistir en llevar a cuestas un resentimiento es insistir en preservar la causa de nuestra falta de autoestima.

A menudo lo que más dificulta olvidar los resentimientos es que nos sentimos con un gran *derecho a ellos.* Es muy posible que nos hayan timado. Es muy posible que nos hayan mentido y tratado mal, quizás hasta de manera vergonzosa. ¡Si eso no justifica el resentimiento, entonces qué! Sin embargo, la verdad es que el resentimiento es un derecho derrotista. Todos tenemos derecho a un dolor de estómago, pero ¿quién lo quiere?

Albergar un resentimiento es albergar a un enemigo.

11 de marzo

*Mientras vivas, cuida de no juzgar
a la gente por las apariencias.*

Jean de la Fontaine

La gente que padece la falta de autoestima se intimida fácilmente. Una manera de intimidarse es hacer un juicio precipitado basándose en las apariencias. Por ejemplo, difícilmente pensaríamos que algunas de las personas que recién ingresan a nuestros programas de desarrollo personal necesitan mejorar. Tienen una apariencia tan buena y saludable que probablemente podrían dar las clases de gimnasia que tememos tomar. Algunas parecen tan inteligentes que podrían hallar la cura contra el catarro común en un abrir y cerrar de ojos. ¿Cómo *pueden* estar en el mismo cuarto con *nosotros?* ¡Seguramente no tienen nuestros problemas!

Por supuesto que los tienen. Cuando comparamos nuestro interior con el exterior de otras personas, la única imagen que podemos formarnos es muy distorsionada e inexacta. Una foto instantánea no es lo mismo que una radiografía. Cuando sólo juzgamos por las «apariencias», siempre nos equivocamos y no entendemos bien.

Pese a las apariencias, en su interior las personas a las que de inmediato sobrevaloramos son exactamente iguales a nosotros. Tienen temores, preocupaciones, esperanzas y sueños, como nosotros. Les negamos nuestra compasión —y nos negamos su camaradería— al colocarlas por encima de nosotros.

Estoy aprendiendo a compararme con otros para obtener información y no para intimidarme.

12 de marzo

La única anormalidad es la incapacidad para amar.

Anaïs Nin

Algunas veces, cuando recorremos valientemente, aunque con torpeza, el difícil camino de la recuperación, nuestras prioridades se confunden. Quién sabe por qué *tratamos* de tocar todas las bases y ejercitar todos los músculos débiles. Tal vez estamos tratando de hacer demasiado al mismo tiempo. Quizás estamos aprendiendo afanosamente a jugar, a hacer ejercicio y a desarrollar una vida de oración, y nos lo imponemos con tanta pasión y energía que olvidamos *por qué* fomentamos tanta actividad.

Necesitamos recordar que nuestra meta final y primera prioridad es estar lo bastante sanos para participar en relaciones sanas. Todos nuestros esfuerzos de mejoramiento apuntan en esa dirección. Cada uno de ellos fomenta la autoestima que nos permite llegar a esa meta. En sí mismos, son menos —mucho menos— de lo que son en conjunto.

Tal vez nunca podamos jugar de manera tan libre como quisiéramos o rezar con la concentración de los santos. Quizás nuestros gruesos muslos no se sometan a las máquinas de ejercicio ni nunca logremos vencer por completo nuestra timidez. Pero cuando seamos capaces de mantener una relación amorosa, sin importar cómo funciona el resto de nuestros proyectos, habremos encontrado la llave de la felicidad.

Todos los caminos de recuperación llevan a la capacidad de amar y ser amado.

13 de marzo

«Mente sana en cuerpo sano» es una descripción breve pero completa de un estado de felicidad en este mundo.

John Locke

La materia de higiene es obligatoria en todas las escuelas públicas. ¿Quién no recuerda las clases de higiene en la primaria? En ellas aprendimos la importancia de cepillarnos los dientes, limpiarnos las uñas y lavarnos la cara. Normalmente, también nos enseñaban algo de primeros auxilios. Aprendimos qué hacer en caso de heridas comunes como cortadas, magulladuras y quemaduras.

¿No es extraño que nunca nos hayan enseñado nada sobre higiene mental? Nunca se mencionaron los buenos hábitos de salud mental y emocional, y mucho menos nos los explicaron. No hubo lecciones de primeros auxilios para enseñarnos cómo cuidar las heridas emocionales más comunes. Sin lugar a dudas el orgullo herido es más común que una uña machucada. Y la cantidad de sentimientos magullados debe rebasar la de ojos morados por un millón a uno.

Por fortuna, nunca es tarde para aprender. Enseguida aparecen cinco fórmulas sencillas para conservar la salud mental y emocional:

•Haz valer tus derechos: nadie puede responder a lo que no dices.

•Sé receptivo: si no admites tu ignorancia, ésta te ganará.

•Busca confidentes: los amigos duplican tus alegrías y dividen tus penas.

•Aporta algo: los que siempre toman terminan con las manos vacías.

•Vive el día de hoy: cualquiera puede ser fuerte por veinticuatro horas.

Las disciplinas diarias sencillas pueden proteger la riqueza de la salud mental.

14 de marzo

También es útil aquel que sólo apoya y alienta.

Henry Adams

Si pensamos en todos los papeles que hemos desempeñado en nuestra vida, tendemos a recordar los momentos en que estábamos al frente, en primer plano, diciendo todas las líneas importantes. Probablemente eludamos o incluso olvidemos las ocasiones, mucho más numerosas, en que hemos tenido papeles secundarios; cuando nos tocó animar, motivar a los personajes principales o incluso cocinar para todos.

Pero los papeles secundarios no son insignificantes ni de segunda clase. Como reza un dicho de la industria cinematográfica, no hay pequeñas partes, sólo pequeños actores. Es vano y derrotista subestimar nuestras oportunidades de ayudar y aun de permitir que otros hagan un trabajo excelente. No podemos hacer que otra gente brille si no brillamos nosotros.

Si las nanas, los jefes de grupos de boy scouts y los entrenadores de ligas infantiles se esfuerzan por desempeñar su papel lo mejor posible, pueden hacer contribuciones que cambien la vida de los pequeños que están a su cargo. Así como nuestros amigos, admiradores y mentores pueden mejorar nuestra vida de adultos gracias a su aliento y reconocimiento, no debemos perder la oportunidad de apoyar y aclamar a otros.

Los papeles secundarios a menudo son los más valiosos y gratificantes.

15 de marzo

El elogio me avergüenza, porque lo anhelo en secreto.

Rabindranath Tagore

El elogio puede ser un aliento maravilloso. La autoestima florece cuando nuestros intentos valientes y nuestros logros reales reciben una cantidad adecuada de atención y comentarios. La valentía merece reconocimiento.

Pero también hay que ver la otra cara de la moneda. No todos nuestros movimientos harán que la gente se levante a aclamarnos, ni tiene por qué ser así. Muchos de nosotros llegamos a convertirnos en presas del elogio y medimos nuestro valor según los cumplidos y las palmadas en la espalda que recibimos. Por ello, cuando nos retiran o nos niegan la atención, nos sentimos maltratados. Debido a esa necesidad de reconocimiento, hemos autorizado a otras personas a confirmar nuestro valor.

Roberto es un niño de cuatro años. Su padre, un taciturno montañés, se gana la vida cortando y entregando leña, y Roberto le ayuda. El padre lleva los leños más grandes de la camioneta a la leñera y el niño carga los leños que aguanta. Mientras trabajan, no cruzan palabra. Roberto no espera ni obtiene una retahíla de elogios por cumplir con su trabajo. Lo hace simplemente porque *es* su deber, no una hazaña memorable que merezca una medalla. Como Roberto, no debemos esperar aplausos sólo por hacer lo que se supone que debemos hacer.

El respeto a nosotros mismos depende más de nuestro propio reconocimiento que del reconocimiento de los demás.

16 de marzo

La conformidad denota habilidad.

Thomas Fuller

¿Algunas personas nacieron «para ser jefes»? Cierto o no, muchos aceptaríamos de inmediato la oportunidad de manejar el mundo. El hacerse cargo es un don natural y el tomar decisiones es algo automático. Nada nos hace sentir mejor que llevar las riendas. En cambio, nada afecta tanto nuestra autoestima o nos hace sentir tan incómodos como ser principiantes y estar al final de un grupo. Y ahí es exactamente donde estamos cuando los que nacimos para ser jefes ingresamos a cualquier programa de desarrollo personal.

Luchar con principios desconocidos y acatar la sabiduría del grupo representan un bautismo de fuego para los que suelen escribir las reglas. Duele ser el estudiante lento en vez del maestro respetado. Es difícil tener muchas más preguntas que respuestas. Pero la oportunidad de ser el novato del grupo es lo mejor que podría ocurrirnos. Hay cosas que los soldados rasos aprenden en las trincheras de las que los generales nunca se enteran en las salas de logística.

Acatar órdenes o cumplir con el programa abre nuestras mentes a puntos de vista nuevos sobre viejos problemas, a fuentes nuevas de fortaleza. Y la camaradería de almas pujantes parecidas es una magnífica contrapartida de la soledad que implica el liderazgo. Sabio es el líder que sabe cuándo seguir a otros.

Otra paradoja de la vida: sólo puedo hacerme cargo cuando dejo de hacerme cargo.

17 de marzo

El único regalo es una parte de ti mismo.

Ralph Waldo Emerson

Hay ciertos regalos que sólo *nosotros* podemos hacer a ciertas personas. Ninguna sonrisa es como la nuestra, nuestras caricias no son iguales a las de nadie, nuestra forma de pensar o nuestras percepciones son únicas. Hay heridas en otros que sólo nosotros podemos sanar, espíritus que sólo nosotros podemos animar, palabras que sólo nosotros podemos decir.

La autoestima deteriorada por las épocas difíciles afecta tanto a otros como a nosotros mismos. Y esos otros siempre son nuestros seres más queridos, las últimas personas a quienes querríamos lastimar. Una de las implicaciones tristes de la falta de autoestima es que al devaluar lo que somos también estamos devaluando lo que tenemos para dar. Así que no damos nada y la gente a la que amamos sale perdiendo.

Soportar la falta de autoestima es triste, de acuerdo, pero si lo vemos objetivamente también es egoísta. No es honesto decir «Sólo me estoy lastimando a mí mismo», cuando de manera consciente nos negamos a salir de un bache de autocompasión sin remedio. Si hay por lo menos una persona que se preocupa por nosotros, que tiene interés en nuestro bienestar, la estamos defraudando al negarle nuestra compañía en buen estado. Aunque estemos lastimados y desangrados, si alguien nos está mirando desde una ventana, si alguien está rezando por nosotros todas las noches, debemos cargar con más en nuestra conciencia que sólo el delito que estamos cometiendo contra nosotros.

Aceptar sin más ni más mi deterioro personal lastima a la gente que me ama.

18 de marzo

Detrás de toda depresión acecha
el demonio de la rabia.

Andrew Carliss

Mayra es tan adorable como depresiva. Pese a sus muchos méritos, padece una falta de autoestima. Con todo su corazón, está tratando de hacer lo necesario para salir adelante. Sin embargo, una poderosa ancla interna no la deja salir a flote. Esta ancla invisible, pero muy real, que tiene hundida a Mayra es la rabia que no domina. Y como ella no *la* domina, la rabia se adueña de ella.

Hace varios años Mayra vivió un doloroso divorcio. Su esposo la dejó por una mujer mucho más joven. Su dolor —que finalmente se convirtió en ira— creció sin límites. Después, como un volcán, lentamente dejó de hacer erupción. Mayra decidió «sacarlo de su mente»; no obstante, nunca desapareció, al menos no por completo.

Ahora, Mayra sale con un hombre maravilloso que la ama. Todo parece prometedor, salvo por esa ancla invisible. Mayra a menudo se siente triste, intranquila y temerosa aunque su nueva relación marcha sobre ruedas. Ni ese nuevo hombre en su vida ni ella logran entenderlo, pero en realidad no es ningún misterio. Sencillamente, no puede deshacerse de la depresión y la rabia que se oculta detrás. Tiene que enfrentarla y combatirla si desea recuperar su autoestima.

Ya no estoy dispuesto a permitir que la rabia de ayer me arruine el presente.

19 de marzo

Lleva veinte años convertirse en un éxito
de la noche a la mañana.
Eddie Cantor

Todos sabemos que hay muchas **clases de** éxito: profesional, financiero, afectivo, espiritual. Cada **uno** de ellos tiene su propia recompensa. Una clase de éxito nos da prestigio, otra intimidad, otra dinero. Lo que tienen en común es que todas son dulces y ninguna accidental.

Disfrutar de una autoestima positiva es sin duda uno de los éxitos más grandes de la vida. ¿Por qué habría de ser de otra forma? La calidad de nuestra vida depende de la calidad de nuestra autoestima. Tener éxito en esta área implica que debemos pagar el mismo precio que pagamos por cualquier otra clase de éxito: hay que trabajar para conseguirlo.

No debemos hacer juicios precipitados sobre lo fácil que fue para otros vencer el temor, las dudas, la complacencia y la pereza. Siempre que veamos a alguien sereno y confiado, podemos estar seguros de que estamos ante alguien que ha pagado su cuota. Alcanzaremos el éxito, igual que esa persona, cuando tomemos cada día como venga y lo aprovechemos al máximo.

Vale la pena esforzarse por fomentar la autoestima.

20 de marzo

*A largo plazo, evitar el peligro no es
más seguro que exponerse
abiertamente. Los temerosos
caen con tanta frecuencia
como los arrojados.*

Helen Keller

La falta de autoestima y la timidez a menudo van de la mano. Muchos tenemos una gran experiencia en refrenarnos, en confundirnos con el tapiz de la pared. Nunca sentimos que «nos corresponde» poner las cosas en marcha o tomar la batuta de alguna forma. Sin embargo, para elevar la autoestima se requiere arrojo, al menos el suficiente para intentar nuevas acciones que vayan contra nuestra naturaleza. Hay una tendencia abrumadora a llamar «paciencia» a la pasividad y a justificar la falta de acción con frases virtuosas como «dejar pasar» o «darle la vuelta».

La magia de fomentar una autoestima más sana es como la magia de la construcción de la gran pirámide de Egipto o de las catedrales medievales de Europa: no es ninguna magia. Esas maravillas son el resultado de millones de horas de trabajo y sudor de cientos de miles de personas. La belleza se hizo realidad porque se realizó un esfuerzo.

No hay que ser un genio para saber qué se necesita para fomentar la autoestima. La mayoría de nosotros sabemos de sobra lo que hace falta: suficiente valor para superar nuestras limitaciones y hacer lo necesario para realizar el trabajo.

Tengo derecho a poner mi vida en mis manos.

21 de marzo

La estupidez es el cultivo deliberado
de la ignorancia.
William Gaddis

La inocencia y la ingenuidad son características encantadoras y conmovedoras de los jóvenes. Pero no hay nada encantador en los adultos que se niegan a ver lo que es obvio. Esta falta de comprensión recibe el nombre de ignorancia voluntaria porque es intencional, deliberada. Con suficiente práctica, la ignorancia voluntaria puede confundirse con la estupidez.

A primera vista, esta condición parece absurda. ¿Quién querría ser ignorante? Pero hay varias razones para seguir esta triste táctica. Si hemos aprendido a temer terriblemente al conflicto o al enojo, tal vez también hemos aprendido a ignorar las banderas rojas que anuncian el peligro. Si hemos aprendido a evitar la vulnerabilidad a toda costa, es posible que también hayamos aprendido a arruinar los planes si una relación floreciente requiere que nos comprometamos.

Si no vemos y no sabemos lo que está sucediendo, no tendremos que lidiar con ello. Así que elegimos no saber. Pero el precio de la ignorancia voluntaria siempre es la pérdida. Cuando la integridad intelectual se viene abajo, arrastra consigo a la autoestima.

Enfrentar la verdad no es tan difícil como ignorarla.

22 de marzo

Confía en los hombres y serán sinceros contigo;
trátalos espléndidamente y serán espléndidos.

Ralph Waldo Emerson

Casi todos aprendemos desde muy jóvenes que la mejor defensa es un buen ataque. En muchas áreas de la vida, ésta es una verdad incontrovertible. Si no andamos con cuidado en este riesgoso mundo, seguramente caeremos en algún tipo de trampa. Podemos pasarnos todo el día haciendo juicios acerca de cuáles situaciones son peligrosas y cuáles no. Y esto se convierte en un hábito.

Pero debemos ser cuidadosos al hacer ese mismo tipo de juicios defensivos sobre la gente. En particular si nuestros juicios tienden a ser negativos y frecuentes. Como la gente en general nos da lo que le damos, nuestras actitudes desconfiadas y defensivas pueden resultarnos contraproducentes para nuestra autoestima.

Sospechar lo peor de otros y no darles el beneficio de la duda normalmente son más bien malos hábitos que decisiones conscientes. Si lo deseamos, podemos dejar de enjuiciar a los demás siendo los primeros en felicitarlos, alentarlos y retroalimentarlos de manera optimista. Seguramente obtendremos una respuesta muy positiva. Y no será porque el resto de la gente haya mejorado al mismo tiempo.

Todo lo que doy se me revierte como perjuicio o beneficio.

23 de marzo

Salta todos los obstáculos y gana la carrera.

Charles Dickens

Aunque los obstáculos de la vida son irritantes y frustrantes, no tienen por qué vencernos. A final de cuentas, la mala suerte forma parte de la vida de *todos*. Pero algunas personas sólo se tambalean con los golpes y siguen adelante. Su secreto reside en que sienten que su poder es tan grande como el de cualquier escollo.

Ésta es la historia de alguien que sacó el mejor provecho de un mal momento. Un brillante violinista tuvo la mala fortuna, mientras daba un concierto ante un lleno total, de que se le reventara la cuerda a la mitad de una hermosa sonata. Todos lo habrían entendido si hubiera pedido una disculpa y se hubiera retirado del escenario. Pero no lo hizo. En vez de ello, rápidamente transportó la selección y terminó con tres cuerdas.

El ingenio y el deseo de ganar nos permiten superar cualquier circunstancia adversa. Cualquiera que sea el obstáculo que se interponga entre nosotros y el éxito, podemos esquivarlo de alguna manera si nos lo proponemos.

La autoestima sana exige que le restemos importancia a las circunstancias desafortunadas y aprovechemos al máximo nuestra capacidad para superarlas.

24 de marzo

Nadie tiene una buena opinión de un hombre
con una opinión pobre de sí mismo.

Anthony Trollope

Aunque la mayoría de las personas dirían: «¡Por supuesto que me agrado!», muchas de ellas revelan lo contrario de diversas maneras. El hecho de vestirse desaliñadamente y no arreglarse revela una hostilidad pasiva hacia nosotros mismos y hacia los demás. El descuido de la salud denota falta de respeto por uno mismo. Las «bromas» hirientes que hacemos contra nosotros mismos para nulificarnos en realidad son insultos que preferimos propiciar que recibir.

Obviamente, cualquier forma de odio hacia nosotros mismos es venenosa para la autoestima. Sin importar lo sutil que sea, debemos evitar cualquier actitud o comportamiento que menoscabe nuestra valía. Quien dice que no le importa la ropa de cualquier forma necesita comprarse una camisa. Quien siente que no merece gastar dinero en un nuevo corte de pelo necesita ir al salón de belleza *de inmediato*. En el preciso momento en el que nos demos cuenta de cualquier forma de descuido personal debemos contraatacar con un acto de amor.

Sin excepción, el odio hacia nosotros mismos tiene profundas raíces en el pasado. Si hoy en día estamos tratando de hacer las cosas como se debe, tenemos toda la razón para tener una buena opinión de nosotros. Cada día podemos aprender a concentrarnos en lo que estamos llegando a ser y no en lo que éramos o en lo que hacíamos antes.

Hoy es el único día que tengo; si hago bien las cosas hoy, voy por buen camino.

25 de marzo

> *Qué terrible es convertirse en adultos. Sería mucho*
> *más fácil saltar de una infancia a otra.*
>
> F. Scott Fitzgerald

En los primeros años de la escuela, los niños pequeños tienen problemas para controlarse. Sin pensarlo, empujan, se escurren y se tambalean. Pero con un poco de formación social y de madurez natural, la mayoría de ellos adquiere control sobre su cuerpo. El control emocional y mental es un asunto aparte.

Muchos conocemos bebés bravucones, fanfarrones, peleoneros, payasos y lisonjeros que no han visto un salón de clases en veinte, treinta o cuarenta años. Tal vez *nosotros mismos* pertenezcamos a uno de esos tipos de personas estancadas en su desarrollo. No es nada extraño que haya hombres y mujeres adultos que funcionan en el mismo nivel emocional en que lo hicieron cuando tenían doce años.

Obviamente, para conocernos bien debemos admitir nuestras debilidades juveniles, si es que las tenemos. Si nos damos cuenta de que contraatacamos cuando nos sentimos ofendidos, de que nos reímos de los errores de la gente o de que buscamos congraciarnos con personas populares, estamos incurriendo en conductas muy infantiles. No es posible ser un adulto maduro y un niño chismoso al mismo tiempo. Si nuestra meta es la autoestima, debemos controlar nuestras actitudes infantiles.

Practicaré el autocontrol.

26 de marzo

¿Por qué, si estamos siempre quejándonos de nuestros males,
nos empeñamos constantemente en redoblarlos?

Voltaire

«Conoce a tu enemigo» siempre ha sido un sabio consejo militar y no es un mal método para salvaguardar la autoestima. Todos tenemos tendencias enemigas, que esperan tomarnos desprevenidos y vencernos.

Saber dónde se encuentran estos escollos equivale a ganar la mitad de la batalla para librarnos de ellos. Entender nuestros patrones personales y particulares de pensamiento derrotista es estar alertas. Por ejemplo, los sentimentalistas recalcitrantes que aspiran a ser pragmáticos no deberían «entretenerse» viendo películas tristes o escuchando *blues*. Cuando están de vacaciones, los adictos al trabajo deben leer historietas y no los informes de la bolsa. ¿Por qué seguir destrozándonos alimentando al tigre que llevamos dentro?

Un hombre fatalista y melancólico admitió ante su grupo que siempre oía los informes de la policía mientras se iba quedando dormido en las noches. Aunque estaba haciendo un gran esfuerzo por desarrollar una perspectiva positiva, al mismo tiempo sintonizaba el crimen y la violencia para arrullarse al final del día. Cuando el grupo se rió, él también se rió. Después, con la mirada pícara de alguien que acaba de descubrir un secreto, dijo: «Creo que no es muy buena idea.»

Evitar mis escollos personales es una cuestión de sentido común, no de brillantez.

27 de marzo

*Nos cuesta trabajo creer que los pensamientos
de otras personas son tan tontos como
los nuestros, pero probablemente lo son.*
James Harvey Robinson

¡Cómo aumentaría la seguridad en nosotros mismos si pudiéramos adivinar los pensamientos de otras personas! En particular los de la gente que consideramos mucho más sabia, sofisticada o realizada que nosotros. ¡Qué sorpresivo, por no decir divertido, nos resultaría percatarnos de que sus laberintos mentales son tan ordinarios, aleatorios y triviales como los nuestros!

La humanidad es un lazo común. Tanto los reyes como los sirvientes sienten hambre, les da comezón en la espalda y divagan con frecuencia. Como hijos de Dios, todos tenemos dignidad y posibilidades ilimitadas de desarrollo espiritual, pero tenemos los pies sobre la tierra. Sin importar que ocupemos un sitio muy elevado o muy bajo en la escala social, nuestras debilidades humanas nos hacen mucho más parecidos que diferentes.

El maravilloso Mago de Oz, si no mal recordamos, resultó ser un hombrecillo nervioso que gritaba por un megáfono. No era más valiente que el León, ni más listo que el Espantapájaros ni más amoroso que el Hombre de Hojalata. Era exactamente igual que ellos; su magia era una ilusión. Mucha de la superioridad que le adjudicamos a otros también es una ilusión.

Tengo características en común con todas las personas que caminan sobre la Tierra.

28 de marzo

Nuestro gasto menos oneroso es el tiempo.

Teofrasto

Parece ser que en la actualidad todos corremos a toda velocidad. Estamos tan ocupados que apenas nos queda tiempo para satisfacer nuestras necesidades básicas, por no decir para jugar o reflexionar. La recuperación y el desarrollo personal podrían caer dentro del apartado «Cosas por hacer si tengo tiempo...».

Pero el tiempo no espera a que se despejen nuestros horarios. Las diversiones o los ratos de sosiego fácilmente pueden posponerse por meses, incluso años. Si esperamos tener tiempo en vez de tomárnoslo, los *más tarde* pueden llegar a ser *nuncas* pese a nuestras mejores intenciones para que suceda lo contrario.

Sin embargo, ¿qué puede ser más crucial o inmediato, o merecer más nuestra atención que una autoestima bien desarrollada? El aprecio de nosotros mismos aumenta o disminuye dependiendo de lo que hacemos; colorea y modela la calidad de nuestras vidas. En general, ¿qué importancia tiene si pintamos la casa este año o si nos tomamos las vacaciones de nuestros sueños? Si siempre estamos demasiado ocupados para dar un paseo, para descansar cómodamente alejados del teléfono, para pensar sin que nos interrumpan, entonces simplemente no tenemos tiempo para nada. ¿Cuáles son nuestras prioridades? Si no podemos decirlas rápido, entonces lo más probable es que estemos dedicando la mayor parte de nuestro tiempo a cosas que no deberían encontrarse al principio de la lista.

Si quiero disfrutar al máximo mi vida, necesito comenzar ahora.

29 de marzo

La precipitación triunfa a menudo,
pero más a menudo fracasa.

Napoleón I

Los juicios precipitados pueden meternos en líos. No siempre sabemos lo que pensamos que sabemos, o ni siquiera vemos lo que pensamos que vemos. Si la rudeza es un defecto de carácter que debemos admitir honestamente, ¿qué mejor momento que ahora para analizar con más detalle cómo puede perjudicarnos esta tendencia?

●Una madre estaba segura de que había dejado cambio para el parquímetro en la orilla de la mesa. Cuando no lo vio ahí, acusó a su pequeño hijo de haberlo tomado. Más tarde, cuando encontró las monedas en su bolsa, le pidió disculpas. Sin embargo, ahora, años más tarde, el hijo aún recuerda esa ofensa.

●Un hombre ve a su prometida comiendo a solas con otro hombre. Después de pasar la tarde terriblemente ansioso, la enfrenta y la acusa contándole lo que vio. Resulta que la persona con la que estaba comiendo su prometida era un compañero de trabajo cuya madre había fallecido recientemente.

La tendencia a sacar conclusiones precipitadas denota falta de seguridad en uno mismo. Además de causarnos dolor y vergüenza innecesarios, puede lastimar a nuestros seres más queridos. Le hacemos un favor a nuestra autoestima cuando aprendemos a contenernos, a considerar las cosas dos veces y a reflexionar antes de llegar a una conclusión.

Si tengo la tendencia a ofenderme, siempre habrá muchos motivos para sentirme ofendido.

30 de marzo

Fuerza una coincidencia lo más posible y se vuelve inevitable.

Carl Jung

Algunos de los que no recibimos mucha ayuda en nuestro desarrollo nos adjudicamos todo el crédito —o toda la culpa— por ser quienes somos y estar donde estamos. Pero no existen hombres o mujeres que se hayan formado completamente solos, aunque los orgullosos se jacten de lo contrario. Quienquiera que seamos ahora somos producto de una gran cantidad de orientación, condicionamiento y ejemplo. A muchos cocineros los dejaron en algún momento mover la sopa y a muchos escultores trabajar con el barro.

Después de pasar por varios maestros, aprendemos lo que somos, lo que merecemos, lo que esperamos de la vida, de otros y de nosotros mismos. Miles y miles de momentos de aprendizaje —verbal y no verbal, conductual y emocional— han llegado a hacer de nosotros lo que somos. Quizás no recordemos cuándo y de quién hemos aprendido lo que sabemos, pero, lo recordemos o no, nuestras lecciones de la vida aún continúan, y determinan la realidad que llamamos «normal». No hemos llegado a ser lo que somos por mera coincidencia.

Si la autoestima nos dice que todo está bien, somos verdaderamente afortunados. Pero si necesitamos mejorarla, tenemos toda la razón del mundo para animarnos: si podemos aprender una serie de definiciones y expectativas, también podemos aprender otras. Ya hemos probado que somos buenos estudiantes y ahora podemos elegir a nuestros maestros.

Las nuevas experiencias crean nuevas realidades.

31 de marzo

Seguiré siendo como soy
porque me importa un comino.
Dorothy Parker

Algunos proyectos de mejoramiento personal están destinados al fracaso antes de iniciarse. Uno de ellos es el esfuerzo desganado que hacemos para que otras personas dejen de molestarnos y librarnos de ellas. ¿Cómo podemos mejorar con eso? Otro proyecto malogrado es la búsqueda de cosas gratuitas. En ese caso tratamos de engañarnos pensando que los *adornos* del comportamiento sano pueden sustituir al comportamiento en sí.

Ya hablando en serio, no hay ninguna ley que nos obligue a mejorar si no queremos. Tenemos todo el derecho del mundo a seguir siendo como somos o incluso a retroceder. Pero hay leyes naturales que finalmente se imponen. Una de ellas es que las seudopromesas que nos hacemos a nosotros y que hacemos a los demás deterioran el respeto que nos tenemos. Otra es que con una inversión de cero se obtiene una ganancia de cero.

Obviamente, debemos empezar a mejorarnos por iniciativa propia; en caso contrario, no funcionará. No hay dignidad alguna en la mentira y no podemos engañar a nadie por mucho tiempo. No hay mucho que admirarle al jugador de golf o de tenis que usa un equipo caro y se pasa todo el tiempo en el bar de un club deportivo. Mientras no nos decidimos a que «nos importe un comino», cuando menos podemos salvar parte de nuestra integridad siendo honestos.

Simular que quiero mejorar es una burla a mi integridad.

1o. de abril

No permitas que la vida te desaliente; todo aquel que llegó
adonde está tuvo que empezar donde estaba.

Richard L. Evans

Es difícil correr una carrera si se empieza desde un hoyo. Sin embargo, ésta es precisamente la desventaja en la que se encuentran muchas personas cuando inician la búsqueda de su autoestima. Para ellas, debido a desventajas anteriores, el mero hecho de arrastrarse para salir del hoyo y llegar a la línea de arranque representa un esfuerzo agotador. Esto aparentemente no es justo; y no lo es. Pero la realidad es que sólo podemos partir de donde estamos.

Aquellos que durante toda nuestra vida oímos «No puedes», «Vas a perder», «No mereces ganar» tenemos que sacudirnos esos mensajes lodosos para poder correr libremente. Todo el resentimiento y la autoconmiseración del mundo, por comprensibles que sean, no convertirán lo que es en lo que debería haber sido. Ahí está el lodo. Hasta que no nos comprometamos con nosotros mismos a eliminarlo, hará que nos pesen más los zapatos. ¿Y qué si otros estuvieron mejor preparados que nosotros? ¿Y qué si nuestros supuestos entrenadores nos defraudaron? Ésa era su responsabilidad, no la nuestra, y todo esto sucedió ayer, no hoy.

Los que empezamos con desventajas, los que ahora nos encontramos en hoyos que otros cavaron ayer, necesitamos darnos crédito tan sólo por estar de pie. Necesitamos dejar de lamentarnos por el lugar en el que estamos y empezar a querernos a nosotros mismos por el valor que requerimos diariamente para prepararnos y presentarnos. Merecemos empezar de nuevo y podemos lograrlo si dejamos de ver hacia atrás.

Los desvalidos que empiezan a ganar dejan de ser desvalidos.

2 de abril

Si dejamos que las cosas nos aterroricen,
vivir no vale la pena.

Séneca

¿Estamos dispuestos a hacer lo necesario para aprobarnos a nosotros mismos? A menudo esto significa estar dispuestos a librar una guerra contra nuestras emociones. Bien puede ser que los viejos sentimientos de culpa, miedo, ira o impotencia estén rodeando nuestro campamento, amenazando con detener nuestro avance. Si queremos seguir adelante, tenemos que enfrentarnos a estos enemigos familiares y lidiar con ellos. Ésta no es una campaña para cobardes.

Algo que puede ayudarnos es dejar de sentirnos sorprendidos cada vez que vemos asomarse en el horizonte esos sentimientos. ¿Acaso no sabemos ya que son un batallón persistente? ¿En realidad creímos que se habían ido para siempre la última vez que los rechazamos? Si lo creímos, nos engañamos. Esos sentimientos son tan reales como nosotros y bien pueden ir pisándonos los talones toda la vida.

Nuestros sentimientos tienen una razón de ser, que quizá esté tan oculta en el pasado que nunca la descubramos; pero esa razón existe. Por ello nunca podremos tomar una posición definitiva contra las emociones negativas. Para triunfar sobre los malos sentimientos se requiere resistencia y aceptación. El truco consiste en continuar *de cualquier forma*, en ganar tanto terreno como podamos antes de que nos den alcance la próxima vez, así como recordar todas las batallas que hemos ganado.

Cuando una emoción negativa se abre paso en mi mente, el saludo apropiado es: «¡Ah, eres tú otra vez!»

3 de abril

El trabajo y el amor son los principios fundamentales.
Sin ellos, sobreviene la neurosis.
Theodor Reik

A las personas que les gusta contemplar las nubes y soplarles a los dientes de león puede parecerles que el trabajo y el amor no son *todo* en la vida, pero sin éstos carecemos de los ingredientes esenciales para una vida que valga la pena.

El trabajo es bueno para la gente. Es en el trabajo donde nos creamos expresando nuestro ánimo con los músculos. Para ser, necesitamos *hacer*, fabricar, crear. Y es amando y siendo amados como afirmamos y celebramos lo que somos y aquello en lo que nos estamos convirtiendo. ¿Quién podría apreciar la vida sin amor?

En nuestra vida pueden marchar mal muchas cosas. Podemos sufrir muchas pérdidas, pero nunca, de ninguna manera, debemos dejar de ser creativos o de amar. En tanto existan la creatividad y el amor, continuaremos. En tanto trabajemos en algo y amemos a alguien, estaremos mucho más sanos que enfermos.

Un buen trabajo y buenos compañeros son los elementos necesarios para fomentar la autoestima.

4 de abril

El delito es no evitar el fracaso.
El delito es no darle oportunidad al triunfo.
Huw Wheldon

Tomás aún comenta por qué no se unió al equipo de basquetbol cuando tenía quince años. «Tenía muchas ganas de jugar», recuerda treinta años después. «Pero temía no ser lo suficientemente bueno. Me habría sentido muy lastimado si no me hubieran aceptado en el equipo. No habría podido soportar el rechazo.» Y Tomás nunca aprendió a jugar basquetbol.

Muchos de nosotros tenemos historias similares. Como no nos quisimos exponer al fracaso, no nos atrevimos a intentarlo. Y como no lo intentamos, nunca hicimos lo que soñamos hacer. Así que ahora no sabemos bailar, ni cantar, ni tocar la trompeta. Y es demasiado tarde para intentar entrar al equipo de basquetbol.

Ahora que somos adultos, nos damos cuenta de que renunciamos a demasiadas cosas por evitar la probabilidad del fracaso, de modo que tomamos decisiones más maduras. Quizá seamos los miembros con menos agilidad de nuestra clase de aeróbics, ¿eso qué importa? Si nuestros hijos se ríen de nuestras primeras obras de alfarería, podemos reír junto con ellos. Sabemos que los lamentos son muy costosos cuando oímos a Tomás decir: «De vez en cuando, en mi imaginación, me veo jugando en ese equipo. Si tan sólo tuviera la oportunidad de rehacerlo todo...»

El temor al fracaso me corta las alas; si quiero volar, tengo que intentar.

5 de abril

El problema con la mayoría de la gente es que piensa con sus esperanzas, temores o deseos en vez de hacerlo con la cabeza.

Will Durant

La autoestima exige sujetarse a un regimen de éxito. No tiene que tratarse siempre del logro de alguna meta externa importante; puede ser la simplificación de nuestra vida —que no es cualquier hazaña. Sin embargo, independientemente de la forma que asuma el éxito, debe ser una experiencia regular si queremos que aumenten la aceptación y el reconocimiento de nosotros mismos.

La mayoría de los logros, ya sean internos o externos, requiere que pensemos con claridad. Recorrer un camino deseado y claramente elegido significa que sabemos a dónde nos dirigimos y tenemos alguna idea de cómo llegar ahí. Si no lo hemos pensado concienzudamente, sobre todo si hemos sustituido los pensamientos por emociones, no tenemos probabilidades de hacer grandes progresos.

Lo que nos hace ganadores no es lo que esperamos, tememos o deseamos, sino lo que *decidimos*. Para lograr el éxito, necesitamos tomar decisiones buenas y sólidas basadas en pensamientos buenos y sólidos.

Para tener éxito, no debo dejarme llevar por las emociones superficiales.

6 de abril

¿Quién te ha decepcionado con tanta
frecuencia como tú mismo?
Benjamín Franklin

¡Qué molestos nos sentimos cuando descubrimos que nos han mentido! Nos duele que no nos hayan dicho la verdad —y nos enoja que nos hayan tomado el pelo. Nos sentimos ofendidos, traicionados e indignados con justa razón. Cuanto más lo meditamos, esas personas nos parecen traidoras y nosotros nos convertimos en defensores acérrimos de la honestidad y la verdad.

Por supuesto, somos mucho más tolerantes con nuestras mentiras. Como la mayoría nos decimos cien mentiras por cada mentira que nos dicen, tenemos más práctica en perdonarnos. ¿Por qué las mentiras parecen mucho peores cuando nos las dicen a nosotros? ¿La mentira en sí es tan ofensiva? ¿O es el hecho de que *nos* hayan mentido? ¿Qué fue lo que en realidad lastimaron: nuestros principios morales o nuestro orgullo?

En realidad, son pocas las personas a las que se les puede poner en un pedestal de rectitud. Esta posición de superioridad siempre es peligrosa para la autoestima. Si la cura de la deshonestidad empieza en casa, el primer paso es bajarse del pedestal y el segundo es llamar a las cosas por su nombre. Una mentira siempre es una mentira, ya sea que la digamos nosotros o alguien más. El que perdonemos depende de qué tanto hayan lastimado nuestro amor propio— no del hecho de que nos hayan mentido. Nuestros sentimientos heridos no nos dan derecho a la agresión moral.

No es justo atribuir más responsabilidad a otras personas de la que me atribuyo a mí mismo.

7 de abril

Despreocúpate y déjaselo a Dios.
Lema del Programa de Doce Pasos

Como cualquier otro lema del Programa de Doce Pasos, «Despreocúpate y déjaselo a Dios» puede tergiversarse para justificar y apoyar casi cualquier camino equivocado que decidamos tomar. Abusar de la verdad de un lema es como desviar una señal para que apunte hacia otro destino. Si seguimos en esa dirección, no llegaremos a donde queremos ir.

Básicamente, este lema significa que no debemos hacernos responsables de las consecuencias que están fuera de nuestro control. Como tantos han dicho a lo largo de tantos años, tenemos que «ser» Dios o «dejar» actuar a Dios; debemos dejar de intentar forzar los resultados.

Esto no quiere decir que no tengamos *ninguna* responsabilidad. Estamos obligados a hacer cuanto esté a nuestro alcance para obtener resultados positivos. Cuando se nos presenta un obstáculo, no basta con que nos sentemos, le «demos la vuelta» y esperemos a que el equipo de salvamento de Dios venga a resolver el problema. El esfuerzo y la habilidad siguen siendo responsabilidad nuestra. Es sólo del *resultado* del que debemos despreocuparnos.

Despreocuparme significa hacerme cargo de lo que me corresponde, no abandonarlo.

8 de abril

Porque cual es su pensamiento en su alma, tal es él.

Proverbios 23,7

«Lean la Biblia» le dijo el predicador del campo a su pequeño grupo de feligreses, «hay algunas cosas muy sabias en ese libro». Una de ellas es la cita anterior. El mensaje es tan claro y directo como parece: nuestros pensamientos no sólo nos definen a nosotros, sino también todas nuestras expectativas de lo que lograremos con nuestros esfuerzos y sueños.

La autoestima positiva depende en gran medida de apoyarse en el pensamiento positivo. Muchos apenas nos damos cuenta del diálogo constante que se da en nuestra mente. Y aun si lo *oímos,* pocas veces lo *escuchamos.* No obstante, nuestros patrones habituales de pensamiento constituyen la base de nuestra realidad. Nuestros pensamientos determinan la calidad de nuestras vidas.

Algunos caminan bajo la lluvia; otros tan sólo se mojan. Algunos oran; otros tan sólo dicen oraciones. Algunos hacen el amor; otros tan sólo toman rehenes. Aunque la apariencia externa de todos estos comportamientos es la misma, la realidad que se vive internamente es totalmente distinta. El pensamiento detrás de los hechos es lo que marca la diferencia. ¿Estamos retrocediendo o avanzando? ¿Contando nuestras pérdidas o acumulando ganancias? Los espectadores no ven la diferencia. Hacer no es lo mismo que ser. Sólo la voz del corazón puede decirnos lo que *en verdad* está sucediendo detrás de la máscara de la actividad cotidiana.

Los pensamientos positivos se traducen en acciones positivas. ¿Qué tan positivo es el pensamiento que determina mi conducta?

9 de abril

Si tu mentalidad es demasiado abierta, la gente
te arrojará en ella mucha basura.
William A. Orton

Hay una gran diferencia entre una mente dispuesta a considerar ideas nuevas y una que no puede reclamar ninguna idea como *propia*. Sin embargo, muchos se enorgullecen, incluso basan en ello su autoestima, de ser de mentalidad abierta cuando en realidad les falta valor para tener una postura propia. ¿Quién dijo que la mentalidad debería estar abierta en ambos extremos?

No somos flexibles cuando cambiamos o desechamos nuestras convicciones por cualquier idea nueva que escuchamos. No somos sofisticados cuando oímos sin chistar comentarios racistas o sexistas. El juicio es una función de la inteligencia y la inteligencia rechaza tanto como acepta.

Tener una mentalidad abierta sana significa estar dispuesto a seleccionar nueva información de toda la que ya hemos comprobado. Ningún adulto pensante es una hoja en blanco. Es totalmente apropiado establecer límites sensatos alrededor de nuestros valores y convicciones. «¿Quién lo dice?» y «¿Qué tan adecuado es?» son dos buenas preguntas para probar una nueva idea. Como siempre, defendemos nuestra integridad haciendo elecciones sabias.

El objeto de la mentalidad abierta *no* es aceptar todo lo que nos dicen.

10 de abril

*Una persona dueña de sí puede terminar con una pena
con la misma facilidad con que puede inventar un placer.*

Oscar Wilde

Palabras como *control, dueño de sí* y *hacerse cargo* se repiten una y otra vez en la literatura que fomenta la autoestima u otra forma de desarrollo positivo. Con estas palabras por lo general nos aconsejan cargar con una emoción perturbadora o aventurarse un poco. Cuando queremos darle rienda suelta a algún impulso, nos enseñan a contenernos.

Pero contenerse no es el único propósito del control interno. Hacerse cargo también tiene resultados más positivos. Así como podemos dominar el temor, podemos evocar el placer. Si este control nos permite disminuir el poder que otros tienen sobre nosotros, ¿no podría también aumentar el poder sobre nosotros mismos? Una vez que somos capaces de dirigir nuestro diálogo interno, también decidimos la diversión que tendremos y las aventuras que elegiremos. Cuando elegimos qué debe quedarse y qué debe irse, se nos abre todo un mundo nuevo.

Ser «dueño» de algo parece ser una pesada tarea que implica una fuerte responsabilidad. Y lo es, pero también es gratificante. ¿Qué puede ser mejor que decidir nuestros placeres?

Quien puede dirigir una mazmorra también puede dirigir un circo.

11 de abril

¡Ah, los viejos tiempos! En aquellas épocas doradas, hace mucho perdidas, nuestra autoestima andaba hasta el cielo, la vida era agradable y casi no había problemas. ¡Si tan sólo pudiéramos volver a esos días espléndidos! ¡Nuestra vida sería tan feliz y sencilla como antes!

Tonterías. Cuando nos sorprendemos idealizando nuestro pasado, necesitamos ponernos los anteojos para ver las cosas con mayor claridad. Aunque nuestros recuerdos sean buenos, nos daremos cuenta de que no todo era *tan* bueno. Hemos olvidado los duros golpes que nos dieron la sabiduría que tenemos ahora. Asimismo, olvidamos los miedos, celos, fracasos y desilusiones esparcidos entre nuestros gloriosos recuerdos.

Los días del presente también son buenos. Las flores crecen y oímos música. Es maravilloso tener buenos recuerdos, pero vivimos en el presente y es el presente el que debemos disfrutar.

Debemos refrescar nuestra autoestima todos los días, aquí y ahora.

12 de abril

*No siempre debemos pensar que
el sentimiento lo es todo.*

Gustave Flaubert

Cuando hablamos de autoestima, solemos medirla con los sentimientos. Esto significa que la mayoría consideramos que nuestra autoestima sólo es positiva cuando los sentimientos nos dicen que así es. Con mucha frecuencia, dejamos que nuestro sentir controle nuestra manera de percibir quiénes somos y cómo estamos.

Puede ser sumamente útil recordar que los sentimientos sólo ven hacia atrás, sólo pueden reflejar lo que *fue*. Así como es importante estar en contacto con nuestros sentimientos, también lo es no permitir que éstos nos dominen. Es igual de importante que evitemos tomar con el corazón las decisiones que deben tomarse con la cabeza.

Desde luego, la autoestima está formada por muchas cosas y nuestros sentimientos no son más que una de ellas. Supongamos que estamos esforzándonos por hacernos valer, por hablar sin tapujos, por ingresar en un grupo de desarrollo personal, por abrir una cuenta de ahorros o por iniciar un programa de control de peso. Pero también supongamos que no nos sentimos a gusto con nuestro nuevo comportamiento o que tenemos la sensación de que no estamos haciendo suficientes progresos. *Sabemos* que eso es bueno, pero no nos hace *sentirnos* bien. Lo único que podemos hacer en esos momentos es seguir actuando. Si queremos que la autoestima sea un hecho, debe ser más que sólo un sentimiento.

Los sentimientos me dan información, pero debo procesarla con la razón.

13 de abril

*La cercanía es una sensación sustituta de
la comunidad, una comunión falsa.*

Gabriel Vahanian

Algunos buscamos —más bien exigimos— un grado sofocante de cercanía con nuestros seres más queridos. Aunque somos demasiado educados para abrir una puerta sin tocar antes, sin inmutarnos nos entrometemos en la vida de nuestros hijos, por ejemplo. Aunque nunca hurguemos en la bolsa de otra persona, jamás se nos ocurre que estamos invadiendo la intimidad de nuestros amigos cuando insistimos en que «nos cuenten todo».

A quienes nos gusta hablar sobre lo «cercanos» o «inseparables» que somos de otros necesitamos revisar nuestros motivos. ¿La cercanía en la que insistimos satisface las necesidades de los demás o sólo las nuestras? ¿Los estamos vinculando a nosotros por medio del amor —que es liberador— o de las expectativas y obligaciones —que son esclavizantes? ¿Los mantenemos tan cerca porque los amamos mucho o porque nos sentimos muy inseguros e incompletos?

Si bien por lo general lo hacemos con buena intención, nuestra invasión del espacio vital de otras personas puede causarles incomodidad y pesar. Antes de asirnos de ellas como con tenazas, debemos estar seguros de que su concepción del comportamiento amoroso es igual a la nuestra.

Aun la gente más «cercana» necesita cierta distancia.

14 de abril

Los que conocen menos a los otros piensan
lo mejor de sí mismos.
Charles Caleb Colton

Los que no somos adictos a ninguna sustancia tóxica en el fondo solemos sentirnos superiores a los que sí lo son. Aunque nos neguemos a admitirlo, fruncimos la nariz, levantamos las cejas y nos estremecemos con una discreta indignación ante la descarada pérdida de control de los adictos. «Gracias a Dios que no soy yo», pensamos en lo más profundo de nuestro ser cuando esquivamos a un borracho tirado en la calle. «¡Tengo mis problemas, pero al menos no son *tan* graves!»

Sin embargo, ¿en realidad somos tan diferentes? Excepto porque no somos vulnerables a las sustancias tóxicas —simplemente por azares del destino—, ¿en verdad somos mejores personas? ¿Estamos tan a salvo como pensamos de la fealdad y la autodegradación? ¿No tienen algunos de nuestros pensamientos y comportamientos tóxicos un efecto perjudicial para nosotros y para quienes nos rodean? ¿Las enfermedades privadas son tan distintas de las públicas?

¿Qué hay del chismoso enfermizo? ¿Del mentiroso despiadado? ¿Del padre egoísta e indiferente? ¿Qué pasa con nuestra manera compulsiva de comer, comprar o acusar a los demás? La adicción a sustancias tóxicas es sólo *una* de las maneras de deteriorar la integridad; hay muchas otras y casi todos las conocemos. Existen más semejanzas que diferencias entre nosotros y nuestros hermanos adictos.

Entre dos lisiados, no cabe el complejo de superioridad.

15 de abril

En su búsqueda de pistas y patrones, muchas víctimas de la depresión descubren que su padecimiento es cíclico. Por cualquier razón, en ciertas épocas del año el ánimo se les viene al suelo como si fuera un pájaro herido. Tal vez sea el aniversario de la muerte de uno de sus padres, el fracaso de un negocio o algún otro momento triste. O quizá tenga que ver con la cantidad de luz solar que haya, con los biorritmos o con la química cerebral.

Reconocer un patrón predecible puede significar una gran diferencia. La capacidad de anticiparse a cualquier cosa siempre nos da más armas. Tal vez no nos evite la depresión, pero al menos ésta no nos tomará por sorpresa.

Si sabemos lo que va a ocurrir, debemos tomar las medidas apropiadas. Posponer citas importantes, aplazar o adelantar la toma de decisiones trascendentales o quizás algo tan sencillo como dejar a los niños encargados con mayor frecuencia, a fin de tener más tiempo libre, puede ayudarnos a sentirnos mejor en una mala época.

Cuando lucho *contra* la depresión, lucho *por* mi autoestima.

16 de abril

La falta de autoestima no siempre se manifiesta como una pasividad vergonzosa. Muchos triunfadores se sienten obsesionados por la necesidad, causada por la falta de autoestima, de esforzarse más allá de cualquier límite razonable. Incluso en la recuperación, estas personas casi se arruinan por practicar sin medida cómo aflojar el paso, despreocuparse y aprender a disfrutar. ¡Se esfuerzan tanto por disfrutar algo que se sienten demasiado fatigadas para poder divertirse!

¿Cómo aprender a honrar a un yo al que estamos maltratando? Si tuviéramos caballos de carreras, no se nos ocurriría presionar tanto a nuestros valiosos animales. «¿Cuánto has logrado?» es la pregunta equivocada que nos hacemos. En vez de ello, deberíamos preguntarnos si hemos abrazado a nuestros amigos, dado un paseo, leído una novela o contado un chiste.

No hay ningún mérito ni valor en exigirnos hasta enfermarnos. El cansancio absoluto es enemigo de la salud y también de la autoestima. Debemos tratarnos cuando menos con tanta consideración y cuidado como trataríamos a un caballo.

Merezco descansar y divertirme.

17 de abril

En esencia, el hombre no es perfecto.

George Orwell

Tratar de conocerse más a uno mismo es como realizar una excavación arqueológica. Cuanto más descendamos, es más probable que nos llevemos sorpresas, algunas más divertidas que otras. A menudo, uno de los descubrimientos menos placenteros es nuestra capacidad de usar palabras aceptables para denominar nuestras fallas de carácter inaceptables.

La cualidad que solemos llamar perseverancia, por ejemplo, puede resultar ser una simple y antigua necedad una vez que la desempolvamos y la vemos con claridad. Nuestra compasión y generosidad pueden parecerse mucho a una codependencia y nuestra franqueza a una extrema insensibilidad. Por supuesto, admitimos que teníamos defectos, pero quién hubiera pensado que serían tan graves —o que tantos de ellos serían las supuestas «virtudes» de las que nos enorgullecíamos.

Pero no debemos sentirnos tan desalentados por nuestras fallas de carácter. No son una prueba de nuestra depravación, sino de nuestra humanidad. Ni siquiera las almas grandes de este mundo son perfectas. La perfección no es una condición aplicable a los seres humanos. Identificar un defecto de carácter es como determinar una enfermedad después de obtener los resultados de una prueba de laboratorio. Estos resultados no *causan* la enfermedad; tan sólo nos dicen lo que *es* para que nos puedan recetar el remedio.

Para resolver un problema, debo conocer su causa.

18 de abril

*Rechaza la sensación de la herida y
ésta desaparecerá.*
Marco Aurelio Antonio

El dicho «El gato escaldado, rehúye el fuego» es una verdad a medias. Algunas de las personas que hemos sufrido quemaduras decidimos que nunca más nos acercaremos al fuego. Antes que arriesgarnos a sufrir otra quemadura, le damos la espalda al calor, a la luz y a la agradable compañía que nos ofrece una resplandeciente fogata en una noche helada.

Somos víctimas de un amor fallido. A diferencia de otros que se secan las lágrimas y vuelven a la fiesta, no sólo nos sentimos desilusionados y heridos, sino *devastados* y heridos *de muerte.* Cuando el rechazo nos hirió, la sangre que perdimos era más roja y nuestro dolor más intenso que los de cualquier otro. ¿Por qué habría de esperarse que nos diéramos otra oportunidad, que lo intentáramos de nuevo?

No obstante, el miedo a que nos lastimen puede lastimarnos más que nada. Si evitamos las heridas quedándonos sentados en una banca, nos perdemos el juego. Si una relación se derrumbó pese a todos nuestros esfuerzos, entonces esa relación no debía ser. Hay una posibilidad mejor que nos está esperando. Pero sólo tendremos oportunidad de encontrarla si nos quitamos los vendajes y volvemos al juego.

Soy mucho más resistente de lo que pienso.

19 de abril

*Ten cuidado de no probar la temperatura
del agua con los dos pies.*

Charles Larsen

Colocarnos en una situación en la que llevamos las de perder
significa que seguramente perderemos. Cuando perdemos con
mucha frecuencia, se deteriora nuestra autoestima. En nuestra
lucha por lograr la confianza en nosotros mismos, es tan importante saber lo que *no* debemos hacer como lo que debemos
hacer.

Muchas situaciones aparentemente buenas pueden resultar ser todo lo contrario. Aprender a evaluar con cuidado una
situación, una relación o una nueva empresa a fin de reducir al
mínimo los riesgos es fundamental para mejorar la autoestima.
El que una propuesta o una persona *parezcan* buenas no significa que sean honestas. Antes de comprometernos, debemos
probarlas sin exponernos totalmente. No es un insulto para los
demás; la sinceridad es algo que siempre debe probarse.

Si las palabras fueran hechos, miles de estafadores que-
brados serían millonarios. Son muchos los que pueden hacer que
una propuesta parezca demasiado buena para rechazarla. Pero
ese cuadro tan halagüeño puede ser muy distinto si escarbamos
un poco. Es sólo una cuestión de sentido común tomarnos
nuestro tiempo, obtener referencias y verificar los datos antes de
invertir más de lo que podemos arriesgarnos a perder.

**Meter un pie en el agua antes de sumergir la cabeza me ayudará
a lograr y mantener mi autoestima.**

20 de abril

Estamos vivos y eso es lo único que necesitamos para empezar.

J. Leeds

Nuestras necesidades son mucho más sencillas que nuestros deseos. Tal vez deseemos que haya un clima perfecto para volar y tener un plan de vuelo detallado, pero insistir en contar con las condiciones ideales puede ser la diferencia entre irnos o quedarnos. Lo único que realmente *necesitamos* para despegar es estar vivos.

Nadie está tan abatido, ni tan viejo ni tan cualquier otra cosa para iniciar un programa de desarrollo personal. La voluntad, y sólo la voluntad, es el precio total del boleto. El siguiente paso es deshacernos del exceso de equipaje— como la noción de que debe haber tal o cual condición antes de empezar. Una vez que nos hacemos responsables de dónde estamos y quiénes somos, lo único que nos falta es pensar *¡Estamos aquí!* ¿En qué otro lugar deberíamos estar?

El cambio es un proceso y el proceso de mejoramiento tiene mucho más que ver con la dirección que deseamos seguir que con el punto de partida. Ya sea que estemos partiendo de 10 para llegar a 100 o estemos partiendo de 1 000 con miras a la estratósfera, aún estamos en proceso. A todos nos toca el mismo viaje infinito. Mientras vivamos, nunca terminaremos de mejorarnos y no porque estemos tan débiles, sino porque las posibilidades son tan grandes.

Lo importante es empezar, ¡así que eso haré!

21 de abril

Nadie espera encontrar consuelo y compañerismo
en los reformadores.

Heywood Broun

Cuando no pueden encontrar una pareja perfecta, algunas personas tratan de *producirla*. La receta es sencilla, ¿no cree? Todo lo que se necesita es un diamante en bruto y mucho esfuerzo. Después, sólo es cuestión de pulir, pulir y pulir... Cuando iniciamos un proyecto de esta índole, parece tan sensato, tan factible —y parece *tan noble* de nuestra parte esforzarnos tanto por alguien.

Pero una persona no puede ser un «proyecto», como tampoco puede ser una mascota. Ninguna relación sana debe iniciarse como si fuera una operación de rescate. Podemos decir «Lo único que quiero es lo mejor para ti», pero cuando tratatamos de recrear a alguien conforme a la idea que tenemos de la perfección violamos la integridad de esa persona, y también la nuestra. Aunque al principio acepten tal intromisión, con el tiempo nuestros proyectos humanos se cansan de nuestra actitud de superioridad. Ellos terminan resintiéndose y nosotros terminanos sintiéndonos poco apreciados.

Para tener una autoestima sana, es necesario que nos aceptemos y que aceptemos a los demás por lo que es cada quien. No tenemos derecho a forzar a la gente a que cambie sus hábitos y estilos. Hacer esto en nombre del amor los degrada a ellos, nos degrada a nosotros y al concepto mismo del amor.

Yo no soy Dios y las demás personas no son pedazos de arcilla que necesiten ser modelados.

22 de abril

*La devoción perpetua a lo que un hombre llama
«mis asuntos» sólo puede mantenerse mediante
el descuido perpetuo de muchas otras cosas.*
Robert Louis Stevenson

Con frecuencia oímos condenar la adicción al trabajo, pero con mayor frecuencia aún oímos voces persuasivas diciéndonos que la vía rápida es el único sitio donde estar si tenemos lo que se necesita para llegar a la cima. El lema que nos impulsa a trabajar incluso a la hora de la comida es «El que no arriesga no gana». «¡Adelante!» es el grito de batalla que nos empuja a producir hasta la medianoche. Para asegurar nuestro lugar en el equipo ganador, quizá hasta tengamos miedo de tomarnos un día libre.

Pero trabajar incesantemente es tan anormal como dormir sin cesar. Independientemente de lo desproporcionado que sea el beneficio que obtengamos, no consideramos nuestra necesidad física y espiritual del ritmo, del flujo y el reflujo, cuando gastamos todas las energías sólo en un área de nuestra vida. Cuando nos negamos el descanso y la recreación que necesitamos para recuperar la energía, negamos la naturaleza humana; y cuando negamos la naturaleza humana, sufrimos las consecuencias naturales.

Los resultados inevitables del exceso de trabajo crónico son el agotamiento y el vacío. Cualquier forma de éxito que nos exija tal cuota es una falsificación de la realidad. Con todo y lo esplendorosa y seductora que pueda parecernos la recompensa, la dedicación no debe costarnos hasta el último minuto de vigilia; si lo hace, tenemos que repensar qué es el éxito en la vida. Tenemos que dejar de buscar oro en las minas de sal.

El trabajo es un medio para lograr un fin, no un fin en sí mismo.

23 de abril

Las avenidas de mi vecindario se llaman Soberbia,
Avaricia y Lujuria. Las calles transversales son
Ira, Gula, Envidia y Pereza. Yo vivo en Pereza, y
los habitantes de esta calle tenemos la costumbre
de evitar las otras vías.

John Chancellor

¿Usted qué opina? Con los años, algunos hemos provocado muchos desórdenes. Hemos cometido algunos buenos pecados que nos llenan de remordimiento y pesar. Otros hemos evitado los líos y no hemos metido la nariz donde no debemos. Nuestro historial no está lleno de taches, y de ninguna otra cosa. No hemos cometido muchos errores porque no hemos hecho casi nada. ¿Quiénes están mejor?

Ambos tipos de personas tenemos trabajo por hacer si queremos sacarle más partido al futuro del que le sacamos al pasado. Si causamos daño, obviamente nuestra tarea consiste en hacer todas las reparaciones que podamos, perdonarnos y emprender un camino más recto. Si nos hemos ocultado tras la pasividad, arriesgando poco y ganando menos, salir de las tribunas y lanzarnos al campo. Ser un espectador del juego de la vida no es ni virtuoso ni divertido.

Las omisiones, tanto como las comisiones, pueden arruinar nuestra vida. En muchos casos, lo que *no* hacemos puede pesarnos más a la larga que los errores que cometemos. Es mejor arriesgarnos a dar un mal paso que pasarnos la vida sentados.

Si me abstengo, salgo perdiendo.

24 de abril

Algunas brechas del camino pueden parecernos demasiado anchas para saltarlas; pero si no podemos cruzarlas, nos quedaremos varados; ya no podremos dar ningún paso adelante y se acabará el camino a la autorrealización. Una de estas brechas es la caverna entre la decisión y la acción.

Una persona es diferente después de que toma una decisión. Cuando uno ha decidido quedarse o irse, empezar o parar, arriesgar o conservar, optó por el cambio; mentalmente, ya lo hizo. No actuar después de tomar una decisión bien pensada equivale a propiciar la confusión, los mensajes ambiguos y el caos emocional. Cuando se pierde la voluntad se pierde la integridad.

A veces, por temor a actuar, ni siquiera admitimos, en nuestros adentros, que ya tomamos una decisión. Por ejemplo, quizá hayamos perdido completamente el interés por un trabajo que detestamos o un matrimonio acabado. Al negar que ya nos retiramos, negamos nuestra verdad. Esta negación no sólo devasta nuestra estima, sino que también amplía la brecha entre el lugar en el que estamos y nuestro próximo destino. Tarde o temprano tendremos que dar el salto. ¿Por qué no temprano?

Una vez tomada, una decisión importante me causará problemas hasta que no la lleve a cabo.

25 de abril

Lo que estoy viviendo ya es bastante malo.
No puedo enfrentarme a nada peor.

Mary P.

En ocasiones, las frases de incitación como «¡Ahora o nunca!» son más que inútiles. Esto ocurre cuando la situación que estamos enfrentando, en su forma actual, ya de por sí nos está chupando hasta la última gota de energía. En tales casos, decir «¡Todo o nada!» no garantiza nada.

Incluso los amigos con buenas intenciones pueden hacernos pensar que algunas acciones terriblemente difíciles deben realizarse *de inmediato*. Insisten en que debemos llevar a cabo una iniciativa importante, estemos listos o no, *por nuestro bien*. Pero sólo nosotros podemos decidir si estamos listos o qué nos hace bien.

La autora de la cita anterior le decía a su grupo que ella estaba haciendo todo lo posible —en ese momento— para ayudar a su hijo drogadicto. Sabía que iba a sobrevenir una crisis, que tendría que decirle al muchacho que no podía continuar consumiendo drogas y al mismo tiempo vivir bajo su techo. Pero esa crisis fue algo «peor», que en ese momento no podía resolver. Todo lo que podía hacer era asistir a sus sesiones de ayuda, reforzarse y orar. Ya tenía la suficiente experiencia como para saber que es mejor no gritar «¡Hazlo o te mueres!» antes de estar lista para ello.

Prepararse puede ser la mitad de la batalla.

26 de abril

*Nadie ha llegado a su lecho de muerte deseando
haber pasado más tiempo en la oficina.*

Michael Josephson

En algunos talleres de desarrollo personal, se practica un ejercicio estimulante que consiste en que uno escriba su epitafio. ¿Qué querríamos que pusieran en nuestras lápidas? ¿Cómo quisiéramos que nos recordaran? ¿Qué fue lo que más nos importó en la vida? Siendo justos, ¿cuál podemos considerar que fue nuestra contribución al mundo?

Los participantes en este ejercicio generalmente empiezan a reír nerviosamente y luego a decir cómo *no* les gustaría que los recordaran. «Aquí yace Carla», dijo bromeando una mujer, con un destello de conciencia de sí misma, «quien fuera bien intencionada». Esto rompió el hielo y otros también empezaron a describirse a sí mismos. Un hombre dijo: «No faltó a trabajar ni un solo día», con un tono de orgullo y al mismo tiempo ligeramente burlón. Varias personas asintieron y sonrieron identificándose con él.

El equilibrio entre el trabajo y la diversión es crucial para nuestro bienestar. Si queremos disfrutar de la vida como nos corresponde y honrar equitativamente los valores que profesamos, más vale que meditemos ahora y no más tarde sobre las leyendas que rigen nuestras vidas.

¿Qué es lo que más quiero hacer o ser antes de que se me agote el tiempo?

27 de abril

El pasado sólo es humo y si es necesario,
hay que dispersarlo.

Ralph B. Binyen

A menudo se ha dicho que nuestras percepciones son como cristales que distorsionan y colorean lo que vemos. Esta visión, por supuesto, se vuelve nuestra realidad, nuestra verdad. Pero es importante darnos cuenta de que la mayoría de nuestras percepciones se forjaron en un fuego que ahora es historia, un fuego que se apagó hace mucho tiempo. Lo que pasó, pasó, no podemos darle marcha atrás. Pero no hay necesidad de arrastrarlo todos los días de nuestra vida.

La mayoría de los obstáculos para disfrutar de una imagen personal positiva y agradable son producto de las lecciones negativas que aprendimos largo tiempo atrás. Estas lecciones refuerzan el perfeccionismo, la pasividad, el miedo a la intimidad o los sentimientos de amor, felicidad o falta de valía. Son lecciones del pasado y, como tales, son humo. Ya no son reales a menos que queramos.

Muchas almas valientes, en su difícil camino hacia un mañana mejor, han aprendido a manejar un «ataque de vergüenza». Esto significa reconocer que se trata de un recuerdo fugaz que podemos hacer esfumarse o arraigarse en el presente. Somos nosotros quienes debemos decidir si el poder del pasado aumentará o se acabará.

Yo *puedo* hacer que desaparezca lo desagradable de mi pasado. Lo único que necesito es desearlo y esforzarme por dejarlo ir.

28 de abril

La amistad, como el matrimonio, depende
de que evitemos lo imperdonable.
John D. MacDonald

Todos sabemos que un gramo de prevención vale un kilo de medicina. Pero tal vez no nos detenemos a considerar lo importante que puede ser este remedio casero para nuestras relaciones personales. Algunas palabras sencillamente nunca se deben decir y hay situaciones que jamás debemos permitir que sucedan. Nuestras relaciones más entrañables son demasiado valiosas como para manejarlas con descuido.

No hay nada que justifique un insulto imperdonable o la traición. Es mucho mejor que parezcamos cobardes y nos vayamos si una confrontación se está saliendo de control. Es mucho más sabio que nos demos un tiro en el pie que herir de muerte a un amigo.

Las tensiones y fricciones ocasionales son inevitables en cualquier relación, pero necesitamos relacionarnos afectivamente con nuestros amigos para aumentar nuestra autoestima. Cuando hay un conflicto, tal vez sea necesario retirarnos para nuestra autoestima y la de ellos. Más adelante, cuando se hayan enfriado los ánimos, ambas partes nos alegraremos de habernos contenido.

En ocasiones la retirada es la única manera de ganar.

29 de abril

Hay ocasiones en que nos invade una sensación de insignificancia. Con mucha frecuencia se trata de una falsa percepción que debe descartarse cuanto antes. Lo cierto es que somos más importantes de lo que a veces creemos.

No hay razón para no sentirnos orgullosos de las cosas constructivas que hemos hecho. Es un error restarle importancia a la realización de una tarea, al aprendizaje de una nueva habilidad, al reforzamiento de un buen hábito o a la eliminación de un mal hábito. Muchos tenemos un sinnúmero de logros valiosos, grandes y pequeños, por los cuales sentirnos bien. Somos más valiosos y atractivos de lo que a veces pensamos.

Puede ayudarnos hablar un poco de nuestros logros, en vez de ser siempre tan francos sólo si se trata de nuestros fracasos. Podemos hacerlo sin ser jactanciosos. Ser sinceros cuando contamos un logro o mencionamos una habilidad demuestra que tenemos una autoestima elevada. No es que seamos «modestos» cuando evitamos hacernos respetar. No podemos esperar que los demás estén siempre reiterándonos nuestra valía si no deseamos hablar bien de nosotros.

No hay nada malo en elogiarme de vez en cuando.

30 de abril

Hay dos cosas que dañan el corazón:
subir cuestas y rebajar a la gente.

Bernard Gimbel

Hablar pestes de los demás como diversión «inofensiva» es un hábito deleznable. Pero es muy común que rebajemos a otros para destacar nosotros. Sin duda es el deporte más popular en muchas oficinas. Por desgracia, despotricar contra los demás es un deporte que lastima la autoestima de todos los que lo practican.

Esto se debe a dos razones. La primera es el axioma psicológico de que la mente siempre se inclina hacia su pensamiento dominante. Para hablar mal de la gente primero debemos llenarnos la cabeza de pensamientos negativos. Después expresamos esos pensamientos con palabras hirientes. Pero el mero hecho de buscar y albergar pensamientos negativos nos hiere a *nosotros* también. Incluso antes de que digamos una sola palabra, ya hemos hecho daño.

La segunda razón por la que nos lastimamos cuando hablamos mal de la gente es que debilitamos cualquier posibilidad de formar lazos de compañerismo con ella. La autoestima se basa en la pertenencia a una comunidad de cualquier tipo, y es fomentada por la gente que se interesa por los demás, por la gente con la que podemos contar, por la gente que con su sonrisa nos dice que le agradamos. El hábito de hablar mal de los demás nos empobrece y nos hace indignos de pertenecer a esa comunidad.

Es mucho mejor para la salud tanto mental como espiritual desarrollarnos con el ejercicio de animar a otros.

La gente sana no acostumbra criticar las debilidades de los demás.

1o. de mayo

En este mundo no existe el valor absoluto.
Lo único que uno puede estimar es lo
que una cosa vale para sí mismo.
Charles Dudley Warner

La autoestima no es algo mágico. No es un misterioso fenómeno cósmico que puede ser o llegar a ser. La autoestima es un producto. Los pasos que se dan para fabricarla no son muy diferentes de los que se dan para construir cualquier cosa, desde los aviones a escala hasta las naves espaciales. Primero, se tiene que entender la anatomía básica de lo que uno está intentando construir. Una vez comprendida ésta, ya está hecha la parte más importante del proyecto.

Si la *estima* es el valor que le asignamos a algo, entonces la *autoestima*, en los términos más sencillos, es el valor que asignamos a nosotros mismos. Quiénes pensamos que somos determina cuánto pensamos que valemos. Así que, ¿cómo nos definimos a nosotros mismos? Necesitamos examinar las definiciones de nuestra propia persona si queremos construir la autoestima. Si partimos de planos de un avión a escala, el producto final no será una nave espacial.

Supongamos que en el trabajo en vez de llevar un traje a rayas, llevamos un mandil. ¿Valuamos tanto la ropa que devaluamos el trabajo respetable? No somos nuestra ropa. Supongamos que una persona estuvo encarcelada temporalmente. ¿Tiene que definirse para siempre de esa manera, o quizá pensar en sí misma como un ciudadano libre que prosigue con su vida? Si queremos sentirnos bien con nosotros, tenemos que retraducir las definiciones que empiezan con «Menos que». La autoestima es un producto de componentes positivos.

Las definiciones negativas de uno mismo sientan bases débiles para el crecimiento.

2 de mayo

*Si un asno se va de viaje, no regresa
convertido en caballo.*

Thomas Fuller

La gente que ya ha recorrido un buen trecho del camino de la recuperación tiene mucho que contarnos a los novatos respecto a lo que tenemos por delante. Podría decirnos: «¡Adelante! ¡Las colinas no están demasido empinadas y pueden cruzar el río!» Algunos de sus mensajes son advertencias: «Olvídense de los rodeos. Sólo les harán perder el tiempo y extraviarse.» Nos advierten que no deambulemos en la dirección errónea.

Una de las formas en que la gente que ha empezado a recuperarse tiende a deambular es «cambiando de aires». Esto significa buscar en algún lugar lo que no podemos ver en nuestra propia casa porque estamos demasiado ciegos para ello. Significa moverse —pero no para *llegar* a un sitio, sino para *huir* de un sitio. Cuando buscamos una cura geográfica, olvidamos que llevamos al paciente con nosotros. *Dónde* estamos no va a cambiar *quiénes* somos. La autoestima no nos espera en otra ciudad u otro estado.

Claro que a veces es necesario alejarse una gran distancia. Pero al principio de la recuperación, cuando nuestra estima aún está tambaleante, generalmente lo sensato es no apartarse del territorio que conocemos. Necesitamos evitar los rodeos, las desviaciones y las divagaciones de cualquier clase. Tenemos cosas más importantes en qué pensar que si el cielo está más soleado en otra parte.

Seguir los consejos de los líderes reconocidos puede ahorrarme muchos giros en la dirección incorrecta.

3 de mayo

Dios me respeta cuando trabajo,
pero me adora cuando canto.

Proverbio tailandés

¿Qué imagen evoca la palabra *Dios*? A un niño puede hacerle pensar en un ser caritativo, de barba blanca, paternal, que ayuda a encontrar mascotas extraviadas y asolea los días de campo. A un adolescente, en un juez severo de las aventuras sexuales juveniles. A un adulto preocupado, si es que en algún momento piensa en Dios, en la figura de un «jefe» exigente, más que nada en un supervisor con vista de águila.

Como Autoridad Máxima, el Dios que ronda en nuestro subconsciente bien puede ser una combinación de todas las figuras de autoridad que hemos conocido —el director de la escuela, el policía, el padre, el supervisor. Quizá por ello tantos de nosotros rendimos homenaje a ese Dios demandante trabajando sin cesar. Avanzamos con energía para adelantarnos a ese reporte, a esa evaluación que seguramente llegará.

Sin embargo, a la luz de nuestra recuperación, llegamos a ver una imagen diferente. Conforme mejora la imagen de nosotros mismos, nuestra imagen de Dios se vuelve más afectuosa. Ese capataz crítico que en otra época necesitamos para justificar nuestra enajenación en el trabajo se va de vacaciones para siempre. A medida que aprendemos a iluminarnos a nosotros mismos, encontramos un nuevo Dios que valora más la serenidad que el sudor.

Reconsiderar a Dios es una parte importante de la recuperación.

4 de mayo

Sentía miedo, pero nunca
se dio por vencido.
David R.

David estaba hablando con sus amigos sobre la muerte de su adorado hijo, que había fallecido de cáncer a la edad de veintinueve años. Lo llamaba «un ángel valeroso». Valeroso porque, si bien el joven se fue consumiendo poco a poco, nunca cejó en su búsqueda de Dios. Y al encontrar a Dios encontró la serenidad. «Mi hijo sentía miedo, un miedo tan terrible», dijo, «pero nunca se dio por vencido. Finalmente, poco antes de morir, encontró lo que buscaba. Cuando murió, sus ojos estaban bañados de una luz tranquila».

David decía que su hijo era un ángel porque los ángeles nos hablan de Dios. El acongojado padre contó que, antes del nacimiento de su hijo, era un hombre insensible y egocéntrico al que le enfurecía el pensamiento de ser incomodado por un niño. Sin embargo, la llegada de ese niño derritió, suavizó, restructuró toda su personalidad. «Como todos los ángeles», dijo David con lágrimas en los ojos, «era un reflejo del rostro de Dios. Desde entonces no he podido alejar de mi mente ese rostro».

Por fortuna, la mayoría de nosotros no necesitamos perder a un ser amado para encontrar la paz, la serenidad y una comprensión más profunda de aquello que es importante en la vida. Durante toda nuestra vida encontramos oportunidades de desarrollar la conciencia y el crecimiento espirituales. Los ángeles abundan si tan sólo estamos abiertos a reconocerlos.

El amor por los demás puede llevarme al amor a Dios.

5 de mayo

Muchos de los que no padecemos una depresión clínica caminamos con dificultad por la vida en una niebla depresiva. Nos
parece que todo requiere demasiada energía. Nada nos parece
emocionante o interesante. Los días soleados no son más que un
preludio de la siguiente tormenta. Y, desde luego, nuestra
autoestima se hunde tanto como nuestro ánimo.

Si bien una actitud depresiva ante la vida puede deberse
a causas más profundas, a menudo simplemente se trata de un
hábito, tan sólo otro mal hábito como fruncir el ceño o tamborilear
con los dedos. Si no crecimos rodeados de gente positiva, es muy
probable que hayamos aprendido a describir en términos negativos el mundo y todo lo que hay en él. Quizá se nos haya
enseñado a desconfiar automáticamente de los demás y de sus
intenciones, lo que nos causa un gran desconcierto en todo
momento.

La cura de un corazón habitualmente pesaroso puede
empezar simplemente dirigiendo nuestra atención a todo lo
positivo que nos rodea, contando nuestras bendiciones y aprendiendo a decir «gracias» por todo ello.

La alegría es tan habitual como el pesimismo.

6 de mayo

Los únicos medios para obtener la victoria más fácil
sobre la razón son el terror y la fuerza.
Adolfo Hitler

¡Los seres humanos somos maravillosa y terriblemente adaptables!

Con el tiempo, la gente que tolera la intimidación llega primero a tolerar y después a aceptar esta triste situación. Se habitúa tanto a la intimidación que ya no la reconoce como lo que es: una pérdida de sus derechos humanos básicos. Obviamente, aquellos que viven en estas circunstancias tienen probabilidades escasas o nulas de conservar su autoestima.

Los que vivimos con gente que nos somete a la violencia física o emocional tenemos que ser honestos con nosotros mismos respecto de lo que está sucediendo. Necesitamos reconocer, incluso para nuestros adentros, que vivimos bajo circunstancias deprimentes. Enfrentar los hechos nos ayuda a mejorar un poco.

Las personas que constantemente son objeto de hostigamiento, burlas, insultos o amenazas, ya no digamos de maltrato físico, tienen todo el derecho a reclamar el derecho humano básico a la felicidad que de alguna manera dejaron pasar. Tenemos a la mano esperanza y ayuda. Existen todas las razones para esperar tiempos mejores si hoy mismo empezamos a decir la verdad. Nuestra situación es irremediable únicamente si negamos que existe.

Soy una persona demasiado valiosa como para doblegarme y dejar que me sometan.

7 de mayo

Permítanme asegurar que la desconfianza y
los celos nunca han ayudado a
ningún hombre en ninguna situación.
Abraham Lincoln

La segunda naturaleza de algunos de nosotros es esperar lo peor. Por ello nos es tan fácil esperar motivaciones negativas en los demás. Pero es igualmente razonable creer que otros son tan bien intencionados como nosotros. Ambas perspectivas mentales no son más que hábitos adquiridos con la práctica.

La fe en la naturaleza humana fomenta nuestra fe en nuestras propias posibilidades. La sospecha y la desconfianza generalizadas hacia los demás nos hacen ver enemigos donde no existen. ¿Por qué rendirnos ante esa especie de pensamiento defensivo? ¿Por qué no dar a los demás el beneficio de la duda?

Un día, a Abraham Lincoln le preguntaron por qué trataba de hacer amistad con sus enemigos, cuando debería intentar destruirlos. Lincoln respondió que *estaba* destruyendo a sus enemigos cuando los hacía sus amigos. Ésta es una verdad que vale la pena considerar, para aprender a hacer amistad con nosotros mismos.

Si quiero encontrar el bien en mí mismo, tengo que buscarlo en los demás.

8 de mayo

Los niños no nos recordarán por las cosas materiales que les hayamos proporcionado, sino por los sentimientos que les hayamos infundido.

Gail Grenier Sweet

La autoestima de más de uno de nosotros se ha desalentado porque al compararse con otros padres sustentadores, sale perdiendo. En una sociedad de consumo, a menudo el valor y el amor se equiparan con «cantidad», «frecuencia» y «precio».

Empero, la verdad es que las cosas materiales se oxidan y pronto las dejamos de lado y las olvidamos. Lo que permanece son los recuerdos de los momentos en que hemos sido amados. Estos preciosos recuerdos son los que guardamos en nuestro cofre mental de los tesoros. Nos aferramos a los momentos en que otros nos hicieron sentir especiales.

Considere sus propios recuerdos. ¿Cuáles son los más dulces? Es probable que tengan poco que ver con *cosas,* a menos que esas cosas sean símbolos genuinos de afecto verdadero. Es mucho más probable que tengan que ver con un sobrenombre especial, un secreto compartido, un momento en que uno de sus padres lo acompañó verdaderamente. Nuestros recuerdos favoritos de las Navidades o los cumpleaños raras veces se refieren a cosas que recibimos, sino a la calidez del afecto que había detrás del dar.

Los obsequios de mi corazón son más valiosos que los obsequios de mi bolsillo.

9 de mayo

La zorra condena la trampa, no a sí misma.

William Blake

Cuando surge el tema de las racionalizaciones, muchos decimos: «Está bien, ya sé todo eso.» Superficialmente, es muy probable que sea cierto, pero la causa de los problemas no es la superficialidad. Tomemos como ejemplo la inculpación. Vista superficialmente, la inculpación no es sino una opción más, pero el verdadero problema con ella no es en sí el dedo acusador, sino el patrón que establece.

La inculpación dice: «No es mi culpa. No tuve opción. Me lo hicieron.» ¿Qué sucede cuando ésta es nuestra respuesta habitual a situaciones dañinas? ¿Acaso no también estamos diciendo: «Como esta vez yo fui la víctima, bien puede haber una segunda vez. Y tampoco seré responsable de ello»?

De esta manera, encontramos una salida fácil para nuestra tendencia a permanecer en situaciones de abuso, decimos «sí» cuando queremos decir «no»; nos quedamos en casa con el pretexto de que nos sentimos enfermos, cuando la verdadera razón es que somos perezosos. Casi todo el tiempo *efectivamente* fomentamos situaciones que menoscaban nuestra autoestima. Tal vez no sería fácil, pero *podríamos* afirmarnos, cambiar completamente las cosas, si quisiéramos. El problema con las racionalizaciones es que no son honestas y, con el tiempo, nos convierten en personas deshonestas.

Hoy asumiré la responsabilidad de mis decisiones.

10 de mayo

No se puede estrechar un puño cerrado.

Indira Gandhi

¿Es usted de los que llevan una lista? Muchos llevamos una cuenta detallada de todo lo que se ha perdido. Con la escrupulosa exactitud del resentimiento, ponemos una contraseña a todo el mal que se nos ha hecho, todo privilegio o placer que se nos ha negado, toda dificultad o impedimento que nos ha obstaculizado el camino. Como nos esforzamos tanto por registrar todo, nuestra lista crece año con año. Y mientras más larga es, más nos gusta. Justificar los resentimientos puede ser sumamente satisfactorio.

El problema es que esa lista nos mantiene atados a los momentos de nuestras pérdidas. Nos clava en el pasado, por siempre víctimas, por siempre buscando más de lo mismo.

El resentimiento cierra la mano en un puño. ¿Cómo se puede estrechar un puño en señal de amistad o reconciliación? Un puño puede ser bueno para agarrar un cabo sucio de lápiz y deshacer a golpes un viejo y amarillento cuaderno de notas. Pero también descarta demasiadas cosas buenas. Nunca nadie *ha dado* nada a un puño cerrado.

La mayoría de los puntos de nuestra lista pueden ser objetivos, algunos incluso terribles. ¿Pero qué objeto tiene compilar un catálogo de desgracias y qué precio se paga por ello? ¿No sería mejor dejar ir todo eso? Ya es bastante malo que hayan sucedido esas cosas, y peor aún mantenerlas vivas.

No puedo aferrarme a lo viejo y al mismo tiempo extender la mano para alcanzar lo nuevo.

11 de mayo

Los problemas más grandes e importantes de la
vida son fundamentalmente insolubles.
No podemos resolverlos, sólo dejarlos atrás.

Carl Jung

La única manera de enfrentarse a ciertos problemas es dejarlos por la paz. En estas situaciones, tenemos que vivir con «lo que es» durante un tiempo y sólo esperar. Nos guste o no, nuestra salud mental puede depender de ello.

Cada fibra de nuestro ser puede resistirse a esta sabiduría. Nuestra cultura activista nos dice que siempre se tiene que *hacer* algo ¡y de inmediato! Tenemos que atacar. Arreglarlo. Matarlo a golpes. Hacer algo.

Naturalmente, a menudo aplicamos esta mentalidad agresiva a asuntos que afectan a la autoestima. En ocasiones, efectivamente se requiere una acción vigorosa. Pero cuando hay muchos problemas, simplemente no hay manera de forzar una solución. Aprender cuándo presionar y cuándo abstenerse nos puede ahorrar muchos dolores de cabeza.

¿Cuántos de los que florecimos tarde simplemente dejamos pasar nuestra tendencia a la timidez? El tiempo se encargó de ella. Muchas veces un compañero de trabajo que nos irritaba fue transferido a otra oficina, o un vecino molesto se cambió de casa. Con el tiempo, sin necesidad de que hiciéramos maquinaciones y planes, se resolvió un problema irritante. En otras situaciones, tan sólo el tiempo y la madurez que trae consigo arrojan luz, resuelven un acertijo o dominan un impulso desenfrenado.

Esperar no es sólo una opción legítima, sino a veces mi única opción.

12 de mayo

La máxima «Lo único que vale es la perfección»
se puede resumir en una sola palabra: «Parálisis.»
Winston Churchill

La gente es más que la suma de sus partes. Cuando pensamos en nosotros mismos o en los demás como sólo mente, sólo cuerpo o sólo un conjunto de emociones, perdemos de vista la integridad de la persona. Y al hacer esto verdaderamente podemos perder de vista el bosque por ver los árboles.

Con la autoestima sucede algo parecido. Tal vez *odiemos* nuestra nariz, nuestro temperamento irascible o nuestro pesimismo, pero en última instancia lo que importa es la manera en que nos sentimos como *personas*, no nuestras partes diseccionadas. Aunque cada parte afecta el conjunto, lo que cuenta es el todo. Si no podemos ver más allá de nuestra irritante timidez o de nuestra gordura excesiva, nos encontramos demasiado cerca como para ver lo que está sucediendo.

Desde luego, hay que tomar todas las medidas posibles para corregir un defecto penoso. Muchos han levantado su autoestima poniéndose en forma físicamente o recurriendo a ayuda especializada para dominar un impulso emocional negativo. Pero siempre es una equivocación hacer que nuestra autoestima dependa de unas pinceladas torpes en un retrato que de otra manera sería precioso.

La autocrítica me roba más alegría que la crítica por parte de los demás.

13 de mayo

Lo valioso de orar con persistencia no es que Dios nos escuche,
sino que nosotros finalmente lo escuchemos a él.
William McGill

La oración es nuestro medio para comunicarnos con Dios, el medio para sujetar nuestro extremo del hilo de la relación con Él. Puesto que las palabras no son el pegamento que mantiene firme una relación, orar no siempre es lo mismo que decir oraciones. Orar es «estar ahí». En su mayor parte no es hablar; en su mayor parte es escuchar.

Cualquier creencia en un Poder Superior afectuoso, en un «Dios nuestro», es una valiosa contribución a nuestra autoestima. En parte esto se debe a que, si no tenemos Dios, tenemos que *convertirnos* en Dios, la fuente última de nuestro poder. ¿Quién puede elevar a esta altura su imagen de sí mismo? En la vida, pronto descubrimos que hay *muchas* cosas que no están en nuestro poder, que no podemos empujar suavemente, ya no digamos controlar.

Sin duda, un Dios amoroso quiere dirigirnos para alcanzar mayor salud y felicidad. Después de todo, esto es lo que *nosotros* queremos para la gente que amamos. ¿Acaso Dios querría menos para nosotros? Sin embargo, para ser dirigidos tenemos que escuchar. Con frecuencia, propalar oraciones a los cuatro vientos puede ser menos conveniente que tomarse tiempo para relajarse y escuchar.

El maestro aparecerá cuando el alumno esté listo.

14 de mayo

Del dicho al hecho hay mucho trecho.

Proverbio popular

La vacilación sofoca el fuego del éxito y, por consiguiente, la autoestima. ¿Debo o no debo? ¿Es una buena idea, o no? ¿Mejor ahora o más tarde? Podemos pensar en nuestras opciones, pero también es muy posible que si nos tardamos mucho en decidir, algunas de esas opciones ¡se agoten! A veces, esto es precisamente lo que estábamos esperando. Si desaparece el «ya sea esto», tendremos que conformarnos con «o lo otro». Alguien más tomará la decisión por nosotros.

Sin embargo, en otras ocasiones sabemos muy bien a dónde ir. Nuestro corazón, nuestra mente, nuestra perspicacia y nuestros instintos nos empujan con fuerza en cierta dirección. Hay veces que tenemos que forzar a nuestros pies a moverse cuando el resto de nosotros vacila.

¿Hay una oportunidad que explorar? ¿Algún movimiento que hacer? ¿Una palabra qué decir o una mano que estrechar? En ocasiones tenemos que mover los músculos, *nos sintamos* preparados o no. Si nos ocultamos en un rincón por el miedo a actuar, nuestra estima se agachará junto con nosotros.

Por duro que sea emprender una acción, el actuar nos trae alivio.

15 de mayo

Pues caminamos en la fe y no en la visión...
Estamos, pues, llenos de buen ánimo.
2 Cor. 5,7.

Nadie es tan previsor siempre como para saber qué hay adelante, ni siquiera a la vuelta de la esquina. Pese a todo lo que hemos comprobado y experimentado, simplemente no sabemos qué va a pasar. Entre ahora y después, pueden suceder muchas cosas; y algunos de esos giros y vueltas son inimaginables. A veces el camino que tenemos por delante es tan oscuro que sólo podemos recorrerlo a la luz de la fe.

¿Quién puede saber cómo terminará una confrontación con un familiar problemático? Sin embargo, esa confrontación es necesaria por el bien de todos. ¿Una nueva empresa arriesgada resultará algo sensato o imprudente? Pero ya tomamos una decisión y tenemos que ponerla a prueba. ¿Hay alguna garantía de que pronto encontraremos una nueva relación sana si ponemos fin a un mal matrimonio? No, pero nuestra autovalía exige que demos el salto.

Si siempre esperáramos hasta poder ver el camino, nunca hubiéramos emprendido ninguno para mejorar nuestra vida. Aún estaríamos esperando que hubiera más luz, en lugar de tomar medidas para mejorar nuestra vida. A veces tenemos que emprender el camino en la oscuridad, y si creemos que lo que estamos haciendo es lo correcto, esa fe nos proporcionará toda la luz que necesitamos.

La fe es un faro sin el cual los descreídos deben arreglárselas.

16 de mayo

El perdón y el pesar son las únicas
opciones que tenemos.
Ron Palmer

Cuando se habla de habilidades, normalmente pensamos en cosas como tocar un instrumento musical, bailar o cocinar. Pocas veces pensamos en cosas como las *actitudes*, que, en suma, equivalen a la autoestima. Pero las actitudes son habilidades, y quizá una de las que se mencionan con menor frecuencia sea la habilidad de perdonar.

En este injusto mundo hay muchas injusticias que perdonar. La vida a menudo es frustrante y está llena de decepciones. A veces, somos objetos de verdaderos insultos y absurdos traumáticos. Todo el mundo es capaz de destruir nuestra autoestima si no aprendemos a ser conciliadores en vez de rencorosos.

La habilidad de perdonar, como cualquier otra, tiene que practicarse diariamente. Si mantenemos una actitud de aceptación, si nos dejamos deslizar en los rieles expeditos del hábito, podremos perdonar a la vida por no ser lo que quisiéramos que fuera. Nos ahorramos mucho pesar si hacemos las paces con nuestras historias personales. Si no hemos vivido conforme a nuestras expectativas más caras, no es tan malo. Cuando nos damos cuenta de que con *no perdonar* lo único que logramos es prolongar el daño, podemos perdonar incluso a aquellos que verdaderamente nos han dañado.

El perdón deshace el nudo que me ata al resentimiento y el pesar.

17 de mayo

Nuestro inconsciente es como una enorme fábrica subterránea con maquinaria compleja que nunca está ociosa, donde el trabajo continúa día y noche desde que nacemos hasta el momento en que morimos.

James Harvey Robinson

No sólo todos hablamos con nosotros mismos, sino que lo hacemos todo el tiempo. En un nivel de conciencia más profundo que el que implica preguntarnos dónde pusimos nuestros anteojos, nos planteamos y respondemos preguntas, sopesamos la información y probamos diferentes opiniones. Nuestro soliloquio refuerza nuestra realidad a tal punto que continuamente recreamos en su totalidad el concepto que tenemos de nosotros y la estima, o la falta de estima, que se deriva de ese concepto.

Las afirmaciones simplemente son enunciados de verdades positivas. Cuando «hacemos» afirmaciones, nos hacemos cargo de ese diálogo crítico interno. Al decirnos «Soy valioso aunque cometa un error», legitimamos esa opinión válida independientemente de que en ese momento nos «sintamos» valiosos o no. Si nos miramos al espejo y decimos «Soy una persona digna de afecto y competente», quizá oigamos que una voz interna nos responde: «¿A quién tratas de engañar?» Pero tan sólo la expresión verbal de la definición positiva de uno mismo introducirá una nueva voz autoritaria en el diálogo interno.

Alguien dijo que las afirmaciones son la forma más rápida y menos sangrienta de «cirugía cerebral» que ha existido. De todos los medios para rescatarse a sí mismo, ¿qué otro podría ser más sencillo o fácil que el uso de afirmaciones?

Usaré las afirmaciones para reforzar realidades que ya conozco pero aún no siento.

18 de mayo

Toda la gente como uno es Nosotros,
Y todos los demás son Ellos.
Rudyard Kipling

Los amigos y los familiares tal vez no siempre nos apoyen como quisiéramos, especialmente en lo que se refiere a la terapia de grupo. Quizá teman que estemos «hablando de ellos» o «lavando la ropa sucia fuera de casa». La mera idea de que nos identifiquemos como personas «en recuperación» puede provocar en ellos una actitud preocupada, defensiva o crítica.

Aquellos que todavía no han descubierto las increíbles ventajas del apoyo de grupo pueden considerarnos como «locos» o «fanáticos de un culto» a los que participamos en grupos. Después de todo, cuando un familiar o un amigo cercano reconoce una necesidad, una carencia o una falla, esto tiene implicaciones personales. Pueden sentirse desesperados por la preocupación de que quizá tengan un problema o un defecto que a nosotros, los fanáticos de los grupos, nos encantaría sonsacarles. Ante esta amenaza, tal vez traten de incitarnos o acosarnos para que permanezcamos alejados de nuestros grupos.

En tales situaciones, tenemos que mantenernos firmes. No es verdad que ellos puedan manejar sus problemas y nosotros no. No son ni más sanos ni más fuertes que nosotros. La única diferencia entre la gente que pertenece a grupos y la que no pertenece es que la primera está haciendo algo para resolver sus problemas, y la segunda no. La diferencia no reside en que unos están enfermos y los otros saludables, sino que unos están asumiendo la responsabilidad por su vida y los otros no.

Todos los seres humanos compartimos los mismos problemas de la vida.

19 de mayo

Sabiduría: sagacidad, prudencia, sentido común.
The American College Dictionary

Ser insensato no es ninguna virtud. El riesgo calculado es una cosa, pero el riesgo negligente es algo totalmente distinto. Desde luego, todo crecimiento entraña un elemento de riesgo, porque crecer significa ir adonde no hemos estado antes. Siempre es riesgoso aventurarse en un territorio desconocido.

Casi todos sabemos que la formación de nuestra autoestima requiere hacer cosas nuevas, intentar nuevas empresas, incursionar en nuevos territorios —en otras palabras: correr riesgos. Pero hay que tener cuidado de no meternos en situaciones desesperadas y llamar «riesgos» a esos saltos suicidas. Los suicidios no son riesgos, son una muerte segura.

Si una y otra vez hemos experimentado que una persona o una situación nos deja con el ánimo deprimido, tenemos que mantenernos alejados de ella. ¿Por qué seguir regresando? ¿Cuántas veces tenemos que perder antes de reconocer una mala apuesta?

Si las probabilidades de ganar son demasiado escasas, no vale la pena arriesgarse.

20 de mayo

*Todos somos ignorantes, sólo que en
distintas materias.*

Will Rogers

Nuestra ignorancia en diversas materias no es ningún motivo de vergüenza. En la mayoría de los casos, nuestra ignorancia total respecto de un área se debe a falta de exposición o de experiencia, o simplemente a falta de interés. De cualquier modo, damos muestras de inmadurez cuando tratamos de ocultar nuestra ignorancia o simulamos saber algo que, en verdad, ni siquiera *queremos* saber. Después de todo, la ignorancia sobre alguna cosa no es estupidez; tan sólo es falta de conocimiento acerca de un área.

Nos sentiríamos menos avergonzados por nuestra ignorancia en algunos aspectos si nos diéramos cuenta de que todos estamos en el mismo barco. ¿Por qué pensar que *somos los únicos* que no podemos programar una videograbadora o armar una bibicleta? Si hay algo que queremos aprender, podemos tomar clases o estudiar en casa. Pero no debemos dejarnos intimidar por nuestra imaginación; un gran número de gente bien educada y sofisticada no podría cambiar un neumático o preparar una salsa de carne sin grumos, ¡aunque en ello le fuera la vida!

En la formación de la autoestima, la ignorancia sobre un tema vital sólo es peligrosa si se combina con la arrogancia o la simulación. Este mortífero dúo —compuesto de un elemento que nos pone irascibles y defensivos por temor a que se descubra nuestra ignorancia, y de otro que le da la espalda a la verdad— impide que nuestro yo mejore.

Poca gente está tan bien acabada como me imagino que debería estarlo la mayoría.

21 de mayo

Marcus, un talentoso psicólogo, es profesor de tiempo completo en una importante universidad estatal. Durante veinticinco años ha estudiado, enseñado y escrito sobre el funcionamiento de la mente humana. Pocos expertos están tan bien fundamentados o actualizados en su campo como Marcus.

Sin embargo, Marcus tiene un conflicto en su propia vida; así se lo indica su estómago. Pese a todas sus credenciales y calificaciones, desde hace mucho tiempo tiene problemas de orden visceral que ni la investigación ni el estudio mitigan. Con todo y sus conocimientos, sigue cociéndose en un caldero de ira. Sabe lo suficiente como para escribir un libro *acerca* de la ira reprimida y sus efectos, pero *su* ira reprimida continúa siendo una fuente misteriosa de sufrimiento.

Si la vida fuera una teoría, Marcus indudablemente podría utilizar sus habilidades analíticas para deshacer sus propios nudos. Pero la vida no es una teoría, y los principios no son lo mismo que las prácticas. Mientras Marcus el hombre, no Marcus el profesor, no empiece a aplicar *personalmente* lo que sabe en teoría, sus conocimientos le harán mucho más bien a sus estudiantes que a él. Saber no es hacer, y hacer es lo que significa la diferencia.

Estoy consciente de que una vida sana tiene más que ver con el comportamiento que con la teoría.

22 de mayo

Es fácil vivir para otros. Todo el mundo lo hace.
Yo los conmino a vivir para sí mismos.
Ralph Waldo Emerson

El egoísmo, por supuesto, no conduce a una autoestima saludable. Lo que queremos decir es que, a menos que nos ocupemos de nuestros propios asuntos, no tendremos nada valioso que dar a los demás.

El desinterés puede ser un escondite superficial. Es fácil vivir para otros, inmiscuirse en sus vidas, cavilar interminablemente sobre lo que tienen de malo y lo que necesitan para mejorar su suerte. Pero mantenernos concentrados en otros no nos deja mucho tiempo para ocuparnos de nuestra propia casa. Si nuestras energías siempre están de visita, ¿quién cuida nuestra tienda?

Todos los avances reales en la autoestima se logran cuando nos atrevemos a lidiar con nosotros mismos. Los asuntos de otras personas no nos incumben. Las preguntas que cabe hacernos son: ¿cuáles son nuestros asuntos? ¿Cuáles son los nubarrones personales que impiden que el sol de la autoestima brille en nuestras vidas? ¿Cuáles fallas de carácter nos impulsan a querer huir de nosotros mismos? ¿Cuáles son nuestros miedos, inseguridades y celos? Si queremos que nuestro jardín florezca, tenemos que arrancar esas malas hierbas.

Yo no tengo por qué librar las batallas de otros.

23 de mayo

El mundo está lleno de artimañas. Pero no permitas que esto te ciegue a la virtud.

«Desiderata»

La desconfianza crónica mata fácilmente la autoestima. Esta actitud amarga no nos permite ver en el mundo más que lo falso y lo engañoso. Ciega nuestra alma a cualquier visión de la belleza o percepción de la virtud —ya sea interna o externa. La autoestima no puede florecer en un medio tan tóxico.

Si bien es verdad que «el mundo está lleno de artimañas», también es cierto que en él abunda la virtud. Y la virtud ejerce una poderosa influencia sobre nuestra autoestima si no estamos demasiado cerrados para apreciarla.

Concentrarnos abiertamente en los engaños del mundo nos lleva a imputar constantemente motivos falsos y mezquinos a todos los que vemos o a cualquier actividad de la que nos enteramos. Todos los predicadores se convierten en ladrones; el altruismo en cualquier parte no es sino alguien trabajando una perspectiva; la inocencia es culpa disfrazada; el único objeto de las donaciones es ahorrarse impuestos; el amor es una ilusión. Si queremos lograr algún avance, tenemos que cuestionar la desconfianza patológica.

Todo es según el color del cristal con que se mira.

24 de mayo

Los hechos son cosas obstinadas; y no importa
cuáles sean nuestros deseos, nuestras inclinaciones
o los dictados de nuestras pasiones, éstos
no pueden cambiar los hechos ni las evidencias.

John Adams

Aquellos que tenemos personas amadas adictas a sustancias químicas con frecuencia quedamos devastados por tener expectativas irreales, de las cuales una de las más grandes es esperar un comportamiento sano, racional y confiable de personas que muy probablemente no pueden observarlo.

La drogadicción es una forma de insania, quizá no del tipo que requiere hospitalización, pero es una enfermedad que incapacita a la víctima para funcionar dentro de los límites de lo que llamaríamos la normalidad. Hasta que no empieza la recuperación, el adicto está sujeto a una apabullante variedad de ideas delirantes, negaciones, manipulaciones y subterfugios de todas las clases imaginables. En pocas palabras, los adictos al alcohol o a las drogas son incapaces de funcionar en relaciones responsables.

Ni todos los deseos del mundo cambiarán nada hasta que dejen de usar la droga. Si esperamos algo más de un adicto que no se ha recuperado, nos exponemos a una desilusión. A menos que nuestro amor se convierta en locura y nuestra fe en obstinación, debemos recordar que la enfermedad es enfermedad. Los buenos deseos no curan ni la diabetes ni la pulmonía.

Tengo que buscar relaciones sanas entre personas sanas.

25 de mayo

El hombre es un pensador lento, descuidado y
brillante; la máquina es rápida, exacta y estúpida.
William M. Kelly

Lo que queremos es velocidad. Desayuno en Nueva York, comida en París y cena en Londres —qué deslumbrante, ¿no es cierto? Las computadoras actuales, veloces como el rayo, sin duda serán las tortugas del mañana. Siempre se tiene que hacer más, y tiene que hacerse pronto. Debemos apresurarnos y encontrar respuestas a preguntas importantes sobre el cáncer, el hambre en el mundo y muchas otras cuestiones críticas. Más rápido, siempre más rápido.

Los cálculos veloces efectivamente han resuelto numerosos problemas y sin duda resolverán muchos más. ¡Qué maravilloso salvar vidas ahorrando tiempo! ¡Qué maravilloso acceder a un mundo de información tan sólo tocando un teclado! No obstante, debemos tener cuidado de no apresurarnos en nuestros asuntos amorosos. La velocidad no es sagrada. En algunas áreas de la vida, ir demasiado rápido puede ser parte del problema.

Con frecuencia, detrás de un largo tramo de señales de «Despacio» y «Alto» se encuentra la paz espiritual. Pese a lo acostumbrados que estamos a la aceleración, tenemos que dar a nuestros corazones y espíritus tiempo para reflexionar, especular, soñar, lamentarse y regocijarse. ¿Cómo se puede apresurar una reflexión? No soñamos con un programa de actividades sofocante ni nos quejamos si tenemos tiempo extra. Los procesos humanos tienen su momento y su ritmo. *Nosotros* no somos nuestras máquinas. Si queremos ser cabalmente humanos, tenemos que brindarnos el privilegio de darnos tiempo.

Más rápido no siempre es mejor.

26 de mayo

Nadie ama la vida tanto como un viejo.

Sófocles

No tenemos que ser ancianos para saber que nos estamos haciendo viejos. Mucho antes de que parezca creíble, empezamos a darnos cuenta de que ya no podemos ver tan bien como antes, ni permanecer despiertos hasta tarde, ni ingerir comida muy condimentada. ¡Apenas ayer no teníamos ninguno de estos problemas! Y ahora parece que han aumentado los recuerdos; el ayer se vuelve más preciado. Todos estos cambios nos pueden poner nerviosos y aprensivos.

La autoestima suele ser una de las bajas en ese proceso que se llama envejecer. Si le asignamos todo el valor a las cosas de la juventud, cuando ésta se disipa, nuestra autoestima hace lo mismo. Pero no tiene que ser así. Hace poco tiempo, una monja retirada dijo: «Mi retiro me ofrece una oportunidad de oro de enriquecer mi vida. Me da tiempo para atesorar cada momento. Ahora puedo leer y pensar y escribir cartas todo lo que quiero. Tengo el tiempo que necesito para aceptar los achaques conforme se va apagando mi cuerpo.»

Como sucede con la juventud, la calidad de nuestra vejez en gran parte depende de nosotros. Si nos da tiempo para cultivar la intimidad con Dios, con nosotros mismos y con otros, difícilmente puede ser totalmente mala. Si con el desgaste de los años también obtenemos sabiduría, no es necesario temer tanto a la vejez.

Cada etapa de mi vida me ofrece nuevas oportunidades.

27 de mayo

Evita a las personas escandalosas y agresivas;
son vejaciones para el espíritu.

«Desiderata»

Al esforzarse por alcanzar un objetivo, es tan importante saber qué *no* hacer como saber qué hacer. Antes de que podamos aprender a volar, por ejemplo, tenemos que aprender a mantener las rocas fuera de nuestros bolsillos. Difícilmente podríamos pensar en otra tarea a la que esta verdad se aplique más que a la de formar o mantener una autoestima positiva.

Quizá no necesitemos que se nos diga que es duro estar alrededor de «personas escandalosas y agresivas». De por sí encontramos a estas personas mucho peores que meras «vejaciones al espíritu» —son asesinos redomados del espíritu. Sin embargo, como tratamos de ser comprensivos, tal vez en realidad no hacemos lo que se necesita para mantener la distancia con estas personas.

Pero algunas personas y algunos lugares son verdaderamente ponzoñosos. Si decidimos acercarnos a ellos, pueden enfermarnos. Nos dejan deprimidos y abatidos. Cuando nos frotamos contra ellos, nos ensucian. Pero también podemos frotar para deshacernos de aquello contra lo que nos frotamos. No hay ninguna razón lo bastante buena como para justificar el andar en tan malas compañías.

No sólo tengo el derecho, sino también el deber, de evitar a los asesinos del espíritu.

28 de mayo

La oración empieza donde nuestro
poder termina.
Rabí Abraham Heschel

Necesitamos la oración. Esto es una constante. La razón de ello, según la experimentan millones de personas, es que las vallas y obstáculos que tenemos que saltar a veces son demasiado altos como para que lo hagamos solos. De lo anterior se desprende que si necesitamos mover una roca, y no podemos moverla solos, únicamente nos queda una cosa: pedir ayuda.

Orar es el acto de extender la mano para alcanzar un poder más grande que el nuestro. Como encender una luz o levantar con un gato un auto averiado, orar nos permite hacer mejor nuestro trabajo. Tanta reconstrucción personal, por lo menos al principio, implica sacar del edificio los hábitos intelectuales que semejan rocas.

Tenemos que confrontar el temor al rechazo o al fracaso, la dificultad para aprender a sentir o a expresar los sentimientos, los hábitos indeseables que están grabados con tanta profundidad como las arrugas en un rostro anciano. Quizá los hayamos examinado y reconocido miles de veces, y después les hayamos vuelto la espalda. Impasibles, permanecen en su lugar, nos bloquean el camino, esperan que le pidamos ayuda a nuestro Dios.

Mi poder no es suficiente. No negaré que necesito ayuda.

29 de mayo

*Hay una cualidad más importante que «saber cómo».
Ésta es «saber qué», y gracias a ella determinamos
no sólo cómo lograr nuestros propósitos sino
también cuáles son éstos.*

Norbert Wiener

Los logros notables, ya sea en la ciencia, el arte, la educación o los deportes, nos llenan de respeto reverente y admiración. Sabemos que detrás de todo gran avance hay un sueño audaz, dedicación mental y generalmente mucho trabajo monótono. Antes de la aclamación pública, a menudo se padece en privado dolor y desaliento. Los triunfadores merecen sus recompensas.

Pero los logros de primera línea, televisados por cadena nacional, no son el único juego en la ciudad. Y las metas externas no son los únicos blancos a los que hay que tirar. De hecho, andar a la caza de los titulares puede ser mortal para el alma. A este tipo de búsquedas les siguen problemas muy presionantes y trampas por las que la mayoría de nosotros no tenemos por qué preocuparnos. ¡Hay demasiados obstáculos incontrolables!

Por otra parte, el desarrollo del carácter es un logro que también requiere audacia y dedicación. Sin embargo, a diferencia de la persecución de metas externas, este proyecto está bajo nuestro control. Y la recompensa del florecimiento de la autoestima es mejor y más duradera que cualquier titular en los periódicos o que un nuevo récord mundial. El *cómo* de todos los logros es el mismo, lo que varía es el *qué.*

Mis victorias internas tienen recompensas más gratificantes que cualquier victoria externa.

30 de mayo

La gente impulsiva actúa sin pensar, por lo que tiene que «deshacer» gran parte de lo que ha hecho. Contar hasta diez *antes*, aunque infantil, sigue siendo una práctica excelente. Necesitamos aprender a detenernos un poco y reflexionar. Si siempre diéramos este sencillo paso antes de decir palabras crueles, hacer gestos airados con las manos o tomar una decisión precipitada, tendríamos mucho menos por lo cual disculparnos.

Todos podríamos exponer muchos casos en los que otros nos han decepcionado. Pero, ¿cuántas veces nos hemos decepcionado a nosotros mismos por arremeter contra alguien impulsiva e inapropiadamente? La mayoría podemos recordar muchas de ellas. Le dimos nalgadas a un niño, fuimos rudos con un empleado de una tienda, salimos de la casa dando grandes zancadas por una tonta cuestión de orgullo. Ninguna de estas reacciones exageradas fue necesaria ni fructífera. Simplemente no nos detuvimos a pensar.

Para mejorar nuestra autoestima tenemos que intentar controlarnos y vigilar nuestros actos. Esto implica evitar cometer errores impulsivos que hieren a otros y en consecuencia nos hacen sentir vergüenza. Mientras más practiquemos una pausa larga, mejor lo haremos. Aunque al principio nos resulte incómodo, ¡peor aún es ofrecer disculpas constantemente!

Mi impulsividad disminuye conforme mi serenidad aumenta.

31 de mayo

La mayoría de los hombres están en coma cuando
descansan y locos cuando actúan.

Epicuro

En la observación anterior, este sabio griego de la antigüedad aconseja un tipo de moderación que aparentemente era tan rara en sus tiempos como en los nuestros. Algunas cosas nunca cambian. Todavía en la actualidad ningún exceso trae nada bueno.

Entonces, ¿cómo podemos evitar que el descanso se convierta en «coma» y la actividad en «locura»? ¿Cómo podemos alcanzar y mantener un equilibrio saludable? Sólo si constantemente ponemos atención, reflexionamos y repensamos algunos de los porqués de nuestra vida. Así es como llegamos a razones sensatas y válidas para decidir si en determinada situación es mejor descansar o actuar.

Muchas preguntas aparentemente misteriosas respecto de la autoestima tienen respuestas comprensibles. Preguntas como «¿Por qué mi autoestima aumenta en la casa y disminuye en el trabajo?», «¿Por qué algunas personas tienen un efecto tan deprimente sobre mí?» o «¿Cómo sigo adelante otra vez después de haber tenido un retroceso?» en realidad no son tan difíciles de responder; no a menos que estemos dormitando o dando vueltas en círculos. Si podemos encontrar el equilibrio para sentarnos tranquilamente a pensar, nos llegarán la mayoría de las respuestas.

El buen juicio es resultado de la deliberación tranquila, no de la actividad frenética.

1o. de junio

Adonde vayas, ahí estarás.

Earnie Larsen

¡Ah, si tan sólo pudiera escapar y alejarme de todo esto! Relaciones negativas, problemas en el trabajo, asuntos pendientes en la casa, burlas, soliloquios y retos no afrontados son sólo algunas de las situaciones apremiantes que vivimos día a día. ¡Es lógico que queramos huir!

Pero antes de cambiarnos de nombre y empezar una nueva vida en otra parte, nos conviene pensar en cuál es el común denominador de todos nuestros problemas. Por lo menos en parte, la mayoría de esas situaciones espinosas tienen más que ver con nosotros que con «ellos». Nuestro injusto jefe no conoce a nuestro irritante vecino y ninguno de ellos conoce a nuestra regañona suegra. Parece ser que el único elemento común a todos estos problemas de relación somos *nosotros*.

Para resolver nuestros problemas, casi siempre tenemos que cambiar algo en nosotros. Gran parte del dolor que nos causan lo generamos nosotros mismos, ya sea activa o pasivamente. Aunque huyamos de esas situaciones, es probable que las recreemos en un nuevo ambiente. Cuando incluso nada más una parte del problema es atribuible a nosotros, la solución es nuestra. No podemos correr lo suficientemente lejos para escapar de nosotros mismos.

¿A quién veré en el espejo una vez que llegue «ahí»?

2 de junio

Descubrimos que las grandes cosas están hechas de pequeñas cosas
y las pequeñas cosas se van reduciendo hasta que al fin
llega Dios detrás de ellas.
Robert Browning

En esta era de obras espectaculares publicitadas exageradamente, tendemos a subestimar las cosas pequeñas. Según la cultura popular, «Si no es espectacular, debe ser insignificante». Pero la vida real es una propuesta muy distinta a las ingeniosas imitaciones que vemos alrededor. No nos dejemos engañar. Los beneficios pequeños son importantes. Si podemos aceptar esto, le daremos a nuestra propia imagen una dignidad y un valor que no tenía antes. En vez de estar pensando en que no alcanzamos un ideal espectacular, nos sentiremos como escaladores firmes que hacen verdaderos avances en una pendiente empinada que no se creó en Hollywood. La mayoría de nuestros dramas personales son una realidad, no grandes producciones. No atraen a una multitud ni son objeto de titulares en los periódicos. Pero esto no significa que no merezcan llamar la atención.

No tenemos que perder treinta y cinco kilos de peso para echarnos una mano. Bajar tres kilos es un logro valioso. No tenemos que correr un maratón, ya no digamos ganarlo. Si prescindimos de un entrenador y caminamos alrededor de nuestra cuadra tres noches seguidas, ya estamos acondicionándonos físicamente. Si hacemos *cualquier progreso* en la dirección correcta, ha sucedido algo significativo y merece reconocimiento.

Los logros privados no necesitan aclamaciones públicas.

3 de junio

Nadie tiene *tiempo; cada quien tiene que* dárselo.

James Rhoen

Si debemos considerar la autoestima como una obra de arte, entonces, al igual que sucede con todas las obras de arte, el tiempo que toma crearla bien vale la pena. El problema de muchos de nosotros es que, aparentemente, el tiempo es lo último con lo que podemos contribuir a cualquier empresa.

Sin embargo, el tiempo es más bien una cuestión de prioridades que de cantidades. Si alguien «no tiene tiempo para nada» y se entera de que su hijo ha sufrido un accidente, o de que puede ganar un cuantioso premio en efectivo si tan sólo hace una llamada telefónica en ese momento, de repente «encuentra» el tiempo. Siempre podemos encontrar el tiempo si lo deseamos con suficiente fuerza.

Esto se aplica también al tiempo que necesitamos para hacer las cosas que mejoran nuestra autoestima. Si lo deseamos con suficiente fuerza, tendremos tiempo: tiempo para dar un paseo diario, para leer, para llamar a un amigo o escribir un artículo de revista, para asistir a una reunión semanal o hacer un trabajo voluntario importante.

Tal vez el problema no sea tener tiempo, sino darme el tiempo para fomentar mi autoestima.

4 de junio

No hay en el mundo nada que consuma
a un hombre más rápidamente que la
pasión del resentimiento.

Federico Nietzsche

De todas las emociones, las que más revelan la necesidad de atención son la ira desatada y el resentimiento. Cuando una de ellas vocifera, cualquier otro pensamiento o conducta busca refugio. Por ello es importante saber qué están diciendo esas voces atronadoras. La respuesta es crucial en nuestra búsqueda de la autoestima positiva.

Como la fiebre alta, la ira incontenible es un mensajero que nos avisa que algo está mal. Desde luego, la tendencia general es reaccionar con violencia o desahogarse en alguna otra forma, hacer cualquier cosa que nos proporcione alivio *inmediato*. Sin embargo, la ira en realidad es una alarma que nos advierte que debemos dar vuelta antes de llegar demasiado lejos en una dirección peligrosa. La ira es una ayuda necesaria, como lo es su hirviente compañero, el resentimiento.

Cuando aprendemos a interpretar el mensaje, podemos deshacernos rápidamente de la cólera y la agitación y canalizar nuestra energía hacia el asunto pendiente que nos está haciendo sentir toda esa desdicha. La serenidad puede depender en gran medida de utilizar más como escalones que como obstáculos esas emociones que nos consumen.

La ira y el resentimiento sin motivo me impiden avanzar.

5 de junio

La esperanza es un riesgo que debemos correr.

George Bernanos

El dicho «Donde hay vida hay esperanza», es totalmente cierto, pero lo inverso es una verdad aún más valiosa: «Donde hay esperanza hay vida.»

La desesperanza puede parecer la única solución realista a problemas profundamente arraigados o muy añejos. Cuando todos nuestros esfuerzos han sido en vano y ninguno de nuestros ruegos ha tenido respuesta, puede suceder que nos sintamos estúpidos por seguir aferrándonos al andrajoso pedazo de esperanza que aún tenemos en el corazón. Pero en tanto siga viva nuestra esperanza, seguiremos vivos nosotros.

Una actitud de desesperanza es un problema más grave que cualquier otro. ¿Acaso el padre inquebrantable que espera que un hijo suyo se recupere de una adicción es mejor o peor que el padre que se ha dado por vencido? ¿El indomable paciente de cáncer que espera que ocurra un gran avance médico es más fuerte o más débil porque no se da por vencido? ¿La esperanza no garantiza que el hijo se recuperará o que el paciente de cáncer sanará, pero sí que seremos agentes de un cambio positivo para nosotros mismos y nuestros seres amados? ¿Quién puede saber si la balanza no se inclinará a su favor?

La esperanza genera energía espiritual.

6 de junio

¿Recuerda la fábula de Esopo sobre la cigarra y la hormiga? A diferencia de la laboriosa hormiga, la cigarra se pasaba todo el tiempo oliendo las rosas y disfrutando de la vida; pero cuando llegó el invierno, se le acabó la suerte. Habría muerto de hambre si la hormiga no hubiera estado dispuesta a compartir con ella el alimento que había almacenado. Ése es el riesgo que corren aquellos que consumen sin contribuir.

Para fomentar nuestra autoestima, generalmente tenemos que aprender a apreciar todas las cosas buenas que nos rodean; pero si sentimos que las tenemos garantizadas, somos tan miopes como la cigarra. Muchas de las cosas bellas que hay a nuestro alrededor no son mérito nuestro, otros nos las pusieron ahí y las han preservado. Para respetarnos a nosotros mismos tenemos que hacer una contribución. Es maravilloso darnos cuenta de las múltiples gracias y beneficios que recibimos en nuestra vida diaria; pero es aún más maravilloso —y mucho más saludable— darnos cuenta de la relación entre el dar y el recibir. Cuando cuidamos algunas rosas para que otros puedan disfrutar de su aroma, devolvemos algunas de las bendiciones que hemos recibido.

La sensación de tener un propósito hace florecer la autoestima.

7 de junio

Lo mejor está por venir.
Robert Browning

La frase «Lo mejor está por venir» revela un sentimiento poético. La *creencia* de que lo mejor aún no ha llegado es una forma de vida que puede ayudarnos a ampliar constantemente la conciencia y el aprecio de nosotros mismos y de los demás.

Desde luego, la falta de autoestima elimina la posibilidad de que algo pueda mejorar, ya no digamos de que una aventura maravillosa nos esté esperando a la vuelta de la esquina. Sin embargo, esta creencia es precisamente la mejor medicina para la actitud negativa, el cinismo y todas las demás enfermedades que nos impiden disfrutar de la vida.

Una vez que aceptemos la dignidad y la responsabilidad de elegir, ¿cómo podremos dudar de que lo mejor aún está por venir? Si la elección de hoy es atinada y tenemos la capacidad de elegir el contenido de nuestro mañana, sin duda vendrán tiempos mejores. Desde luego, no todos los días serán buenos, pero en tanto podamos escoger lo positivo sobre lo negativo y la sonrisa sobre el ceño fruncido, podemos estar absolutamente seguros de que no habremos soñado, esperado y trabajado en vano. La bondad genera bondad aún mayor cada día, en tanto seamos capaces de ver al futuro y más allá.

La esperanza en el futuro crea expectativas alegres.

8 de junio

Sé tu propio palacio, o el mundo
será tu cárcel.

John Donne

¿Conforme a qué normas estamos actuando bien o no? Cada vez que nos sometemos a un examen, nos medimos con un patrón u otro. Obviamente, tenemos que seleccionar con mucho cuidado el patrón. Es un error aceptar de manera automática cualquier evaluación externa como la verdad pura. Si queremos hacernos cargo de nuestra autoestima, necesitamos pensar por nosotros.

La tendencia a complacer a la gente es muy fuerte, pues no sólo nos reporta aprobación sino que también nos saca de apuros. Sin embargo, es más importante nuestra *propia* aprobación. Cuando nos anticipemos a los deseos de otros, tenemos que reflexionar sobre sus consejos antes de aceptarlos a pie juntillas. Los consejos de los demás pueden ser útiles, pero sólo como guía, como información que nos ayudará a tomar nuestras propias decisiones.

Dirigir nuestras vidas conforme a normas propias es una actitud digna. Sólo las decisiones que tomemos *nosotros* nos satisfarán verdaderamente. Satisfacer a otros probablemente nos convenga desde el punto de vista social, pero no nos reportará el respeto personal por el que estamos luchando.

La confianza en mí mismo me permite tomar mis propias decisiones.

9 de junio

Parece ser que durante mucho tiempo, desde la admonición «Conócete a ti mismo» inscrita en la puerta del antiguo templo de Delfos, hasta el consejo de la cita de «Desiderata» que aparece arriba, los sabios han sabido que el simple hecho de conocernos a nosotros nos da un gran poder. Es indudable que la autoestima es la obra de arte que descansa en el pedestal del conocimiento de uno mismo.

Es imposible sentirnos cómodos y positivos respecto de nuestra persona si no *somos* nosotros mismos. Esto último sólo lo podemos lograr si aceptamos quiénes somos sin darnos aires, ni llevar máscaras o fingir que somos alguien más.

Aun sin maquillaje ni accesorios, somos personas maravillosas con todo el derecho de sentirse bien consigo mismas. Participar constantemente en la carrera vil de la competencia, la comparación y los celos equivale a agotarnos por nada. Los demás no son nuestros enemigos, oponentes o jueces. Podemos ser nosotros mismos sin sentirnos presionados a cambiar de color, como los camaleones, en un sinnúmero de situaciones diferentes.

Conocerme a mí mismo me libera del juicio de los demás.

10 de junio

*¿Qué mayor motivo de orgullo o alabanza que
imaginar la excelencia y tratar de alcanzarla?*

Richard Wilbur

Desarrollar de manera sana la autoestima significa sentirnos
cada vez más cómodos con lo que somos para nosotros mismos
—no cómo nos medimos con los demás. El concepto que los
griegos antiguos tenían de la excelencia, que ellos llamaban
arete, no tenía nada que ver con la superioridad sobre los demás
—que es como lo interpreta nuestra cultura. Para los griegos, la
gente alcanzaba la excelencia cuando se convertía en todo lo que
podía ser. Esto significaba encontrar el mayor número posible
de equilibrios en la vida. Su ideal, a diferencia del nuestro, era la
«moderación en todas las cosas».

Compararnos y competir constantemente con otros pue-
de ser nuestra ruina, sobre todo en lo que se refiere a la autoestima. Siempre habrá personas superiores e inferiores a nosotros y
las comparaciones no hacen más que provocar arrogancia o
amargura. Ni el tremendo júbilo del triunfo ni la abrumadora
decepción de la derrota nos ayudan a tener un concepto realista
y equilibrado de nosotros mismos.

¿Qué importa cuánto hacen o tienen los demás? Si
luchamos por la excelencia, ganamos nuestra propia carrera.
Nuestros únicos oponentes son nuestras deficiencias personales.

**Alcanzar la excelencia en mi vida es aprovechar mis
posibilidades.**

11 de junio

*Para ver las cosas como son, hay que tener los
ojos abiertos; para ver las cosas como no son,
hay que tenerlos aún más abiertos. Para ver las cosas
mejor de lo que son, hay que tenerlos completamente abiertos.*

Antonio Machado y Ruiz

Nuestras percepciones son como agujeros de nudos de una cerca de madera a través de los cuales atisbamos la vida. Aunque la vista que tenemos ante los ojos es limitada, lo que vemos es la verdad en la medida en que podemos percibirla. La falta de autoestima siempre se debe a una percepción estrecha, limitada, que hemos confundido con el panorama completo. La *mayor parte* de lo que vemos como real no es más que nuestra *percepción* de la realidad. De esta manera, nuestras percepciones crean nuestra realidad.

No es de sorprender que en la mayoría de los casos nuestras percepciones negativas se hayan formado cuando éramos demasiado jóvenes para entender lo que veíamos a través de los agujeros. Por nuestra inocencia e inexperiencia, pensábamos que estábamos viendo el panorama completo, el *único* panorama. Ésta es la razón por la que los problemas de autoestima con tanta frecuencia son problemas de Niños Adultos. Ambos tipos de problemas vienen de impresiones tempranas. Es muy probable que actualmente esas impresiones estén interpretando la realidad por nosotros.

Diferentes percepciones crean opciones diferentes.

12 de junio

¡Vamos, hacia adentro!

Christopher Morley

La vida cotidiana parece realmente insulsa comparada con las dramáticas hazañas de la fantasía. ¡Ah, si tan sólo hubiéramos nacido en una época y un lugar más emocionantes! Podríamos haber sido exploradores o inventores o escaladores o astronautas. Qué mal que no hayamos tenido la oportunidad de recoger un reto heroico —algo a lo que realmente hubiéramos podido lanzarnos con todo lo que tenemos. Qué maravilloso habría sido, si sólo hubiéramos tenido la oportunidad.

Pero las oportunidades de correr una aventura siempre están ahí, tocando a nuestra puerta. ¡Hablemos de retos! Si queremos montañas que escalar y nuevos territorios que explorar, no necesitamos buscar más allá de nuestros propios corazones y mentes. ¿Deseamos escalar un pico traicionero? Escojamos nuestra habilidad social más débil e intentemos subir lentamente hasta un nivel aceptable de competencia. ¿Deseamos trazar el mapa de una selva? Trabajemos en un inventario del Cuarto Paso o investiguemos nuestro árbol genealógico.

Nuestra época y *nuestro* lugar están aquí y ahora —al igual que nuestra oportunidad de realizar todas las exploraciones con las que siempre hemos soñado. Como en todos los demás lugares y épocas, lo único que necesitamos para ir adonde nadie ha ido jamás es arrojo e imaginación.

El descubrimiento de uno mismo es la aventura más emocionante de todas. ¡Vamos, hacia adentro!

13 de junio

*La diferencia entre un matrimonio exitoso
y uno mediocre generalmente consiste en callar
todos los días tres o cuatro cosas.*

Harlan Miller

Un fuego que no se atiza no tarda mucho en vacilar y chisporrotear. No se necesita un balde de agua para extinguir las flamas; basta con no prestarles atención. Con las relaciones sucede lo mismo: si se ignoran durante mucho tiempo, empiezan a extinguirse.

Es terriblemente difícil mantener una autoestima positiva en medio de una relación menguante. Por lo que hacemos o no hacemos, nuestras relaciones, como todos los seres vivos, se fortalecen o se debilitan cada día. En este mundo hiperactivo, qué facil es simplemente no darse cuenta de que una relación preciada está empezando a dar traspiés. Pero qué fácil sería también agregar unos cuantos leños antes de que la flama se extinga por completo.

Es una cuestión de sentido común y de espiritualidad positiva asegurarse de hacer diariamente contactos buenos con el ser amado. No hay nada mejor que poner atención en nuestra pareja y decirle palabras de consuelo y alentadoras. Tampoco hay nada mejor que las caricias —una palmadita en el hombro, un apretón de mano, un fuerte abrazo de pasada. ¿Qué podría ser más importante que estas cosas? Cuando se pierde el «nosotros», efectivamente el mundo se enfría.

Cuando decaen mis prioridades, decae mi autoestima.

14 de junio

No vemos las cosas como son
vemos las cosas como somos.

Talmud

El agricultor ve un cerezo en flor como una ganancia; el pintor, como motivo de una pintura; el carpintero, como un librero, y los pájaros, como un festín. A menudo, lo que vemos es diferente de la realidad objetiva que tenemos ante nosotros. Según nuestro punto de vista, cualquier suceso o circunstancia puede ser maravilloso u horrible, oportuno o decepcionante. Por lo general, vemos lo que esperamos ver.

El aumento de nuestra autoestima requiere que nos sometamos a una especie de examen de la vista. Necesitamos saber qué tanto de *nosotros* se refleja en lo que estamos viendo. Necesitamos estar conscientes de que hay experiencias pasadas que pueden distorsionar el presente, y que tenemos motivos para ver las cosas como si sufriéramos de estrabismo. Para prever claramente un mundo mejor y un yo mejor, tenemos que deshacernos de nuestros viejos anteojos.

¿Una broma no es más que una broma o es un insulto velado? ¿Nuestros hijos son cargas o bendiciones? ¿Vemos el futuro color de rosa o gris? Nuestras respuestas a preguntas como éstas reflejan realidades interiores, no exteriores. Lo bueno es que son las únicas realidades sobre las que tenemos control. Si lo decidimos, podemos salirnos de nuestra propia luz y dejar que el sol brille sobre un camino dorado que nunca antes hemos visto.

Todo es según el color del cristal con que se mira.

15 de junio

*Cuando trabajo, trabajo. Cuando me siento
a descansar, descanso.*
Refrán de los apalaches

En nuestro vertiginoso mundo actual, tan lleno de estrés, aprender a relajarse es aún más importante que aprender a progresar. Es más, quizá nuestra carrera sea más exitosa si cuidamos mejor nuestro «equipo». Desde luego, la mente y el cuerpo son máquinas maravillosas, pero todas las máquinas tienen un límite. Lo triste es que muchos simplemente no sabemos cuándo o cómo apagar nuestros motores. No hemos aminorado la marcha en tanto tiempo que parece que hemos perdido la capacidad de hacerlo.

He aquí algunos consejos prácticos para aligerar un día agotador:

- Siéntese a descansar; tararee una canción; haga una breve llamada telefónica a un amigo para saludarlo.
- Afloje su mandíbula; déjela relajarse.
- Suba y baje escaleras unas cuantas veces al día.
- Estírese y tóquese las puntas de los pies; levante los brazos por encima de la cabeza.
- Respire hondo varias veces.

Aplicar algunas técnicas de relajamiento cuando estamos bajo presión puede salvarnos la vida. Estos ejercicios físicos y mentales no sólo nos alivian la tensión del cuello y los dolores de cabeza, sino que también nos ayudan a reiniciar el trabajo con más energía.

Tomar diariamente descansos para aliviar la tensión me ayudará a no perder la perspectiva.

16 de junio

El enojo no es un mal, simplemente es poder
en espera de ser dirigido.
S. Dale Smith

La manera en que cada quien maneja su enojo es una cuestión de estilo. Algunos azotan puertas o lanzan objetos. Otros mascullan insultos con los dientes apretados o gritan a voz en cuello. Otros se van a la cama con jaqueca y otros más sencillamente niegan que están enojados.

La incapacidad de sentir enojo es tan insana y disfuncional como romper platos o gritar sin control. Demostrar las emociones de manera dramática es un problema, pero ocultarlas demasiado también lo es. El enojo es una respuesta emotiva normal ante algo que uno considera injusto. Estar fuera de contacto con nuestro enojo contra la injusticia de la vida es estar fuera de contacto con una parte importante de la realidad. Es anormal no sentir jamás indignación en este mundo con frecuencia indignante.

Es mucho mejor admitir nuestro enojo y convertirlo en acciones positivas. Cuando canalizamos el enojo legítimo y lo utilizamos como una fuerza para resolver problemas que nos enojan, en vez de debilitarnos nos fortalecemos. Afrontar la injusticia aumenta la autoestima porque nos hace sentir bien con nosotros mismos. Tal vez el enojo dirigido no sea más que el generador que hemos estado buscando.

Quizá el enojo no sea tan peligroso si dirijo su energía.

17 de junio

El arte de ser sensato es el arte de saber
qué se debe pasar por alto.
William James

No es raro que caigamos presas del pánico cuando reconocemos algunos de los errores que hemos cometido y los años que hemos obstaculizado inconscientemente a nuestra autoestima. Pero el pánico es lo último que necesitamos cuando queremos sinceramente dar un giro a nuestra vida.

Elevar nuestra autoestima requiere descubrir la verdad y conocer nuestra historia y las fuerzas que nos han hecho lo que somos. En el proceso de autodescubrimiento, inevitablemente nos enfrentamos con los errores y los patrones de conducta que nos causan infelicidad. A veces, la introspección nos hace sentir aún peor. «¿Cómo pude ser tan estúpido?», gruñimos. «Debo ser la persona más estúpida del planeta. Arruiné mi vida. Es demasiado tarde.»

Pero nunca es demasiado tarde y casi nada es fatal. Podemos desaprender lo aprendido. Podemos deshacernos de ciertos hábitos y cambiarlos por hábitos positivos. Lo único que necesitamos es valor para pensar y actuar en una nueva forma, además de la voluntad de buscar relacionarnos con gente cuidadosa y que está creciendo. Con esos nuevos recursos, estaremos en posibilidades de empezar a escribir una historia personal gloriosa.

Puedo volar al futuro si dejo atrás el pasado.

18 de junio

Una muchedumbre tiene muchas cabezas, pero no cerebro.

Shankara

Investigaciones recientes han revelado a los especialistas en el cerebro que la mente humana trabaja más como un concejo municipal que como una computadora. Parece ser que hay muchos estímulos que provocan diferentes respuestas a los problemas que afrontamos, y escuchamos más y damos más crédito a las células cerebrales que «hablan» más fuerte.

Cuando tenemos problemas de autoestima, ¿quién tiene la última palabra? Si un estímulo dice «Afróntalo y resuélvelo» y otro dice «Ocúltate hasta que pase», ¿cuál orden domina a la otra? ¿El pánico habla más fuerte que la paciencia? ¿Es «¡Ataca!» un rugido y «Negocia» un susurro?

Elegir entre mensajes contradictorios es una tarea primordial de aquellos que debemos fomentar nuestra autoestima. Si les damos el mismo tiempo a todas nuestras «voces» —o repetidamente retrocedemos ante el bravucón de la multitud—, nuestras vidas están sujetas a la ley de la muchedumbre. Pero si escuchamos y pensamos filtrando los mensajes negativos, se apagará el ruido de la plebe. Si persistimos en nuestros esfuerzos, la voz tranquila de la razón se dejará oír cada vez más fuerte. La muchedumbre que nos interrumpió para desviarnos a una vida más limitada será silenciada por el mazo de la razón. Sólo así podremos tomar las decisiones como se supone que debemos hacerlo: en una junta ordenada de concejo donde se escoge la mejor táctica entre muchas.

La naturaleza me da contradicciones internas; el carácter me da la posibilidad de escoger.

19 de junio

No es que no puedan ver la solución,
es que no pueden ver el problema.

G. K. Chesterton

Cada vez que María sale con un hombre, resulta ser un estafador y un mentiroso. Juan nunca ha tenido un jefe razonable o justo. A Catalina le duele el estómago cada vez que sale de vacaciones. Los parientes de Pablo siempre logran «echarle el guante» hasta el último centavo que él tiene. ¿Qué pasa con estas personas? ¿Son las más desafortunadas del mundo, o qué?

En muchos casos, ese «qué» fatal no es ni destino ni coincidencia ni mala suerte es el papel que desempeñamos en un drama que escribimos sobre la marcha. Por alguna razón (si pudiéramos escarbar lo suficiente, descubriríamos que *hay* una razón), nos asignamos el papel de perdedores y escena tras escena, acto tras acto, somos víctimas de los personajes malvados de la obra.

Puesto que el problema somos *nosotros*, la solución obviamente es reescribir el guión. En las telenovelas se mata a las personas que se vuelven aburridas o predecibles, ¿por qué no podemos hacer lo mismo nosotros? Ser víctima es incompatible con el desarrollo personal. Si queremos un final más feliz, tenemos que dejar de presentarnos en los mismos escenarios y de repetir las mismas líneas. Merecemos la oportunidad de desempeñar un nuevo papel.

Si reconocemos los patrones contraproducentes, podremos tacharlos y reescribirlos.

20 de junio

A los búfalos se les amarra con cuerdas;
a los hombres, con sus palabras.

Proverbio malayo

No podemos trabajar con lo que no tenemos. Por ello, no podemos pensar en nosotros mismos salvo en los términos en los que solemos pensar en otras personas. Dicho de otra manera, las palabras que usamos para referirnos a nosotros y a los demás muestran qué pensamos de nosotros y de los demás.

Podríamos decir que rara vez usamos tales o cuales palabras para hablar de nosotros, lo cual significa que la mayoría revelamos a los demás muy poco de nuestras cuestiones personales. Sin embargo, ¡todos nos hablamos de nosotros mismos! Sostenemos un soliloquio, un diálogo interno constante. Las personas con baja autoestima han aprendido a vivir con palabras como «inútil», «estúpido» y «feo». Empleamos palabras de este tipo para describir nuestros éxitos o nuestros fracasos, nuestra apariencia, nuestras reacciones ante los demás y lo que ellos deben pensar de nosotros. Asimismo, tendemos a repasar a los demás de la misma manera que repasamos a nuestra persona.

Pensemos en cuánta fuerza podremos adquirir si decidimos conscientemente utilizar sólo palabras positivas, de apoyo, primero para referirnos a nosotros y después para referirnos a los demás. ¡Qué maravillas podríamos obrar si empezáramos a emplear un vocabulario totalmente nuevo!

Es interesante e instructivo detenerme a escuchar cómo hablo conmigo mismo.

21 de junio

¿Qué tanto de nuestra autoestima depende de lo que piensan los demás? Demasiado. ¿Con qué frecuencia esperamos a que nos aprueben otros para poder aprobarnos a nosotros mismos? Con demasiada frecuencia. Ya sea por modestia o miedo, cometemos un error cuando suponemos que las evaluaciones externas son más exactas que las que podamos hacer internamente. ¿Quién nos conoce mejor que nosotros mismos?

Las reacciones negativas o de indiferencia por parte de otras personas quizá no tengan nada que ver con nosotros y todo que ver con ellas. Quizá la persona a la que estamos tratando de complacer sea imposible de ser complacida. Tal vez sea imposible que nosotros, o cualquier otra persona, obtengamos retroalimentación positiva de esa fuente negativa. Algunas personas están tan temerosas, resentidas y lastimadas que su principal contribución a la vida es hacer sentir a todos los que las rodean tan desgraciadas como ellas. Obviamente, si buscamos validación en gente así, la buscamos en vano. Cuando aprendemos a ser más honestos con nosotros mismos, confiamos más en nuestro propio juicio.

No encargaría mis ahorros a un ladrón de bancos. Entonces, ¿por qué poner mi autoestima en manos de gente negativa?

22 de junio

En la mente y la naturaleza del hombre, un secreto es
algo feo, una especie de defecto físico oculto.

Isak Dinesen

Un amigo que nos confía un secreto tiene todo el derecho del mundo a esperar que se lo guardemos; y si nos creemos personas maduras y confiables, tenemos que hacerlo. Quizá nosotros también tengamos necesidad de un escucha digno de confianza.

Lo que vive en la oscuridad, crece en la oscuridad. ¿Acaso tenemos secretos profundos, avergonzantes, que mantenemos ocultos porque nos causa terror confesarlos? Negarnos a revelarlos puede crearnos monstruos personales —verdaderos monstruos feroces que lanzan llamas por el hocico, nos intimidan y controlan nuestra vida si no los sacamos a la luz.

Los secretos no compartidos tienden a crecer. En la oscuridad, el ratón se convierte en león; sin embargo, a la luz de la revelación, el león se convierte en un inofensivo ratón. Hasta los secretos más terribles pierden su poder de asustarnos cuando los nombramos en voz alta. Lo que compartimos con otros no los aleja, sino los une a nosotros y hace más profunda la amistad confiada. Si hemos aprisionado nuestra autoestima tras un secreto añejo y enconado, podemos ver la luz del sol simplemente contándoselo a alguien.

Los problemas se reducen a la mitad cuando se comparten.

23 de junio

La práctica hace al imperfecto.
Mariette Hartley

Este extraño giro al refrán que estamos acostumbrados a oír puede parecer fuera de lugar a primera vista, pero depende de qué estemos practicando —por ejemplo, una actitud o un hábito que deteriora la calidad de nuestra vida.

Tal vez, de manera subconsciente, practiquemos con regularidad evitar el conflicto a toda costa, postergar decisiones, anteponer la diversión al trabajo o el trabajo a la diversión. Si practicamos con suficiente afán, ¡no habrá límite a lo imperfectos que podremos llegar a ser! Con el tiempo, podemos llegar a ser los perfeccionistas, controladores, manipuladores o adictos al trabajo más grandes del mundo.

Toda nuestra autoestima está arraigada en actitudes, hábitos y percepciones. Las que son sanas se traducen en autoestima positiva; las que son negativas constituyen la base de nuestra autoestima negativa. El poder de la práctica es incuestionable. Lo que necesitamos verificar es qué estamos practicando.

La práctica de algunas cosas puede hacerme peor.

24 de junio

*La mayor parte de lo que queremos
ser ya lo somos.*

Kevin K.

Qué facil es sentirnos ansiosos y airados por lo que no somos y por quienes no somos, ¡como si se pudiera crear un yo valioso a partir de la nada! Qué impacto tan desastroso tiene sobre nuestra autoestima esta idea errónea.

Del mismo modo que el roble ya está en la bellota, nosotros ya somos la mayor parte de lo que queremos ser —si no en flor, por lo menos en germen. Nuestras posibilidades de desarrollo están y siempre han estado en nosotros. Nuestra tarea no es convertirnos en algo totalmente distinto, sino en desarrollar lo que tenemos, lo que ya está ahí.

¿No somos ya capaces de amar y ser amados? ¿No somos ya capaces de ver la belleza y celebrarla? Hasta cierto punto, ¿no estamos ya actuando para ser mejores y crecer? Creer que llegaremos ahí es un asunto de paciencia y persistencia.

Una bellota no es despreciable porque aún no es un roble. Yo tampoco soy despreciable porque aún no soy lo que voy a ser.

25 de junio

«No» puede ser una palabra de amor.

Ron Palmer

En los escritos sobre la autoestima se habla mucho del triunfo que significa decir «sí». ¡Sí a la vida, al riesgo, a la intimidad, a las nuevas aventuras! Amén. Pero las palabras «sí» o «no» no son absolutamente buenas. Puesto que la mayor parte de la vida es un acto de equilibrio, hay momentos en que ambas palabras conducen a la autoestima positiva y otros en que son letales.

«No» es una palabra sana y amorosa cuando consideramos situaciones de derrota para todos los involucrados o riesgos que no son tales sino trampas. Para muchos, aprender a decir «no» como una frase completa es una gran señal de crecimiento. Cuando podemos rechazar una mala idea o una invitación peligrosa sin dar ninguna excusa o explicación, verdaderamente estamos en el camino de la libertad.

Con la misma frecuencia con que es valiente y bueno y optimista decir «sí», es apropiado y benéfico decir «no».

Aprender a decir «no» romperá mis cadenas de pasividad.

26 de junio

*A menudo es posible derivar mayor goce de lo que
estamos haciendo que tratar de encontrar algo más.*

L. Don Siebet

Es cierto que la autoestima se deriva de obtener mayores logros,
lo cual, a su vez, se traduce en una vida feliz. En la búsqueda de
la felicidad, mucha gente hace exactamente eso: perseguir apa-
sionadamente algo, cualquier cosa, que sea *diferente*. Pero bien
puede resultar que mientras más fuerte corramos, más nos
alejemos. Los prados nuevos no necesariamente son más verdes.

Desde luego, no tiene nada de malo mantenernos atentos
a las cosas nuevas, interesantes, divertidas o simplemente diferentes que podríamos hacer. Pero también hay algo que decir acerca
de poseer o desarrollar la sabiduría necesaria para disfrutar más
lo que ya estamos haciendo. Es probable que nuestra insatisfacción se deba más a *nosotros mismos* que a nuestro empleo,
nuestros amigos o nuestras actividades actuales.

Si disfrutamos una afición, ¿acaso esto no es maravilloso
en sí mismo? Si nos damos cuenta de que buscar una nueva casa
o un nuevo automóvil nos levanta el ánimo, quizá no necesitemos encontrar otra cosa que sea «realmente» divertida. Quizá
necesitemos organizar más actividades con nuestros amigos
actuales en vez de buscar nuevos amigos. ¿No podemos hacer
eso exactamente donde estamos? Tal vez el empleo que tenemos
sería más interesante si lo desempeñáramos con mayor energía.
¿Necesitamos estar en otro sitio más glamoroso que en el que
nos encontramos? Una mayor autoestima genera mayor felicidad. Puede ser que la obtengamos precisamente donde estamos
situados y a partir de lo que estamos haciendo.

A veces, lo único que necesito cambiar son mis actitudes.

27 de junio

Las entrañas conducen los pies, no los pies a las entrañas.

Miguel de Cervantes

El hijo de Mauricio es arrestado por tráfico de drogas. Diana se encuentra otro tumor en el pecho. Al esposo de Lupe se le diagnostica el mal de Alzheimer. Arturo es despedido tres años antes de su jubilación. Todos los días y en todas las ciudades, miles de individuos enfrentan terribles desgracias personales. ¿Cómo las soportan, para no hablar de cómo las enfrentan?

Nuestra garganta se ve expuesta a diario a gripes e irritaciones. De pronto descubrimos que ya no disponemos de tiempo o energía para preocuparnos de la calvicie o el envejecimiento. La urgencia de nuestra situación nos exige poner todos nuestros esfuerzos y recursos en el solo hecho de dar cada paso. Así es como el carácter se forja en el yunque al rojo vivo de la necesidad.

Hace falta valor para no retroceder cuando cada fibra de nuestro ser querría ocultarse bajo las sábanas, quebrarse o desquitarse por medios autodestructivos. Pero como todos los hechos de la vida, las tragedias se resuelven enfrentándolas, paso a paso, día a día. La serenidad de nuestras entrañas —que muchas veces ignoramos poseer— es lo que nos permite superar hasta los más enconados desafíos.

Paso a paso es como puedo soportar aflicciones aparentemente intolerables.

28 de junio

El carácter consiste en lo que uno hace
en el tercer o cuarto intento.

James Michener

La mayoría de nosotros queremos tocar el piano, no aprender a tocarlo; hablar otra lengua, no estudiarla; gozar del éxito, no ganárnoslo. Queremos que nuestros sueños se conviertan en realidad rápidamente y sin gran esfuerzo. No queremos aceptar el *devenir* que precede al *ser*.

Pero el carácter se forja, no se logra con sólo desearlo. El carácter es un requisito previo de la autoestima, el viento que empuja las alas del éxito. Pese a nuestros ensueños, el carácter siempre se gana de la manera difícil: levantándose después de un fracaso e intentando una y otra y otra vez.

¿Y qué si nos prometimos dejar de fumar y no lo hicimos? Podemos fijarnos un nuevo plazo e intentarlo de nuevo. ¿Por segunda vez no hicimos una llamada telefónica que tememos hacer? Intentémoslo una tercera vez. ¿*Nuevamente* se cayó nuestra escalera hacia el éxito? Levantarla quizá nos requiera otros tres o cuatro intentos. Cuando lleguemos, a nadie le importará cuánto tiempo nos tomó.

Forjar nuestro carácter es una empresa vitalicia.

29 de junio

¡Cuántos de nuestros sueños se volverían pesadillas
si viéramos algún peligro en el hecho de que
se convirtieran en realidad!
Logan Pearsall Smith

Puede suceder que las ilusiones impidan que nuestros sueños se conviertan en realidad. Cuando fantaseamos acerca de una vida perfecta, no nos situamos en el campo de juego, donde realmente se vive la vida; pero sólo jugando desarrollamos nuestras habilidades, anotamos puntos y ganamos partidos.

Construimos nuestra autoestima con las personas de carne y hueso que somos en el mundo real, no en nuestras ensoñaciones. En vez de desear ser personas diferentes desempeñando trabajos diferentes en otros sitios, podemos cambiar nuestras ensoñaciones. En resumidas cuentas, todos tenemos el mismo deseo —de felicidad, libertad y paz espiritual. La diferencia estriba en lo que nos imaginamos que es necesario para convertir ese sueño en realidad.

Interpretar *Madame Butterfly* o pichar en los Yankees sería divertido, claro está, pero no nos haría más valiosos, gentiles o valientes. Eso no borraría los sucesos tristes de nuestro pasado; nada puede borrarlos. Aunque nuestros sueños glamorosos se hicieran realidad, seguiríamos siendo seres humanos con problemas, puntos flacos y limitaciones. Hasta donde sabemos, esta vida es la única que tenemos. Vivamos nuestros momentos, no los soñemos.

Para mí, la única vida «perfecta» es la que Dios me dio.

30 de junio

Dios mío, líbrame de la cobardía que no osa enfrentarse a nuevas verdades, de la pereza que se contenta con verdades a medias, de la arrogancia que piensa que tiene en la boca todas las verdades.

Oración de Kenia

El buen manejo de la vida debe basarse en la realidad. Puesto que la realidad, a su vez, tiene que basarse en la verdad, necesitamos estar muy atentos a las actitudes que nos ciegan ante la verdad.

En la búsqueda de la autoestima, a veces tenemos que enfrentar nuevas verdades:

•En realidad, este lugar no es bueno para mí, aunque parezca familiar.
•Este fracaso repetido es en parte culpa mía.
•Llegó el momento de que actúe.

A veces, debemos deshacernos de las verdades a medias:
•Nunca me sucede nada bueno.
•En este caso, no tengo opción.
•En realidad, el mundo es malo.

A veces es necesario afrontar la arrogancia:
•Ya lo sé todo.
•Los grupos no funcionan porque todos «ellos» están muy enfermos.
•Leer es una pérdida de tiempo.

¿Algunas de estas frases nos suenan conocidas? Para cada uno de nosotros, ¿qué es la verdad? ¿Qué es la realidad?

Tengo que esforzarme por tomar conciencia de mis actitudes subyacentes.

1o. de julio

*En la naturaleza no hay recompensas
ni castigos, sólo consecuencias.*

Robert G. Ingersoll

Sólo los muy jóvenes imaginan que pueden jugar con fuego sin quemarse. Los demás, como ya nos hemos quemado, hemos aprendido a nuestro pesar que tarde o temprano debemos pagar la cuenta de un comportamiento irresponsable.

Si pensábamos que podíamos fumar y beber impunemente, el paso de los años nos demostró nuestro error. Si creíamos que nuestro encanto disfrazaría siempre nuestra falta de logros, descubrimos que nada es «para siempre». Si actuamos con negligencia, nos escondimos y mentimos para eludir responsabilidades, la gente dejó de tomarnos en serio. En pocas palabras, tuvimos que enfrentar las consecuencias de nuestros actos.

La mayoría nos sentimos abatidos cuando debemos pagar por nuestros errores. Nos avergonzamos y decepcionamos de nosotros mismos. Nuestra autoestima, apoyada en el delgado bastón del fingimiento, se hunde. Sin embargo, este sombrío panorama tiene un lado amable. Las concesiones que se han convertido en hábitos nos han proporcionado claridad y un objetivo. En vez de desear vagamente que nuestras vidas sean distintas, podemos pulir de inmediato los hábitos que nos interesan. Tal vez nos mortifiquemos, pero no estamos confundidos acerca de lo que debemos hacer. El día del juicio final que evitamos por tanto tiempo puede ser el mejor de nuestras vidas, porque a partir de ese día podremos despojarnos de nuestros hábitos indeseables de la misma forma en que los adquirimos: día a día.

Los esfuerzos diarios que hago por mejorar también tienen consecuencias.

2 de julio

Los problemas y la perplejidad nos llevan a la oración;
la oración nos aleja de los problemas y la perplejidad.

P. Melanchthon

Nadie ha dicho que lograr y mantener una autoestima positiva esté exento de problemas. Lograr y mantener la autoestima sin duda es posible, pero nos cuesta algunos reveses. El caso es que el camino que nos lleva a esa valiosa meta está salpicado de problemas y perplejidad.

Muchos han encontrado en la oración, nuestro contacto consciente con Dios como lo entendemos, una ayuda invaluable en ese esfuerzo, en parte porque la oración nos ayuda a darnos cuenta y a sentir que no tenemos por qué llevar esa carga solos.

Cuando los problemas y la perplejidad nos hacen aflojar el paso y equivocarnos, tendemos a retroceder, a alejar a los demás y a aislarnos. Nos obcecamos con la idea de que estamos solos con esas terribles cargas y que las debemos llevar a cuestas solos. La autoestima a menudo se resquebraja bajo este peso demoledor. Simplemente no podemos manejar ciertos problemas sin ayuda. Muchas veces la oración nos anima a seguir adelante. O tratamos de alcanzar las estrellas o detenemos nuestro viaje.

El camino es difícil. Gracias a Dios, no tengo que recorrerlo solo.

3 de julio

Lo propio del poder es proteger.
Blaise Pascal

¡Tan sólo pensemos en lo maravilloso que sería! Cuando leemos sobre gente poderosa, echamos a volar nuestra imaginación. ¡Si tan sólo fuéramos *nosotros* los que estuviéramos en el candelero! Al fin nos llegaría nuestro día de gloria. Podríamos *comprar* todo lo que quisiéramos, *hacer* todo lo que quisiéramos, *hacer que los demás hicieran* todo lo que quisiéramos... Y precisamente éste es el problema del poder. Se trate de individuos o de naciones, se tiende a confundir el poder con la fuerza. De alguna manera lo usamos para someter a otras personas.

Lo cierto es que todos podemos ser agentes de poder si así lo queremos. Si usamos el tipo de poder que tenemos, en vez del que no tenemos, podemos ayudar a otros a que vuelen libremente, a aminorar sus cargas o a quitarles la agobiante impresión que tienen de sí mismos. Ése es el verdadero poder.

No necesitamos relaciones influyentes o títulos elevados para ejercer este poder. Lo único que nos hace falta es la sabiduría y la voluntad para obsequiar una sonrisa o un cumplido a alguien acostumbrado al desaire, o para hacer una invitación que levante el espíritu a alguien oculto en las sombras. Así de sencillas son las herramientas del verdaderamente poderoso.

Ayudar a otros a que desarrollen todo su potencial es «jugar a ser Dios» en una de las pocas maneras legítimas que nos están permitidas. Si esto no es poder de primer nivel, ¿entonces qué es?

Al estimular la libertad y el desarrollo de otros, garantizo mi libertad y desarrollo.

4 de julio

Los sentimientos de todas las personas tienen una puerta delantera y una lateral por donde podemos entrar.
Oliver Wendell Holmes

La letra de una conocida canción nos dice que silbemos una melodía alegre para que nadie note que estamos temerosos. Aunque parezca mentira, hay mucho de cierto en ello. Actuar como nos gustaría sentirnos en verdad nos ayuda a sentirnos de esa manera.

En un experimento universitario, unos investigadores en psicología le pidieron a un grupo voluntario de estudiantes que hicieran seis gestos distintos. Las seis emociones que debían expresar eran miedo, sorpresa, asco, tristeza, enojo y felicidad. Los resultados fueron sorprendentes. Cuando los voluntarios se mostraban temerosos, sus cuerpos reaccionaban como si de verdad tuvieran miedo: les aumentaba el ritmo cardiaco y les bajaba la temperatura de la piel. En la mayoría de los casos, también se presentaban las reacciones físicas naturales para el resto de las emociones representadas.

La simulación es una importante técnica para salir adelante en muchos programas de desarrollo personal. Si estamos temerosos, actuemos como si fuéramos las personas más valientes que conozcamos. Si tenemos un mal día, actuemos como si fuera nuestro deber animar a los demás. Por supuesto, no se trata de engañarnos sobre cómo nos sentimos. Fingir es sólo una técnica; lo importante es la *práctica*.

Si practico la simulación, puedo obtener más rápido resultados positivos.

5 de julio

El tiempo calma y aclara todo; ningún estado
de ánimo puede mantenerse inalterado
durante varias horas.

Thomas Mann

La búsqueda de la serenidad no nos lleva a un estado permanente de dicha. La idea de que nunca debemos tener un mal día es otra de nuestras expectativas irreales. Nadie, sin importar cuánto se esfuerce en «seguir el programa», tiene siempre un buen día. ¿Sabe alguien cuál es el motivo? Tal vez sea el mal tiempo, las hormonas o no haber desayunado. Lo cierto es que todos nos sentimos deprimidos de vez en cuando.

La estabilidad emocional es un importante componente de la autoestima. Los cambios bruscos de estado de ánimo y el mal humor crónico son síntomas de trastornos más profundos que requieren atención. Con frecuencia, una rabia muy escondida es la causa del gran sufrimiento que nos agobia. Normalmente, trabajar con un orientador o con un grupo de apoyo puede aliviar esas condiciones de infelicidad duraderas.

Sin embargo, en lo que se refiere a los altibajos cotidianos, el viejo remedio de la resignación es lo mejor que podemos hacer. Incluso la gente ecuánime y con una disposición naturalmente alegre se levanta con el pie izquierdo una que otra vez. Mientras nos esforzamos por lograr el equilibrio emocional, debemos recordar que *estable* y *estático* no es lo mismo; nuestra meta es llegar a un nivel aceptable y cómodo.

Los días malos son tan fugaces como los buenos.

6 de julio

El asunto del libre albedrío de cualquier manera es algo
atemorizante. Casi es más placentero obedecer y
aprovecharlo al máximo.

Ugo Betti

Muchos nos erizamos como puercoespines si alguien se atreve a decirnos lo que debemos hacer. Nos insulta la sola idea de que necesitamos consejos o guía de algún tipo. ¿Permitir que nos mangoneen? ¡Nunca! Muchas gracias, pero yo tomo mis propias decisiones.

No obstante, en el fondo la mayoría seguimos al rebaño. Nuestra manera de vestir y de hablar, nuestros gustos y hábitos casi siempre están determinados por los dictados de una u otra comunidad. Por la necesidad de adaptarnos, nos hemos moldeado con gran cuidado para formar «parte» en vez de para estar «aparte». Los ejecutivos y los profesores universitarios pueden criticar la presión de grupo que hace que los miembros de distintos bandos usen colores distintivos. ¿Pero qué pasa con esos uniformados con trajes a rayas y zapatos bostonianos que marchan en fila al trabajo? ¿Qué hay de todos esos que llevan chaquetas de *tweed* arrugado y suéteres de lana holgados? ¿No es eso conformismo?

Durante la mayoría de nuestras horas de vigilia nos guiamos por lineamentos ajenos. Nos apegamos para llevarnos bien con los demás, para seguirle el paso a nuestros compañeros lo mejor posible. El hecho de que *sí* nos conformamos es incontrovertible. «¿Por qué proclamamos lo contrario con tanta vehemencia?» es la pregunta que realmente debemos hacernos en nuestro esfuerzo por conocernos mejor a nosotros mismos.

En lo que respecta al vestido y al estilo, seguir a los demás suele ser inocuo; en asuntos trascendentes, no lo es tanto.

7 de julio

Nunca he oído de nadie que se tropiece estando sentado.

Charles Kettering

Si deseamos vivir plenamente, debemos tener claro qué queremos lograr y luchar por alcanzar esa meta con energía y determinación. Algunos dicen «¡Ah, si hubiera ido a la universidad!». Si son sinceros, nada les impide empezar. Muy probablemente digan que les llevará diez años y ya serán demasiado viejos. ¿Qué tan viejos estarán dentro de diez años si *no* van a la universidad?

Muchos de nosotros, quizá la mayoría, nunca desarrollamos todo nuestro potencial, casi siempre porque no empezamos nunca. Para realizar cualquier cosa que podemos hacer —o pensamos que podemos hacer— necesitamos empezar. Aplazar es cómodo y tentador. Es muy fácil que la inercia se convierta en una forma de vida. No obstante, debemos resistir. Debemos dar el primer paso, lo que implica una lucha con la limitada imagen que tenemos de nosotros. Una vez de pie y en marcha, tenemos ganada la mitad de la batalla.

Con sólo empezar y no detenernos, nos ganaremos inmediatamente una mejor reputación con nosotros mismos. Nuestras oportunidades de éxito mejorarán conforme mejore nuestra imagen. Nunca es demasiado tarde para empezar.

Puedo hacer cualquier cosa que me considere capaz de hacer.

8 de julio

Nos asombra el pensamiento, pero las sensaciones
son igualmente maravillosas.
Diccionario filosófico, 1764

Vivimos en una época en la que reina la razón. La gente «inteligente» es la que obtiene buenas notas en los exámenes. «Saber la respuesta» es presentar los hechos y cifras que corresponden a las preguntas del maestro. Incluso cuando reflexionamos sobre un tema tan subjetivo como la autoestima, nos sorprendemos buscando la interpretación, el punto de vista o la ecuación «correctos» que solucionarán con mayor rapidez el problema de la decepción de nosotros mismos.

Sin embargo, la inteligencia no es el único camino hacia el conocimiento. Hay *muchas* maneras de ampliar y profundizar la sabiduría. «Saber» qué es una manzana, por ejemplo, es tanto haber probado su dulzura y sentido cómo nos escurre su jugo por la barbilla como recitar la composición química de la fruta o su nombre biológico. Pensar no es lo mismo que sentir.

Sobre nuestros seres queridos, sabemos mucho más que datos estadísticos. Al mirarlos, escucharlos o tomarlos de la mano, más que ninguna otra cosa usamos nuestros sentidos para tocarlos completamente. Aprendemos a querernos de una manera muy parecida. El camino al reconocimiento de uno mismo serpentea tanto por nuestros sentidos como por nuestro cerebro. Llegar ahí es una experiencia que debemos saborear, no un problema que debamos resolver.

Los sentidos son senderos a la autorrealización.

9 de julio

*Todas las vocaciones son grandes
cuando se siguen con grandeza.*
Oliver Wendell Holmes

Inés trabaja en el aeropuerto de una gran ciudad vendiendo dulces, hot dogs y refrescos a gente fastidiada y cansada que no siempre es cortés o agradable. Tiene que estar de pie todo el día y algunas veces debe esperar una hora o más para que alguien la releve.

Pocos considerarían que el trabajo de Inés es una «vocación» o estarían dispuestos a cambiar su trabajo por el de ella. Pero Inés hace su trabajo con toda la habilidad y la energía de un verdadero artesano. Convirtió su mostrador en un oasis el día que un hombre deprimido se acercó a pedirle un hot dog. Al ver que el hombre contaba con mucho cuidado su dinero y escarbaba en sus bolsillos en busca de monedas, Inés se dio cuenta de que no le alcanzaba para acompañar su hot dog con un refresco. Así que con una sonrisa resplandeciente, le dijo: «¿Quiere un vaso de agua, señor?»

¿Quién sabe qué tan difícil habrá sido el viaje de aquel hombre? Sin embargo, hoy, gracias a la sensibilidad de la vendedora de un puesto de bocadillos, el camino le fue un poco más fácil, menos duro. No le levantan una estatua a gente como Inés, pero eso no disminuye en absoluto su valía. Por dondequiera que pasa, nacen flores.

El mundo se ilumina con palabras gentiles y sonrisas brillantes.

10 de julio

Ten el valor de vivir. Cualquiera puede morir.
Robert Cody

Muchas novelas o películas populares tienen una escena de muerte conmovedora. Con frecuencia, uno de los personajes principales *elige* la muerte como la única salida posible para una melancolía insoportable o un amor desventurado. «Qué romántico», pensamos. «Dio su vida por ella. ¡*Murió* por amor!» No obstante, en la vida real es mucho más frecuente que el mayor sacrificio sea *vivir* por amor.

La autoestima y el deseo de vivir van de la mano. Muchos hemos estado a punto de ahogarnos en un pantano de mala suerte, sucesos familiares trágicos, traición y mero agotamiento. Cualquiera de éstas puede ser una razón, fácilmente justificada, para morir ya sea física o espiritualmente. Lo único que tenemos que hacer es entregar nuestro espíritu al cinismo, la negatividad o la pasividad. Morimos simplemente por rebelarnos contra la vida.

Para elegir la vida se requiere valor. Nunca estamos más vivos o amamos más que cuando nos levantamos del suelo y lo intentamos de nuevo, y corremos otro riesgo aunque nuestras almas aún tengan heridas que no hayan cicatrizado completamente. Así es la vida. Así es la autoestima. *Vivir* es la prueba del amor, cualquiera puede morir.

Con todo y sus dificultades, para mí la vida es preciosa.

11 de julio

Detrás de la tranquilidad siempre está
el dominio de la infelicidad.
David Grayson

Rara vez reconocemos algunas perlas de sabiduría. Una de ellas es que en todos los problemas hay un regalo oculto. Por supuesto, si pudiéramos, la mayoría enfrentaríamos nuestros problemas a una gran distancia. Cuanto más rápido resolvamos nuestros problemas y los olvidemos, mejor. Queremos emprender búsquedas más alentadoras.

No obstante, la infelicidad, la cual es causada por problemas, tiene su propio valor. Cuando nos alejamos de ella demasiado rápido, sin considerar todos sus porqués, nos perdemos una verdad esclarecedora. Atravesar aguas turbulentas sin ahogarse no es cualquier cosa. El hecho de que lo hayamos logrado demuestra que estamos haciendo algo correcto. Nuestras rachas de infelicidad tienen lecciones aún más específicas que enseñarnos.

Recuperarnos luego de una traición nos enseña a ser prudentes con nuestra confianza. Superar el desaliento nos enseña a asegurarnos de que nuestras expectativas sean realistas. Vencer la depresión nos enseña que el sol sale todas las mañanas. Estas lecciones son regalos que nos llegan envueltos en problemas.

Algunas lecciones sólo pueden aprenderse en el campo de batalla.

12 de julio

Las quejas son en buena medida autocompasión que forzamos a pasar por un pequeño orificio.

Anónimo

Incluso los quejumbrosos retroceden ante el sonido de la quejas. Pero aunque hacen que la gente se tape las orejas y se vaya, las quejas son un síntoma más que una causa. La gente se queja porque siente que no tiene poder, alternativas y, en consecuencia, responsabilidades. Las quejas son la manifestación del complejo de víctima.

Las personas con una autoestima adecuada no se quejan. Pueden reconocer perfectamente un problema o un dolor, pero después toman las medidas apropiadas para remediar la situación. A los quejumbrosos se les agotan los recursos. Se estancan en su dolor y hacen un escándalo al respecto, como los coyotes le aúllan a la luna.

Dios sabe que todos tenemos tristezas por las cuales aullar. Pero no tenemos suficiente tiempo para renegar y quejarnos cuando nos hacemos responsables de nuestras vidas. Estamos demasiado ocupados trabajando en primer lugar con las actitudes y los comportamientos que causan nuestra mala fortuna. No estamos sentados, estamos moviéndonos y actuando. Lo último que queremos oír es el gimoteo que se produce cuando forzamos la autocompasión a pasar por un pequeño orificio.

En su mayor parte, mi «mala suerte» es directamente atribuible a condiciones que he permitido que se desarrollen.

13 de julio

La sonrisa va más allá del lenguaje;
todo el mundo la entiende.
Joanie Roy

Algunas situaciones nos dejan sin habla. Obviamente debemos decir *algo,* necesitamos comunicar nuestras alegrías o penas sinceras, pero se nos escapan las palabras. Nos quedamos pasmados.

Tal vez murió un amigo en un accidente automovilístico; ¿cómo podemos expresar nuestro pesar a su familia? Peor aún, ¿qué le podemos decir a un ser querido que se está muriendo? Por nuestro embarazoso mutismo, quizá evitemos ver a esa persona hasta que ya es demasiado tarde para hablar. Las situaciones felices también pueden pasmarnos. El día de la boda de nuestra hija tal vez no encontremos palabras para expresar la felicidad, el orgullo y el placer que sentimos.

A menudo, cuando la comunicación falla, sentimos que *hemos* fallado, y nuestra autoestima se desploma. Pero las palabras no son el único medio que tenemos para comunicarnos. Algunas veces, una caricia, un abrazo o simplemente nuestra presencia dicen mucho más que las palabras. En otras ocasiones, una sonrisa, un asentimiento con la cabeza o una señal de aprobación lo dicen todo.

Nuestra mera presencia transmite un mensaje de apoyo.

14 de julio

Estar estancados en la indecisión es estar atrapados en uno de los peores infiernos que hay. La mayoría de los adultos no necesitan que les digan que sentarse a horcajadas en una barda es doloroso. Ya lo han hecho y saben lo que se siente. ¿Entonces por qué a cada momento se meten en el mismo predicamento?

La toma eficiente de decisiones es una habilidad. Y como todas las habilidades, debe practicarse para aprenderse. Desde luego, algunas decisiones son endemoniadamente difíciles, pero incluso aquellas que nos van a llevar de un sitio malo a uno bueno pueden hacernos sentir a la defensiva e incómodos. Después de todo, nuestra tambaleante autoestima está en peligro cada vez que emitimos un juicio. Cuando manifestamos nuestra opinión, nos exponemos a que nos desaprueben o incluso a que nos culpen. Se necesita valor para tomar decisiones.

Sin embargo, «esperar un mejor momento» rara vez es una táctica válida. ¿Cuándo habrá un mejor momento? ¿Cuándo será más fácil? ¿Cuándo será menos penoso para nosotros o para ellos? Por mucho que nos aterre lo que tengamos que hacer, ¿qué ganamos con titubear? Mientras no nos decidamos, no hay manera de bajarse de la barda y terminar con el dolor.

Cuando mi habilidad para tomar decisiones mejora, mi autoestima se beneficia.

15 de julio

La muerte, como la vida, nos asusta
más de lo que realmente nos afecta.
Samuel Butler

La muerte es sin duda el más intocable de todos los temas intocables. La sola palabra nos hace sentir nerviosos e inquietos. Ya es bastante malo que la idea de la muerte se nos ocurra de repente, peor aún si surge en una conversación, lo cual, para nuestro gran alivio, rara vez sucede. Aun en esas ocasiones, como si se tratara de una complicidad tácita, casi todos hacemos un par de comentarios intrascendentes al respecto y rápidamente cambiamos de tema.

La verdad es que preferimos no hablar de la muerte porque preferimos no pensar en ella. Sin embargo, la muerte es un hecho central de la vida. Si le tememos tanto que no podemos analizarla, cuestionarnos o hablar sobre ella, ¿cómo lograremos la serenidad de la resignación? No podemos ocultar y entender al mismo tiempo. No nos podemos preparar para lo que no reconocemos.

De todas las realidades, la muerte de nuestros seres queridos y, finalmente, la nuestra es la más segura. Cuán sano y sabio es sacar a la superficie todos esos temores y terrores para que podamos examinarlos a la luz de nuestras convicciones, experiencias y buen juicio. Qué gran avance significa estar dispuesto a hablar de la muerte con un amigo querido. Cuánta paz se siente al descubrir que el escollo ha sido siempre el temor, no la muerte en sí.

Cuando eludo el tema de la muerte, evado la realidad.

16 de julio

Un tropiezo puede evitar una caída.

Thomas Fuller

Todos nos equivocamos de vez en cuando. Sin importar lo hábiles que seamos o el cuidado con el que caminemos, tarde o temprano nos toparemos con una grieta en la acera. Los golpes no son agradables, claro está, pero tampoco son tan importantes. A veces, lo que necesitamos es darnos una buena bofetada.

Supongamos que nos precipitamos al emitir un juicio. O que hicimos algo que, *a posteriori*, consideramos inconveniente o incluso vergonzoso. Si nos detenemos a pensar en ello, tal vez podremos explicarnos los motivos de nuestro error. Quizás estábamos especialmente cansados ese día. Tal vez descargamos nuestra ira en una persona inocente porque temíamos enfrentar a la persona que en realidad nos hizo enojar. Podemos rescatar el respeto por nosotros mismos si aprovechamos nuestros desli- ces para ayudarnos a ser más conscientes.

La vida está llena de peligros. Después de caer algunas veces, debemos aprender a sostenernos para no caer de nuevo. Un tropiezo ocasional puede ser una advertencia. Si aprende- mos de él, nuestros errores pueden ser una bendición.

Mi autoestima se beneficia cuando aprendo de mis errores.

17 de julio

La extrema susceptibilidad a las críticas
nos priva de alegría y bienestar.
Dr. James Bender

¿Quién necesita que hieran su susceptibilidad? Muchos de nosotros, a pesar de que sea doloroso y terriblemente destructivo para la autoestima. Podemos sacar un gran provecho de nuestro sufrimiento.

La «susceptibilidad herida» puede ser nuestra manera de controlar a otros. Las personas extremadamente susceptibles saben aprovechar los incidentes más nimios para sentirse víctimas. Al hacerse las ofendidas, asumen el poder. Tal vez exijan que un miembro de la familia se disculpe con ellas por no haberles enviado una tarjeta de felicitación el día de su cumpleaños. O tal vez estén buscando compasión cuando se encuentran en una situación difícil, pero común, o en un problema ordinario, cotidiano. En todo caso, usan su aflicción para llamar la atención de los demás. En manos hábiles, la fragilidad emocional puede ser un arma eficaz.

A nosotros nos toca elegir si queremos sentirnos bien sintiéndonos mal. Pero no es justo torcerle el brazo a otros para que se conmiseren de nosotros.

A veces necesito fortalecerme un poco; no tengo que desangrarme para que me amen.

18 de julio

*La responsabilidad es proporcional
a la oportunidad.*
Woodrow Wilson

Buscar más responsabilidad es como prestarnos a una broma pesada u ofrecernos como voluntarios para una endodoncia. ¿A quién le hace falta esto? Sin embargo, en el ámbito de la autoestima, asumir responsabilidades deliberadamente está del todo justificado.

La autoestima depende de que tengamos una imagen competente de nosotros mismos. La competencia es producto de experiencias repetidas. Si no tenemos suficiente experiencia en el éxito, reclamar que se nos reconozca competencia no es más que darnos golpes de pecho. Experimentar significa *hacer,* no esperar a que nos llegue la oportunidad para hacer, sino salir y enfrentarnos. A menudo esto implica esforzarse proactivamente y hacer que algo ocurra.

Las oportunidades para demostrar que somos personas competentes y capaces están en todas partes —si estamos dispuestos a asumir la responsabilidad. Hagamos trabajo voluntario en un hospital infantil o en un asilo de ancianos. Ayudemos en la asociación de padres de familia o en una liga infantil. Sea cual sea nuestra elección, debemos ponernos un plazo y comunicárselo a alguien que nos presione para cumplir con él. Las gratificaciones serán sorprendentes.

La iniciativa crea sus propias oportunidades.

19 de julio

Si al caminar te toparas contigo mismo,
¿cómo te verías?
Chester Davison

Hace poco tiempo, un hombre contó un divertido incidente que tuvo una gran influencia en su autoestima. Durante un viaje de negocios en Chicago, salió a dar un paseo matutino y se dio cuenta de que los otros peatones tendían a evitarlo. Tan pronto como lo veían, apartaban la mirada. El hombre no logró establecer ningún contacto visual por más que se esforzó. Cuando se aproximaba, la gente cruzaba la calle o lo rehuía.

Empezaron a invadir su mente pensamientos desagradables, molestos y negativos. Al principio se sintió ofendido; luego empezó a preguntarse qué había de malo en él para que lo trataran de esa manera. Al detenerse en una cafetería para aliviar su lastimada confianza en sí mismo y calentarse, vio su imagen reflejada en un gran espejo. ¡Entonces lo entendió! Con todo lo amistoso que él se sentía por dentro, por fuera demostraba lo contrario. Se había olvidado de afeitarse, estaba despeinado, tenía los ojos cansados y bastante enrojecidos a consecuencia de una larga y tediosa reunión a la que había asistido la noche anterior. ¡*Él* sabía quién era por dentro, pero ahora se daba cuenta de cómo lo veían los demás por fuera!

Su comentario acerca de la frase célebre arriba mencionada hizo pensar a quienes lo escuchaban. El interior y el exterior no siempre corresponden. Debemos investigar más a fondo antes de llegar a conclusiones severas y precipitadas, sobre nosotros *o* sobre otros.

A veces, las apariencias engañan.

20 de julio

Si no levantas la mirada, pensarás
que eres el punto más alto.
Antonio Porchia

La concentración excesiva en nosotros mismos equivale a pasar el tiempo «contemplándonos el ombligo». En vez de un autoanálisis sano, esta frase poco atractiva describe un estado de absorción en nuestra persona —una concentración total en nuestro interior— que de ninguna manera es la visión que necesitamos para encontrar nuestro sitio en el universo.

Levantar la mirada nos enseña que formamos parte de un mundo mucho más grande que nosotros. Cuando miramos la gloria que nos rodea, no podemos evitar ver nuestras inquietudes desde una nueva perspectiva. Tan sólo observar y escuchar a las pájaros en los árboles puede ayudarnos a modificar situaciones que tal vez tomamos demasiado a pecho. Cuando la desesperanza nos agobia, siempre ha sido un buen escape recostarnos y admirar las nubes, darnos cuenta de que todas se mueven, cambian y son distintas entre sí.

Levantar la mirada también nos levanta el ánimo. Una vista equilibrada tiene ancho, alto y profundidad, al igual que majestuosidad panorámica y sufrimiento personal. Tener una impresión realista de uno mismo depende de tener una vista equilibrada.

Concentrarme demasiado en mí mismo es como llevar anteojeras.

21 de julio

Aceptar la realidad, aceptar las cosas tal como son,
es un trabajo de tiempo completo para un niño.
Milton R. Sapirstein

Aunque queramos no podemos inculcarles la autoestima a nuestros hijos, de la misma manera que no podemos infundirles juventud a los ancianos o salud a los enfermos. Es cierto que podemos y debemos hacer nuestro mayor esfuerzo por protegerlos cuando son pequeños. Debemos luchar por moldear la conducta respetuosa hacia uno mismo que queremos que ellos imiten. Sin embargo, la autoestima es un premio que nadie puede ganar por uno; reclamarlo es un trabajo interno.

Antaño, algunos expertos en desarrollo infantil nos hicieron creer lo contrario. Señalaban que cualquier infelicidad en la vida de nuestros hijos tendría efectos a largo plazo, efectos terribles de los que seríamos culpables. Así que dejamos de tomar decisiones desagradables y empezamos a tratar a nuestros hijos «con pinzas». Descuidamos nuestra vida por prodigarles atenciones. Los llenamos de elogios aunque no los merecieran. En pocas palabras, con las mejores intenciones, los hicimos creer que no estaban en el mundo real, sino en Disneylandia, y les facilitamos todo.

Ahora tanto los padres como los expertos tienen mayores conocimientos al respecto. Saben que incluso los jóvenes deben luchar para ser fuertes. La capacidad de resolver problemas nos da una seguridad que sólo podemos obtener enfrentando algunos problemas. La frustración nos enseña a ser inventivos y pacientes. A largo plazo, en eso se basa la autoestima: en la capacidad comprobada para cuidar de uno mismo.

Las probabilidades de que mi hijo tenga una autoestima elevada aumentarán si dejo de amortiguar todas sus caídas.

22 de julio

Como ninguno de nosotros vive en un vacío, la mayor parte de nuestro éxito en la vida depende del éxito de nuestras relaciones clave. Las distintas personas tienen distintas maneras o estilos de comunicarse con los demás. Algunos métodos, al igual que algunos mensajes, son más productivos que otros. Es un buen ejercicio pensar en cómo y qué solemos comunicar.

Algunos tratamos de influir en otros con una lógica aplastante, otros hablando con tanta dulzura que difícilmente los pueden rechazar y otros más dominando simplemente con su tamaño. A veces lanzamos amenazas disfrazadas de bromas y ruegos disfrazados de cumplidos. Ninguno de estos métodos de comunicación manipulada hace mejores nuestras relaciones ni a nosotros.

A largo plazo, ningún mensaje es más valioso que simplemente decir a los demás que pueden sentirse seguros estando con nosotros. Cuando decimos abiertamente que haremos cuanto podamos por ser un refugio en la tormenta y un buen escucha, que nunca diremos palabras desconsideradas por inconciencia o cometeremos injusticias por descuido, estamos diciendo lo que todos quisieran oír. Lo que importa es el contenido, no el estilo.

La comunicación sincera debe ser sencilla, no rebuscada.

23 de julio

*La suposición es la madre de
los errores garrafales.*

Angelo Donghia

Podemos decir sin temor a equivocarnos que la suposición no es sólo un semillero de errores, sino la causa de buena parte del maltrato de la autoestima. Sobre todo si ponemos nuestra valía en manos de otras personas. Y con *mayor* razón si no se lo comunicamos a éstas.

Las suposiciones de Martha la desmoralizaban todos los días. Sin saberlo Eric, su jefe, Martha lo usaba como un espejo en el que reflejaba su valía. Todos los días buscaba su aprobación; no sólo la aprobación normal que merece todo buen empleado, sino el tipo de afirmación profunda que los niños requieren de sus padres. Martha suponía que la aprobación de Eric la compensaría por el amor que no había recibido, pero estaba en un error. Eric no sólo no sabía lo que ella buscaba, sino que no tenía interés alguno en ser su padre. Así que las suposiciones de Martha la llevaban a la desilusión una y otra vez.

No podemos suponer que algo es cierto porque *necesitemos* que sea cierto. Cuando las expectativas se basan en los deseos y no en los hechos, nuestra autoestima se vuelve tan frágil como una flor en una ventisca.

Examinar mis suposiciones puede ayudarme a alumbrar algunos rincones oscuros.

24 de julio

Las mujeres han sentido la necesidad de fingir que
son felices para ser femeninas.
Gloria Steinem

La gente responsable hace lo que debe hacer. Por desgracia, entender qué debemos hacer es mucho más difícil de lo que parece. ¿De cuántos «debería» debemos hacer caso? ¿Cuántos son ciertos? ¿En verdad debemos comportarnos, pensar y sentir de manera distinta de la que lo hacemos? ¿Según quién?

Quienes somos madres de familia hemos sido responsables de demasiados «debería». En nuestro afán de serlo todo para todos, con demasiada frecuencia nos volvemos nadie para nosotras —siempre estamos al final de la fila cuando se trata de atender deseos y necesidades. Obviamente, esto no contribuye mucho a elevar nuestra autoestima. Las cosas empeoran con la insistencia tradicional de que deberíamos sentirnos felices por ello.

Sin embargo, los ideales irreales no son sanos. Nadie debe sentirse obligado a fingirse feliz ni a aceptar la responsabilidad de la felicidad de otros. Como la meta en sí es falsa, perseguir esa meta merma la autoestima.

En general, el fingimiento no nos sirve de mucho para construir una vida mejor y más feliz. El fingimiento basado en el engaño y la renuncia no es verdadera feminidad ni ninguna otra cosa que tenga valor.

Soy libre de elegir mis propias metas y los medios para alcanzarlas.

25 de julio

*Es más fácil confesar un defecto que exigir
el reconocimiento de una cualidad.*
Max Beerbohm

La autoestima puede tambalearse cuando confrontamos nuestras fallas de manera tan valiente y rigurosa que éstas se convierten en nuestra única preocupación. Podemos volvernos *demasiado* buenos para detectar imperfecciones —tan buenos que pasamos la mayor parte de nuestro tiempo concentrándonos en lo que está mal en vez de en lo que está bien. Lo que *no* debemos hacer —ya sea manipular a otras personas o llenarnos de golosinas— puede convertirse en el centro de nuestras vidas.

Por supuesto que tiene sentido identificar nuestras dificultades personales y luchar contra ellas. Pero somos como somos y muchas de nuestras características acendradas tienen un lado positivo y otro negativo. Si somos arrojados por naturaleza, debemos aprender a controlar y aprovechar ese arrojo, no a erradicarlo. Si somos maniáticos del control, debemos aprender a tomar las cosas con más ligereza —aunque no abandonarlas por completo. Los rasgos principales de nuestra personalidad casi siempre son un arma de doble filo. El secreto es aprovecharlas *en* nuestro beneficio, no *contra* nosotros.

El conocimiento de uno mismo incluye estar conscientes tanto de nuestros puntos fuertes como de los débiles. Cuando aceptamos que los pros y los contras a menudo vienen dentro del mismo paquete, dejamos de pensar con tanta insistencia en nosotros y empezamos a trabajar con lo que tenemos.

La imagen verdadera de uno mismo tiene que ser equilibrada.

26 de julio

Me cuido porque soy lo único que tengo.

Groucho Marx

¿Qué nos hace pensar que no damos el ancho? ¿Por qué esperamos tan poco de nosotros mismos? ¿Qué acaba con el respeto hacia nuestra persona? Hay varias respuestas. Consideremos las siguientes:

- ¿Buscamos en exceso la aprobación de los demás?
- ¿Somos perfeccionistas y esperamos demasiado de nosotros?
- ¿Nos intimidan las batallas perdidas y los fracasos del pasado?
- ¿Nos impresiona sobremanera el éxito de otros?
- ¿Tratamos de rehuir responsabilidades alegando que somos un fracaso?
- ¿Carecemos de sentido de la proporción? ¿Tendemos a hacer tormentas de vasos de agua?
- ¿Tenemos poco sentido del humor? ¿Podemos reírnos de nosotros mismos?

La mejor manera de elevar nuestra autoestima es actuar. Asumamos alguna responsabilidad que hayamos estado rehuyendo, inscribámonos en un gimnasio para mejorar nuestra apariencia y salud, practiquemos cómo ignorar las molestias insignificantes o empecemos a frecuentar amistades sanas.

No tenemos que preocuparnos por compensar en exceso. No sucede con frecuencia, pero cuando sucede a veces puede llevarnos a la grandeza. De niño, Winston Churchill era tartamudo y ceceaba. Esforzándose por superar su limitaciones, llegó a ser un orador de primera clase. De la misma forma, si nos esforzamos por superar nuestras limitaciones elevaremos nuestra autoestima y atraeremos el éxito.

El conocimiento de uno mismo es el trampolín a una vida exitosa.

27 de julio

Antes de morir, todos los hombres deberían
esforzarse por aprender de qué huyen,
hacia dónde y por qué.

James Thurber

En nuestra búsqueda de una imagen más sana de nosotros mismos, a algunos nos resulta difícil admitir que aún estamos atados a sucesos que pasaron hace mucho. Creemos que si no podemos recordar muy bien el pasado o casi nunca lo evocamos, de alguna forma lo hemos olvidado. Ojos que no ven, corazón que no siente; corazón que no siente, no está en la realidad.

Sin embargo, lo que fue no desaparece sólo porque le demos la espalda. Imaginemos un auto que sufrió un accidente hace veinte, treinta o cuarenta años. Si ese auto simplemente lo hubieran estacionado sin mandarlo a arreglar, ¿no estaría abollado todavía? ¿O el paso de los años de algún modo lo ha dejado como nuevo? Si hablamos de autos en vez de personas, sabemos muy bien que el tiempo por sí solo no saca los golpes, se necesita repararlos.

Si nos descuidaron o maltrataron de otra forma cuando niños, el daño está hecho —en primer lugar, en nuestra autoestima. Las palabras y los actos que nos hicieron sentir menospreciados o excluidos son las abolladuras que hay detrás de las definiciones negativas de nosotros mismos. Si no las hemos detectado y reparado, siguen estando ahí. Ese remoto «accidente» pudo haber sido sólo un golpe en la defensa o una colisión frontal —pero seguiremos sufriendo las consecuencias mientras no dejemos de negar lo sucedido.

Después de un accidente automovilístico, ocuparse de reparar las abolladuras es mucho más importante que culpar al conductor.

28 de julio

Con frecuencia le proporcionamos a nuestros
enemigos las armas para destruirnos.

Esopo

Obviamente, nuestra autoestima se siente vapuleada cuando nos hacen comentarios, críticas y desaires hirientes, peor aún si estos agravios están justificados.

Margarita es una joven maravillosa que no está muy consciente de lo maravillosa que es. Su autoestima se encuentra por los suelos. En una de sus peores pesadillas una persona en la muchedumbre la acusa de tener «cabeza de chorlito». Además, Margarita ha caído en un hábito muy nocivo. Cuando se encuentra en una situación en la que puede quedar como tonta, trata de eludirla fingiendo que no estaba prestando atención. Su razonamiento es que si ella no entiende lo que está ocurriendo, no la pueden hacer responsable de un comentario fuera de lugar o una decisión torpe.

Sin embargo, esta estrategia, por supuesto, la hace parecer justo lo que ella *no* quiere: cabeza de chorlito. Su comportamiento le da tanto a sus amigos como a sus enemigos todas las municiones necesarias para que la acribillen. Es evidente que se expone a recibir los insultos que más teme. Mientras no aprenda a manejar la causa de las críticas a su persona, es poco probable que obtenga un resultado diferente.

Nunca más le daré piedras a los demás para que me las arrojen.

29 de julio

Pocos tenemos una opinión propia de lo que es el éxito en la vida. La sociedad materialista en la que vivimos nos crea necesidades rodeándonos de imágenes de las personas glorificadas que seremos cuando tengamos «eso» —ya sea un mejor cuerpo o un auto más grande. Con esto, lo único que logra es hacernos sentir incompletos. Cuando la autorrealización depende de adquirir cada vez más cosas, la autoestima siempre se queda rezagada.

¿Necesitamos —o siquiera queremos— todo lo que pensamos? ¿Siempre tenemos que estar en la situación de «esperar», «ahorrar» y «desear»...? ¿En realidad existe esa «última cosa» que debemos tener para llegar a la cima? ¿O ciegamente nos compramos la falsa imagen de personas carentes y hambrientas? ¿No podría suceder que ya *tengamos* lo que en verdad necesitamos?

Las opiniones propias nos permiten distinguir lo necesario de lo superfluo. ¿Somos capaces de pensar, de amar y de reír? ¿Podemos ver y disfrutar la belleza del mundo? ¿Hay gente a la que le importamos? Si eso no basta, nada será suficiente. ¡Qué gratificante es dejar de posponer la felicidad!

Estar sereno significa saber que ya tengo lo que necesito.

30 de julio

La ansiedad es el espacio entre
«ahora» y «entonces».
Richard Abell

Todos detestamos sentirnos ansiosos: que nos suden las manos, que se nos acelere el pulso, que nos despierte a medianoche un persistente dolor de cabeza; pero la ansiedad ocasional no sólo es inevitable, sino necesaria. Sin la intranquilidad, ¿qué nos impulsaría a seguir adelante?

Unas buenas dosis de ansiedad contribuyen al desarrollo de la autoestima. Cuando nos sentimos verdaderamente incómodos, tendemos a buscar la comodidad y ésta suele llegar con el alivio que nos causa dejar de postergar las cosas. Tal vez nos produzca ansiedad plasmar nuestras ideas en papel, pero nos angustia más no escribir la carta que necesitamos escribir. Pedir disculpas *una sola vez* en voz alta no puede hacernos sentir más tensos que ensayar mentalmente la disculpa repetidamente.

El desarrollo personal implica riesgos, desgaste de energía e insatisfacción con el *statu quo*. Si esto nos trae una racha ocasional de ansiedad, bienvenida sea. Cuando aprendemos a aceptar el mensaje que la ansiedad trata de comunicarnos —que necesitamos ponernos de pie y seguir adelante—, tendremos muchas menos razones para sentirnos ansiosos.

Puedo convertir mi ansiedad en energía creativa.

31 de julio

De niño, mis sueños cabalgaban en tus deseos,
era tu hijo, erguido en tu caballo,
mi mente, un brote golpeado por la fusta
de tu retórica: vana, por supuesto.

Stephen Spender

Hay un delicado equilibrio —en la lucha por el desarrollo personal, en general, y por la autoestima, en particular— entre desear y buscar la aceptación de nuestros padres y ser esclavos de la necesidad de esa aceptación.

Resulta útil, como nos dice el poeta, reconocer que nuestros «sueños cabalgaban en tus deseos», pero también lo es saber que los deseos y la retórica en verdad pueden ser «vanos». Cuando pensamos en nuestros padres y en la manera en que contribuyeron a la formación de nuestra autoestima, lo justo es reconocer que no fueron ni son más que humanos.

Como todo el mundo, nuestros padres fueron moldeados por sus orígenes. Ellos también tuvieron decepciones y necesidades satisfechas e insatisfechas. También recibieron su cuota de experiencias buenas y malas en la vida —algunas de las cuales, como las nuestras, fueron producto del azar. También estuvieron expuestos a la retórica vana de otros. Es tan bueno recibir comprensión, paciencia y perdón como darlos. En cualquier caso, salimos beneficiados.

Doy un gran salto cuando concedo a mis padres los mismos derechos que yo me concedo.

1o. de agosto

Aceptemos el milagro de la segunda oportunidad.

Reverendo David Stier

Nunc coepi es una frase en latín que a menudo se escuchaba en seminarios de antaño y significa «Ahora empiezo». A los novicios les enseñaban a decir todas las mañanas esta frase, cuyo mensaje es que lo que *fue* ya pasó, lo que *será* está oculto en el futuro y lo único que importa es el *ahora* —este día, este momento, no lo que hice ayer o lo que quizás haga mañana. *Ahora* empiezo. *Nunc coepi.*

Es importante recordar que cada día ofrece otra oportunidad y un nuevo comienzo. Muchos estamos demasiado conscientes de todos los ayeres que desperdiciamos o de los fantasmas del mañana que podrían deprimirnos. En cambio, apenas hacemos caso del día que tenemos en las manos, rebosante de posibilidades. ¿Por qué razón? ¿Por qué descartamos e ignoramos la maravilla del momento actual?

Una de las razones podría ser que no confiamos en nosotros mismos. Debido a errores del pasado, tememos albergar demasiadas esperanzas. Por miedo a fallar de nuevo, elegimos menospreciar las posibilidades y tratamos de tomar las cosas como vienen, en vez de determinarlas nosotros. En el fondo, tal vez el verdadero motivo sea que no creemos en las segundas oportunidades.

Sin embargo, cada día *es* nuevo, creámoslo o no. Podemos empezar de nuevo todos los días si decidimos vivir de esa manera. El milagro no es que la oportunidad esté ahí; siempre ha estado ahí. El milagro es lo que sucede cuando extendemos la mano para tomarla.

Mientras hay vida, hay oportunidad de empezar de nuevo.

2 de agosto

El hombre no es criatura de las circunstancias.
Las circunstancias son criaturas del hombre.

Benjamín Disraeli

Es terrible pensar en algunas de las tragedias y las pérdidas que debemos enfrentar en la vida. Algunas de ellas son totalmente aleatorias e inevitables. Junto con la calamidad viene la tentación de perder las esperanzas, renunciar a la voluntad de seguir adelante, guardar en un cajón nuestra autoestima y esconder la cabeza en la tierra como las avestruces.

Sin embargo, hay quienes no se dan por vencidos ni renuncian y son ejemplo de la fuerza del espíritu humano. Para estas personas, la parte trágica de sus vidas es sólo eso: una *parte* de sus vidas, una circunstancia entre muchas.

A los sesenta y tres años, después de la muerte de su esposo, Doris volvió a la universidad y terminó sus estudios. Para poder desplazarse a un trabajo, aprendió a conducir. Luego sufrió un ataque de apoplejía —por un coágulo en el cerebro. Después de someterse a cirugía, perdió parcialmente la vista y capacidad de movimiento en la mitad derecha del cuerpo. Imposibilitada para conducir o para seguir trabajando, pensaba: «El hecho de que mi cuerpo ya no me responda muy bien no significa que mi mente haya dejado de funcionar.» Ahora es escritora. Hay quienes nunca se rinden; en vez de ello, crean nuevas circunstancias.

La perseverancia es una virtud sencilla que se esconde tras otras.

3 de agosto

Acércate a la luz de las cosas,
deja que la naturaleza sea tu maestra.
William Wordsworth

Como diseñadora de jardines especializada en espacios pequeños, a Janet le solicitan a menudo sus servicios para crear
jardines miniatura en patios de oficinas. Durante la etapa de
planeación, muchas veces le hace gracia que sus clientes le pidan
una «vista espectacular» ¡en un terreno de cinco por cinco
metros! Pero no le hace tanta gracia que esperen que reescriba
las leyes de la Madre Naturaleza. «Si me piden un árbol de
sombra, les pongo un árbol de sombra», comenta Janet. «Y
después se enfurecen con él. ¿Es lógico que alguien se enoje con
un árbol porque se le caen las hojas?»

Esto lo hacemos todo el tiempo. Por tonto que parezca,
con frecuencia nos exasperamos con la gente y las cosas por ser
como son. Nos irrita darnos cuenta de que algunos de sus encan-
tos tienen un lado muy desagradable. Como los clientes de Janet,
sólo queremos la acogedora sombra en el verano —no tener que
molestarnos en barrer las hojas en el otoño.

De muchas maneras, sencillamente todos somos como
somos. Tenemos nuestra altura, nuestro cabello, nuestros ante-
cedentes, nuestro color de piel, nuestra raza y nuestro sexo.
Gran parte de nosotros no puede ni debe cambiar nunca. Recibir
dones de la naturaleza y luego quejarse de sus desventajas es
ingrato y estúpido.

**La autoestima no debe basarse en cambiar lo que más vale
aceptar.**

4 de agosto

Él era mi norte, mi sur, mi este, mi oeste,
mi semana de trabajo y mi descanso dominical,
mi día, mi noche, mi charla, mi canción. Pensé que
el amor sería eterno —qué gran error.

W. H. Auden

Enamorarse perdidamente es una de las caídas más dulces que podemos sufrir, pero, como todas las caídas, puede ser peligrosa. Podemos perdernos en nuestra fascinación por el amor recién encontrado. Podemos literalmente perder el juicio y hundirnos en un océano de amor.

Permitir que alguien lo sea «todo» para nosotros no sólo perjudica a ese alguien, sino que también es terriblemente desconsiderado hacia nuestra persona. Ser «el día y la noche» de otro implica una responsabilidad enorme. ¿Es realmente un acto de amor crear y endilgar esa carga? ¿Sobre todo si ya pusimos a esa persona en un pedestal demasiado alto para ser cómodo?

¿Y nosotros qué? Si el ser amado es «nuestra charla y nuestra canción», ¿qué pasa con nuestras ideas y nuestra música? El deslumbramiento de una nueva relación no es eterno. Tarde o temprano se nos despeja la mente y recuperamos nuestra perspectiva. Mientras tanto, haremos bien en tratar de mantener los pies lo más cerca posible de la tierra.

Hacer de alguien «la razón de mi existencia» daña mi autoestima.

5 de agosto

He aquí que yo no doy sermones ni limosnas.
Cuando doy, me doy yo mismo.
Walt Whitman

La autoestima es, sin duda, uno de los tesoros más grandes de la vida; por ello nos gustaría tanto infundírsela a nuestros seres queridos. Pero, ¿cuál es la mejor manera de lograrlo?

Con frecuencia la autoestima se relaciona con las experiencias. Esto se debe a que el saldo de nuestra autoestima depende de nuestras experiencias repetidas de éxito o fracaso: es positivo en el caso del éxito y negativo en el del fracaso. Por lo tanto, ayudar a una persona a tener una autoestima positiva significa ayudarla a tener éxito. Pero, una vez más, ¿cuál es la mejor manera de lograrlo?

Contemos las maneras en que hemos tratado de hacerlo: el método de incentivos y amenazas, la exigencia, la intimidación, el soborno, la persuasión, la súplica. Lo hemos intentado todo una y otra vez. Sin embargo, parece que ninguna funciona mejor que el simple hecho de demostrar a los demás nuestro interés —que nos importan *ellos, sus* metas, *sus* sueños y *sus* problemas. Esto, desde luego, dista mucho de imponer lo que nosotros creemos que les conviene.

La mejor manera de motivar a los demás es interesarse sinceramente por sus metas.

6 de agosto

A nuestro leal saber y entender, el único propósito de la existencia
humana es encender una luz en la oscuridad del ser.

Carl Jung

Un objeto verdaderamente hermoso, como un edificio bien diseñado o una gema espléndida, puede apreciarse desde varios ángulos. Por dondequiera que se mire, desde arriba, desde abajo, de cerca o de lejos, algo bello es bello. Las fotos aéreas de la Tierra, por ejemplo, ofrecen una vista imponente del planeta entero. De igual modo, la imagen microscópica de una simple gota de agua revela una complejidad deslumbrante.

La vida humana, en general, y la autoestima, en particular, se asemejan mucho a los ejemplos anteriores. A través de la autoestima podemos apreciar en primer plano la belleza de la vida ocupándonos de los detalles: hacer lo correcto, esforzarnos por tomar decisiones difíciles, aflojar el paso, hacer el amor. Hay mucho que admirar en el aspecto personal.

Más allá se encuentra lo «demás» que integra la visión de largo alcance. Cada uno de los actos personales positivos enciende una vela en el gran espacio desconocido de las posibilidades humanas. Si pudiéramos alejarnos lo suficiente, hasta donde los actos individuales se vuelven irreconocibles, nos sería posible ver que un solo acto bondadoso, heroico, continúa cintilando mucho después de que ya hemos partido. Juntos, bien podríamos alumbrar el camino de las generaciones venideras.

Hasta el gesto más insignificante de valor o gentileza contribuye al todo.

7 de agosto

Cuántas preocupaciones nos ahorramos cuando no
tomamos la decisión de ser algo, sino alguien.

Coco Chanel

Los niños muy pequeños quieren hacer lo que hacen los «chicos grandes» de cinco o seis años. Los niños de diez años quieren ser como los adolescentes. Admirar, comparar e imitar, todo forma parte del proceso de crecimiento. Queremos ser tan grandes, bellos, fuertes o simplemente maravillosos como lo son «ellos», nuestros modelos. Hacemos todo lo posible por ajustarnos a ese molde. Así es como los niños aprenden y crecen.

Sin embargo, los adultos dejan de aprender y crecer cuando tratan de ser *lo que* es otra persona en vez de *lo que* son ellos. Le damos la espalda a nuestra singularidad cuando imitamos la personalidad, las peculiaridades o el estilo de otros. Menospreciamos nuestro potencial cuando nos amoldamos para ser «iguales» a una persona o un grupo que, por su necesidad de aceptación, trataron de ser «iguales» a otros.

La autorrealización no es un resultado indirecto ni un conjunto de retazos de imitaciones. Lo que somos y somos capaces de hacer es único e irrepetible. No sólo hay dignidad sino también una gran aventura en hacer lo necesario para descubrir nuestro verdadero e inimitable yo; cada uno de nosotros es «incomparable» y tiene una presencia y una contribución únicas que ofrecer.

El descubrimiento de nuestro yo es el primer paso hacia el aprecio de nuestra persona.

8 de agosto

Lo que estropea todo es pretender que las verdades a medias pasen por verdades absolutas.

Alfred North Whitehead

Si reflexionamos un poco, es fácil percibir algunas de las maneras en que tratamos de eludir responsabilidades. Las verdades a medias, por ejemplo, al menos satisfacen a medias nuestro desvencijado código de honor. Sabemos que hay una gran diferencia entre decir «lo intenté» y luego admitir «pero no lo suficiente». ¿Pero qué tanto daño puede causar una mentirita? ¿Por qué tanto escándalo?

El problema está en que jugar con la verdad es como jugar con fuego. Cuando la honestidad parcial se convierte en un hábito, tal vez ni siquiera nos damos cuenta de que estamos perdiendo los buenos principios junto con los malos.

Éstos son algunos ejemplos de lo que podemos perder si nos acostumbramos a partir las verdades a la mitad: «Cometo errores, pero soy mejor que mis errores», «La vida está llena de tragedias, pero también de una gran belleza», «Tengo muchas dudas, pero creo en mi capacidad para resolverlas», «El futuro parece incierto, pero ya me las arreglaré cuando llegue el momento». En realidad, la verdad absoluta es la única que existe. Quedarnos a un paso de ella nos cuesta más de lo que nos ahorra.

Conforme mi autoestima se eleva, aumenta mi capacidad de hablar con la verdad absoluta.

9 de agosto

No podemos ganar si queremos perder.

J. W. Wheeler

En ocasiones, lo que *pensamos* que queremos es distinto de lo que *realmente* queremos. ¿Quién quiere perder? Cuando el éxito significa ganar, ¿quién elegiría perder para reforzar su falta de autoestima? Lo hacemos si perder es lo que nos hace sentir bien.

Debido a una gran cantidad de poderosas razones de origen familiar, muchos de nosotros estamos programados para perder. Desde luego, estas motivaciones son subconscientes. Pese a nuestras buenas intenciones, esa programación, que nos resuena en la cabeza —«No mereces gran cosa», «Nunca saldrá mejor», «¿Quién te crees que eres para aspirar al éxito?»—, es como una punzada mental constante. Si las vías llevan a la última parada y el tren va por esas vías, ¿a dónde se dirige el tren? Sólo puede haber una respuesta.

En el camino hacia una mejor autoestima, con frecuencia nos distraemos o nos estancamos. Nos desconcertamos cuando hacemos nuestro máximo esfuerzo y aun así nos topamos con una resistencia sorprendente. La razón puede ser que combatimos actitudes mentales sumamente arraigadas en vez de los obstáculos externos. Lo que necesitamos es reprogramarnos. Un buen inicio sería empezar cada día diciéndonos: «Soy tan digno de tener éxito como cualquier otra persona» o «No hay límites para mi desarrollo personal».

Ganar se convierte en una posibilidad real sólo cuando me puedo visualizar como un ganador.

10 de agosto

Amarás a tu prójimo como a ti mismo.

Lev. 19,18

Si todos siguieran este mandamiento de la Biblia, el mundo sería un sitio mucho más seguro y enriquecedor para vivir. Dejarían de existir los sistemas que devastan la autoestima de tantos de nosotros.

Sin embargo, este mandamiento se basa en la suposición de que la mayoría de la gente se ama a sí misma. Por naturaleza, muchos tendemos a buscar primero nuestra propia supervivencia; aprendemos cómo *protegernos*, pero esto no significa que aprendamos a amarnos, respetarnos y honrarnos de verdad.

¿Qué tanto podemos amar a nuestro prójimo si ni siquiera estamos seguros de que merezcamos ser amados? ¿Qué sucede si pensamos que no tenemos derechos, que nuestros sentimientos no cuentan? ¿Que nuestra valía depende de nuestro trabajo, que todo lo que hagamos debe ser perfecto o que básicamente somos seres humanos indignos? Si tenemos como punto de partida estos pensamientos y convicciones, ¿qué clase de amor podemos ofrecerle al prójimo?

Para amar verdaderamente a mis prójimos, primero debo aprender a amarme a mí mismo.

11 de agosto

Mantente alejado de las malas compañías,
no sea que se multipliquen.

George Herbert

Por nuestro bien, algunas veces tenemos que darle la espalda a lo que no es bueno. A menudo se trata de relaciones que influyen en nosotros de manera negativa. Cuando nuestra recuperación depende de que nos ciñamos a una nueva serie de comportamientos, simplemente no podemos permitirnos correr el riesgo que representan esas personas.

Quizá sea doloroso decir adiós a quien ha sido importante para nosotros en el pasado, pero dar marcha atrás podría lastimarnos aún más. Podemos recordar con cariño a nuestras viejas amistades sin sentirnos culpables por haber seguido nuestro camino. Su vida continúa al igual que la nuestra. Podemos otorgarles el derecho de que tomen sus propias decisiones —así como nosotros tomamos las nuestras— sin culpar a nadie, pero no podemos seguir el mismo camino que ellos una vez que hemos doblado en la esquina.

El desarrollo implica un cambio y el cambio implica desechar lo viejo y abrirle paso a lo nuevo. Una semilla no «traiciona» a otras semillas cuando se convierte en una flor. Cuando cambiamos de dirección, encontramos nuevos amigos que van por la misma ruta. Al compartir nuevas experiencias, creamos lazos tan fuertes como los que rompimos con nuestros compañeros de viaje del pasado.

Las amistades positivas y sustentadoras son esenciales para mi programa de desarrollo.

12 de agosto

Al principio pensé que estaba enamorada; después
descubrí que era sólo dependiente.

Joan H.

El amor y la dependencia son tan diferentes como el día y la noche. Aunque a veces parecen lo mismo e incluso se sienten de la misma forma, entender la diferencia puede ser la única forma de preservar la autoestima.

La dependencia siempre nos devalúa. La adicción siempre da por resultado la pérdida de libertad y dignidad. Aferrarnos compulsivamente a una relación equivale a renunciar a la libertad de elegir, que es un requisito indispensable para el amor. En vez de amar como un acto de libre albedrío, estamos manifestando una adicción. Cuando una relación se centra en los deseos y las necesidades del otro, es imposible tener respeto por uno mismo.

La persona que vive una relación adictiva padece una angustia enorme sólo de pensar en perder esa relación, de modo que hay una disposición irracional para hacer, decir o pensar cuanto sea necesario con tal de continuar con la relación. La autoestima siempre sale perdiendo en esas situaciones. Las neguemos o no, tenemos nuestras propias necesidades. Lo que pensamos también importa, lo que sentimos también cuenta y lo que tenemos que decir debe ser escuchado y tomado con seriedad. El miedo, no el amor, es lo que nos impulsa a anteponer cualquier relación a nuestro bienestar.

La independencia emocional es un factor indispensable para mi autoestima y mis relaciones.

13 de agosto

Tener fe es creer en lo que no se ve; la recompensa por esa fe es ver aquello en lo que se cree.

San Agustín

Cuando hay circunstancias adversas en nuestras vidas que nos entristecen o atemorizan, el lema «simula» del Programa de Doce Pasos puede ser una poderosa herramienta. Esto significa que debemos *anteponer* nuestro comportamiento a nuestras emociones —y no al contrario. Silbemos una melodía alegre, por ejemplo, aunque estemos pasando un momento infeliz. Se trata de que confiemos lo suficiente en nuestro progreso como para *anticipar* la mejoría. Si tenemos la certeza de que superaremos una emoción negativa, estamos «agradeciendo» el regalo de la serenidad porque sabemos que viene en camino.

Quienes buscan elevar su autoestima y pretenden que no es difícil recuperarse no están «simulando», sino «engañándose». Como todos los lemas del programa, «simula» puede hacernos más daño que bien si lo malinterpretamos. El mensaje es que recuperemos un poco el control de nuestra vida, no negar que necesitamos controlarla mejor, ni tampoco descuidar las nuevas actitudes que están aumentando lentamente la confianza en nosotros mismos.

Al seguir adelante valientemente, la gente que «simula» está afirmando, en las situaciones más negativas de la vida, que *también* hay un lado positivo. Reconoce la existencia de ambos extremos, pero elige conscientemente que su comportamiento sea congruente con sus convicciones.

Lo que determina mi conducta es la fe, no las emociones.

14 de agosto

No te engañes albergando demasiadas esperanzas
de encontrar la felicidad en el matrimonio.
Recuerda a los ruiseñores que cantan sólo
algunos meses en la primavera y suelen
guardar silencio cuando ya
han puesto sus huevos.

Thomas Fuller

Mucha gente diría que el matrimonio es un factor fundamental para determinar la autoestima. Quienes no están casados sienten que su soltería es la causa de su infelicidad. Quienes están casados a menudo culpan a sus matrimonios menos que ideales por sus vidas menos que ideales. Ambos están en un error.

Tener una aceptación satisfactoria de uno mismo no depende del hecho de estar casado o soltero, sino de estar *felizmente* casado o soltero. No tiene sentido darle demasiada importancia al estado civil. Nuestra autoestima está supeditada a nuestra capacidad de ser felices, ya sea que vivamos solos o con una pareja. Para confirmarlo basta saber que hay una gran cantidad de gente soltera con una autoestima elevada y una gran cantidad de gente casada con graves dificultades (y viceversa).

Solteros o no, casados o no, podemos ser mucho más felices si asumimos la responsabilidad de nuestra realización. Una pareja sólo puede aumentar o disminuir lo que ya tenemos. Si sabemos cómo ser felices con nosotros mismos, *seremos* felices. Si no, no nos sirve de nada cambiar nuestro estado civil.

Mi autoestima depende más de mí que de mi pareja.

15 de agosto

*Integridad: firme adhesión a un código
de valores morales.*

Webster's Ninth

¿Qué reglas rigen nuestra vida cotidiana? Además de detenernos cuando el semáforo está en rojo y esperar nuestro turno en la fila del supermercado —nadie quiere causar problemas en público—, ¿qué normas de conducta usamos como parámetro? Es importante saber cuáles son, porque nuestras «reglas» internas definen nuestra integridad.

Todos tenemos nuestro propio «código» personal, ya sea consciente o inconscientemente, gran parte del cual proviene de nuestra familia. Si nuestra madre nos gritaba pero no nos golpeaba, probablemente sigamos esa misma línea. Si nuestro padre era generoso en la calle y tacaño en casa, tal vez veamos con naturalidad las normas ambiguas. Asimismo, algunas de nuestras reglas se forjaron a partir de experiencias propias. Tal vez una humillación sufrida hace mucho tiempo en la escuela nos enseñó a desconfiar de todo el mundo. O quizá sufrimos un severo escarmiento que nos hizo pensar que la honestidad *no* es la mejor política —que es para los tontos.

Las reglas que podemos identificar pueden ser muy distintas de las reglas ocultas por las que en verdad regimos nuestra vida. Descubrirlas puede llevarnos algún tiempo, pero necesitamos saber cuáles son y si tienen o no sentido.

Seguir reglas contraproducentes seguramente me llevará al fracaso.

16 de agosto

Ahora no soy lo que antes fui.

Lord Byron

En ocasiones, todos nuestros esfuerzos por seguir adelante nos parecen infructuosos. ¡Nos empeñamos tanto y aparentemente cambiamos tan poco! En los últimos destellos de conciencia antes de dormir, tal vez oigamos voces dubitativas y desesperadas que nos preguntan si es posible cambiar, si la gente en realidad cambia o sólo hace pequeñas modificaciones, si en verdad es posible restaurar una imagen de sí mismo destrozada.

Cuando nos sentimos así, puede servirnos recordar el caso de Miguel. Después de permanecer sobrio durante ocho años, Miguel habló con el corazón en la mano en una reunión de AA un viernes por la noche. «Viví doce años en la calle», contó. «Cuando vine por primera vez a AA, temblaba tanto que tenía que sujetarme a la silla con las dos manos. Pero mi guía me dijo que todos los días que me mantuviera sobrio serían como Navidad, así que continué asistiendo. El día que empecé mi vida de sobriedad era 23 de diciembre.»

Muchos en la reunión sabían del paso de Miguel por los callejones, los basureros y los albergues para vagabundos. Algunos recordaban cómo había llegado: física y espiritualmente más muerto que vivo. Sin embargo, esa noche desbordaba sabiduría, calidez y, más que nada, gratitud.

«Para no olvidar dónde estuve, he guardado mi arbolito de navidad de plástico durante estos ocho años. Todas las mañanas enciendo sus luces para recordar lo que puedo hacer día a día.»

Ya no soy lo que fui.

17 de agosto

Sólo en el silencio la verdad de un hombre
puede integrarse y echar raíces.

Antoine de Saint-Exupéry

El ruido constante nos condiciona lenta pero indefectiblemente a una constante postración interna. Como somos adaptables, tal vez ni siquiera nos demos cuenta de que nos bombardea el ruido la mayor parte de nuestras horas de vigilia. No obstante, nuestro cuerpo y nuestro espíritu lo perciben y piden ayuda a gritos.

Nuestra preciosa paz mental sabe que *algo* la está martillando, agrediendo y perturbando. Incluso nuestro oído se ve afectado, según científicos alemanes, quienes recientemente advirtieron que no falta mucho para que los aparatos auditivos sean tan comunes como los anteojos. Y de acuerdo con las estadísticas policiacas, el índice de delincuencia es más alto en las áreas donde los niveles de ruido son siempre elevados. El ruido es la música de fondo de la tensión, la ansiedad y la rabia.

Los periodos regulares de quietud son absolutamente esenciales para el desarrollo emocional y espiritual. Si no podemos ligar tres o cuatro pensamientos sin que escuchemos un estallido o un estruendo, nunca podremos pensar con mucha profundidad. No podemos soñar con música de golpes y rumores. Si queremos estar en contacto con nuestro espíritu, tendremos que alejarnos del ruido de cualquier forma posible —tal vez usando tapones para los oídos o yendo a la biblioteca al mediodía. Sólo así podremos oír lo que la sabiduría nos susurra en los salones sagrados del silencio.

Buscarme ratos de silencio puede ayudarme más de lo que me imagino.

18 de agosto

Cualquier cosa que necesite por la fuerza
está condenada al fracaso.

Henry Miller

Cuando alguien a quien amamos está en peligro, intentamos controlar o cuando menos frenar el comportamiento que causa el problema. Interesados sinceramente en el bienestar de esa persona, tiramos las bebidas alcohólicas o escondemos las galletas al ver que se acerca. Nos justificamos pensando que sólo pretendemos ayudar, pero aunque quizá sea cierto, tratar de manipular la realidad en nombre de alguien es meterse en arenas movedizas.

Por supuesto, nos interesamos por nuestros seres queridos y realmente nos preocupa ver que se precipitan hacia una caída, pero no es lo mismo preocuparse que hacerse cargo. Por nuestro bienestar emocional, la mejor política es «mantenernos al margen» de la vida de otros adultos.

Las más de las veces, las personas hacen lo que han elegido hacer. Podemos ejercer alguna influencia, pero ellas eligen. En vez de arreglar el mundo, es mejor ofrecer un consejo afectuoso y cambiar de tema. De cualquier forma, nuestros seres queridos harán lo que quieran. Si toman decisiones necias que los hagan desplomarse, podemos ofrecerles nuestro apoyo. Al menos no habremos arruinado la relación fastidiándolos o manipulándolos.

La calistenia para elevar la autoestima no incluye la manipulación.

19 de agosto

La risa es un buen ejercicio para el corazón,
los pulmones y el cerebro.
Gail Grenier Sweet

La risa es buena para la autoestima. La gente sabia de todos los tiempos ha dicho que la risa es el mejor remedio tradicional para cualquier mal que nos aqueje. Según algunos estudios, parece que la risa altera la química cerebral y el sistema inmunológico. El caso del conocido publicista Norman Cousins, quien se recuperó de una enfermedad devastadora gracias a la risa, es una prueba contundente de esto.

Sin embargo, ni siquiera son necesarias las pruebas científicas. Basta con que miremos a nuestro alrededor. ¿No es cierto que la gente alegre y juguetona disfruta más la vida que los demás? La risa es *diversión* y cuando nos estamos divirtiendo, difícilmente nos hostilizamos, tenemos pensamientos negativos o saboteamos de alguna otra forma nuestras expectativas de éxito.

La risa alivia el alma, vuelve amigos a nuestros enemigos y nos acerca al corazón de Dios —que nada desea más que nuestra felicidad. Todo lo anterior es maravilloso para la autoestima.

Tengo tantas razones para reír como para fruncir el ceño.

20 de agosto

Triunfé porque creyeron en mí.
Ulysses S. Grant

Cualquiera con la fortuna de contar con un grupo que lo aliente —aunque sea una sola persona— tiene una ventaja invaluable en su búsqueda de una mejor autoestima. Si no hay nadie que aplauda nuestras victorias, necesitamos encontrar a alguien. Si *nosotros* no vitoreamos los esfuerzos de otras personas, nos estamos perdiendo uno de los lazos más preciosos que pueden establecerse entre los seres humanos.

El niño que participa en su primer partido de beisbol jugará mejor si ve a su padre sentado en las tribunas. Un amigo nervioso que va a presentarse a una entrevista de trabajo importantísima adquirirá confianza en sí mismo si antes lo animamos con una charla y un ensayo mientras tomamos un café. Saber que otras personas nos tienen fe fortalece la fe en nosotros mismos. Saber que alguien nos respalda hace que temamos menos a las caídas.

Los vecindarios, las oficinas, los clubes y las iglesias están llenos de gente que apoyará nuestros esfuerzos si se lo pedimos. Por cierto, ésa es la misma gente que necesita escuchar «¡Tú puedes! ¡Adelante!», tanto como nosotros. El aliento mutuo puede evitar que tiremos la toalla.

Sólo puedo sentir admiración por mí mismo si admiro sinceramente a otros.

21 de agosto

El carácter no puede desarrollarse en la paz y la tranquilidad.
Sólo a través de la experiencia y el sufrimiento se
fortalece el alma, se aclara la visión, se inspira
la ambición y se logra el éxito.

Helen Keller

La autoestima está totalmente relacionada con la integridad. Cuando se defiende la integridad, se eleva la autoestima. Cuando comprometemos nuestra integridad, el carácter sufre y la autoestima es la primera pérdida.

En el diccionario, la integridad se define como entereza incólume o incorruptibilidad. ¿Qué corrompe el carácter? Dicho de una manera sucinta, la deshonestidad de una forma u otra. Esto obvia la respuesta, ¿no es así? Lo único que nos queda es ser honestos con nosotros mismos.

El problema radica en que la honestidad puede ser traumática. Muchos de los patrones de conducta y comportamiento que dañan el carácter son exactamente los mismos que nos infunden seguridad; son los pensamientos y hechos que consideramos necesarios para sobrevivir. Quizá toda la vida hemos actuado de manera deshonesta en ciertas circunstancias para obtener aprobación, aceptación y lo que imaginamos que es lo más cercano a la intimidad.

Mucha gente lucha contra su autoestima porque normalmente accede cuando quiere oponerse, sonríe cuando quiere llorar y trabaja cuando quiere y necesita jugar. Todas éstas son conductas deshonestas. Sin importar los beneficios que nos hayan traído, debemos asumirlas como las responsabilidades en que se han convertido.

La honestidad con nosotros mismos se demuestra con acciones, no con palabras.

22 de agosto

*Las flores dejan algo de su fragancia en las
manos de quien las obsequia.*
Proverbio chino

Paradójicamente, cuanto más damos más tenemos, tal vez no en dinero, sino en carácter y autoestima. Cuando pensamos en los demás, es mucho menos probable que nos preocupemos sólo por nosotros. Hay una retribución doble.

Si damos sinceramente no pedimos nada a cambio. No hay recordatorios, ni expectativas, ni impaciencia por recibir gratitud. Nadie es demasiado pobre para dar amor, tiempo, cuidado, ayuda o compasión. En esta época de tantas prisas, tal vez el regalo más precioso que podemos dar a nuestra familia y amigos es escucharlos. Nunca obsequiamos atención sin que nos retribuyan con un acercamiento más profundo. Todo lo que damos vuelve a nosotros.

La Biblia nos dice que debemos ayudarnos a llevar nuestras cargas. La experiencia nos dice que es imposible que un corazón generoso dé más de lo que recibe. Aliviar el dolor ajeno es aliviar el propio.

Cuando trato de ayudar a otros, necesariamente me siento mejor conmigo mismo.

23 de agosto

Nunca ha nacido ni nacerá alguien como tú.

Constance Foster

Quizá nos riamos de los raros y los excéntricos de este mundo, pero al menos tienen el valor de ser ellos mismos. La mayoría carecemos de las simples agallas para reclamar nuestra singularidad. Por temor a ser ridiculizados o rechazados, hablamos, nos vestimos y nos comportamos como todos los demás —a menudo empequeñeciendo nuestra autoestima en el camino.

Sin embargo, no todos nacimos para bailar al mismo son. Todos y cada uno de nosotros somos únicos, un original. Las ideas no convencionales son el semillero de la innovación y el progreso. El humor poco común es una manera maravillosa de compartir una visión distinta. Expresar la imaginación no es un derecho exclusivo de los artistas e intérpretes, sino de todo aquel que quiere desarrollar al máximo su potencial.

La frustración y la autocompasión no son más que dos síntomas del fracaso para expresar nuestro verdadero yo. Tal vez hayamos decidido ser incoloros para camuflarnos en los ataques. No obstante, ahora que estamos ganando más confianza en nosotros mismos, ha llegado el momento de apartarnos de la multitud, enarbolar nuestra bandera y gritar «¡Éste es mi verdadero yo!».

Tengo derecho a ser único.

24 de agosto

Las adicciones alivian el dolor.

Chuck Holton

Muchos intentamos librarnos heroicamente de una o más adicciones. Por supuesto, las adicciones y la autoestima son incompatibles; sin embargo, después de haber superado una adicción importante, muchos pensamos que nuestra autoestima no se ha elevado lo que habríamos esperado.

El hecho es que la adicción en sí no representa el panorama completo de una vida adictiva. Cuando vencemos una adicción, tenemos que enfrentar nuestros sentimientos, manejar la realidad sin nuestras muletas, asumir todos los defectos de carácter que se esconden detrás de la adicción. La batalla no implica sólo acabar con la adicción, sino también con nuestro miedo a todas las verdades y penas reprimidas que siempre han estado ahí.

El viaje parece especialmente difícil cuando nos abruman los viejos «debería». «*Debería* ser más feliz», «*Debería* avanzar más rápido», «*Debería* sentirme mejor conmigo mismo». No obstante, lo único que realmente necesitamos aceptar es que una vez superada la adicción, empiezan los sentimientos, empieza el largo camino, al igual que la recompensa.

Huir de mi dolor me causa más dolor. La única solución es mantenerme firme y combatirlo.

25 de agosto

Perdónate por haber soñado más de lo que has vivido.

Carol Ann Morrow

El perdón puede ser la fuente de energía más grande del desarrollo personal. Algunas veces es la única fuerza capaz de hacer explotar las rocas de resentimiento, inseguridad y amargura que obstruyen la entrada a la autoestima. Si esas rocas están ahí, obviamente debemos retirarlas si nuestras metas van más allá.

Con frecuencia lo que más necesitamos es perdonarnos. ¡Pero cómo nos presionamos con expectativas irreales! ¡Con qué dureza nos juzgamos cuando no damos la talla! A veces, perdonarnos es tan necesario como un choque eléctrico para reanimar nuestro espíritu.

Tal vez nos sintamos decepcionados y avergonzados por no realizar nuestros grandiosos sueños de juventud, pero los jóvenes tienen una visión defectuosa. No tienen idea de los obstáculos que pueden encontrar. Como sobreestiman la cooperación del mundo, todo les parece posible. Pero las cosas no siempre salen como esperan y resulta que la realidad no es miel sobre hojuelas.

El perdón estriba en aceptar la realidad. Las cosas son como son. Somos lo que somos —lo cual no está nada mal. Estamos peleando en buena lid, con eso basta.

Los sueños del joven no pueden ser la medida de los logros del adulto.

26 de agosto

Dejad que aquel que da sin miramientos
recoja rubíes en el aire.
James Stephens

Algunas maneras de dar en realidad son maneras de obtener. Tal vez demos regalos para evadir impuestos, aliviar nuestros remordimientos, conseguir favores o sólo para aparentar que somos buenos. Como no hay amor detrás de estas acciones, no podemos esperar que esto mejore nuestra autoestima.

No obstante, dar con el corazón es un camino seguro a la riqueza espiritual y emocional. Los corazones afectuosos que comparten su sustento, no lo que les sobra, hacen llevaderas muchas vidas además de la suya. Las almas sinceramente generosas están en paz consigo mismas.

Encendamos la señal de alarma si nos sorprendemos preocupándonos por lo que vamos a recibir. Un regalo no es una inversión. Si lo que damos tiene cuerdas en vez de cintas, no se trata de un regalo sino de alguna clase de soborno. Nunca «recogeremos rubíes en el aire» si lo que buscamos es una retribución considerable.

Así como lo bueno viene de lo bueno, la autoestima viene del desinterés.

27 de agosto

Un corazón amargo que aguarda el
momento oportuno y muerde.

Robert Browning

La rabia no desahogada, en especial la que viene de mucho tiempo atrás, puede generar una amargura terrible que siempre daña nuestra autoestima porque se alimenta de los males, reales o imaginarios, que nos han hecho. Los resentimientos amargos se aferran a lo negativo. A menudo, el viaje hacia la autoestima nos conduce a «barreras de resentimiento» altísimas que ponen a prueba la sinceridad de nuestra búsqueda.

Una de las cosas que suceden al enfrentarse a la rabia es que nadie puede superarla si una parte de nosotros quiere aferrarse a ella. Una herida no puede sanar si todos los días nos la rascamos; ahí radica la dificultad. Una cosa es decidir racionalmente que ya no nos enojaremos y otra totalmente distinta enfrentar con honestidad un vieja rencilla aquí y ahora. Si fuera sencillo arreglar estos asuntos, ya lo habríamos hecho hace largo tiempo.

¿Nos sentimos muy molestos por alguna situación en el trabajo? ¿Por una relación? ¿Tiene que ver con la crianza de nuestros hijos? ¿No será que tenemos una vieja herida por una afrenta que sufrimos hace años? ¿Qué necesitamos decir, hacer, comunicar? *No* actuar sólo crea amargura y deteriora el respeto por uno mismo.

Vivir con amargura es como tirar la naranja y comerse la cáscara.

28 de agosto

Cuando cierres la puerta y apagues la luz, recuerda
que nunca debes decir que estás solo, porque no
lo estás: Dios está contigo, al igual que tu espíritu.

Epicteto

Cuando deseamos mejorar nuestra autoestima, tendemos a actuar como si se tratara de cualquier otro esfuerzo nuevo: primero acudimos a los expertos. De acuerdo con nuestra perspectiva occidental, hacer algo implica conseguir asesoría de primera clase y después tomar medidas drásticas. Todos hemos escuchado que los lentos son perdedores, así que intentamos hacer nuestro trabajo lo antes posible.

Sin embargo, en nuestra interminable búsqueda de un conocimiento más amplio y profundo, casi nunca consideramos la importancia de la reflexión en silencio. Jamás se nos ocurre buscar las respuestas en nuestro fuero interno, de modo que consultamos fuentes impersonales y externas en lugar de escuchar la voz del corazón. Por eso algunos de nuestros primeros intentos son salidas en falso; la información que reunimos no es del todo adecuada.

Hacer de la soledad un amiga constituye una tarea fundamental para muchos, porque es en la búsqueda interna, atemorizante como puede ser, donde se escuchan con mayor claridad las voces aterradoras de la negatividad, pero también donde se revela con mayor claridad el rostro hermoso y desenmascarado de nuestro verdadero yo. Por extraño que pueda parecer al principio confiar más en la reflexión que en la investigación, siempre recibimos grandes recompensas cuando aprendemos a buscar la verdad a solas.

La consecución de la autoestima es un proceso de descubrimiento como cualquier otro.

29 de agosto

Finalmente, es una triste debilidad nuestra
que la idea de la muerte de un hombre lo sacralice
a nuestros ojos, como si la vida no
fuera sagrada también.

George Eliot

¿Por qué nos parece mucho más fácil alabar a los muertos que a los vivos? En los funerales, a los amigos y a la familia les faltan palabras para alabar al fallecido. No obstante, en vida, todas esas cualidades ahora elogiadas normalmente pasaban inadvertidas.

La vida es tan sagrada como la muerte. Desde luego, es bueno que recordemos con cariño a quienes se han ido, pero es aún mejor que digamos lo que tenemos que decir cuando la persona todavía puede escucharlo. La gente no se hace mejor o más apreciable cuando muere que cuando está viva. Vivir, no morir, es lo que nos hace dignos de elogio. No es cualquier cosa enamorarse, criar a los hijos, esforzarse por ayudar a otros, vivir día tras día con toda su monotonía, todas sus tribulaciones y todo su tedio, y hacer todo esto lo mejor posible.

Necesitamos decir todas esas palabras cariñosas y expresar todos esos pensamientos afectuosos antes de la muerte. Los muertos están más allá de la lucha cotidiana y, por ende, más allá de cualquier necesidad de aliento. Somos nosotros, los vivos, quienes dependemos unos de otros para darnos consuelo y apoyo. Si tenemos una palabra de aprecio que decir, digámosla ahora.

Debo dar reconocimiento a quien lo merece antes de que sea demasiado tarde.

30 de agosto

La firmeza es importante.
Dorothy Reznichek

Hay una relación obvia entre la depresión y la autoestima. Cuanto más deprimidos nos sentimos, más nos cuesta mantener una impresión positiva de nosotros mismos. La depresión es devastadora; podría decirse que es una verdadera aplanadora espiritual.

Se ha escrito una gran cantidad de libros excelentes sobre las causas y las curas de la depresión en todas sus facetas y grados. Aunque hay distintos enfoques, todos coinciden en que se requiere valor para vencer la depresión. Para triunfar, se necesita firmeza. Una vez que ya se ha planeado toda la estrategia y se ha reunido toda la información, lo único que falta es hacer acopio de energía y tesón, aunque «seguir adelante» sea la última cosa en el mundo que queremos o nos sentimos capaces de hacer.

Se necesita un enorme valor para hacer una simple afirmación cuando estamos sintiendo que el mundo se nos viene encima. Ir a una reunión cuando lo único que queremos es dormir o llorar no significa más que demostrar nuestra auténtica valentía. Salir cuando lo único que queremos es aislarnos puede requerir el heroísmo necesario para ganar una medalla de honor.

Cuando ya todo está dicho y hecho, la firmeza puede ser la mejor arma.

31 de agosto

¿Quiénes son «ellos» que tanto poder tienen
sobre nuestras vidas?
Orville Thompson

Graciela debía tomar una decisión crucial. Ya no quería seguir viviendo con su marido, quien era alcohólico. Ella sabía que el alcoholismo es una enfermedad, que su marido era un hombre enfermo necesitado de ayuda, pero aun así le era imposible rescatar su matrimonio. Quería ser una esposa, no una enfermera. Durante años permaneció atada a esa relación muerta y tóxica por temor a lo que dirían «ellos». ¿Qué irían a pensar? ¿Cómo enfrentar a los demás? Nunca se ganaría *su* respeto si se divorciaba.

Poco a poco, el grupo de apoyo de Graciela la ayudó a confrontar el poder del nebuloso «ellos». ¿*Quiénes* eran exactamente ellos? ¿Por qué eran tan importantes? ¿Todos sus conocidos podían agruparse y generalizarse bajo la palabra «ellos»? De no ser así, ¿toda esa gente reaccionaría de la misma forma ante su decisión inminente?

Con el tiempo, Graciela llegó a entender que no hay un ente universal denominado «ellos». Los que criticarían su decisión sólo eran un segmento, no tan importante, de «ellos». Conforme se fortaleció lo suficiente como para pensar por sí misma, su temor por lo que podrían pensar «ellos» comenzó a desvanecerse. Al reivindicar su propio poder, también reivindicó su autoestima —al igual que las expectativas legítimas de una vida nueva y feliz.

Siempre corro un gran riesgo cuando pongo mi autoestima en manos de ese ente general y negativo llamado «ellos».

1o. de septiembre

La honestidad, sin compasión ni comprensión,
no es honestidad sino una hostilidad sutil.

Dr. Rose N. Franzblau

En sus esfuerzos por restablecer su yo, en ocasiones la gente en proceso de recuperación llega a ser cruel. Quienes se identifican a sí mismos como Niños Adultos en recuperación pueden ser los peores ofensores. Esto se debe a que gran parte de nuestro programa requiere que nos pongamos en contacto con viejos mensajes y sentimientos. Cuando volvemos la vista, muchas veces nos damos cuenta de que nos maltrataron en el pasado, de que algunas personas nos dañaron gravemente.

En aras de la recuperación, podemos sentirnos tentados a descargarnos francamente en quienes nos lastimaron hace tiempo. Con la conciencia totalmente tranquila, podemos forzarlos a compartir cierta realidad, lo quieran o no. Pero si no templamos nuestra franqueza con sensibilidad, podemos decir cosas que, si bien ciertas, pueden ser terriblemente dolorosas. En tal caso, somos tan hirientes como ellos lo fueron con nosotros —¡todo en aras de la recuperación!

Nunca elevaremos nuestra autoestima a costa de otras personas. Es muy posible que haya verdades que deban compartirse, pero lo que sana es *compartirlas*, no la persona que escucha. Si lo que tenemos que decir dificulta, si no es que imposibilita, mejorar la relación, necesitamos revisar nuestros motivos. La crueldad no es un remedio contra la crueldad. Tomar venganza y recuperarse son procesos opuestos. Si compartir significa violar la ley del amor, necesitamos hablar con otra persona.

Si el proceso de cobranza hace más daño que bien, más vale cancelar la deuda.

2 de septiembre

Quien no puede descansar no puede trabajar;
quien no puede dejar ir no puede retener;
quien no puede guardar el equilibrio
no puede seguir adelante.

Harry Emerson Fosdick

Hay una parte de la psique humana que quiere llegar hasta el final, ponerle fin a las cosas. Algunas veces antes de comenzar siquiera, queremos brincar a la conclusión. Los finales felices son nuestra parte favorita de cualquier proyecto.

Sin embargo, detrás de cualquier desenlace favorable hay un plan productivo. Los desenlaces son consecuencias y todas las consecuencias tienen una *causa* —son el resultado de algo que sucedió antes. Actuamos sensatamente cuando nos tomamos tiempo para ver y entender lo que se necesita para lograr un verdadero final feliz.

No podemos trabajar productivamente si no descansamos, retener si no dejamos ir, seguir adelante si no guardamos el equilibrio —aunque nos demos cuenta de que ese equilibrio nos lleva tiempo y algunos tropiezos. Cada paso del camino es posible gracias al paso anterior. Los desenlaces satisfactorios se hacen realidad cuando *damos* todos los pasos, uno a la vez, y dejamos de sabotear el proyecto con atajos.

La satisfacción que nos da hacer un buen trabajo enriquece la autoestima.

3 de septiembre

*La autocompasión es con mucho el más destructivo de
los narcóticos no farmacéuticos: es adictiva,
proporciona un placer momentáneo
y aparta a la víctima de la realidad.*

John Gardner

Fomentar la autoestima significa cuidar de uno mismo. Con frecuencia debemos tratarnos con indulgencia, otorgarnos el beneficio de la duda, recordar hasta dónde hemos llegado en vez del camino que nos falta por recorrer. No obstante, hay una tenue línea divisoria entre sentirnos conmovidos por nuestras luchas personales y regodearnos en la autocompasión.

La autocompasión actúa en detrimento de la autoestima porque nos impide ver la realidad. Lleva un velo negro bajo su inclinada cabeza y como nunca levanta la mirada, sólo ve una parte del cuadro. Sólo en el yunque de la realidad podemos forjar algo valioso. No podemos trabajar con lo que no podemos ver.

Debemos permanecer al pie del cañón, martillando, haciendo que salgan chispas. Con ello, no sólo vemos lo trágico de nuestras vidas, sino lo que podemos hacer para remediarlo. La diferencia entre la mala suerte y el mal juicio se aclara. Lo que no está en nuestras manos cambiar queda separado de lo que bien podemos cambiar si así lo decidimos. La autocompasión, con sus anteojos oscuros, no puede ver nada de eso.

Mis expectativas son tan reales como mis heridas.

4 de septiembre

El camino a las estrellas se recorre paso a paso.

Jack Leedstrom

Dos años después de un doloroso divorcio, Gilda decidió que ya era hora de rehacer su vida. Lo primero que hizo para renovar su autoestima fue iniciar un modesto plan de ahorros. Desde que era niña, Gilda tuvo problemas por su irresponsabilidad en el aspecto financiero, no porque no trabajara mucho o no ganara un buen sueldo; por alguna razón, probablemente muy escondida entre las cuestiones de origen familiar, no podía ni quería ahorrar ni un peso.

Como *literalmente* no podía ahorrar ni un peso, empezó ahorrando monedas de cinco centavos en un frasco de mantequilla de cacahuate, que guardaba en una repisa del armario. Después de unas semanas, las monedas de cinco centavos se volvieron de cincuenta, las de cincuenta centavos en pesos y los pesos en un nuevo hábito de estabilidad económica.

Tal vez sea fácil ver un frasquito patético y decir «¡Qué gran cosa! ¡Centavos!». No obstante, sí es una gran cosa porque el primer paso, cualquier primer paso sin importar lo pequeño que sea, es una causa digna de celebrarse.

Lo importante no es el tamaño del paso, sino el hecho de darlo.

5 de septiembre

*La preocupación es un desperdicio
de tiempo y una causa de úlceras.*

Gail Grenier Sweet

Reconocer que tenemos que resolver serios problemas de autoestima quizá nos dé escalofríos. Puede llevarnos algún tiempo aceptar la situación y tal vez un poco más decidir qué hacer al respecto. Esto no tiene nada de malo. A estas alturas, el único error que podemos cometer es *preocuparnos*.

La preocupación es una especie de rueda giratoria. Nos hace desperdiciar energía que sería mejor aprovechar para resolver el problema que nos preocupa. Nos hace perder tiempo que podríamos invertir en el futuro. Nos hace desperdiciar vitalidad porque la preocupación apaga cualquier chispazo o destello de alegría. Y sin alegría, ¿qué sentido tiene la vida?

Desde luego, tenemos razones legítimas para inquietarnos cuando somos honestos con nosotros mismos. Algunas de las tareas que enfrentamos distan de ser fáciles y ahora nos damos cuenta de que las apuestas son demasiado altas para cubrirnos. Pero la inquietud y la preocupación son dos cosas muy distintas. La preocupación es infructuosa y obsesiva. Mucho tiempo después de que la inquietud ha hecho cuanto puede, la preocupación sigue oprimiéndonos como una rueda giratoria.

La preocupación se centra en las cosas que *no puedo* cambiar, en vez de en aquéllas en las que puedo influir.

6 de septiembre

El ejemplo del los hombres buenos
es filosofía visible.
Proverbio inglés

Así como no vivimos en el vacío, sin que nadie nos toque y sin tocar a nadie, nuestros esfuerzos para mantener una autoestima positiva no están aislados ni somos autosuficientes. Sin importar lo comunes y corrientes que creamos que somos, influimos en otras personas. De maneras que nunca percibimos o pretendemos, todo lo que hacemos afecta a otros. Como sucede con cualquier tipo de contacto humano, el efecto puede ser positivo o negativo.

Basta que pensemos en toda la gente que nos ve o nos escucha en el transcurso del día. Cuando tratamos de pensar bien de nosotros mismos y actuar de esa manera, cuando nos comprometemos a seguir conductas para evaluar nuestra autoestima, estamos teniendo una influencia constante en la gente que nos rodea. ¿Quién sabe cuáles son las batallas que se están librando en el corazón tapiado de un hermano o hermana que se encuentra a nuestro lado? ¿Quién sabe lo que en realidad se oculta tras la fachada feliz que nuestros semejantes quieren mostrarnos? Tal vez un mundo de dolor.

Una sonrisa, una palabra de aliento o un halago bien pueden ser una extensión del esfuerzo que hacemos por ayudarnos a nosotros mismos. Transformado, cualquier bien que hagamos puede convertirse en la llave mágica que abre una puerta oxidada hace mucho en el corazón de otra persona. Somos más poderosos de lo que los demás piensan. Lo que hacemos o no logramos hacer es tan importante para nosotros como para otras personas.

La gente común y corriente suele ejercer una influencia extraordinaria.

7 de septiembre

Un hombre muerto de hambre en Capri
dirigió su mirada hacia mí.
Edna Saint Vincent Millay

Algunas personas llevan el dolor y la carga de una extraordinaria empatía y compasión. Debido a un aleccionamiento social prematuro o quizás un poco al código genético, son mucho más sensibles que la generalidad a las aflicciones de otras personas. Rápidamente identifican, entienden y «sienten» a través de los demás dificultades y penas de las que gente menos perceptiva ni siquiera se percata.

Nadie sabe cuántos corazones han sido aliviados y cuántas lágrimas enjugadas por estas almas tiernas y bondadosas. Sin embargo, esta cualidad, ya sea innata o aprendida o ambas, es una bella rosa con espinas. El peligro, desde luego, radica en ir demasiado lejos, dar demasiado o dejar que la cabeza se ablande tanto como el corazón.

La autoestima se eleva cuando honramos nuestros valores, pero las expectativas de nuestra persona deben estar fundadas en la realidad. Es imposible responder a *todas* las llamadas de auxilio. Para que sean efectivas a largo plazo, las obras compasivas deben guiarse por la disciplina y la sabiduría. Ni siquiera los mejores impulsos tienen una reserva ilimitada de energía a la cual recurrir. Si queremos tener algo para dar el día de mañana, debemos aprender a medirnos hoy.

Para manejar la compasión se requiere un plan tan cuidadoso como para manejar cualquier otro recurso importante.

8 de septiembre

*A lo largo de su vida, todo individuo debe dedicar sus
esfuerzos a sembrar felicidad y disfrutarla.*

Ch'en Tu-hsiu

Aunque la felicidad no es constante para nadie, nuestra capacidad para alcanzarla sí lo es. No hay un momento en nuestra vida en el que no podamos luchar por la felicidad. Sin embargo, luchar por la felicidad es una propuesta distinta a la de desear ser feliz. Muchos de nosotros hemos asumido un papel pasivo. Aguardamos la felicidad, la anhelamos, nos quejamos si tarda mucho en llegar, pero dejamos de esforzarnos verdaderamente por ser felices.

Esforzarse significa intentarlo, hacer planes conscientemente y seguirlos sin descanso para alcanzar la meta deseada. Las personas que logran una meta valiosa son luchadoras. Es la única manera de lograrlo. La excelencia no es más que la faceta pulida de la práctica.

Del mismo modo, en la búsqueda de la autoestima, debemos aprender a ser luchadores tenaces. Debemos pararnos de la banca y hacer nuestras lecturas diarias, practicar la palabra positiva, evitar los lugares y la gente que nos bajan la moral —es decir, todos los comportamientos que paso a paso nos permiten llegar a nuestra meta.

Mi felicidad es un resultado, no un regalo.

9 de septiembre

*El valor va caminando desnudo por
una aldea de caníbales.*

Sam Levenson

La desnudez ante devoradores de gente debe ser la vulnerabilidad máxima, ¿no es así? Se trata de una idea tan terrible que casi es cómica, si de alguna forma no nos fuera *familiar*. Por desgracia, las imágenes horribles de vulnerabilidad resultan conocidas para muchos de nosotros.

Nuestra propia «aldea de caníbales» es cualquier lugar en el que nos encontramos cuando decidimos, por el bien de la autoestima, que ha llegado el momento de bajar la guardia. Quizá para obtener nuestra libertad, debemos enfrentar la perspectiva de vencer una adicción a alguna sustancia o persona. Sabemos que tendremos que despojarnos del engaño y la negación, salir de nuestra cubierta protectora, para hacer el trabajo. Tal vez debamos enfrentar y levantarle la voz a un padre autoritario que nos ha hostigado hasta la edad adulta, hablar de lo que es sentirse vulnerable. Quizá los caníbales a quienes tememos son los sentimientos verdaderos a los que debemos exponernos por primera vez; ¡de seguro dejarán nuestros huesos limpios!

Todos tenemos un sitio especialmente peligroso que queremos evitar. Nos alejamos kilómetros de nuestra ruta con tal de rodearlo, de asegurarnos de que no nos acercaremos sin un equipo completo de protección. «¡Cualquier cosa menos ésa!», decimos, «¡Cualquier lugar menos ése!», pero si es necesario que entremos desnudos, eso es lo que debemos hacer.

Los peligros que enfrento disminuyen conforme siento la confianza en mí mismo.

10 de septiembre

El valor es contagioso. Cuando un hombre valiente
se pronuncia, se fortalece el temple de otros.

Billy Graham

El valor es algo personal. Todos lo forjamos —o no— en la intimidad de nuestra alma. Nadie puede ser más valiente *por* uno de lo que uno puede serlo por otra persona. Finalmente, la responsabilidad es nuestra.

Sin embargo, hay un elemento común en todo crecimiento individual. Cuando alguno de nosotros asume una postura, creamos un modelo que inspira a los demás. De formas que nunca imaginaríamos, hasta nuestros esfuerzos de valentía más insignificantes —que tal vez ni siquiera sean particularmente fructíferos— tienen resultados que nos rebasan. Una sola acción nuestra puede convertirse en la piedra que alguien utiliza para empezar a construir.

Todas las palabras y los hechos humanos son una especie de radiotransmisores. Constantemente enviamos vibraciones y mensajes. No tenemos idea de cuántos puedan estar «sintonizados», pero la mayoría contamos con una audiencia más numerosa de lo que imaginamos. Decir una palabra en contra de la intolerancia, negarse a consumir drogas, estar dispuesto a lidiar estando en desventaja, éstas son sólo algunas actitudes personales de valentía que iluminan la oscuridad. Aunque nuestra intención no sea, ni debe ser, «impresionar» a los demás, es bueno saber que nuestra dulzura personal, como efecto secundario, puede servir para regar el jardín de otros.

¡No mires ahora, pero alguien te está observando!

11 de septiembre

El hábito es más fuerte que la razón.

George Santayana

Amarnos o despreciarnos se vuelve un hábito y los hábitos, a la manera de los seres vivos, tratan de sobrevivir. Cuando los atacamos, de inmediato levantan una defensa heroica. Todos los hábitos hacen esto, tanto los sanos como los insanos. De modo que alguien que se desprecia habitualmente e intenta un cambio radical, debe esperar una gran resistencia. Siempre sucede así.

En medio de nuestros esfuerzos por levantar nuestra autoestima —si estos esfuerzos van en contra de un hábito acendrado de autoderrotismo—, quizás nos sorprendamos de pronto pensando: «Tengo derecho a ser como yo quiera» o «Esto de la autorrenovación es pura fantasía. Soy lo que soy y siempre seguiré siendo así».

La autocompasión a menudo asoma su horrible cabeza en defensa de los viejos hábitos. Este arraigado aguafiestas puede decirnos seductoramente: «Pobre de mí. Me ha sido tan difícil la vida, tengo una excusa para no intentarlo» o «No nací con grandes dones. Para otra gente es mucho más fácil que para mí; si intento mejorar, voy a fracasar». Cuesta acabar con los viejos hábitos. Hay que esperar resistencia, tomarla como tal y contrarrestarla.

La autocompasión y la desesperanza son los guardaespaldas de hábitos arraigados largo tiempo atrás.

12 de septiembre

El peor pecado que podemos cometer contra nuestros semejantes no es odiarlos, sino mostrarles indiferencia: ésta es la esencia de inhumanidad.

George Bernard Shaw

Todos recordamos épocas dolorosas en las que nos han desairado o ignorado. La indiferencia puede lastimarnos tanto como el odio. Cómo manejamos esas heridas es un indicador preciso de cómo manejamos nuestras vidas. ¿Esas llagas sanarán o supurarán, nos motivarán o nos desmoralizarán? Esto lo decide la autoestima.

Hace unos cincuenta años un niño pobre estaba sentado pescando con su caña a la orilla de un río. De vez en cuando, pasaban botes grandes y bonitos llenos de gente alegre y bien vestida, pero nunca se detuvo ninguno. Nunca nadie le preguntó al niño si quería subir y él no lograba entenderlo. Con su lógica infantil, se preguntaba por qué. Después de todo, tenían mucho espacio y lo veían claramente sentado en la ribera lodosa. Algunos hasta lo saludaban. ¿Por qué no lo invitaban?

Ahora ese joven pescador de antaño es dueño de varios botes grandes. Todas las semanas invita a grupos de personas que no tienen recursos para esos lujos a dar un agradable paseo en bote. Hoy puede proporcionar el placer que a él le negaron y nunca ha dejado de invitar a cuanto niño ha visto en la ribera.

Dar es dulce, pero dar lo que nunca me dieron es aún más dulce.

13 de septiembre

*Cuídate de ti mismo más que
de ningún otro hombre.*

Thomas Fuller

Si somos serios al rehabilitar nuestras actitudes y, en consecuencia, nuestra percepción, queremos hacer que las circunstancias nos sean favorables hasta donde sea posible. Para empezar, debemos alejarnos de los negativos, los necios, los charlatanes, los seductores —o cualquier otra persona que nos inmoviliza cuando intentamos avanzar. Es una persona verdaderamente sabia aquella que sabe a quién y qué evitar.

Sin embargo, también es sabio recordar que nosotros mismos somos nuestro mejor amigo y nuestro peor enemigo. En malas compañías o no, nadie puede obligarnos a hacer nada sin nuestro consentimiento. Aunque todos los días se nos pueden presentar montones de invitaciones al cinismo, la negatividad, la autocompasión y los malos pensamientos, podemos rechazarlas. Si las aceptamos, sólo podemos culparnos a nosotros mismos. Finalmente, abrimos el correo o atendimos el teléfono.

Por ignorancia, celos o miedo, otra gente tal vez nos arroje piedra en el camino. Sin embargo, al hacer un análisis final, *nosotros* somos quienes tenemos tanto los malos hábitos que debemos erradicar como el poder para erradicarlos. Somos nosotros, nadie más, quienes tenemos la llave para acceder a todo ese poder.

Debo cuidarme tanto del enemigo interno como del externo.

14 de septiembre

Ten cuidado con tus expectativas
pueden convertirse en tu realidad.
Elita Darby

Salvaguardar nuestros objetos de valor es totalmente lógico. Nuestro hogar, nuestra familia, nuestra reputación son bienes preciosos a los que no se les puede poner precio. Sin embargo, tal vez ningún valor requiera una protección más cuidadosa que la integridad de nuestros pensamientos, porque nuestros pensamientos habituales se hacen realidad.

Si nos permitimos, aunque sea de modo subconsciente, suponer de manera negligente que lo que ocurre en el mundo es predecible, justo o controlable, entonces interpretaremos cada golpe que nos asesten como un ataque personal sorpresivo. Es fácil que nos consideremos víctimas de la vida en vez de participantes.

Si, no obstante, nos aseguramos de mantener un apego equilibrado a la realidad, vemos muchos de los inconvenientes, menosprecios y absurdos de la vida como tales: la vida tal como es. Muchas, quizá la mayoría, de las cosas que suceden no son necesariamente personales, no están dirigidas necesariamente hacia nosotros. Cuando esperamos que la vida sea cualquier cosa menos lo que es, nos exponemos a sufrir una decepción innecesaria.

Mi visión de lo que debería ser la vida rara vez corresponde a la realidad.

15 de septiembre

*Pasarse la vida cometiendo errores no sólo es
más honroso, sino también más útil,
que pasarse la vida sin hacer nada.*
George Bernard Shaw

La capacidad de admitir nuestras fallas y errores no sólo es algo magnánimo, sino absolutamente *necesario* si queremos sacar a nuestra autoestima de un bache. No podemos rescatar la autoestima si anteponemos un falso orgullo. Lo único que hacemos al defender un error es duplicar sus efectos.

No obstante, la falta de autoestima nos impulsa a ocultarnos tras las paredes del rechazo o la desilusión, a inculpar a otros por nuestros errores o a afimar que nunca ocurrieron, todo lo cual aumenta la desilusión. Lo obvio, por supuesto, es que nadie es perfecto. No existe nadie que nunca cometa errores. La división se establece entre la gente que aprovecha sus errores y la gente que no.

La mayor parte de lo que aprendemos se debe a las fallas que hemos tenido. La sabiduría, la forma más profunda de todo conocimiento, sólo puede obtenerse enfrentándonos, tropezando y luego levantándonos y siguiendo adelante —cada vez más fuertes y más avispados. Si nos equivocamos, apresurémonos a admitirlo y a enmendarlo. El único error realmente dañino es la negación del error.

Admitir honestamente que me he equivocado me reivindica de mis errores.

16 de septiembre

Es triste no ser amado, pero es aún más
triste no ser capaz de amar.

Miguel de Unamuno

¿Qué puede haber más apabullante que enamorarse de alguien que no nos corresponde o que no tiene las condiciones necesarias para establecer una relación sana? Cualquiera de los dos casos acaba con la autoestima. No importa cuánto tratemos de cuidarnos o de poner en práctica nuestro programa, el amor no correspondido es una desgracia mientras dura.

Es doloroso dar a alguien que no quiere o no puede retribuirnos. Aunque sepamos que el consumo de fármacos o cualquier otro problema emocional es la verdadera razón que se oculta tras el rechazo del ser amado, pero de cualquier forma se trata de un rechazo y nos lastima. Aunque digamos, con todo derecho: «Es su problema», lo que tenemos que manejar sigue siendo *nuestro* dolor.

Dependiendo de la situación, lo que puede y debe hacerse es muy variable. Lo que no varía es el triste hecho de que no podamos *hacer* que otra persona nos ame, por mucho que nos empeñemos. Sin importar cuántos kilómetros extra queramos recorrer, si el otro no quiere moverse ni una pulgada la relación tampoco se moverá ni una pulgada. Mientras no aceptemos esto y tomemos cierta distancia, seguiremos estancados donde estamos.

Si otros han sobrevivido a desventuras amorosas, yo también puedo.

17 de septiembre

Después de todo, el halago es nuestro mejor alimento.
Reverendo Sydney Smith

Por mucho que lo anhelemos y suframos cuando no lo recibimos, el halago nos hace sentir incómodos a la mayoría. «Gracias», decimos, «pero debí haberlo terminado ayer»; «Gracias, pero todavía me faltan cinco kilos»; «Gracias, pero este color no me va bien». Somos casi tan malos para aceptar cumplidos como para aceptar críticas.

Tal vez nos sintamos avergonzados por nuestra necesidad de reconocimiento. Quizá lo que nos avergüenza tanto no es el cumplido en sí —que a lo mejor merecíamos desde hace mucho tiempo y es mucho menos entusiasta de lo que debería ser—, sino el miedo a vernos expuestos. Preferimos morir a permitir que alguien sepa lo mucho que necesitamos sentir que reparan en nosotros y que nos aprecian. Así que le restamos importancia a las palabras de halago y las desviamos tan pronto como las pronuncian; de esa forma, nos seguimos manteniendo en «huelga de hambre».

No nos damos cuenta de que cualquier otra persona está tan hambrienta como nosotros. Dentro de cada uno, aunque ya estemos canosos o calvos, hay un alumno de primer año de primaria con el rostro reluciente que desea que le pongan una estrellita en la frente. Todos necesitamos aplausos y recibimos muchos menos de los que merecemos. A medida que aprendemos a aceptar nuestra necesidad, dejamos de ser tan conscientes a la hora de aceptar halagos.

La capacidad de aceptar con gracia un halago es un signo de madurez emocional.

18 de septiembre

Las medias tintas no nos dejan nada.

Alcohólicos Anónimos

Al emprender cualquier aventura hay una gran sabiduría en no intentar lo imposible. Cuando nuestras expectativas rebasan nuestras posibilidades, lo único que hacemos es malograr nuestros esfuerzos.

El consejo de la «biblia» de AA no sólo se aplica a los actos, sino a los propósitos. La expresión *medias tintas* se refiere también a actitudes como «tal vez», «qué agradable sería si» o «lo haré algún día». Por supuesto, con estas actitudes a medias se obtienen resultados a medias. Cuando llega el momento de manejar la autoestima o cualquier otro activo valioso, no podemos darnos el lujo de perderlo.

Tal vez aún no estemos en condiciones o seamos capaces de cambiar de rumbo —pero lo que cuenta es la actitud de que el cambio está en camino. Quizás hoy no tengamos la fuerza para enfrentar una situación ofensiva, pero es más importante el compromiso de construir esa fuerza. Puede ser que ahora no seamos capaces de dar un paso gigantesco, pero la práctica diaria que fortalece y aumenta nuestras habilidades nos garantiza que llegará el día en que tendremos esa capacidad. Cuando hacemos cuanto *podemos*, estamos haciendo un gran esfuerzo.

Puede ser que las actitudes tajantes tampoco me dejen nada.

19 de septiembre

Nada es más fácil que engañarse a uno mismo,
porque todo hombre cree que lo que desea es cierto.
Demóstenes

La gente con una gran energía y entusiasmo puede lograr maravillas. Si también es inteligente y centrada, es más probable que tenga éxito en todo lo que intente; a menos que también sea deshonesta.

Un hombre llamado Alex buscaba desesperadamente librarse del sentimiento de culpa y lograr la serenidad que da una autoestima positiva. Al armar un programa de desarrollo, decidió poner todo de su parte. No había *nada* que Alex no intentara, no había ningún comportamiento que no iniciara y practicara obstinadamente. Leía cuanto material de autoayuda llegaba a sus manos. Llevaba un diario. Asistía a reuniones todos los días. No obstante, pese a todos sus esfuerzos, seguía atascado en un pantano de culpa.

Alex tenía problemas con su manera de beber. Como la bebida era el origen verdadero de la culpa que lo atormentaba, nunca iba a hacer progresos a menos que, *además* de su nuevo programa de actividades, también venciera su adicción. Ni siquiera los «inicios» más entusiastas del mundo lo ayudarán mientras no reúna el valor para dar ese «paso» crucial. Sólo se está engañando al esforzarse tanto en una labor, en su caso, equivocada.

Si el éxito es la meta, lo primero es lo primero.

20 de septiembre

Cuando primero se señalan las virtudes,
las fallas parecen menos insalvables.
Judith Martin

Es lógico pensar que no podemos mermar la autoestima de alguien sin dañar la nuestra al mismo tiempo. Debemos recordar esto cuando es nuestro deber legítimo corregir a un niño, a un empleado o a cualquiera que esté bajo nuestra autoridad. Cuando el equilibrio de poder entre dos personas es desigual, se cae fácilmente en la insensibilidad.

Antes de señalarle a alguien sus defectos, por decencia debemos conducir la conversación de tal forma que también reconozcamos sus cualidades. Cualquier comentario positivo y sincero amortiguará y creará un ambiente propicio para las críticas que seguirán. A final de cuentas, nuestra meta es ayudar a esa persona a mejorar y nadie mejora después de sentirse apaleado.

Las críticas sensibles y constructivas crean una situación en la que llevamos las de ganar. Si comienza con halagos, la persona que lleva la batuta ayuda a la otra persona a conservar su dignidad y su valía. Cuando permitimos que otros guarden las apariencias, no sólo demostramos gentileza y generosidad, sino también inteligencia y madurez.

Debo manejar con cuidado las críticas a los demás, por mi bien y por el de ellos.

21 de septiembre

Nada es más difícil y, por lo tanto, más precioso,
que ser capaz de decidir.

Napoleón I

Hay razones tanto psicológicas como económicas para que consultemos a los expertos antes de pisar un nuevo terreno. Los precursores nos ayudarán a reducir los riesgos al mínimo. Antes que nada, pueden ayudarnos a decidir si debemos meternos en eso.

No obstante, en los esfuerzos personales, como la búsqueda de autoestima, las aportaciones externas tienen un valor limitado. En última instancia, las decisiones constructivas o destructivas no son de nadie más que nuestras. Supongamos, por ejemplo, que alguien nos reprocha y alguien más nos felicita por el mismo rasgo. ¿A quién debemos creerle? O digamos que hemos tomado una decisión que tendrá una influencia considerable en nuestra autoestima. Consultamos a varias personas sensatas y todas nos dan un consejo distinto. Una vez más, ¿a quién debemos creerle?

Por supuesto, preferiríamos compartir la responsabilidad y hacer que alguien más lleve parte de la carga. Tal vez hasta nos gustaría que alguien más decidiera *por* nosotros, pero entonces nunca disfrutaríamos la seguridad que nos da aprender a confiar en nuestro propio juicio.

Puedo aprovechar las opiniones de otros para validar mis razonamientos, pero decidir por mí mismo.

22 de septiembre

La distancia entre nada y un poco es diez mil veces mayor
que la distancia entre poco y lo máximo en esta vida.

John Donne

Todas las conversaciones grandilocuentes de los oradores dedicados a la motivación quizás sean desalentadoras en realidad cuando consideramos hasta dónde hemos llegado. «Qué maravilla», podemos mascullar mientras tratamos de armarnos de valor para dar aunque sea un paso diminuto en una nueva dirección.

Sin embargo, no hay nada de contradictorio en pensar a lo grande y empezar poco a poco. De hecho, un inicio medido y realista es el mejor indicador de que el verdadero progreso está en el trabajo. Los éxitos que apuntalan la autoestima no llegan de repente. El progreso real siempre se logra centímetro a centímetro, decisión por decisión, poco a poco; ¡pero qué importantes son esos primeros centímetros que nos llevan de la nada a algún sitio!

Bien puede ser que *precisamente ahora* no tengamos la fuerza necesaria para vencer algún detestable ciclo de dependencia, pero lo más importante no es lo que está sucediendo *precisamente ahora*. Si tomamos decisiones moderadas y damos pasos pequeños, *tendremos* la fuerza necesaria para actuar cuando llegue el momento. Eso es todo.

El verdadero progreso requiere tiempo y paciencia.

23 de septiembre

Hablar es una hermosa locura: con
ello el hombre baila sobre todas las cosas.

Federico Nietzcshe

Elevar la autoestima es una cuestión de desarrollo y todo desarrollo requiere honestidad. Lo contrario de la honestidad es la desilusión y el rechazo; los impostores no nos traen nada verdadero o útil. Intelectualizar es uno de los métodos para «bailar tap» sobre la honestidad. Cuando arrojamos una cortina de humo de palabras inteligibles sólo para algunos o que no les despiertan suficiente interés, estamos creándonos una ruta de escape para eludir responsabilidades.

En todas las lecturas, la verborrea y las reuniones relacionadas con la autoayuda, quienes tendemos a intelectualizar podemos encontrar infinidad de lugares donde ocultarnos. Es fácil crear un complicado laberinto de palabras y frases apropiadas que no lleva a ninguna parte, pero en ningún momento el significado de esas palabras tiene que ver con *la vida tal y como la vivimos.* Si usamos palabras de moda, podemos perder de vista la verdad.

Hace poco, Carlos recibió críticas por esto en la reunión de su grupo de apoyo. Después de su acostumbrado despliegue de lenguaje rebuscado, un miembro del grupo le dijo: «No entendí nada de lo que dijiste. Otra vez te estás enredando. Habla claro. ¿Quién eres? ¿Qué está pasando contigo? ¿Qué quieres hacer al respecto?» Carlos tuvo la fortuna de encontrar a un verdadero amigo esa noche. Le fue posible lograr una mejor autoestima gracias a que alguien lo retó a salir de la cortina de humo.

Las palabras rimbombantes no pueden remplazar a la verdad simple y llana.

24 de septiembre

Cada nueva etapa parte de los restos del pasado. Ésta es la esencia del cambio, y el cambio es la ley fundamental.

Hal Borland

Llegar a un acuerdo con nosotros mismos y con el mundo en el que vivimos es una negociación continua. No es un trato que nos cueste negociar una sola vez y después olvidarlo. Las circunstancias cambian y nosotros también. Las herramientas y técnicas que nos mantuvieron activos hace diez años tal vez ahora nos resulten inútiles.

Cuando nuestros hijos vivían con nosotros, por ejemplo, quizás les dedicábamos lo mejor de nuestra atención y energía. Reparar sus bicicletas, acompañarlos a sus fiestas, compartir sus alegrías y sus penas nos hacía sentir necesarios y útiles. Ahora que viven por su lado, debemos encontrar un nuevo interés si queremos que esta nueva etapa de nuestra vida sea tan feliz y plena como la anterior. La jubilación también nos presenta el mismo reto; para seguir adelante, debemos reorganizarnos.

Las transiciones de la vida sólo son terribles cuando luchamos contra ellas. Tal vez en una época basamos nuestra autoestima en el hecho de ser los «primeros» en el concurso de ortografía; después maduramos un poco y aspiramos a otras cosas. Renegociamos con la realidad. Para mantenernos sanos y felices, debemos aceptar y trabajar ese proceso continuo y de toda la vida.

Los componentes de mi autoestima cambian según las circunstancias.

25 de septiembre

*Si un aborigen formulara un examen de
inteligencia, probablemente toda la
civilización occidental lo reprobaría.*

Stanley Garn

Es duro para nuestra autoestima que nos llamen «tontos», pero aceptar ese insulto es peor aún. ¿Quién tiene derecho a poner etiquetas a los demás? Hay *muchas* clases de «listos» que no destacan en los exámenes de inteligencia ni brillan en el salón de clase. Con mucho, la definición de inteligencia es relativa.

Muchos reforzamos nuestra autoestima juzgando a otros de acuerdo con nuestras normas particulares. La maestra de escuela que se ríe de la gramática de su mecánico probablemente no se da cuenta de que su ignorancia acerca de la mecánica provoca la risa de aquél. El artista incapaz de calcular sus impuestos bien puede sentirse superior a su contador, quien preferiría una foto instantánea de su perro a cualquiera de las obras del artista. La lista es interminable, todos los egos se disputan un lugar superior.

Obviamente, lo que en una escala nos hace parecer menos que brillantes en otra puede colocarnos en la cima. Como lo indica la cita de esta página, ¿qué tal nos iría si nos abandonaran en la llanura australiana y tuviéramos que adquirir los conocimientos y las habilidades para sobresalir ahí? Debemos dejar de hacer comparaciones falsas y superficiales para engrandecernos. Debemos dejar de humillar a la gente y tacharla de «tonta». *Nunca* debemos confiar en nadie que nos ponga esa etiqueta.

Sólo los tontos llaman «tontos» a otros.

26 de septiembre

Un optimista cayó diez pisos y en cada barrote de ventana
le gritaba a sus amigos: «¡Hasta ahora, todo va bien!»
Anónimo

Es fácil reírnos del «optimista» en picada, pero ¿cuántas veces nosotros hemos tenido esperanzas ciegas en situaciones a todas luces imposibles? ¿No nos hemos negado a ver hacia adelante simplemente porque no queremos ver lo que se aproxima? ¿No hemos fabricado montones de «motivos» para justificar un proceder por completo irrazonable?

La mayoría hemos tenido momentos en nuestra vida en los que nos dejamos llevar sin pensar a dónde nos dirigimos. Quizá sabíamos que íbamos directo a una caída, pero de alguna forma no quisimos ver lo que era evidente. ¡Tal vez hasta nos congratulábamos cada minuto, como el optimista, por seguir con vida!

Después vino el choque inevitable, la devastación, el rompimiento. Sólo entonces nos percatamos de que no estábamos «sobreviviendo» cuando nos precipitamos al vacío. La sobrevivencia fue el doloroso proceso de arreglar el desorden y curar nuestras heridas. Aprendimos por la vía difícil que volar es una fantasía, que flotar dista mucho de ser un paseo gratuito y que el falso optimismo es un pésimo paracaídas.

Una actitud positiva ante un comportamiento negativo produce un resultado negativo.

27 de septiembre

Llegó también una viuda pobre y echó dos óbolos.

Marcos 12/42

De acuerdo con el diccionario, un óbolo es una moneda pequeña de «escaso valor». En la Biblia dice que dos óbolos equivalían a un centavo. Como sea que lo calculemos, una oferta de dos óbolos es tan poco que casi no tiene importancia. ¿Qué diferencia puede haber entre darlos o no? ¿Por qué molestarnos si no podemos hacer más?

Un sábado por la mañana, Javier se presentó en la reunión de su grupo de apoyo. Se presentó, a pesar de estar deprimido, desempleado y molesto consigo mismo. Ni siquiera tenía una moneda para insertar en la máquina de café, pero de cualquier manera asistió. «Me siento tan deprimido que creo que no tengo ningún derecho a estar aquí», le comentó a un amigo que lo saludó en la puerta. Javier no habló en la reunión y la verdad es que tampoco le corría prisa por irse. Se sentó y trató de escuchar. Eso era lo más que podía hacer.

Como la viuda del relato de la Biblia, ese día Javier aportó más que los otros porque dio todo lo que tenía: su presencia. Con tan sólo tener el valor de presentarse, hizo una contribución invaluable al «tesoro» de su grupo. ¿Quién nos dice cuántos de los que estaban ahí, al ver que se negaba a retirarse, se fueron impresionados e inspirados? ¿Quién sabe si ese mero acto de determinación obstinada no fue un momento crucial en la vida de Javier?

Ninguna acción positiva es demasiado insignificante.

28 de septiembre

Cualquier hombre bien vestido puede estar de buen
talante. Esto no tiene gran mérito.

Charles Dickens

Desde luego, devolvemos una sonrisa cuando la fortuna nos sonríe primero. En las épocas en las que todo sale a pedir de boca, no tenemos problema alguno para sentirnos bien con nosotros mismos. ¿Por qué habríamos de tenerlo? El sol sale todos los días, todos nos aman y nosotros los amamos. Cuando la vida es fácil, también la autoestima es fácil; pero ¿qué ocurre cuando la veleidosa fortuna encuentra otro amigo? ¿Qué sucede cuando nos llueve en nuestras «mejores galas»?

Por mucho que lamentemos los efectos negativos de las influencias externas, las influencias externas positivas, cuando les otorgamos demasiado poder, también pueden ocasionarnos problemas con la autoestima. Después de todo, no podemos controlar *ni* el sol *ni* la lluvia. Si basamos la consideración que tenemos hacia nosotros mismos en las coincidencias afortunadas o los golpes de suerte, ¿qué tan seguros nos sentiremos cuando se nos acabe la suerte? Ninguna luna de miel es eterna.

Nuestra autoestima debe estar lo bastante cimentada para ayudarnos a soportar el mal clima que empaña tantos días de nuestra vida. Esto significa que nuestra salud depende más de lo que sucede en nuestro interior que de lo que sucede fuera. La autoestima es un don que nosotros nos obsequiamos. Las circunstancias afortunadas pueden impulsarnos, pero somos nosotros quienes debemos escalar.

La esencia de mi autoestima no depende de las circunstancias externas.

29 de septiembre

Le tocaron cinco ases. Ahora toca el arpa.

Epitafio, Boot Hill, Arizona

El humor es un aspecto de la autoestima al que se le da poca importancia. Siempre tenemos tantos asuntos serios que atender que somos afortunados si podemos ocuparnos del humor.

No obstante, perdemos gran parte de la autoestima al concentrarnos en los aspectos patológicos de nuestra vida. Dedicamos tanta atención a lo que está mal en nosotros, en el mundo y en todo lo que hay en él, que nos deprimimos. El humor es un antídoto efectivo para todo lo tóxico que recibimos.

La autoayuda requiere un conocimiento de uno mismo que sólo podemos lograr husmeando y palpando nuestros puntos sensibles y delicados. Sin embargo, la vida no está hecha para ser una larga clase de anatomía. Todo el propósito de la autoayuda es llegar a un mejor lugar —que no es un quirófano o una morgue. Tanto las lágrimas como la risa son expresiones de la realidad. Si uno no encuentra muchos motivos para reír, es como si volara con una sola ala.

«Animarse» no significa caer en la simplicidad, sino ver la luz.

30 de septiembre

Es mejor cabalgar en la laboriosidad
que en la genialidad.
Walter Lippmann

¡Qué maravilloso sería tener la capacidad de un genio! Podríamos resolver problemas sin ningún esfuerzo o pintar obras maestras con la misma facilidad con que un niño hace garabatos en una hoja de papel. Tal vez hasta descubriríamos la cura del cáncer. ¡Cómo se elevaría nuestra autoestima si pudiéramos hacer todas esas maravillas!

Quizás. La genialidad es un don. Como todos los dones verdaderos, no es algo que se gane o merezca, sino que se recibe aleatoriamente. La genialidad mal empleada o desperdiciada le sirve de muy poco a su depositario. De hecho, muchos genios han tenido vidas tristes.

La prudencia nos aconseja que es mejor confiar en la laboriosidad y el empeño. Aunque el precio de ello sean errores y callos, el aprendizaje y la práctica nos reportan algo valioso, hacen de *nosotros* algo valioso. El valor de lo que adquirimos a través de la laboriosidad es proporcional a nuestro esfuerzo para obtener logros y ese valor es lo que nos hace respetarnos.

Mi capacidad para hacer un buen trabajo es un elemento importante de mi autoestima.

1o. de octubre

Una conciencia culpable no necesita acusador.

Proverbio inglés

Algunas veces la falta de autoestima es una consecuencia directa de los comportamientos indignos. Esto ocurre cuando insistimos en hacer cosas que simplemente no son justas: ni para nosotros ni para nadie más. Como no somos psicópatas, no nos hace sentir bien actuar mal.

En tales situaciones, nuestra autoestima no se equivoca. Lo que debemos cambiar es nuestro comportamiento, no nuestros sentimientos. Supongamos que estamos consumiendo alcohol o alguna otra droga para sustituir nuestra falta de habilidad y valor. No podemos seguir haciéndolo y conservar el respeto hacia nosotros mismos. O tal vez tenemos el hábito de mentir y hacer trampa en los negocios. Aunque tengamos repleta la cartera, nuestra integridad siempre queda comprometida. Una irresponsabilidad grave en cualquier área de nuestras vidas acarrea consecuencias graves —de las cuales la menor no es el remordimiento de conciencia.

A corto plazo, los malos comportamientos pueden proporcionarnos diversión, alivio o beneficios. Sin embargo, el costo se eleva con el tiempo. Llega un día en que no toleramos vernos en el espejo o no podemos quedarnos ni un minuto en compañía de nuestros pensamientos. Quizás entonces decidamos que el costo de la terquedad fue demasiado alto. Tal vez le pongamos fin a la conducta ofensiva y empecemos a recuperar el respeto hacia nuestra persona.

No puedo manipular mi paz interna; si no la merezco, no la tendré.

2 de octubre

Dime a qué le pones atención y te diré quién eres.

José Ortega y Gasset

Donde está la mente, estará el corazón; nos volvemos aquello en lo que pensamos. Esta idea debería pararnos en seco. ¿Por qué? Nuestro sentido del yo es el reflejo de nuestros patrones habituales de pensamiento.

¿Cuál es nuestro modo de pensar cotidiano? ¿Siempre centramos nuestra atención en las debilidades de la gente y las cosas? ¿Nos percatamos de inmediato de que la sopa está salada y las sillas son incómodas? Si ésos son nuestros hábitos mentales, la fealdad y el fracaso humano que están a nuestro alrededor también serán evidentes. La imagen que tenemos de nosotros también tendrá ese mismo aspecto: feo, triste, fracasado.

No obstante, cuando presentamos un cuadro diferente aprendemos a buscar lo bueno. Entonces vemos a los conductores que van en el periférico en las horas pico como compañeros trabajadores y no como antagonistas sobre ruedas. Entonces percibimos el cuidado y cariño con el que cocinaron nuestra comida o nos compraron una tarjeta de felicitación. Cuando nos concentramos en la belleza del mundo —conscientes de que también existe lo opuesto—, nuestra imagen brillará con la misma luz dorada. Hagámonos cargo de nuestros hábitos de pensamiento si queremos ver esa luz.

La autoestima refleja cualquier luz que la mente arroja sobre el mundo.

3 de octubre

«Conocerte a ti mismo» es que te
conozca alguien más.

Philip Rieff

Autoayuda es sinónimo de autorrevelación. El desarrollo personal siempre es directamente proporcional al grado en que uno comparte con los demás. Lo mismo ocurre con la autoestima. Nos conocemos y nos valoramos en la misma medida en que queremos que nos conozcan los demás.

Hablar no significa necesariamente compartir. Hay quienes parece que nunca dejan de hablar y, sin embargo, dicen muy poco. La autorrevelación no tiene mucho que ver con cuánto o qué tan a menudo hablemos; tiene que ver con el contenido de lo que decimos. ¿Hay alguien que nos conozca de verdad? ¿Permitimos realmente que alguien pise *dentro* del jardín en el que estamos?

Muchos hemos vivido siempre ocultos tras algunas o muchas puertas cerradas. En algún momento trágico, aprendimos que no era seguro compartir o revelar los sentimientos, dejar que nos conocieran. Nos volvimos expertos en camuflaje, maestros para ocultar quiénes somos en realidad detrás de varios disfraces ingeniosos. Algunos simplemente accedemos, todo el tiempo y a todo. Otros están demasiado ocupados para sostener una conversación profunda. Otros más ponen una cara tan hosca y adusta que nadie se atreve a acercárseles. Algunos responden todas las preguntas con un «está bien», y ya. No obstante, si la autoestima implica valorar lo que somos, al escondernos lo único que logramos es menoscabar ese valor.

Hoy puedo permitirme correr riesgos que ayer no podía correr.

4 de octubre

El mayor logro es aceptarse a uno mismo.

Ben Sweet

Es imposible amarnos a nosotros mismos si no nos aceptamos. Por obvio que esto parezca, por fácil que sea repetir mentalmente estas palabras y pronunciarlas, es muy distinto vivir como si creyéramos en ellas. Escuchar y repetir una verdad no es lo mismo que actuar en consecuencia.

Aceptarnos a nosotros mismos implica mucho más que sólo decir «Me acepto». Cuando nos recriminamos severamente por cada error que cometemos o reaccionamos con exageración ante cada falla y debilidad que encontramos en nuestro carácter, nuestros actos están diciendo «No me acepto» mucho más fuerte de lo que mis palabras afirman lo contrario. También debemos aceptar nuestra capacidad de desarrollo. Mientras no estemos profundamente convencidos de que el mejoramiento no sólo es posible sino asequible, estamos muy lejos de desarrollar todo nuestro potencial. ¿Cómo podemos aceptar lo que no conocemos?

Por último, aceptarnos a nosotros mismos es aceptar que nunca «terminamos», sino que siempre estamos en proceso, siempre en camino, siempre transformándonos. Se trata de aceptar a la vida como un viaje y a nosotros como los viajeros que, pese a todos nuestros impedimentos y limitaciones, somos todos y cada uno en este camino a la gloria.

No puedo amar lo que no puedo aceptar.

5 de octubre

El que ya se ha quemado la boca
siempre enfría su sopa.

Proverbio alemán

Así como las experiencias del pasado establecen nuestras expectativas de lo que vendrá, nuestras expectativas le dan forma a los acontecimientos futuros. Algunas personas llaman a este fenómeno la *profecía de la autorrealización*. Otros se limitan a decir «¡*Sabía* que eso iba a suceder!» y nunca descubren un patrón. Sin embargo, el hecho es que las expectativas son las vías por las que corre nuestro tren y el tren va en la dirección de las vías.

Por eso, cuando tratamos de mejorar nuestra autoestima, necesitamos determinar cuáles son realmente nuestras expectativas. ¿*De verdad* esperamos ser felices? ¿Pensamos que los progresos en realidad son posibles? ¿Creemos honestamente que somos capaces de establecer una relación leal y comprometida? ¿Esperamos volver a divertirnos alguna vez?

Tal vez nuestra respuesta sea *no*. Quizá tengamos la certeza absoluta de que «nos va a lastimar», de que lo peor es inevitable, de que el fracaso y la decepción están a la vuelta de la esquina. Si es así, necesitamos saberlo para hacer algo al respecto. Si la autoestima es el tren que corre en las vías de nuestras expectativas, tal vez necesitemos tender nuevas vías.

Las experiencias pasadas predicen mi futuro sólo si yo lo permito.

6 de octubre

Es demasiado fácil hacer que un ser humano
sensible se sienta culpable por cualquier cosa.
Morton Irving Seiden

La falta de fondos en nuestra cuenta de autoestima suele deberse a la culpa. No la culpa en el sentido de «tomé el dinero», sino de «soy responsable de todo, así que también esto debe ser por mi culpa». No hay mejor manera de mermar la autoestima que asumir la responsabilidad de los sentimientos, la felicidad o la necesidad de aceptación de todo el mundo. ¡Nadie tiene una capacidad tan grande!

Tarde o temprano, se nos agotan los recursos. Alguien se siente herido, otro rechazado y muchos más están en la fila esperando una «dádiva de felicidad», alguien a quien agobiar con sus historias, un hombro en el cual recargarse. Como estamos exhaustos, tal vez de inmediato nos culpemos por no tener más para dar. Quizá no nos demos cuenta en absoluto de que nuestro sentido de la obligación está seriamente trastornado.

Manejar la autoestima significa sustituir la culpa enfermiza por una inquietud sana. Estas dos reacciones ante la desgracia de otras personas son muy distintas. La culpa injustificada proviene de la falsa idea que tenemos acerca de nuestro papel en la vida de otros. Implica que no sólo podemos sino que debemos hacer por otros lo que ellos deberían estar haciendo por sí mismos. La inquietud es el interés amoroso y gentil que ayuda a otras personas a encontrar sus propias respuestas.

La culpa irracional es uno de los componentes de la falta de autoestima.

7 de octubre

*¿Habéis preguntado a un sapo qué
es una belleza?... Una hembra con dos
enormes ojos redondos que sobresalen de su
pequeña cabeza, boca grande y plana,
vientre amarillo y lomo marrón.*

Voltaire

Lo que es apreciable para una persona puede ser insignificante para otra. No todos aspiran a los mismos ideales. Es importante recordar que estamos tratando de fomentar nuestra autoestima entendiéndonos a nosotros mismos y a los demás. Resulta sorprendente pensar en la frecuencia con que tendemos a suponer que cualquier persona con sentido común y buena voluntad comparte nuestras predisposiciones y gustos. Cuando vemos que no cumplen con nuestras expectativas, los recriminamos por no haber dado en el blanco. El hecho es que ellos tal vez estén actuando en una dirección totalmente distinta.

Hace varios años, un joven ex convicto alcohólico en recuperación iba a dar una conferencia a un grupo de estudiantes de preparatoria sobre los peligros de las drogas y el alcohol. Se trataba de una ocasión importante para él: se había peinado hacia atrás su cabello negro y se había puesto una camisa café con puños de volantes, unos pantalones ajustados de tela brillante y unas botas italianas con tacón de aguja. Al ver que se registraban estudiantes de clase acomodada, vestidos con sudaderas y jeans, su incrédulo comentario fue: «¡Vaya, vaya, qué gracioso se visten estos muchachos!»

No veo al mundo como es, sino como yo soy. Otras personas tienen su propio y legítimo punto de vista.

8 de octubre

*Disfruta el día de hoy y confía muy poco
en el de mañana.*

Horacio

Los «días buenos» son como perlas. Uno o dos son encantadores y una sarta es aún mejor. ¿Cómo podemos reunir suficientes días maravillosos para tener una vida maravillosa?

Sin duda, lo primero es tener la sabiduría de *desear* que vengan días buenos. La mayor parte del tiempo, con nuestra fatiga, tensión y superficialidad habituales, lo que esperamos es que lo «bueno sea eterno». Insensatamente, eliminamos los días sueltos como si fueran insignificantes migas de tiempo demasiado pequeñas para darles importancia. Mostrándonos indiferentes, podemos dejar que pasen docenas o incluso centenas de días totalmente agradables sin ni siquiera reconocer que cada uno es un don que no volverá. Dejamos que se nos vayan entre los dedos casi sin tocarlos, como si hubiera un abasto ilimitado.

No obstante, nuestros días *son* nuestra vida. Si estamos «guardando» nuestro interés y atención para algo más importante, ¿qué es ese algo? No es más que un error pensar «Cuando salgamos de vacaciones», «Después de que me asciendan» o «Cuando me jubile». ¿Qué estamos esperando? Si no disfrutamos los días buenos que tenemos *ahora*, le estamos dando la espalda a las únicas perlas que vamos a tener. Al igual que los seres vivos, nuestros días están contados. Lo que podemos *hacer* con nuestros días es la única dimensión ilimitada.

Cada día es demasiado precioso para desperdiciarlo.

9 de octubre

¿Dónde hay dignidad a menos
que haya honestidad?
Cicerón

Al principio, reconstruir la autoestima puede parecer muy complicado y confuso. Tras admitir que necesitamos ayuda, no es difícil que nos sintamos agobiados por la cantidad de aspectos involucrados: físicos, emocionales, espirituales, afectivos y de comportamiento. ¿Por dónde empezar? ¿Cómo empezar?

Un buen inicio es sentarnos y pensar un momento. Ninguna medida enérgica es tan importante como entender verdadera y profundamente que la autoestima es antes que nada una cuestión de integridad. Los actos que refuerzan una imagen positiva de nuestro yo refuerzan la integridad y, por ende, la autoestima. Los actos que comprometen aun una pequeña parte de la integridad también comprometen la autoestima, sin importar las justificaciones.

Considerar con cuidado la cuestión de la integridad siempre es el primer paso. ¿Qué actos, basados en pensamientos y sentimientos, dañan nuestra integridad? ¿Estamos acumulando sentimientos o manifestando alguna compulsión? ¿Estamos defendiendo nuestros derechos en el trabajo y en la casa? Primero debemos identificar estas conductas limitantes y después ponerle un alto, o al menos prepararnos para ello. Si no vemos las maneras en que sacrificamos nuestra integridad, tampoco veremos una gran mejoría en nuestra autoestima.

Asumo la responsabilidad de mi propia integridad.

10 de octubre

Nuestros remedios, que a menudo están en
nosotros, los atribuimos al cielo.

William Shakespeare

Daniel es un tipo enorme, bonachón y extrovertido. Por su aspecto, pensaríamos que nunca en su vida ha tenido una duda sobre sí mismo o sobre a dónde quiere ir. Sin embargo, la verdad es que a menudo lo atormentan las dudas y tiene una enclenque confianza en su persona.

A pesar de ello, no se sienta a sufrir. Daniel grabó una cinta de ideas positivas, palabras de estímulo y pensamientos sencillos, no tonterías, «para poner la mente en el buen camino». La cinta que contiene esta valiosa ayuda corre en un tocacintas muy pequeño que se puede llevar perfectamente en la mano, en un bolsillo o en la lonchera.

Después de que perdió su trabajo de treinta años, una de las ocupaciones de Daniel ha sido conducir un taxi. «Siempre que no llevo un pasajero», comenta, «enciendo el tocacintas. La gente que me ve conduciendo piensa que estoy haciendo sólo eso: dando vueltas en busca de un cliente, pero lo que en realidad hago es tratar de tener la cabeza bien puesta. A mí me ha funcionado, realmente me ha funcionado». Nunca sabemos cuándo vamos a conocer a un gigante luchando contra unos dragones asesinos y probablemente no lo reconozcamos cuando lo veamos.

Dios dice: «Ayúdate que yo te ayudaré.»

11 de octubre

*Creo que es aún más difícil darnos la cara
a nosotros mismos que darla a los demás.*

André Gide

¿Por qué es mucho más sencillo encontrarnos un defecto que reconocer una virtud? ¿Por qué nos concentramos tan resueltamente en nuestros fracasos y hacemos caso omiso de nuestros éxitos? ¿Por qué nos inclinamos más a otorgarle el beneficio de la duda a otros que a nosotros mismos? Cada vez que nos juzgamos con severidad mermamos nuestra autoestima.

El valor no podía encontrar una mejor arena donde practicar su fuerza. Debemos dejar de ser tan duros con nosotros mismos. Necesitamos empezar a darnos el trato justo que le damos a extraños. ¿Qué ocurre si cometemos un error? ¿Dónde está escrito que debemos ser perfectos? ¿Qué tal si otros pueden hacer algo que yo no puedo? ¿Siempre tiene que haber competencia? Si hemos hecho nuestro mayor esfuerzo, ¿qué más importa?

Aprender a ser justos, ya no digamos gentiles, con nuestra persona puede requerir más agallas y determinación que aprender a escalar una montaña. Los mensajes negativos del pasado pueden protestar a gritos cuando nos atrevemos a retarlos. La urgencia de desacreditar nuestros esfuerzos puede ser muy grande, pero qué maravilloso es el día en que nos levantamos y exigimos un trato justo a esa persona negativa que llevamos dentro.

Necesito valor para reivindicar mis propios méritos.

12 de octubre

Más vale no emproblemar a los problemas
si los problemas no te emproblemán;
pues así sólo haces que tus problemas
se vuelvan dobles problemas.

David Keppel

Vivir en el presente, como dicen algunos seguidores del Programa de Doce Pasos, es «sencillo, pero no fácil». Cuántas veces nuestra temerosa imaginación vive problemas del futuro que nos traen dolores de estómago y de cabeza. ¡Todo por vivir en un mañana fantasma en lugar de en el ahora!

Algunos seguimos teniendo «fantasías de fracaso» ocasionales cuando ya estamos avanzados en nuestra recuperación. Quizá nos hemos evadido agotándonos demasiado o dejando de asistir a las reuniones de nuestro grupo de apoyo. Cualquiera que sea la causa, perdemos el contacto con el presente y proyectamos nuestra ansiedad al futuro. «¿Qué tal si me despiden? Dios mío, si pierdo mi trabajo, mi familia se va a quedar sin techo ¡y en estos días ni siquiera hay casas de beneficencia adonde podamos ir!»

Desde luego, nunca se hace realidad la mayor parte de las peores cosas que invocamos. Cuando perdemos el sueño o la serenidad por las especulaciones, necesitamos recordar que el día de hoy es todo lo que tenemos. No sabemos qué dificultades vamos a enfrentar mañana. Ni siquiera sabemos si estaremos *aquí* mañana. Lo que sí sabemos es que el día de hoy es demasiado precioso para desperdiciarlo.

Cuando busco problemas, los invento.

13 de octubre

*La batalla, señor, no sólo es para el fuerte; es para el
vigilante, para el emprendedor, para el valiente.*
Patrick Henry

Sustituir algo que hemos perdido normalmente nos cuesta un
enorme esfuerzo y molestias. Sucede lo mismo con la pérdida de
autoestima. Como en cualquier otra área de la vida, recuperarnos y hacer composturas son sustitutos pobres del hecho de
mantenerse en primer lugar. ¿Qué debemos hacer para evitar
los contratiempos con la autoestima? ¿Cuáles son las técnicas de
mantenimiento? ¿Existe el ajuste de la autoestima?

La vigilancia es el meollo de la prevención de pérdidas.
Prestar atención, ocuparse de los detalles e identificar los problemas son los hábitos y las habilidades que las personas seguras
de sí acostumbran usar para mantener e incrementar las ganancias que han obtenido. No esperan a que una gotera se convierta
en un borbotón, ni tampoco a que una manchita de orín llegue
a ser un área totalmente carcomida. Evitan que ocurra una
avería importante reparando lo que ven.

Darle mantenimiento a la autoestima significa tomar
medidas diariamente. Significa que procuramos la compañía de
gente interesante y optimista con una actitud tan precavida
como la que tratamos de tener. Significa discutir los pequeños
problemas cuando aún son pequeños, disculparnos tan pronto
como debamos una disculpa y cumplir con nuestros compromisos tengamos deseos o no de hacerlo. Significa leer material
alentador *antes* de sentirnos terriblemente desmoralizados. En
pocas palabras, significa mantenernos al pie del cañón.

**Si no permito que ocurra una descompostura considerable, no
tendré que hacer una reparación considerable.**

14 de octubre

¿No sabéis que sois santuario de Dios y que el
Espíritu de Dios habita en vosotros?

1 Cor. 3/16

¿Es posible «habitar» este mundo ajetreado y bullicioso? *Habitar* no significa visitar de vez en cuando. El lugar que habitamos es el lugar en el que *estamos*. La creencia bíblica que aparece arriba —y las principales religiones tienen creencias similares— señala claramente que Dios habita dentro de nosotros como una presencia constante, accesible y cercana.

La grandeza de esta creencia y sus increíbles implicaciones son formidables para cualquiera de nosotros. Sin embargo, para aquellos que han iniciado su vida en condiciones de miseria espiritual, la sola idea les parece tan irreal como la de una luna de queso verde. No es difícil entender por qué sentimos automáticamente que debemos caminar solos, que nunca podemos confiar *verdaderamente* en ninguna ayuda y que es más seguro no esperar nada. Tenemos motivos reales y muy presentes para que antes que nada levantemos esos muros impenetrables de recelo y aislamiento.

No obstante, miles y miles de personas de todas las épocas han aceptado la creencia/verdad de que el «Dios que llevamos dentro» siempre está ahí, disponible y a la espera. Cuando aprenden a mitigar las preocupaciones, inquietudes, temores y vanidades desmesurados, encuentran esa presencia. Se sienten estimuladas por una energía superior a la suya. Como estaban abiertas, pudieron recibir. ¿Por qué no podemos hacer lo mismo?

Debemos buscar la fe.

15 de octubre

La vida de los grandes hombres nos recuerda
que podemos sublimar nuestras vidas
y, al partir, dejar a nuestro paso
huellas en las arenas del tiempo.
Henry Wadsworth Longfellow

Sin duda, la grandeza es un término relativo. Cuando se aplica a las personas, por lo general describe a aquellas cuyos logros son únicos, más grandes que la vida misma. Abraham Lincoln, la Madre Teresa y Cristobal Colón, por ejemplo, hicieron grandes obras que nadie había hecho antes. Cuando se escuchó el llamado de la grandeza, estuvieron ahí para responderlo.

Todos estamos llamados a la grandeza. Como somos comunes y corrientes, esto nos puede parecer absurdo. No obstante, la grandeza tiene que ver con hacer grandes cosas, no con ser famosos. Un acto de valentía muy difundido no es más meritorio que uno ocurrido en privado. Los *actos*, no el aplauso y el reconocimiento, hicieron heroicos a nuestros héroes.

Retar al *statu quo* y exigirle más a la vida es una gran acción. Se requiere verdadero heroísmo para enfrentar los demonios personales que nos encadenan a los fracasos del pasado. Cada vez que hacemos un movimiento en esa dirección, estamos acudiendo al llamado de la grandeza y marchando junto con los gigantes.

El heroísmo privado sigue siendo heroísmo.

16 de octubre

Un buen ejemplo es el mejor sermón.

Benjamín Franklin

La gente afectuosa que está en recuperación muy pronto se da cuenta de cuánto podría ayudar a sus seres queridos ingresar en un programa de recuperación. «Caray, si Carlos pudiera aprovechar estos principios», pensamos. «Si mi madre viniera a estas reuniones, escuchara a los oradores y siguiera los pasos, ¡seguramente mejoraría su vida!»

Conforme se eleva nuestra autoestima, deseamos que también se eleve la de las personas que amamos. Podemos convertirnos en los insufribles de la recuperación. En nuestro afán por compartir nuestra mejoría, tal vez lleguemos a molestar a los demás con nuestro entusiasmo bien intencionado. «¡Tienes que leer esto!», importunamos. «¡Acompáñame sólo a esta reunión!», insistimos, mientras les damos su abrigo y los arrastramos a la puerta. Como lo hacemos por su bien, nos sentimos totalmente justificados para pedir, empujar, suplicar, moralizar y reprender.

Sin embargo, quizá lo que realmente necesitan nuestros seres queridos es que retrocedamos. No se trata de dejar de ocuparnos de ellos, de tolerar una conducta intolerable o de fingir que no nos importan. Sólo se trata de retroceder, de darles un respiro, de aliviarlos. Por mucho que nos interese compartir nuestros descubrimientos, la manipulación y la fuerza son técnicas de reclutamiento bastante desagradables.

Neutralizo mis mejores intenciones cuando intento obligar a otros a seguir mi camino.

17 de octubre

*No es lo mismo amar que hacer que
las relaciones funcionen.*

Earnie Larsen

La autoestima de mucha gente flaquea cuando una relación prometedora comienza a deteriorarse. Esto es especialmente cierto si iniciamos la relación con el alma llena de amor y expectativas de «eternidad». Cuando nos percatamos de que por algún motivo no está funcionando, sencillamente no podemos dar crédito. Siempre pensamos que si amábamos lo suficiente, el resto de los problemas se resolverían solos.

La verdad es que amar y hacer que una relación funcione puede ser dos cosas muy distintas. Las relaciones exitosas perduran gracias a las habilidades, no a los sentimientos. Ni siquiera todo el amor del mundo garantiza que se tenga la capacidad de comunicarse, por ejemplo. Suponer que contamos con las habilidades esenciales cuando no es cierto, equivale a dar una larga caminata en un tramo corto. Sobre todo si nuestra autoestima depende de esa relación.

No obstante, lo bueno de las habilidades es que pueden aprenderse. La falta de habilidades no implica la pérdida de autoestima. Puede ser la motivación que necesitamos para aprender cómo hacer que una relación funcione a largo plazo. Sin duda, cuando *somos* más confiables, honestos y realistas, nuestras relaciones tienen más probabilidades de sobrevivir.

Se necesita más que amor para que las relaciones funcionen.

18 de octubre

Una persona amorosa vive en un mundo amoroso.
Una persona hostil vive en un mundo hostil:
todas las personas que conoces son tu espejo.
Ken Keyes, Jr.

Es tan fácil perderse en un bosque de árboles como en uno de etiquetas. Los cientos de miles de Niños Adultos, los codependientes, los adictos en recuperación parecen moverse en la misma dirección, ¡aunque todos marchan con diferentes estandartes! Tratar de imaginar todo esto puede ser muy confuso. ¿Son tan importantes las diferencias?

Nos conviene recordar que toda la gente que lucha por mejorar su vida básicamente está en el mismo viaje. Comoquiera que se le llame, el esfuerzo esencial de todos estos grupos es el mis-mo: abrazar la vida a partir de una imagen positiva de uno mismo. Como vemos al mundo de manera muy similar a como nos vemos a nosotros, la tarea en común de todos los grupos de autoayuda es contribuir a que nos libremos de las imágenes negativas que nos acarrean resultados negativos en la vida.

Quienes han aprendido a definirse como perdedores perderán. Quienes se definen como indignos de recibir amor no permiten que los amen. La gente que se considera víctima corre un riesgo muy elevado de sufrir el abandono que más teme. La meta de todos los grupos de apoyo es fomentar una redefinición positiva. No importa cuál sea nuestro punto de partida, todos estamos en el mismo camino. El desarrollo no es una docena de caminos, sino sólo un camino con una docena de nombres.

Las etiquetas señalan diferencias en las que no repara el compañerismo.

19 de octubre

El desacuerdo hace más precioso al acuerdo.

Publilio Siro

En nuestro afán de establecer relaciones armoniosas, algunas veces podemos ser muy necios, muy insistentes y muy testarudos sobre hasta dónde es posible —o incluso deseable— que dos personas lleguen a un acuerdo. De algún modo, se vuelve nuestra misión informar, persuadir y convencer a los demás de que nuestro modo de pensar es mejor que el de ellos.

Sin embargo, los verdaderos acuerdos, como el amor, no pueden forzarse. La gente tiene derecho a tener sus propias opiniones. No están «equivocados» si no coinciden con nuestras convicciones políticas o religiosas, nuestros gustos humorísticos o nuestras actividades recreativas. Lo diferente es simplemente diferente. Cuando tratamos de convertir a la gente contra su voluntad, lo más que podemos esperar es una especie de conformidad con el brazo torcido por detrás. Tal vez aparenten estar de acuerdo con nosotros para dejar de discutir, pero la verdadera conversión es un trabajo interno.

A medida que se eleva nuestra autoestima, tenemos una menor necesidad de imponer nuestro punto de vista a otras personas. A medida que estamos más conscientes de la increíble diversidad que poseemos y nos sentimos más cómodos con ella, nos resulta más sencillo permitir la diversidad en otros. Quizá hasta lleguemos a apreciar y disfrutar nuestras áreas de desacuerdo como el condimento de la vida que son.

Llegar a un acuerdo total con los demás es una meta irreal.

20 de octubre

Cuando finalmente me di cuenta de que no había suficiente dinero, sexo o cosas que me hicieran feliz, encontré el camino.

George S.

La falta de autoestima a menudo se manifiesta como un hueco en la boca del estómago y un vacío en el corazón. Ambos nos duelen. Muchos intentan llenar ese vacío con «cosas atractivas» que no hacen sino empeorar la situación.

Jorge fue uno de ellos. Cumplía con todos los requisitos para sufrir falta de autoestima: un largo entrenamiento en su juventud que le enseñó que no tenía derechos y que nunca llegaría a nada. Escuchó el mensaje fuerte y claro. Se sentía completamente indigno de ser amado, de modo que emprendió una búsqueda frenética de algo —cualquier cosa— que sanara su herida. Su método fue una rebatiña sin tregua por más dinero, más sexo y más juguetes. Obtuvo lo que buscaba en grandes cantidades. Sin embargo, se dio cuenta de que nada de eso lo ayudaba. Cuando finalmente descubrió que el camino «Dame más» siempre lleva a un callejón sin salida, empezó a buscar en otra parte. A la larga, su viaje lo condujo a su propio corazón, donde encontró lo que estaba buscando.

Hoy en día, Jorge tiene una visión distinta. Su rostro resplandece cuando dice: «No necesitaba *tener* más, necesitaba *ser* más. Ahora tengo valía por lo que soy. Mi felicidad no depende de una condición o adquisición externa.» Henchido de orgullo, afirma: «Yo soy yo, estoy bien y eso me basta.»

Hoy reconozco que mi codicia es como una sed espiritual.

21 de octubre

En la vida, siempre tenemos la enorme tentación
de malgastar el tiempo con amistades, comidas y viajes
intrascendentes durante años intrascendentes.
Annie Dillard

Los hábitos de precaución extrema pueden hacer que llevemos una vida mediocre. Después de todo, si sólo tenemos intereses triviales, no corremos tanto el riesgo de una desilusión. Sobre todo si nos dedicamos a esos intereses con una pasión trivial. Si se arriesga poco, se pierde poco; ése es nuestro razonamiento.

Sin embargo, la pasión es lo que hace que valga la pena vivir. La pasión es el gran tambor que marca el compás y anima el desfile de la vida. Si no hay una participación buena, vigorosa y entusiasta, a nuestras vidas les faltará ritmo y energía. Resulta difícil mantener vivo el interés, por no decir sentirnos bien, si nos pasamos la vida dando pasos diminutos.

Para estar totalmente vivos, debemos encontrar un interés que realmente nos importe. Tal vez un pasatiempo como la observación de aves o una causa como la limpieza del ambiente. Lo único que importa es que dejemos de cubrirnos en las apuestas y nos juguemos el todo por el todo. Cuanto más emocionados e involucrados estemos, menos intrascendente será el sentido de nuestro yo.

La medida de mis pasiones es la medida de mi vida.

22 de octubre

*Es fácil para el que tiene un pie fuera de la
calamidad dar consejos y reprender al que sufre.*

Esquilo

«¡*Jamás* toleraría algo así!» pensamos cuando escuchamos la
historia de violencia en el hogar de una amiga. «¡Me iría de
inmediato! ¡Le devolvería los golpes! ¡Le daría raticida a esa rata
asquerosa!» Cuando ni el dolor ni la decisión son nuestros,
sabemos *exactamente* qué debe hacerse —cuándo y cómo también. Sin embargo, estos desplantes de rectitud sólo intensifican
el dolor de nuestra amiga herida, cuando ya está cargando con
más culpa de la que merece. Lo último que necesita es que le
digamos lo bien que *nosotros* habríamos reaccionado si hubiéramos estado en su lugar. *Nuestra* autoestima no se eleva disminu-
yendo la de ella.

Es mucho mejor que guardemos silencio y la escuchemos. Tan sólo permitir que nos cuente su historia a su propio
ritmo le proporcionará alivio. No hay que levantar las cejas ni
quedarnos con la boca abierta; lo que queremos es comunicarle
confianza y aceptación. Al final, cuando ya haya terminado de
contarnos, podemos decirle todo lo que sabemos sobre protección legal, líneas telefónicas de emergencia y albergues.

Las mujeres golpeadas tienen derecho a tomar sus propias decisiones, aunque sean equivocadas. Nuestra compasión
no nos da derecho a entrometernos y dar órdenes. Incluso es
posible que la carga que llevan de miedo, impotencia y rechazo
evite que acepten nuestros consejos. Lo más útil que podemos
hacer es ofrecerles nuestra compañía y apoyo. Aceptar nuestras
limitaciones es necesario para nuestra autoestima.

**Aunque se trate de una buena causa, es más sensato tener
paciencia que insistir.**

23 de octubre

Las penas que no se desahogan a través de las lágrimas pueden hacer llorar a otros órganos.

Dr. Francis Braceland

¡Muchos basamos nuestra autoestima en la dureza! Nos enorgullecemos de nuestra fuerza y consideramos que tenemos un nivel increíble de autosuficiencia. *Nunca* permitiremos que nadie sepa que estamos necesitados. Del mismo modo, tampoco lo admitiremos jamás ante nosotros mismos.

No obstante, la autoestima, como la verdadera humildad, no es la negación de la verdad sino la aceptación de la realidad. Ser un llorón sin remedio es una cosa; reconocer nuestro dolor, necesidades o heridas es otra muy distinta. «Nunca debo mostrarme débil» es un precepto que nos lleva al desastre. Revela una actitud inmadura que debemos superar si queremos desarrollar nuestra autoestima.

Negar el dolor sólo lo hace más profundo. Por lo general, las heridas emocionales reprimidas se manifiestan a través de jaquecas, dolores de espalda y trastornos estomacales. Quizá la gente más dura es aquella que tiene el valor de solicitar ayuda cuando la necesita, *antes* de que su cuerpo se rebele a gritos contra la agitación emocional que no pudimos manejar por nuestra «dureza» excesiva.

La debilidad que navega con bandera de fuerza puede costarme la salud.

24 de octubre

Un hombre no puede sentirse cómodo si no se aprueba a sí mismo.

Mark Twain

Con frecuencia escuchamos que nadie puede hacernos sentir desgraciados sin nuestra aprobación. También es cierto el siguiente corolario de esa idea: nada ni nadie puede hacernos sentir cómodos sin nuestra aprobación.

Supongamos que todos nuestros deseos y sueños se hacen realidad y de pronto tenemos todo aquello que creímos necesario para ser felices. ¿En verdad nos hará felices? ¿Aliviará nuestra ansiedad? Tal vez no. Lo cierto es que algo interno, no los tesoros que vienen de fuera, nos permite o impide sentirnos satisfechos. En otras palabras, normalmente necesitamos «aprender» a serenarnos.

Si el ganador de la lotería no ha madurado lo suficiente como para manejar su nueva riqueza, el premio puede convertirse en una maldición. Si nos llega una oportunidad de oro antes de que estemos preparados para ella, puede ser un motivo para tener conflictos. Nuestros sueños de amor y romance pueden ser fugaces si no tenemos la estabilidad emocional necesaria para sostener nuestra parte de una relación. No podemos estar listos con tan sólo desearlo ni tampoco podemos fingirlo. Quizá necesitemos un mayor desarrollo interno antes de ser capaces de recibir lo que más ansiamos.

Practicar mi programa diario me prepara para cualquier cosa que venga.

25 de octubre

¿Qué es un cínico? Un hombre que sabe el
precio de todo y el valor de nada.

Oscar Wilde

Algunas personas se defienden a sí mismas y, por ende, su autoestima usando una armadura de cinismo. Lo peor que les puede ocurrir es que las «engañen» de cualquier forma. La vergüenza y la humillación de sentirse embaucadas y defraudadas sería nada menos que intolerable. Así que todas las mañanas se ponen su blindaje y van golpeteando todo el día, sofocándose, sudando, pero eso sí, a prueba de pinchazos. Nunca nadie va a obtener lo mejor de *ellas*.

No obstante, los que llevan la armadura tampoco van a obtener lo mejor de sí mismos. Tienen demasiadas cosas aprisionadas *dentro de sí*, cosas buenas y humanas como esperanza, ternura y sinceridad. No es posible adoptar una actitud desconfiada y defensiva ante los demás sin que nos veamos a nosotros bajo la misma luz mortecina. No es sano considerarnos vulnerables a tal punto que ni siquiera podamos sobrevivir después de un pinchazo de desilusión o engaño.

Cuando usamos el pesimismo y el recelo para protegernos, nos convertimos en momias. No podemos aprender a creer en nosotros si sentimos una desconfianza despectiva por los motivos y la integridad de todas las personas que conocemos. Sin duda alguna, nunca podremos *bailar* con toda esa armadura encima. No. Mientras no nos libremos del cinismo, el único paso que sabemos es el clac, clac, clac.

Conforme gano confianza, se desvanece mi actitud defensiva.

26 de octubre

El primer deber del amor es escuchar.

Paul Tillich

Daniel y su hija Silvia tuvieron una relación conflictiva durante años. A él le parecía que el estilo de vida poco convencional de su hija era vergonzoso e inaceptable, lo mismo que ella pensaba de las críticas moralistas de su padre. Los repetidos asaltos de insultos furiosos, como perdigones, habían acribillado la autoestima de ambos.

Decidieron acudir a un orientador. En presencia de un tercero, cada uno tuvo oportunidad de hablar sin interrupciones. En ese ambiente seguro, enfundaron la espada, bajaron el escudo y dejaron que sus heridas se ventilaran un poco. De manera increíble, empezaron a hablar *entre ellos* sin lanzarse gritos ni acusaciones. Al escuchar, empezaron a ver, aunque no lo entendieran, el punto de vista del otro.

Daniel creía sinceramente que los modales y la vestimenta de Silvia no eran más que un desafío a su autoridad. Se dio cuenta de que el estilo de su hija no tenía nada que ver con él, sino que sólo era su manera de encajar en el grupo, de formar parte de él. Silvia se dio cuenta de que Daniel, más que imponer su voluntad, quería protegerla del peligro, pues pensaba que su ropa y su corte de pelo extravagantes eran anormales y peligrosos. Poco a poco, conforme iban comprendiéndose mejor, llegaron a aceptar al otro como un ser humano con opiniones distintas, en vez de verse como enemigos enfrascados en un combate a muerte. Al escuchar y aprender, lograron suspender la guerra y ambos ser vencedores.

La comprensión es un bálsamo curativo.

27 de octubre

Esto es lo más difícil: cerrar la mano abierta por amor.
Federico Nietzsche

Para proteger nuestra integridad y paz mental, tal vez debamos redefinir la palabra *amor*. Algunas veces *no* es la palabra más amable que podemos decir a un familiar o a un amigo cercano que tiene problemas serios con el alcohol, las drogas o con cualquier otra obsesión destructiva. Lo que *deseamos* hacer es arreglar su desorden y evitar que se haga más daño. ¡Si pudiéramos, desvaneceríamos todos sus sufrimientos con el toque de una varita mágica! Pero no podemos. Con frecuencia, lo único que *podemos* hacer con alguien autodestructivo es negarle cualquier tipo de ayuda. Por duro que sea, por ilógico que parezca, tendremos que decir alguna de las siguientes frases, si queremos acortar el camino de nuestros seres queridos hacia la recuperación:

• Te quiero; por eso dejaré de comprarte la despensa y pagarte la renta.
• Te quiero; por eso dejaré de prestarte dinero y permitir que uses mi crédito.
• Te quiero; por eso no llamaré a tu trabajo para decir que estás enfermo.
• Te quiero; por eso no dejaré que vengas a vivir conmigo.
• Te quiero; por eso no escucharé tus disculpas ni aceptaré tus mentiras.

Si en el fondo sabemos que debemos decir estas frases, necesitamos practicarlas hasta que podamos pronunciarlas. Muchas personas se recuperaron gracias a que alguien que las amaba lo suficiente les dio la espalda en vez de tenderles la mano.

¿Quién dijo que el amor era fácil?

28 de octubre

Casi toda la ignorancia es superable.
No lo sabemos porque no queremos saberlo.

Irving Howe

Algunas personas muy listas optan por «hacerse las tontas» cuando se sienten incapaces de enfrentar lo que está sucediendo. Simplemente, se rehúsan a ver lo que es evidente. Después, cuando surgen las consecuencias predecibles, gritan «¡No tenía idea! ¡Alguien debió habérmelo dicho! ¿Cómo iba a saberlo?» Su autoestima se debilita porque nunca ven lo evidente.

Por supuesto, podrían haberlo sabido de muchas maneras. Es difícil que se nos escapen las primeras señales de advertencia, a menos que queramos que se nos escapen. Los matrimonios no se desmoronan en un instante. Nuestros hijos no se meten en problemas serios con las drogas de la noche a la mañana. Antes hubo señales y síntomas.

Algunas situaciones verdaderamente nos han tomado por sorpresa, no podíamos anticiparlas o evitarlas. Sin embargo, otras pudieron haberse cortado de raíz; se convirtieron en desastres porque no quisimos abrir los ojos y enfrentar la verdad que siempre estuvo ante nosotros. No sabíamos porque pensamos que el hecho de saber sería demasiado; pero cuando sabemos, al menos podemos hacer algo al respecto.

La ignorancia deliberada es una manera cobarde de eludir la responsabilidad.

29 de octubre

*No sabemos ni una millonésima del
uno por ciento de nada.*

Thomas Alva Edison

Como cualquier otra cosa que sabemos, el concepto que tenemos de nuestra persona es producto de la información. Como la autoestima se basa en el concepto que se tiene de uno mismo, es importante verificar los datos de vez en cuando. ¿Qué parte de la información que hemos reunido sobre nosotros es *errónea*? ¿Qué parte está formada más bien por opiniones y no por hechos? ¿Qué parte ya es anticuada?

Claro que muchos de los «hechos» clave que usamos para definirnos provienen de otras personas. Sus reacciones, impresiones y juicios por lo menos nos predisponen al principio a creer ciertas «verdades» sobre lo que somos y *cómo* somos. ¿Quiénes fueron nuestras fuentes de información más importantes cuando éramos niños? ¿Quiénes son ahora? Si miramos atrás, ¿podemos decir que nuestros primeros informantes eran confiables y precisos? ¿Qué podemos decir de nuestras fuentes informativas actuales?

Diariamente, nuestro procesamiento de información externa fortalece o debilita nuestra autoestima. Por eso debemos ser muy selectivos al elegir nuestras fuentes y, aun así, cuidarnos de tomar «hechos» falsos por verderos. Conforme aumenta la confianza en nosotros mismos, aumenta nuestra capacidad para rechazar información adulterada *antes* de aceptarla.

Gran parte de lo que «sé» de mí mismo puede ser una falacia y no una verdad.

30 de octubre

Cuando no me dan las gracias, me doy por bien servido.
He cumplido con mi deber, no hice nada más.

Henry Fielding

Alan se pasó toda la tarde compartiendo conocimientos que le había costado años de esfuerzo adquirir con un hombre que le pidió ayuda. Alan le sugirió un plan de acción y luego le prometió que lo ayudaría en todo el proceso si era necesario. Le dio su número de teléfono y le dijo que podía llamarlo en cualquier momento.

Al día siguiente, la hija adolescente de Alan lo felicitó por su generosidad. «Anoche querías ver las finales de futbol en la televisión», le comentó, «¡pero se te fue todo el tiempo con alguien a quien ni siquiera conoces! ¡Qué buena acción, papá!» Sorprendido, Alan le respondió: «Eso no fue generosidad. Estaba pagándole una deuda al universo por toda la ayuda que otros me han brindado.»

Alan tiene razón. Aunque todavía le falta camino por recorrer, ha llegado hasta donde está porque lo han ayudado. A diferencia de otros, no ha olvidado todas las manos que le tendieron, que lo alentaron, lo acicatearon y lo levantaron. Sabe que ha llegado su turno. En la economía de Alan, lo justo no es más ni menos que lo justo. La integridad exige que liquidemos nuestras deudas.

Nadie va solo. O llevo a otros conmigo o tampoco voy yo.

31 de octubre

Hacer que los demás nos quieran es el lado opuesto de querer a los demás.

Norman Vincent Peal

¡La popularidad! Aunque normalmente no hablamos de ella después de la adolescencia, a todos nos agrada que nos busquen, nos quieran y nos admiren. En buena medida, la popularidad de la que gozamos nos levanta o nos derrumba. Así de cruciales son el amor y la aceptación de los demás para la autoestima. Es el viento que nos impulsa.

Hay escritores que han hecho fortunas por decirnos cómo ganar popularidad. Sin embargo, no cuesta una fortuna echar un vistazo a nuestro alrededor. Las personas gentiles, especialmente cuando son gentiles con gente a la que no necesitan, se ganan respeto y amistad por dondequiera que van. Siempre se piensa que los buenos escuchas son sabios y también agradables. Siempre recibimos con calidez a quien recuerda nuestro nombre y nos pregunta por la familia. Guardamos un sitio especial en nuestro corazón para los que nos han dado la mano antes de pedírselo.

Hacer amigos no es una técnica, sino la actividad natural de ser amigo. Si buscamos que nos quieran, primero debemos querer a otras personas. La sabiduría no podía ser más sencilla.

Receta para ganar popularidad: querer a otras personas y decírselo.

1o. de noviembre

Para mí, las únicas personas que existen son los locos... aquellos que nunca bostezan y dicen una frase gastada, sino arden, arden y arden cual si fueran fabulosas candelas romanas amarillas que explotaran como arañas entre las estrellas.

Jack Kerouac

El fabuloso éxito de la primera película de *Rocky* sorprendió a los expertos, pues la consideraban tan sólo una de tantas historias baratas de boxeo. Difícilmente se habrían imaginado que ganaría tantos premios y cautivaría la imaginación de millones de personas en todo el mundo.

Los expertos no previeron que esa historia en realidad trataba de *nosotros*; no reconocieron que la magia del personaje de Rocky residía precisamente en su medianía. Rocky era, después de todo, un «tipo cualquiera», un desconocido inverosímil y poco prometedor que no se diferenciaba en nada de cualquier otro joven deportista callejero. Pero los espectadores sí lo reconocieron inmediatamente y se identificaron con eso. Cuando Rocky se atrevió a cambiar la suerte a su favor, salir estrepitosamente de la nada y apuntar a lo más alto, también se identificaron con eso. El éxito de Rocky es *nuestro*; si Rocky puede hacerlo, quizá nosotros también.

Claro está que la vida real no se vive en la pantalla cinematográfica, pero incluso los mensajes de las películas pueden transmitir verdades importantes que nos sirven de inspiración en la vida real. La verdad medular del fenómeno *Rocky* es que la pasión y la dedicación puede mover montañas. No importa cuán humildes sean nuestros inicios, si tenemos «fuego en las entrañas», los que apuesten contra nosotros se llevarán una gran sorpresa.

Con deseo y disciplina se pueden superar los pronósticos más negativos.

2 de noviembre

No se puede ser profundamente sensible al mundo
sin haberse sentido acongojado muy a menudo.
Eric Fromm

Una manera de evitar el dolor en este mundo es matar todos los sentimientos; otra es no ver nada: retirarse, cerrarse como lo hace una ostra de aguas profundas cuando se siente amenazada y desembarazarse con esa concha impenetrable de todo aquello que nade.

Sin embargo, a diferencia de las ostras, no podemos ocultarnos dentro de una concha protectora sin causarnos daño; no hay ninguna salida. Si observamos con detenimiento lo que está sucediendo en el mundo y tratamos de ser sensibles a ello, encontraremos congoja. En esta fase de la evolución humana, hay muchos motivos para sentirnos acongojados.

La compasión tiene un precio. Antes de decidir preocuparnos, debemos decidir madurar. Debemos aprender a reconocer todo aquello que tiene de doloroso este mundo, toda la flaqueza humana, *sin dejar que nos consuma*. Pese a lo reales y penosas que son todas las cosas tristes, no constituyen la totalidad de la experiencia humana —del mismo modo que nuestra compasión no es la totalidad de lo que somos. Siempre necesitamos reconocer la existencia tanto de lo que es bueno como de lo que no lo es.

Conforme busque la verdad, encontraré el suficiente bien para seguir adelante.

3 de noviembre

Antes de buscar la ayuda de otros, hay que ayudarse
uno mismo. Incluso para asegurarse de la
ayuda del cielo, uno tiene que
ayudarse a sí mismo.

Morarji Desai

Cuando ya todo está dicho y hecho, somos responsables de lo que le suceda a nuestras vidas. No es que podamos controlar las circunstancias, sino que las decisiones finales en cuanto a la actitud, la aceptación y el comportamiento están en nuestras manos. Otras personas pueden darnos los primeros toques, pero nuestro acabado depende de nosotros.

La autoestima de Samuel estaba por los suelos porque había fracasado en muchas de sus relaciones con las mujeres. Una y otra vez, este dulce y apuesto hombre había estado seguro de que «eso era todo». Sin embargo, misteriosamente para él, la mujer en turno se retiraba, daba por terminada la relación. Hasta que no obtuvo ayuda profesional, Samuel no se dio cuenta de que estaba reviviendo subconscientemente el drama del rechazo por parte de su madre. A los 41 años, seguía buscando a la mujer de su vida, que le brindara la aceptación y la aprobación incondicionales que se le habían negado durante tantos años. De manera no tan misteriosa, sus amigas decidían buscar otra pareja que quizá fuera menos dulce, pero ciertamente menos demandante.

Con el tiempo, Samuel se dio cuenta de que había sido poco realista e injusto en sus relaciones. Al liberarse del pasado, recuperó su capacidad de funcionar en el presente —no como un niño, sino como un hombre. Por fin rescató su autoestima de las manos de su madre, como todos debemos hacerlo.

Hasta que no deje atrás «lo que fue», seguiré reviviéndolo.

4 de noviembre

*Enfrentar eficazmente los problemas o salir airoso
de los retos puede requerir valor, paciencia, energía inagotable
e imaginación, pero también algo aún más básico: realismo.*

Joan Bel Geddes

La autoestima se basa en la verdad. Antes de ser la *causa* del bien, es el *resultado* de nuestra capacidad para aceptar la verdad acerca de nosotros mismos. El conocimiento de nuestro *verdadero* yo es lo que estamos persiguiendo, no las imágenes infladas o encogidas que vienen y van con los días buenos y los malos. El yo que vemos desnudo frente al espejo es con el que tenemos que llegar a un acuerdo.

La falta de realismo es un enemigo poderoso de la autoestima positiva. Si la verdad es que siempre odiamos la escuela, es improbable que lleguemos a ser profesores; si estamos demasiado pasados de peso, no tenemos grandes perspectivas de llegar a ser modelos. Debemos ser realistas y concentrarnos en lo que *puede* ser y no en lo que es imposible. Necesitamos trabajar con lo que tenemos, no con lo que desearíamos tener.

Vivir sin realismo es vivir en un mundo de ilusión en el que la autoestima es imposible. Es necesario que seamos honestos con nosotros mismos respecto de nuestros límites. Circunstancias como la edad o la salud pueden imponernos límites que no conocíamos. Así es. Lo que cuenta es hoy y lo que somos hoy. Cuando nuestros sueños coinciden con nuestra desnudez, vamos por buen camino.

Oponerse a la realidad es jugar un juego tonto en el que siempre se termina perdiendo.

5 de noviembre

La mejor de las suertes, porque debo dejarte.
No permitas que esta separación te acongoje.
Sólo recuerda que hasta el mejor amigo debe partir.

Anónimo

Las decisiones más difíciles, con mucho, son las que implican una separación. Esto no es nada sorprendente si consideramos cuán difícil nos resulta deshacernos de un viejo automóvil o de un suéter viejo que, aunque deshilachado, es nuestro favorito. Han estado con nosotros mucho tiempo, son cómodos y los recordamos como eran antaño. ¡Cuánto más tememos la pérdida de una relación otrora dulce y hoy amarga!

Pero hay momentos en que no podemos seguir adelante a menos que le digamos adiós a lo que quedó atrás. Cuando no podemos lograr que una relación funcione por más que nos esforcemos, esa relación está terminada. Nos debemos a nosotros y le debemos a la otra persona una ruptura refrescante. Pese al dolor de la partida, la autoestima exige que hagamos acopio de la honestidad y el valor de continuar con nuestra vida.

No importa qué nos digamos a nosotros mismos, no le hacemos un favor al otro cuando posponemos una despedida necesaria. Lo que nos hace arrastrar los pies son la culpa y el dolor *propios*. La cobardía no es bondad. Ser bondadoso es dar a la otra persona la misma oportunidad de ser feliz que queremos para nosotros.

La postergación duplica el dolor de partir.

6 de noviembre

El mundo está sembrado de bien, pero a menos que
convierta mis buenos deseos en una vida práctica
y labre mis campos, no cosecharé ni un grano de bien.

Helen Keller

A veces, en nuestro penoso recorrido por el camino de la autorrenovación, nos dan un «aventón» cuando menos lo esperamos; puede ser una deslumbrante introspección, un estímulo extraordinario a la emoción o una profunda experiencia de fe. Quizá nos suceda cuando estamos leyendo o caminando por la calle, o simplemente al irnos quedando dormidos. Pero no importa dónde o cuándo, esas experiencias culminantes inesperadas son maravillas que debiéramos atesorar.

Pero también debiéramos reconocer que ningún momento de dicha, ningún relámpago de certidumbre absoluta, puede durar para siempre. Una experiencia culminante es más un indicio de lo que *puede* ser que un estado permanente. Hasta el destello más brillante de conciencia no es en sí mismo ni cambio ni desarrollo, aunque puede ser un poderoso incentivo para seguir adelante.

Como ha sido y siempre será, después de la experiencia viene el trabajo. Los regalos que nos llegan debemos agradecerlos, recordarlos y después usarlos como una estrella brillante para orientarnos. Caminar con dificultad no es nada emocionante, pero es el único medio conocido para lograr un cambio duradero.

Nadie recibe una cuota constante de experiencias culminantes.

7 de noviembre

Responsabilidad (es): Carga desechable fácil de endilgar a Dios, el Destino, la Fortuna, la Suerte o nuestro vecino.

Ambrose Bierce

Culpar a los demás nunca ha sanado heridas. Inventar excusas nunca ha provocado mejoras. Una cosa es reconocer que hay razones para que nuestra autoestima esté en crisis y otra muy diferente aceptar la responsabilidad de superarla.

Ante la realidad, ¿qué diferencia hacen los quiénes y los porqués? Si nos aplastan los dedos, lo que debe preocuparnos son los dedos lastimados, no qué tipo de vehículo lo hizo o si el conductor tenía licencia de manejo. ¿Por qué estábamos parados en la calle? Ésa es la clase de pregunta que puede sernos útil: ¿cuál fue mi participación en el problema?

Gran parte de mis dificultades obedecen a algo que hay en mí —el tipo de mentalidad, un hábito arraigado, la percepción de mí mismo. Soy mi carga más pesada y mi problema más difícil. «Los demás» no tienen la culpa de lo que me pasa. Yo soy el responsable. El poder es mío.

La esperanza y el poder abundan cuando me responsabilizo de mí mismo aquí y ahora.

8 de noviembre

Felicidad: me la he ganado
y la tomo.
Marva Collins

La mayoría de nosotros diría que quiere ser feliz más que cualquier otra cosa en la vida. Es extraño, entonces, que pospongamos y obstaculicemos la felicidad de tantas maneras, e incluso nos zafemos de su abrazo si sale a nuestro encuentro. ¿Por qué lo hacemos?

La baja autoestima que prohíbe la felicidad casi siempre es producto de la vergüenza. Por razones muy profundas y subjetivas, decidimos, o alguien más decide, que no nos merecemos la felicidad o el éxito. «La gente como nosotros» no debe esperar ser feliz. La autoimagen que se asocia a «la gente como nosotros» quizá tiene que ver con la nacionalidad, la religión o la raza. Tal vez tiene que ver con el vecindario donde crecimos, o el hecho de que no hayamos tenido mucho dinero. Cualquiera que sea nuestra negativa y limitante identidad, la realidad es que nos impide la búsqueda de la felicidad como si nos ataran los pies con una cuerda.

«La gente como nosotros», que está aprendiendo y creciendo con sinceridad, tiene todo el derecho de ser feliz. No necesita la culpa y la vergüenza que se han entretejido hasta formar una pesada cobija. Nadie puede obligarla a cubrirse con ella si ya decidió no hacerlo. Y nadie excepto nosotros puede impedirnos satisfacer el deseo más profundo del corazón humano.

«La gente como nosotros» se merece toda la felicidad.

9 de noviembre

En todas partes encontramos buenas y malas manzanas. Hay personas negativas que por diferentes razones transitan por un camino oscuro y nos invitan a caminar con ellas. Como nunca esperan un clima agradable o un camino en buenas condiciones, nunca los encuentran. Obstáculos es lo que conocen y obstáculos es lo que viven. Mientras caminemos a su lado, viajaremos en las mismas condiciones.

También hay personas positivas que por razones igualmente diferentes han optado por transitar por un camino iluminado. Ellas también encuentran lo que esperan encontrar en su recorrido. Las más de las veces viven días soleados, rutas despejadas y experiencias interesantes. No piensan que se van a meter en problemas, así que casi nunca los tienen. Caminar en su compañía nos asegura la misma tranquilidad.

Podemos unirnos a la caravana que queramos. Mientras estemos vivos transitamos por un camino u otro. ¿Explicaremos el viaje en función de tobillos luxados y equipaje extraviado, o de progreso y aventura? La elección no parece muy difícil.

La calidad de mi viaje se define en gran medida por la calidad de quienes me acompañan.

10 de noviembre

De todas las pasiones, el miedo es la que más debilita el juicio.

Cardenal de Retz

El miedo es un obstáculo terrible para lograr una autoestima saludable. Nuestro miedo a todo, del fracaso al éxito y al rechazo, nos conduce primero a un bloqueo mental y después a la parálisis. Sobreviene el estancamiento y con él, la muerte de la autoestima.

El miedo se explica como una falsa apariencia que parece real. Aunque ciertamente existen muchas razones válidas para sentirlo, la mayor parte del temor que merma la autoestima es falso. Falso en el sentido de que lo que una vez fue real, ya no lo es. En el pasado, quizá haya sido cierto que otros abusaron de nosotros, o violaron nuestros derechos, o fríamente nos hicieron a un lado. Pero eso sucedió en nuestra infancia, cuando no teníamos otra alternativa.

Lo que es verdad en el aquí y el ahora puede ser que esos sentimientos, esas percepciones y esas fronteras ya no son relevantes. Hoy en día, son falsos en el sentido de que hemos superado su influencia. Conforme vamos eligiendo cómo queremos vivir y en quién queremos creer, un mundo nuevo se abre ante nuestros ojos. El miedo es la esclavitud. Superar el miedo es libertad —y las alas mismas del dulce pájaro de la autoestima.

Las amenazas del ayer nos pueden afectar hoy.

11 de noviembre

Todo parece contaminado al contaminado espía,
así como todo parece amarillo al ojo amarillista.

Alexander Pope

Puede ser exasperante oír a alguien decir que el asunto por demás obvio y concreto que estamos tratando de resolver es un «problema de actitud». Cuando estamos atravesando por una dificultad insuperable, lo último que queremos oír es «Todo está en tu cabeza». Ese tipo de comentarios nos hacen sentir que se menosprecia a nuestra inteligencia, para no hablar de nuestra salud mental. Nos ofende la simplificación exagerada de lo que para nosotros es un dilema muy complejo.

La verdad bien puede ser que nuestro problema sea tan verdadero y tan difícil como tener que quebrar una placa de mármol. También puede ser, en parte, que la actitud con que enfrentamos el problema nos esté afectando más que el problema mismo. Después de todo, nuestras actitudes definen nuestros problemas en primer término. Las actitudes son el cristal con el que miramos nuestros problemas. Por lo tanto, siempre preceden a las acciones; están ahí primero.

Una actitud creativa transforma muchos reveses y desilusiones en aprendizaje. Una actitud receptiva y sensible disipa la niebla de la cotidianeidad y deja ver hermosos paisajes y situaciones divertidas. Una actitud independiente puede transformar la soledad en feliz retiro. La actitud de «manos a la obra» es la mejor forma de resolver problemas.

La fuerza de mis actitudes es mayor que la fuerza de mis problemas.

12 de noviembre

*El hombre cuyos sentidos están despiertos y alertas ni
siquiera necesita salir de su casa.*

Henry Miller

La baja autoestima muchas veces tiene que ver con el hastío.
Cuando nada parece valer la pena ni interesarnos, perdemos
interés por la vida y, por ende, la avidez por lo excitante y lo
divertido. A veces, cuando nos sentimos vacíos por dentro
buscamos afuera el sentido de las cosas. Buscamos afuera de
nosotros algo que nos distraiga de la monotonía diaria.

Quizá tome tiempo, tal vez suceda por accidente, pero
tarde o temprano descubrimos que nuestra propia mente puede
ser una verdadera fábrica de diversión. Cuando aprendemos a
aprovechar nuestra creatividad, nuestras ideas y abstracciones
pueden brindarnos un placer interminable. ¿Quién puede abu-
rrirse cuando hay tantas cosas interesantes en qué pensar?

¿Quién ha sido la persona más extraordinaria? ¿Por
qué? ¿Cómo serían las mejores vacaciones? ¿Por qué? ¿Cuál es
la meta más ambiciosa que puedo lograr el próximo año? ¿Por
dónde debo empezar? ¿Cuál es mi mejor cualidad? ¿Cómo
puedo explotarla? Si me concedieran tres deseos, ¿qué pediría?
¿Qué cambiaría del mundo si pudiera? ¿Qué es lo que más se
necesita? No hay límite para todo lo que puedo pensar.

**Mi capacidad de asombro y reflexión es una fuente inagotable
de placer.**

13 de noviembre

Nada es peor para la salud que cuidar
demasiado de ella.
Benjamín Franklin

La medicina moderna ha avanzado mucho. Muchos médicos sensatos, en vez de concentrarse exclusivamente en las enfermedades, alientan a sus pacientes a enfocarse mejor en su salud. Poniendo énfasis en la salud integral pueden tratar mejor la parte disfuncional. El cambio de enfoque representa una profunda diferencia; semejante a la diferencia entre estudiar la paz y estudiar la guerra.

La salud mental y emocional puede abordarse de la misma manera. Cuando sólo nos interesa lo que está mal, es lo único que encontraremos cuando salgamos al encuentro del autoconocimiento. ¿Y qué es la autoestima sino una imagen positiva de nosotros mismos? En realidad podemos causarnos problemas de autoestima si rumiamos las cicatrices y contusiones que la vida nos ha infligido. Como si no fuéramos más que la suma total de nuestras lesiones.

Somos mucho más estando sanos que enfermos. Por supuesto, es importante saber qué está mal y proceder a arreglarlo. Pero nunca, nunca debemos definirnos en función de nuestras heridas. Hacerlo equivale a restar importancia a nuestra verdadera valía y a desconocer las numerosas bondades de la salud y la felicidad.

Si cuido de mi salud, le doy a la autoestima una oportunidad de sanar.

14 de noviembre

*No hay nada bueno ni malo, sólo
buenos o malos pensamientos.*
William Shakespeare

Es arriesgado aventurar conjeturas en cualquier ámbito de la vida. Toda vez que la imagen de uno mismo depende tanto de lo que otras personas nos proyectan de nosotros mismos, puede ser especialmente peligroso hacer suposiciones en esa área.

Podemos salir lastimados porque alguien nos rechace, pero pasa todo lo contrario cuando somos nosotros los que rechazamos. Quizá la persona estaba preocupada por algo personal, o sólo estaba cansada. O supongamos que damos por sentado que alguien desaprueba lo que hacemos. No es raro enterarnos después de que ni siquiera se dio cuenta de lo que hizo o no le importó.

Llevar nuestra autoestima a flor de piel nos hace muy vulnerables. Si tomamos como afrenta personal los errores o las críticas sinceras de otras personas, estamos entrando en un campo minado. Pensemos dos veces antes de suponer algo. Dejemos de crear malentendidos y asumamos nuestra propia responsabilidad.

Las suposiciones no son hechos.

15 de noviembre

La gente realmente heroica no es aquella que recorre 10 000 millas en un trineo tirado por perros, sino la que se queda 10 000 días en un lugar.

William Gordon

Cuando escuchamos que alguien grita «¡Fuego!», más vale que corramos. Cuando escuchamos que alguien grita «¡Tornado!», rápidamente buscamos refugio. Una de las primeras cosas que aprendemos es *quitarnos de en medio* cuando vemos que se avecina algún problema o peligro.

Muchas veces salir corriendo es lo más apropiado. Una reacción rápida con frecuencia ha salvado vidas. Sin embargo, en otras ocasiones huir es lo peor que podemos hacer. Hay situaciones en las que perdemos el respeto por nosotros mismos si salimos por la puerta. Si no nos mantenemos firmes y enfrentamos estas situaciones, dejamos parte de nosotros.

Quienes temen a la intimidad se sienten impacientes cuando una persona afectuosa se acerca demasiado a ellos. Quienes temen al éxito inventan miles de motivos para dejar ir una operación prometedora y ocuparse de otra cosa. Quienes temen al fracaso brincan de una idea a otra sin comprometerse con ninguna. En todas estas situaciones, nuestros temores nos recomiendan irnos antes de salir lastimados. No obstante, la razón nos dice que retirarnos es doloroso y la autoestima significa resistir hasta el final.

Algunas veces, sólo podemos evitar la devastación si nos quedamos donde estamos.

16 de noviembre

A veces pienso que las cosas que vemos
son sombras de las cosas que serán;
construimos aquello que planeamos.
Phoebe Cary

¡Qué delicia hacer planes! Por desgracia, los planes de altos vuelos que nunca fructifican pueden llegar a ser ejercicios frustrantes que derriban nuestra autoestima en lugar de fomentarla. No obstante, la actividad legítima de hacer planes puede ser una victoria en sí misma. Tan sólo sentarnos y empezar a trazarnos metas con honestidad es una buena manera de convencernos de que podemos lograr algo. Tener una autoestima positiva significa darnos cuenta de lo que podemos realizar. Hacer planes realistas es un logro en sí.

Nos sentimos estancados, al igual que nuestra autoestima, cuando no vemos la luz al final de uno u otro túnel. Quizás estamos empantanados en un trabajo desagradable, en una mala relación o en una actitud mental negativa. Los planes nos ayudan a salir de eso. No podemos hacer planes sin pensar en los pasos que debemos dar para seguir una dirección positiva.

¿Cuáles son esos pasos? Tal vez el primer paso sea animarnos a *pensarlo bien*. Cuando nos decimos que tenemos opciones, que sin duda podemos hacer algo de nuestra vida, dejamos de ser víctimas.

Cuando hago un plan, pongo orden en mi vida.

17 de noviembre

*Aceptemos el paso de los años sin aferrarnos
a seguir haciendo las mismas cosas;
no podemos desafiar a la edad.*

Francis Bacon

Conforme nos acercamos a la edad madura, la negación y el engaño nos tienden una alfombra roja que nos regresa a la juventud. «Date vuelta, ahora», nos dicen estos grandes mentirosos. «Invierte el proceso de envejecimiento y burlarás al Tiempo.» Para llevar a cabo este ardid se nos aconseja que intentemos todo, desde morirnos de hambre hasta la cirugía plástica. A veces nos lesionamos practicando un ejercicio casi violento y llevando una vida nocturna incansable con la esperanza de pensar, lucir y sentir como los jóvenes que ya no somos.

¿Por qué nos enredamos en tan vano anhelo? ¿Acaso la primera mitad de nuestra vida fue una delicia tal que lo que viene después no puede ser menos? ¿Qué pretendemos probar tratando de detener, o incluso volver atrás, el reloj de la naturaleza? ¿Estamos tratando de engañar a los demás o a nosotros mismos? ¿Y por qué tratamos de engañar a alguien?

Claro está que debemos hacer todo lo posible por mantener una buena salud y una actitud positiva y optimista. Pero ni todas las artimañas del mundo retardan el proceso de envejecimiento. Cuando mucho, podemos evitar que se note tan rápidamente. Lo importante no es si debemos comprarnos un peluquín o una faja. Es mucho más importante saber por qué queremos complicarnos tanto la vida para ser lo que no somos.

A la mitad de mi vida, tengo cosas más interesantes que hacer que pelearme con las arrugas.

18 de noviembre

Los nombres no son más que ruido y humo,
que oscurecen la luz celestial.

Goethe

Preguntar «¿Quién soy?» es como preguntar «¿Qué es la realidad?». La respuesta puede ser un complejo ejercicio de gimnasia mental. Por otro lado, en vista de que gran parte de nuestra autoestima depende de cómo nos definimos a nosotros mismos, la pregunta reviste gran importancia y puede conducirnos a crecer más.

Una respuesta irreflexiva revela que tendemos a basar nuestra identidad en lo que hacemos. «Siempre dije que era 'Enrique, el camionero'», expresó un hombre a su grupo de apoyo. «Ahora estoy aprendiendo a decir: 'Soy Enrique y conduzco un camión'.» Enrique va por el camino correcto porque sabe que es algo más de lo que hace para ganarse la vida.

Lo que hacemos puede terminar; puede cambiar como resultado de la edad, un accidente o el destino. Si basamos en eso nuestra identidad, estamos construyendo el castillo de nuestra autoestima con arena. Quiénes somos es una realidad más profunda y más amplia que dónde trabajamos o qué hacemos cuando llegamos. El hacer contribuye al ser, pero ser es el meollo del ejercicio.

Mi identidad no empieza ni termina con mi ocupación.

19 de noviembre

El hombre sabio hace de inmediato lo que
el tonto termina por hacer.

Baltasar Gracián y Morales

Por más vergonzoso que pueda ser formarse en la fila de los «tontos», la mayoría de nosotros somos un poco expertos en dejar las cosas para después. Desde luego, sabemos mejor que nadie que cuando soslayamos lo que tenemos que hacer nos hace sentir mil veces peor que cuando finalmente actuamos y nos sentimos aliviados. Y también sabemos cuán avergonzados nos sentimos cuando dejamos todo y salimos huyendo.

Ahora que estamos trabajando en nuestra autoestima, debemos analizar las conductas que nos avergüenzan. La próxima vez que tengamos que tomar una decisión importante, ¿nos iremos o nos quedaremos? ¿Hablaremos claro o nos volveremos a ocultar? ¿Iniciaremos un programa de recuperación o lo haremos a un lado una vez más? Recordemos lo que no decidir representa para nuestra autoestima.

El asunto que exige que actuemos no nos permitirá descansar en paz mientras no lo solucionemos. La vergüenza que reprime nuestra autoestima seguirá acumulándose, capa por capa, hasta que por fin hagamos lo que tenemos que hacer. Es mucho mejor reunir el valor que necesitamos hoy, no seis meses después, y poner manos a la obra. Con toda seguridad desperdiciamos bastante tiempo con los tontos.

La única manera de que se recuperen los morosos es mientras más pronto mejor.

20 de noviembre

Una decisión es un riesgo arraigado
en el valor de ser libre.
Paul Tillich

Cuando nos enfrentamos a una decisión difícil, solemos enfocarnos por desgracia más al «antes» que al «después». La recompensa de la decisión que tomemos parece vaga e imprecisa, mientras que el dolor de tomarla es tan real e inmediato como un exasperante dolor de muelas.

Nunca ha venido una nueva vida al mundo sin esfuerzo. Tenemos que recordarlo la próxima vez que debamos tomar una decisión dolorosa. Ciertamente no es fácil dejar cualquier tipo de adicción, pero pensemos en la libertad que estamos ganando. Si decidimos volver a frecuentar la iglesia o regresar a la escuela, quizá nos sintamos raros y fuera de lugar por un tiempo, pero pronto seremos parte integral de una nueva comunidad.

Tomar la decisión de experimentar algo nuevo evoca los sentimientos de miedo y autocompasión, pero la confianza en uno mismo aguarda a la vuelta de la esquina. A veces tenemos que dar una zancada gigantesca para seguir adelante.

El trabajo de parto se olvida pronto con la dicha de una nueva vida.

21 de noviembre

La historia del mundo es una crónica tan terrible como maravillosa de la lucha entre las personas y sus circunstancias. De la invención de la rueda a la desintegración del átomo, la raza humana se ha esforzado por dejar huella de generación en generación. En medio de revoluciones y guerras, invenciones y descubrimientos, las decisiones tomadas por la humanidad han escrito la historia. Decisiones deshonrosas y cobardes nos han llevado de manera inexorable a la corrupción y la destrucción. Decisiones honorables y visionarias nos han impulsado a la creación y el progreso.

El curso de nuestra propia historia personal es muy similar. La vida de cada persona es una lucha entre las fuerzas opuestas de deterioro y creatividad, esperanza y desesperanza, visión o ceguera. Capítulo por capítulo, vamos tomando decisiones. Debido a que se trata de nuestra propia historia, somos el villano y el héroe por igual. ¿Qué seremos? ¿Atila, rey de los hunos, o Carlomagno, el sabio? ¿Hitler? ¿Gandhi? ¿El ángel de la muerte o el pacificador?

Día con día, las circunstancias aguardan a que el carácter determine si el momento presente será el renacimiento de oro o la edad del oscurantismo. Esta elección es nuestro privilegio y también nuestra responsabilidad. Queramos o no, tenemos en la mano la pluma con que se escribe la historia.

Mi autoestima cambia según los papeles que yo mismo me asigno.

22 de noviembre

*Dios hizo redonda la Tierra para que
nunca pudiéramos ver demasiado lejos.*

Isak Dinesen

Si pudiéramos ver el futuro, ¿acaso no nos libraríamos de muchos callejones sin salida y tropiezos? Una rápida mirada furtiva es todo lo que necesitaríamos. Entonces, eliminando errores podríamos decidir de qué vale la pena ocuparse y preocuparse. No tendríamos que afanarnos tanto porque *ya* sabríamos lo que sí va a salir bien y lo que no.

¡He ahí el meollo del asunto! Nada que valga la pena se consigue sin esfuerzo. El desconocimiento de lo que va a suceder es lo que nos alienta a continuar y nos hace crecer. Es la incertidumbre de la búsqueda, el reto de lo desconocido, lo que templa el carácter y la integridad. La paciencia con que abordemos el proceso es lo que forma la autoestima.

Una vida más fácil no es siempre la mejor vida. El que no arriesga no gana. El que tengamos que valernos por nosotros mismos, encontrar solos el camino, significa que tenemos la libertad de edificar nuestra propia fortaleza.

Una vida cuidadosamente trazada y predecible no sería emocionante vivirla.

23 de noviembre

A primera vista, la frase arriba mencionada parece un absurdo. ¿Qué tiene de malo que un padre quiera que su hijo sea motivo de orgullo para él? La cuestión, sin embargo, es el matiz. ¿Es más importante para un niño ser el orgullo de sus padres —o de sí mismo? ¿Qué tanta deferencia merecen los padres? ¿Cuánto reconocimiento es lógico esperar?

La reparación de nuestra autoestima con frecuencia incluye zafarnos de nuestro sentimiento de culpa o fracaso por no haber satisfecho las expectativas de nuestros padres. Aunque hayamos decidido en contra de lo que queríamos —sentimos que los defraudamos, que no fuimos motivo de orgullo para ellos.

Pero lo que los hijos quieren hacer, dentro de límites razonables, puede diferir considerablemente de lo que los padres consideran conveniente. Incluso cuestiones tan insignificantes como la forma de cortarse el pelo, el tipo de música que les gusta o el ir a la iglesia pueden convertirse en asuntos importantes que afectan profundamente la autoestima de padres e hijos. Bienaventurado el padre que puede decir: «Te amo, ya lo creo, pero lo que realmente me hace feliz es que *tú* te ames.»

Los mejores padres saben que han cumplido su misión cuando ellos mismos se retiran de su cargo.

24 de noviembre

Los días festivos no tienen piedad.

Eugenio Montale

Algunos de nosotros preferimos un mes de puros lunes que un solo día festivo. Los peores son aquellos, como el Día de Acción de Gracias, que se supone deben brindarnos suficiente calor humano para todo el año. Cuán avergonzados y resentidos nos sentimos cuando parece que todo mundo «está echando la casa por la ventana» mientras nosotros nos contentamos con comer un sándwich viendo televisión.

La realidad es que muchos de nosotros carecemos de una familia amorosa y cálida. No queremos ir a la reunión familiar del Día de Acción de Gracias. Sin embargo, eso no significa que *nosotros* estemos mal. No valemos menos que las personas que vienen de familias más sanas. Y tampoco quiere decir que no tenemos de qué dar gracias. Podemos armar nuestro propio teatro; hornear un poco de pavo si queremos. Invitar a un amigo. Platicar y reírnos.

La depresión durante los días festivos es comprensible, pero no inevitable. Quienes tienen el ánimo de celebrar, *lo harán*. Inclinarán la cabeza en señal de devota gratitud, conscientes de las bendiciones que *recibieron*, más que de las que no recibieron. Al final, se sentirán bien porque decidieron pasar un buen día. Nosotros también tendremos lo que elegimos.

La forma de enfrentarse a los días festivos es una prueba de madurez emocional.

25 de noviembre

*Quienquiera superar las influencias externas primero
debe superar sus propias pasiones.*
Samuel Johnson

Construir la autoestima es sumamente difícil para las personas impetuosas, fanáticas y lloronas. Es un trabajo de precisión. Una obra artística. El objetivo es llegar a controlar nuestra conciencia, los juicios internos y las expectativas insólitas que con tanta facilidad nos formamos de nosotros mismos. El arte de respetarse y quererse a uno mismo exige cierto grado de independencia respecto de influencias externas. Pero esto es imposible si no somos capaces de controlar nuestras pasiones.

Por supuesto, no es conveniente ejercer un control tan estricto que nos impida ser espontáneos y cometer errores. Pero no debemos dejarnos dominar por la ira, los celos o el miedo. La pasión y la razón no pueden vivir bajo el mismo techo.

Se necesita una mente ecuánime para forjar una vida sensata y equilibrada. La autoestima positiva no puede convivir en la misma casa con la ira incontenible o el miedo neurótico que nos produce el que otros avancen a costa nuestra, o la codicia desesperada por «ser buenos con nosotros mismos». El equilibrio interno entre pensar y sentir tiene que ser el objetivo principal, el primer paso.

Mis pasiones son buenos sirvientes, pero malos amos.

26 de noviembre

La práctica hace al maestro.

Ralph Waldo Emerson

Cuando esperamos mucho en muy poco tiempo, incluso un buen resultado nos parecerá muy poco y tardío. Cuando no logramos todo lo que nos proponemos, nos sentimos frustrados y abandonamos la lucha. No porque nuestro esfuerzo no sirviera, sino porque subestimamos muchísimo el esfuerzo que nuestro objetivo suponía.

La frustración siempre es proporcional a las expectativas. No podemos esperar jugar golf como profesionales después de unas cuantas lecciones. Tampoco podemos suponer que nuestros primeros intentos de pintar al óleo den como resultado retratos perfectos. Pero en cierta forma *sí* pensamos que la superación debiera ser mucho más sencilla y rápida de lo que es. De ahí la frustración.

Hace años, se transmitió por televisión una película memorable. En ella se veía cómo Nadia Comaneci se caía de la viga de equilibrio una y otra vez. Al principio parecían las repeticiones instantáneas de una misma caída. Pero después se hizo evidente que la película era una reseña de muchos intentos fallidos, uno tras otro. Más adelante, ese mismo año, Nadia ganó una medalla de oro en las Olimpiadas con un diez perfecto. Eso no habría sido posible si ella no hubiera perseverado. No se deben escatimar esfuerzos para lograr nuestro objetivo.

Romper los malos hábitos quizá sea mucho más difícil que romper un récord olímpico.

27 de noviembre

La primera de las bendiciones terrenales
es la independencia.
Edward Gibbon

Cortar el cordón umbilical entre padres e hijos solía ser un proceso natural, indoloro y esperado. Sin embargo, ahora es común entre los niños más grandes depender emocional y económicamente de sus padres hasta los veintes o incluso los treintas. Algunos entran y salen del hogar paterno como si entraran y salieran de vacaciones. Algunos nunca abandonan el nido.

Cualesquiera que sean las razones de tan prolongada dependencia, el resultado puede ser una pérdida importante de autoestima. Debido a que el respeto por uno mismo se finca en gran medida en la autonomía, tanto el que brinda apoyo como el que lo recibe quedan mal consigo mismos, ya que la independencia se retarda. En su fuero interno, la mayoría de los padres saben que demasiada ayuda puede perjudicar a los niños mayores con la misma certeza que muy poca ayuda impide el crecimiento de sus hijos menores. Los niños más grandes saben, en el fondo, que se sentirían mejor consigo mismos si pudieran pararse por sí solos, aunque se tambalearan.

La confianza en uno mismo es la tabla de salvación de la autoestima. Aquellos de nosotros que amortiguamos las caídas de nuestros hijos mayores necesitamos darnos cuenta de que nuestra «ayuda» propicia el desamparo. Aquellos de nosotros que «nos vamos a casa» cuando la situación se complica necesitamos pensar en las castrantes consecuencias de prolongar la dependencia de la niñez.

Mi autonomía es la columna vertebral del respeto a mí mismo.

28 de noviembre

*El odio es un sentimiento que lleva a la
extinción de los valores.*

José Ortega y Gasset

El odio es un tabú para la mayoría de las personas virtuosas. Es por ello que tratamos conscientemente de mantener nuestra distancia de todo aquello o todos aquellos que odiamos. Pero inconscientemente es imposible evitar lo que en verdad odiamos. El acto mismo de odiar es demasiado atrayente.

Odiar es un anzuelo. Tendemos a obsesionarnos en cierta medida con aquello que odiamos; rumiamos y fraguamos nuestro odio. Lo peor de todo, y tal vez lo más misterioso, es que el odio tiene el poder de la metamorfosis; puede transformarnos en el objeto de nuestro propio odio. Las personas que odian las carencias afectivas de su niñez, por ejemplo, con mucha frecuencia se *convierten* en los padres ausentes que despreciaban. El odio por un prejuicio crea su propio prejuicio. Las fuerzas del orden se vuelven violentas; los abstemios, alcohólicos con poder.

Los defensores del bien necesitan protegerse para no convertirse en seres malvados. Es muy fácil convertirnos en lo que odiamos. Sanear nuestra autoestima con frecuencia significa controlar el odio incontenible.

El problema con el odio es que no tiene límites.

29 de noviembre

Para decir lo correcto en el momento oportuno,
en la mayoría de los casos es preferible callar.
John W. Roper

Algunas verdades son más difíciles de comunicar que otras. Sabemos muy bien que necesitamos desesperadamente adoptar una posición, aclarar un malentendido de tiempo atrás o compartir un conocimiento nuevo y vital con alguien cercano a nosotros. Quizá nuestra propia autoestima dependa de que comuniquemos esa verdad difícil de expresar. Pero justamente porque el mensaje es tan difícil de transmitir, tal vez no podamos expresarlo en este preciso momento. Es probable que no estemos listos para hacerlo.

Esforzarse por ser expedito no es lo mismo que retroceder o ceder. Más que embrollar el mensaje y, por lo tanto, provocar el malentendido, ¿acaso no es mejor permanecer mudo mientras no se sabe qué decir? ¿Acaso no es más atinado dar pasos pequeños que enormes zancadas? Si la tarea es demasiado grande para nosotros por ahora, es muy prudente tomar las medidas necesarias que nos preparen para poder hacerlo mañana.

La comunicación de una verdad difícil a determinada persona debe prepararse hablando al respecto con otra persona. Si necesitamos adoptar una posición ante la pareja, podemos practicar con un amigo de confianza. Si tenemos que despertar la conciencia de un niño mayor, podemos expresar a la pareja las ideas que necesitamos transmitir. Podemos ensayar nuestro parlamento en la regadera o el automóvil. Si practicamos lo suficiente, estaremos seguros de que encontraremos la sabiduría, las palabras y el valor para decir lo que tenemos que decir a la persona que necesita oírlo.

Al igual que otras habilidades, la asertividad se adquiere con la práctica constante.

30 de noviembre

*Decir la verdad no es compatible con la
defensa de nuestro territorio.*

George Bernard Shaw

Una autoestima saludable nace de la aceptación de uno mismo, que se basa en el propio conocimiento. Es por eso tan importante decirnos la verdad a nosotros mismos y poner las cosas en su lugar. Si nos conocemos a medias, los cimientos mismos de nuestra autoestima se tambalean.

El propio conocimiento se adquiere gradualmente. Muchos de nosotros trabajamos arduamente, por ejemplo, para confesarnos con sinceridad lo que más nos duele. Durante años nos dijimos: «No hay problema», «No importa» o «Yo estoy bien, hablemos de ti». Tuvimos que luchar para decir: «Eso me molestó mucho», «Me sentí lastimado» o «Ya decidí no volver a pasar por lo mismo». ¡Eso es un adelanto!

Pero incluso entonces estamos «defendiendo el reino» del temeroso ego. Reconocer el dolor y reconocer la profundidad del dolor no es lo mismo. Una cosa es admitir el daño y otra reconocer que estamos acongojados. Una cosa es decir: «No me gusta» y otra, «Siento que me muero». Menospreciar nuestro dolor es mejor que negarlo. El conocimiento de uno mismo basado en verdades a medias siempre estará incompleto.

Aceptar la profundidad del dolor es la única honestidad verdadera.

1o. de diciembre

Los actos deben culminar con la sensatez.

Bhagavad-Gita

Si por algo nos caracterizamos los occidentales, es por ser gente de acción. Estamos desesperados por hacer algo, entendamos bien o no el plan del juego y nuestra participación. ¡Que vean cómo levantamos el polvo!

Esta misma actitud precipitada puede anular hasta nuestros mayores esfuerzos por elevar la autoestima. Si no entendemos la meta, podemos enfrascarnos con un abandono imprudente en un programa de acción exhaustivo. Caminar, leer, hacer dieta, asistir a las reuniones y decir lo que pensamos, todo puede formar parte del programa.

Sin embargo, la sensatez nos recomienda moderación. Los resultados de actos frenéticos del pasado a menudo han sido decepcionantes. Quizás esta vez debamos aceptar que lo menos puede ser mejor, que el movimiento y el avance no son lo mismo, que la meta es lograr una autoaceptación tranquila, no una lista de más de cien aspectos que debo mejorar.

Casi siempre, necesito actuar para progresar. No obstante, los actos insensatos pueden ser desgastantes e inútiles.

2 de diciembre

No debo andar mencionando nombres.
No debemos tratar de impresionar con los nombres,
como Su Majestad me lo hizo ver el día de ayer.
Norman St. John Stevas

Nadie quiere ser un don nadie. Por eso, en ocasiones nos vamos tambaleando en los frágiles zancos de la pretensión. Queremos destacar entre la multitud y aparentar más de lo que somos. Como aún no hemos aprendido a admirar a nuestro verdadero yo, queremos engañar al resto del mundo para que admiren el yo que pretendemos ser.

Una de las tácticas que empleamos para elevar nuestro estatus social es buscar que nos aprueben por asociación. Tal vez no mencionemos nombres de manera tan obvia como el autor de la cita anterior, pero todos tenemos nuestros métodos —sobre todo si nos sentimos inseguros— para decirle a otros que no están tratando con cualquiera. Quizá digamos que oímos algo en «el club». Tal vez adoptamos la manera de hablar y de vestir de un grupo que nos excluye. A lo mejor hasta mentimos sobre el lugar en el que vivimos o la escuela en la que estudiamos.

Tomar prestado un estatus puede proporcionarnos una seguridad pasajera y ayudar a que nos acepten en un apuro. No obstante, si queremos ponernos en contacto con nuestro *verdadero* yo, tendremos que aprender a salir al mundo caminando con nuestros pies y dejando atrás los zancos. Mientras no dejemos de dar a entender que estamos «con ellos», nos estaremos devaluando.

Conforme me acepto más, disminuye mi necesidad de pretensión.

3 de diciembre

La regla número 1 es que no hay que
preocuparse por cosas sin importancia. La regla
número 2 es que todas son cosas sin importancia.
Dr. Robert S. Eliot

«¿Qué tan importante es?» es uno de los lemas que usan los seguidores de los programas de Doce Pasos. Se recomienda a los recién llegados al programa que se hagan esta sencilla pregunta para que se tranquilicen antes de ahogarse en un vaso de agua. Como todos los lemas, éste es una herramienta para hacer una corrección rápida antes de que un problema pequeño se haga grande.

Hasta que no aprendemos a discriminar nuestras prioridades, todos los puntos de una larga lista de lo que debemos hacer o considerar suben de algún modo hasta el primer o segundo lugar en importancia. Sobre todo cuando nos encontramos en una situación caótica, ¡nos olvidamos del simple hecho de que sólo podemos hacer una cosa a la vez! Además, evidentemente no todas las tareas tienen la misma importancia. Recoger la ropa de la tintorería, por ejemplo, no se compara con ir a la cita con el médico que hace tanto tiempo pospusimos. No obstante, por las prisas habituales que caracterizan a la vida moderna, no nos detenemos a revaluar nuestras tareas de acuerdo con nuestras metas.

Con mucho, la mayoría de nuestras actividades cotidianas entran en la categoría de «cosas sin importancia». Fortalecemos en gran medida nuestra autoestima al reconocer esto y aprender a aprovechar de manera más sensata y eficiente nuestro tiempo y energía.

Me conviene tomarme un «descanso mental» todos los días para revaluar mis prioridades.

4 de diciembre

Nuestra principal obligación es no confundir
los lemas con las soluciones.
Edward R. Murrow

La gente que inicia alguna actividad de autoayuda puede hacerse sumamente simplista. Sobre todo en la actualidad, cuando hay tal abundancia de libros, oradores, seminarios y cursos, cada uno con su propia jerga y frases preferidas. Los lemas surgen fácilmente.

Sin ni siquiera darnos cuenta, podemos llegar a ser bastante hábiles para unir unas frases con otras, ponerle etiquetas a nuestros motivos o los de otros, o sustituir una visión ganada a pulso por un fragmento de verdad empaquetada. ¡Qué satisfactorio es encontrar algunas respuestas sencillas y oportunas a las preguntas que nos atormentan!

Pero los lemas y la jerga no son más que faroles que alumbran en la oscuridad. Sólo arrojan un cono de luz y crean una pequeña isla de conocimiento. Nuestra tarea no es aferrarnos a los faroles, sino seguir desplazándonos en la oscuridad.

La introspección no implica un cambio y las palabras no son un comportamiento. La meta de nuestros programas de autoayuda no es volvernos engreídos y superficiales, sino motivarnos a adoptar un comportamiento que nos ayude a cambiar nuestra vida. Para hacer esto, debemos ir más allá de las etiquetas, dejar de hablar por hablar y empezar a caminar.

Mis actos hablan más fuerte que mis palabras.

5 de diciembre

Malditas sean las mentiras sociales que
nos apartan de la verdad viviente.

Alfred Lord Tennyson

Nuestra sociedad, que le da tanta importancia al estatus, ubica a los profesionales con una buena educación por encima del resto de la gente. Los médicos, abogados o catedráticos automáticamente son honrados y respetados por el prestigio de su posición. Sin embargo, como seres humanos, la gente de más alto rango —incluso presidentes y reyes— no es ni un poco mejor que los demás.

Se cuenta la historia de un renombrado médico que llamó a AA en una crisis alcohólica. El miembro de AA que designaron para ir a visitarlo lo encontró intoxicado y en un estado lamentable pero beligerante. «¿A qué se dedica?», masculló el médico. «Pinto casas», respondió el visitante. «¡No puedo creer que hayan mandado a un obrero!», gritó el primero. «¿No sabe la diferencia que hay entre usted y yo?» «Sí», contestó el miembro de AA, «usted es un médico ebrio y yo soy un pintor sobrio».

Todos los seres humanos son susceptibles de sufrir una derrota o una decepción. Dejando de lado los títulos, la gente es sólo gente —valiente y temerosa, perezosa y emprendedora, compasiva e indiferente. Buena parte de la distancia que percibimos entre nosotros y los demás sólo es humo social.

La manera en que la sociedad clasifica a la gente no tiene por qué ser la mía.

6 de diciembre

Todos los trabajos parecen maravillosos
excepto el que yo hago.
Ralph Waldo Emerson

Gran parte de la autoestima se basa en el aprecio de lo que hacemos. No de lo que hace alguien más, ni de lo que *tal vez* haga nuestro yo idealizado algún día remoto, sino de lo que podemos hacer y estamos haciendo en este momento.

La falsa modestia y la «cortesía» nos han condicionado a menospreciar nuestras habilidades, capacidades o contribuiciones. ¡Dios nos libre de que alguien piense que estamos presumiendo! Sin embargo, llevamos la modestia demasiado lejos cuando rechazamos el halago tan rápida y automáticamente que ¡ni siquiera *nosotros* reconocemos el valor de nuestro trabajo! Deshacerse en elogios por otra persona es una actitud buena y generosa, pero menospreciarnos puede convertirse en un hábito contraproducente.

Cada uno de nosotros es como es. Nuestros comentarios en grupo no son como los de cualquier otro. Una carta nuestra tiene un significado que no puede tener la carta de ninguna otra persona. Nuestra visión, nuestro marco de referencia, las experiencias particulares que hemos vivido —todo esto nos pertenece sólo a nosotros. Si no compartimos lo que sólo nosotros podemos compartir, entonces nunca compartiremos ese algo especial. La modestia no es ni sana ni apropiada si nos convence de que lo mucho es poco.

Evitar la grandiosidad no significa negar mis dones.

7 de diciembre

Todo lo que se ha ganado puede perderse.
Everett T.

Ya sea que pensemos en una fortuna en acciones y bonos o en el oro de la autoestima, la cita anterior nos hace sentir nerviosos e inseguros. Aunque sin duda es cierta, la posibilidad de la pérdida nos parece terriblemente negativa. Sin embargo, eso no es todo. Implícita en estas palabras está la advertencia real de que si aflojamos en las disciplinas diarias que fomentan la autoestima corremos el riesgo de una recaída. Así como las «caídas son más duras», seguir despreocupadamente el mismo rumbo precede el posible regreso a lo que fue.

Si la lectura diaria nos ha resultado útil para encender las luces en una situación que de otra forma sería oscura, es mejor que continuemos leyendo. Si las afirmaciones nos han permitido avanzar por el camino correcto, ¿por qué dejar de hacerlas? Si acudir a los orientadores y reunirnos con el grupo han sido los asideros que nos han ayudado a salir de uno u otro foso de desesperación, no debemos cometer el error de descuidar estos contactos.

Los programas que nos hemos diseñado funcionan si *nosotros* nos esforzamos. Para no volver a la oscuridad, debemos mantener vivo el fuego de la hoguera.

Proteger lo que aprecio no es más que tener sentido común.

8 de diciembre

Despójate de la presunción, pues es imposible que alguien empiece a aprender lo que piensa que ya sabe.

Epicteto

En la Segunda Guerra Mundial, los alemanes alardeaban de que con sus tanques vencerían fácilmente a los rusos. Sabían que sus tanques, construidos a la perfección y de acuerdo con estrictas especificaciones, estaban mejor diseñados que los tanques rusos, construidos con mucho menor rigor. Sin embargo, en el invierno ruso, la rigidez de los tanques alemanes se convirtió en una desventaja, porque el aceite se les congelaba. La mayor tolerancia de los tanques rusos los hacía mucho más adaptables y les permitía funcionar en temperaturas bajo cero. De modo que los alemanes sufrieron una derrota tras otra.

Algunas veces cometemos el mismo tipo de errores cuando comparamos nuestra persona y habilidades con las de otros. Tal vez supongamos que somos mucho más capaces y avanzados que ellos. Si tenemos un currículum inmaculado de logros, quizá nos resulte difícil imaginar que, en algunas áreas, podemos ser torpes y lentos mientras que otros son competentes y veloces.

Hay una gran lección en la historia de los tanques. Lo que actúa *a nuestro favor* en una situación bien puede actuar *en nuestra contra* en otra. La agresiva mentalidad «Hazlo ahora» que nos funciona tan bien en el mundo externo puede estancarnos en el mundo interno. No es lo mismo la presunción que la autoestima. Quizá debamos caminar con un poco más de lentitud y humildad cuando penetramos en áreas congeladas del corazón humano.

Cualquier cosa que me haga petulante también me hace vulnerable.

9 de diciembre

Cuando hacemos algo bien, ¿por qué nos
sorprende tanto que haya salido bien?
Reverendo David Stier

Encarar la falta de autoestima puede ser una contienda encarnizada y exhaustiva. Sólo el valor del premio hace que valga la pena seguir esforzándose. Sin embargo, es común que la gente envuelta en la refriega se sorprenda cuando un esfuerzo comprometido y constante realmente gana terreno. ¿Por qué no habría de ser así?

Si hacemos afirmaciones con regularidad, aun cuando no tengamos deseos, *aprenderemos* a pensar de manera más sana. Si nos disciplinamos día a día, lo positivo ahuyentará a lo negativo. Si actuamos constantemente de una manera segura y afectuosa, llegaremos a esperar algo bueno de nosotros. Al repetirlas, estas conductas nos parecen naturales. Si somos persistentes para evitar los patrones de pensamiento que dañan la imagen de nuestra persona, romperemos estas cadenas mentales, eslabón por eslabón.

Quienes estamos muy acostumbrados al fracaso a menudo nos sentimos sorprendidos y conmocionados por el éxito. No obstante, ¿qué tiene de raro recibir un buen pago por un día de arduo trabajo? Merecemos el éxito.

No sólo estoy haciendo progresos, sino que también estoy más consciente de ellos.

10 de diciembre

Somos más de lo que tenemos.
Don Wilson

Los predicadores y los maestros siempre nos han dicho que somos más de lo que tenemos. Ser no es lo mismo que tener. Esta perla de sabiduría casi siempre se relaciona, con justa razón, con la posesión de bienes materiales.

Sin embargo, no sólo las cosas nos distraen; también tenemos sentimientos. El mismo pensamiento se aplica en ese caso: somos más que los sentimientos que tenemos. No somos nuestros sentimientos, así como tampoco somos nuestras posesiones. Con frecuencia, parece que nos definen los sentimientos de vergüenza, culpa, falta de mérito, inseguridad y enajenación —entre muchos otros. Al interpretar esos sentimientos, debemos entender que el hecho de que *sintamos* de cierta manera no significa que *seamos* de esa manera. Si olvidamos esta distinción, nos perderemos en el camino hacia la autorrealización.

Mucho de lo que sentimos por nosotros es aprendido. Tal vez a la gente avergonzada le han dicho durante tanto tiempo que no merece nada que el sentimiento implícito en ese trágico mensaje se hizo real. No obstante, la verdad es que hay opciones para nuestra manera de sentir. Podemos, y a menudo debemos, retar a nuestros sentimientos. Tal vez no podamos cambiar nuestros sentimientos con la misma facilidad con que nos cambiamos de zapatos, pero *podemos* hacerlo si decidimos que ya no nos quedan bien.

Mis sentimientos son una parte de mí, no todo.

11 de diciembre

El juicio llega con la experiencia y el gran juicio llega
con las malas experiencias.
Senador Bob Packwood

La falta de autoestima puede interpretarse como una película integrada, cuadro por cuadro y escena por escena, por todos nuestros juicios errados y fechorías. Es nuestra propia historia de horror. El argumento nunca cambia, así que llegamos a conocerlo bien: la vida es sólo una mala experiencia tras otra y no debemos esperar nada más.

¡Qué injustos somos cuando le ponemos tanta atención al costo y tan poca a la sabiduría de lo que hemos adquirido! Sin duda, es realista considerar nuestros errores como lecciones y no como manchas indelebles en nuestro haber. Si las malas experiencias nos enseñaron algo que desconocíamos, ¿en realidad son tan malas? Lo cierto es que el fracaso es mejor maestro que el éxito.

Desde luego, es triste que las relaciones se desmoronen, que el tiempo se pierda y el dinero se malgaste. Sin embargo, pese a toda la angustia de estas malas experiencias, ¿no nos proporcionaron algunas pistas para evitar los mismos escollos en el futuro? Si recibimos alguna enseñanza, no todo está perdido. No nos aniquilan ni nos condenan a vivir el futuro como vivimos el pasado. Debemos considerar nuestra «película» como una cinta de capacitación, no como una historia de horror.

El buen juicio se construye, ladrillo por ladrillo, a partir de las lecciones aprendidas.

12 de diciembre

Un hombre está formado por la fe que alberga.
Lo que sea su fe, lo será él.

Bhagavad-Gita

Las garantías nos brindan una gran seguridad a muchos. Si «algo» no funciona —sea lo que sea—, queremos saber que nos devolverán nuestro dinero. En algunas áreas de nuestra vida, esta demanda de seguridad no sólo funciona sino que simplemente es una cuestión de sentido común. Sin embargo, no hay garantías en muchas áreas.

Mantener o fomentar una autoestima sana, por ejemplo, es en gran medida una propuesta de fe. Desde luego, nos gustaría que nos prometieran que después de realizar una tarea difícil —como hablar claro en una relación, hacer valer nuestros derechos o volver a la escuela para tomar cursos de actualización—, veremos resultados de inmediato. Queremos tener la certeza de que nuestros esfuerzos para reducarnos a través de nuevas lecturas o escuchando a los oradores producirán un gran cambio *rápido*. Queremos el mismo tipo de garantía que nos dan al comprar un auto o un refrigerador. Queremos *saber*, no esperar, que los programas de automejoramiento funcionen como se anuncia.

Sin embargo, no hay garantías. Todos somos distintos. Nos desarrollamos a nuestro propio ritmo. Las experiencias espirituales decisivas ocurren en diferentes momentos para las diferentes personas. A menudo, es sólo la fe la que nos hace señas para que cambiemos de aires. Para seguir adelante, debemos seguir creyendo.

La confianza en mí mismo se garantiza a sí misma.

13 de diciembre

Una definición encierra la exuberancia
de una idea entre muros de palabras.
Samuel Butler

De toda la retórica especializada que rodea a la recuperación, el término *familia disfuncional* parece ser el que corre más peligro de perder su significado original y, por ende, su valor y validez. Si al principio se utilizó para definir familias en las que había incesto, niños golpeados o negligencia criminal, ahora se utiliza para describir a casi *todas* las familias. Algunos expertos afirman que el 90 por ciento de las familias son seriamente disfuncionales de alguna manera u otra.

Sin embargo, como todas las palabras de moda que generan un gran interés, la etiqueta *familia disfuncional* se ha vuelto inexacta y engañosa al aplicarse de manera tan amplia a tantas situaciones distintas. Un niño regularmente maltratado lleva una carga mucho más dolorosa que un niño cuyo padre no lo llevaba a los juegos de beisbol y cuya madre se negaba a turnarse con otras para llevarlo a él y a sus compañeros a la escuela. Debemos tener cuidado al señalar causas fundamentales que apenas existen.

Todas las familias tienen defectos porque todas las personas tienen defectos. Todos nosotros tuvimos, y la mayoría *somos*, padres incompletos e inexpertos. Al considerar las dificultades, la mayor parte de las familias merecen reconocimiento simplemente por permanecer unidas con toda la valentía y el optimismo que pueden. La mejor manera de fomentar nuestro desarrollo es dejar de acusar a nuestras familias y sólo voltear la mirada en busca de información y análisis.

Soy responsable de lo que forma parte de mi vida.

14 de diciembre

Ve tras tu dicha.

Joseph Campbell

Son afortunados quienes tienen una visión clara de lo que es importante para ellos y de cómo quieren vivir su vida. Muchos vamos sin rumbo como barcos sin timón, guiados sólo por los caprichos de la suerte. No obstante, no podemos llegar a nuestra meta a menos que sepamos «dónde» está.

Hace años, durante la Gran Depresión, un joven que se dedicaba a viajar por el país pidiendo aventones entabló una conversación con un hombre más viejo que se ofreció a llevarlo. El hombre le preguntó cuál era su meta en la vida y él le respondió que su mayor deseo era hacerse rico. «Eso no es verdad», dijo el hombre. «Si fuera cierto, no estarías perdiendo el tiempo vagando por el país. Estarías trabajando duro intentando hacer tu sueño realidad.» Por supuesto, tenía razón.

Con el tiempo, llegamos a ser aquello que hacemos. Si queremos realizar nuestros sueños, tenemos que esforzarnos por ello. Necesitamos conocernos, establecer metas y luego poner todo de nuestra parte para alcanzarlas. No basta con desear hacerlo.

Tengo la determinación para alcanzar mis metas.

15 de diciembre

Para el mezquino todo se vuelve mezquino.

Federico Nietzsche

Es una verdad vergonzosa que lo bueno que reconocemos claramente en otras personas pueda hacernos sentir mal y comportarnos aún peor. Cuando nos impresiona la belleza juvenil de alguien, quizá de inmediato hagamos un comentario sobre su inexperiencia e ingenuidad. Si vemos que alguien tiene una gentileza que a nosotros no se nos habría ocurrido, tal vez neutralicemos nuestra admiración —y al mismo tiempo nuestra envidia— llamando a esa persona «sensiblera» y «blanda de corazón». De alguna manera, nos resulta difícil dar reconocimiento a lo que simplemente lo merece.

El problema estriba en la inseguridad. Cuando las cualidades de otras personas nos provocan pensamientos mezquinos, se trata de una señal inequívoca de que estamos a la defensiva. Por algún motivo, nos sentimos amenazados o disminuidos cuando percibimos que alguien posee más fortaleza, carácter o belleza que nosotros. ¡Como si esas personas no tuvieran defectos al igual que dones! ¡Como si perdiéramos algo al reconocer que no somos el principio y fin de toda la belleza y la bondad! ¡Qué postura tan absurda e indefendible!

Si tanto insistimos en encontrarle fallas a la belleza, empecemos con nosotros mismos. La integridad no se acompaña de la mezquindad.

Conforme me siento mejor conmigo mismo, albergo mejores sentimientos hacia los demás.

16 de diciembre

Los demás no están contra ti;
simplemente están con ellos.

Gene Fowler

Algunas de las decisiones que toman los jefes, los burócratas y otros superiores poderosos pueden desbaratar nuestra vida personal. Aunque hayamos hecho nuestros planes con gran cuidado, algunas cosas con las que contábamos simplemente no van a suceder y otras que pensábamos que nunca ocurrirían están ahí ante nosotros. Tal vez se decidió que una nueva avenida atraviese nuestro vecindario y derruirán la casa donde pensábamos vivir después de nuestra jubilación. O quizá van a reubicar la compañía donde trabajamos y no nos invitaron a seguir colaborando.

Cuando suceden estas cosas, nos sentimos traicionados y devaluados. Nuestra autoestima se viene abajo junto con nuestros planes. Resentidos y atemorizados, podemos emprender una venganza personal contra los «culpables» que nos puede hacer mucho más daño a nosotros que a ellos.

Si reflexionamos un poco, generalmente nos podemos dar cuenta de que esas decisiones no fueron tomadas con ánimo de *perjudicarnos*, sino porque así convenía a los intereses de quienes las tomaron —ya fuera para protegerse o progresar. Por desagradable que resulte esa acción, nos daña menos que considerar personales los acontecimentos impersonales. No podemos impedir que las estrucutras de poder sean codiciosas e insensibles. Sin embargo, no debemos permitir que nuestra autoestima se vea afectada por una decisión tomada por gente que ni siquiera conocemos y quizás se encuentre a miles de kilómetros de distancia.

Mi valía personal no depende en absoluto de los acontecimientos impersonales.

17 de diciembre

En el jardín de niños, empezamos a aprender a distinguir lo semejante de lo diferente. Nos felicitaban cuando separábamos los botones rojos de los azules y los palitos cortos de los largos. Establecer categorías es una habilidad que nos ayuda a organizar hechos para que podamos manejarlos mejor. Si no pudiéramos distinguir las cosas, nuestro mundo sería un desorden difícil de manejar.

Sin embargo, los seres humanos no son hechos ni objetos. Cuando nos clasificamos a nosotros mismos o a los demás, nos sentimos decepcionados. Las clasificaciones deshumanizan e impiden elevar la autoestima. La gente es demasiado compleja para que la encasillemos. Las etiquetas como *desempleado* o *pensionado*, por ejemplo, no significan más que eso. Sólo nos dicen una pequeña parte de la amplia historia de un individuo. Estas etiquetas describen, no definen, y convierten a la gente en estadísticas.

En nuestros esfuerzos por pensar adecuadamente, nos damos cuenta de que otras personas, al igual que nosotros, no pueden clasificarse de una manera precisa como creíamos. Al descubrir nuestra rica mezcla de pros y contras, nos percatamos de que ordenar a las personas en compartimientos es una manera de subestimarlas. En vez de clasificar para pensar mejor, clasificamos para asignar una etiqueta y no tener que pensar.

Me aprecio a mí mismo en la misma medida en que aprecio a los demás.

18 de diciembre

Celos: el dragón que le da muerte al amor
con el pretexto de mantenerlo vivo.

Havelock Ellis

Las adolescentes se sienten halagadas y emocionadas cuando sus novios se encelan. En ocasiones, incluso provocan deliberadamente sus celos —«para saber si de verdad me ama». Sin embargo, los celos no son ni serán nunca un signo de amor, pues sólo denotan inseguridad e inmadurez.

Ahora que ya hemos crecido; necesitamos tener bien claro lo que significa y lo que no significa una relación amorosa. Ya de adultos, tanto los hombres como las mujeres pueden confundir la posesión con el amor. No obstante, debemos reconocer que nadie le «pertenece» a nadie. La desconfianza crónica es una debilidad de carácter, no una cualidad. Obsesionarse con los ires y venires de alguien no es de ninguna manera devoción. Acusar a nuestra pareja inocente de que nos engaña habla más de nosotros que de nuestra pareja.

Si somos celosos, necesitamos que nos ayuden a manejar el miedo a la pérdida que generan esos sentimientos. Si nos sentimos reconfortados y halagados cuando nuestras parejas «nos celan porque nos quieren lo suficiente», debemos trabajar en nuestro desarrollo.

El amor fomenta la libertad de la pareja; los celos la limitan.

19 de diciembre

Si un hombre siempre se ha empeñado en
ser serio y nunca se ha permitido un
poco de diversión y descanso, se volverá
loco o inestable sin ni siquiera saberlo.

Herodoto

Las fuerzas contradictorias a menudo nos levantan y oprimen al mismo tiempo. ¡A quién le hacen falta enemigos si nos tenemos a nosotros! Mientras que una mano está ocupada levantando la autoestima, la otra se dedica a arruinar todos esos esfuerzos.

Esto puede suceder cuando tratamos de enriquecer nuestras vidas con un nuevo interés o pasatiempo. Supongamos que nos integramos a un equipo de boliche o nos inscribimos en clases de cerámica. La primera vez que nos presentamos nos sentimos llenos de entusiasmo y emocionados, ¡cómo nos vamos a *divertir*! Nos congratulamos por el esfuerzo que estamos haciendo y nos preguntamos por qué habíamos esperado tanto tiempo. Sin embargo, la segunda o tercera vez empezamos a percatarnos de todo lo que nos falta para llegar a ser realmente buenos en esa actividad. ¡Los demás son tan hábiles si nos comparamos con ellos! Entonces recordamos de pronto que nuestro programa favorito de televisión pasa esa misma noche, dejamos de ir y permitimos que se apague nuestro entusiasmo.

No es fácil darnos la oportunidad de divertirnos sólo por divertirnos. Por extraño que parezca, muchos adultos con un elevado sentido del deber tienen que rehabilitarse, con paciencia y perseverancia, como si tuvieran que recobrar alguna facultad perdida después de un daño cerebral. Sin embargo, la retribución es maravillosa; recobrar nuestro derecho a la diversión es lo más parecido a recobrar nuestra infancia.

La capacidad de divertirse no es un lujo.

20 de diciembre

El conocimiento es el proceso de acumular hechos.
La sabiduría estriba en su simplificación.

Martin H. Fischer

Los anuncios de los productos nuevos en el mercado dicen «su moderno diseño lo hace sencillo». ¡Qué interesante observación y qué sabia! En el fondo de muchas cosas complicadas se esconde un pensamiento sencillo, una sola idea absolutamente clara e inteligible. La autoestima es un ejemplo de ello. Pese a todos los análisis complicados de las causas y curas, ¡todo se reduce a aprender a querernos! ¡Así de sencillo!

No es sorprendente que nos queramos cuando nos comportamos de manera agradable; que nos respetemos cuando nuestra conducta es respetable; que honremos nuestros actos honrados. Esto no tiene nada de confuso o complicado. Tampoco es ningún misterio que nos sintamos mal cuando nos comportamos mal o maltratados cuando vamos en compañía de personas desconsideradas.

Aprendemos a querernos cuando hacemos aquello que fortalece nuestra integridad y nos abstenemos de hacer aquello que la daña. Ni la verdad ni las implicaciones podían ser más sencillas. Cualquier medida que tomemos, no importa lo insignificante que sea, enriquece o merma nuestro tesoro. Si olvidamos todo lo demás que sabemos sobre la autoestima, al menos no olvidemos eso.

Hago más progresos cuando simplifico las cosas.

21 de diciembre

Éste es un mundo de compensación.

Abraham Lincoln

Algunos decidimos a temprana edad que sólo podremos integrarnos al círculo de los ganadores montados en los hombros de alguien más. Otros nos rendimos después de años de reveses y decepciones. Sin embargo, cualquiera que sea el caso, llega el momento, normalmente en un profundo nivel subconsciente, en que le endilgamos a alguien más nuestra tarea. Si no podemos llegar a la gloria por nosotros mismos, decidimos compartir la de otros. Es entonces cuando el estatus de otras personas —los padres, los cónyuges o incluso los hijos— se vuelve más importante para nosotros que el nuestro.

No es nada raro ver a «padres cuervo» que abandonan o descuidan sus asuntos para ocuparse del futuro de Juan en los deportes o del potencial de Jimena para la danza; o ver a un adulto que se define a sí mismo en relación con su padre, quien ha tenido mayores logros; o a una mujer que se oculta tras la sombra de su marido. Sin embargo, poner todas nuestras esperanzas y nuestros sueños en manos de alguien sólo perjudica más nuestra autoestima. No sólo adjudica una carga injusta a las personas que esperamos que la lleven, sino que todas las retribuciones que recibamos serán de segunda mano.

Por lo general, usar una relación para *quedar* bien nos hace sentir mal. No tenemos derecho a usar a nuestros hijos más que para ayudarnos a cargar las bolsas del supermercado. Tampoco mostramos una actitud de adultos maduros y responsables cuando permanecemos a la sombra de nuestros padres o cónyuges. Nuestra autoestima siempre será cuestión de mantenernos bajo la luz de nuestro propio reflector.

Nadie puede desarrollar mi potencial por mí; soy capaz de hacerlo yo solo.

22 de diciembre

Observa cómo recibe los halagos un
hombre y sabrás cuánto vale.
Thomas Burke

Resulta difícil recibir críticas, pero aceptar con gracia los cumplidos tampoco es fácil. De hecho, la mayoría nos damos cuenta de que se requiere mucho aplomo y práctica. Sentimos que carecemos de modestia si no rechazamos el halago de inmediato.

No hay que evitar que satisfagan las necesidades de nuestro ego con la idea de que debemos mostrar una falsa humildad. ¿Cuántas veces hemos visto a gente que reacciona ante un cumplido haciendo comentarios despectivos de sí misma? Este comportamiento retraído nos impide disfrutar plenamente un halago bien merecido.

En los días oscuros en que la neblina del fracaso es particularmente espesa, recordar los halagos que nos han hecho eleva nuestro ego y nos ayuda a pensar en nuestras cualidades. No necesitamos más que decir un sencillo y amable «gracias» cuando alguien tiene la gentileza de elogiarnos. La verdadera humildad acepta los dos tipos de verdad sobre nosotros: tanto la agradable como la desagradable.

Puedo aceptar cumplidos con un agradecimiento gentil.

23 de diciembre

Una gran variedad de motivos intervienen en nuestra toma de decisiones. La razón, la emoción, el espíritu, la experiencia, el miedo y el amor contribuyen con algo valioso. La mejor decisión siempre es producto de la colaboración.

Como sucede con las deliberaciones del gobierno, las deliberaciones personales deben basarse en los datos disponibles. Si dejamos de lado algún aspecto, se está ocultando una verdad y se reduce la validez de la decisión, si no es que se anula. Para negar cualquier parte de nosotros hay que escuchar sólo una parte de la historia y, por ende, encubrir toda la verdad.

La autoestima mejora cuando se toman decisiones sanas. No podemos ser sino el resultado de nuestras deliberaciones, en especial en los asuntos que nos atañen. No obstante, es muy posible que, incluso en nuestro fuero interno, ocultemos información valiosa y guardemos secretos. La autoestima siempre es la víctima.

Por lo general, tengo mis propias respuestas si me doy tiempo para escuchar.

24 de diciembre

En el área de la autoestima, los bonos de los padres bajan o suben según lo que proporcionan a sus hijos. Si el padre y la madre dan a sus hijos «lo que ellos nunca tuvieron», ya fuera las clases de tap, la ropa de moda o las bicicletas caras, se sienten bien consigo mismos. Si no pueden hacerlo, se sienten demeritados ante sí. Quizá nuestros padres se sintieron disminuidos por lo que no pudieron darnos.

Sin embargo, muchos de los beneficios que los padres prodigan a sus hijos, tal vez no sean beneficios en absoluto. Vivimos en una sociedad tan terriblemente materialista que nos confundimos sobre lo que en realidad necesitan nuestros hijos. Lo cierto es que no les hace falta ningún par de tenis de marca ni ninguna fiesta espectacular —aunque los niños nos reclamen a gritos que «todos los demás» tienen el doble. Al reflexionar, en el fondo sabemos que los mejores regalos que podemos darles son tiempo, atención, interés y amor.

La autoestima no debe depender del hecho de que mi padre tenga o no un traje de Santa Claus. Los niños pueden pensar que quieren algo, pero la «felicidad por adquisición» sólo da lugar a una vida de carencias. Fuera de techo, alimento y cuidados médicos, el dinero no puede comprar lo que en verdad necesitan nuestros hijos: alguien que los escuche, que conviva con ellos y respete sus luchas. Con eso, están del otro lado, al igual que sus padres.

Los niños aprenden a apreciar los mismos valores que sus padres.

25 de diciembre

¡Hoy es Navidad! ¡Gracias a Dios que la estoy viviendo!
Charles Dickens

Conforme pasan los años, es muy posible que perdamos mucho más que los hoyuelos de nuestros codos y rodillas. Por exceso de ocupaciones, pereza o simplemente falta de atención, podemos olvidarnos de la diversión. Pasan veranos completos sin que vayamos a un día de campo, a nadar o a un juego de pelota. Los cumpleaños se vuelven simples comidas en un restaurante. ¡Qué diferente era en nuestra juventud, cuando esperar un rato agradable y disfrutarlo al máximo era lo que sabíamos hacer mejor!

La Navidad es una de las ocasiones que muchos hemos olvidado cómo celebrar. «La Navidad es una fecha demasiado comercializada», pensamos para disculpar nuestra rareza. «La Navidad es para los niños.» No obstante, pese a toda la codicia y la falsedad que las rodea, estas fechas también tienen su lado encantador y nos invitan al crecimiento espiritual. La calidez de tantas personas, la mayor tendencia a ocuparse de los demás y dar, la unión de las familias, la belleza de la música —todas son invitaciones a alejarnos de la preocupación y alegrar nuestro corazón.

No tenemos que volvernos como Scrooge sólo porque ya no somos niños. La maravilla de la Navidad está al alcance de todos, no la dejemos ir.

Aumentar mi capacidad de disfrutar aumenta mi autoestima.

26 de diciembre

Los padres también tienen derechos.

Dr. Denise Cook

Nadie rebatiría la afirmación de que los niños necesitan todo el amor que se les pueda brindar. El maltrato infantil, en todas sus formas, es uno de los delitos más graves del mundo. Todos los padres saben que criar a los hijos requiere sacrificio y que a menudo deben anteponerse las necesidades de los niños. Todo esto es verdad.

Sin embargo, también es verdad que, al supeditar a tal punto sus necesidades y deseos a sus responsabilidades con los hijos que ellos casi desaparecen del mapa, los padres pueden encontrarse en problemas. Cualquier sacrificio de la integridad siempre acarrea una pérdida de autoestima. De acuerdo, los hijos tienen derechos, pero también los padres los tienen.

Los individuos —incluyendo a los niños— con una autoestima positiva aceptan que, pese a la legítima importancia que ellos tienen, no son el centro del universo. Los padres que satisfacen las necesidades de sus hijos a tal grado que se niegan el derecho básico a una vida sensata están haciendo un daño a sus hijos. Estas personas sacrifican absurdamente su autoestima y le enseñan a sus hijos un modelo irreal de un comportamiento adulto sano.

Para ser un buen padre, debo tener una fuerte identidad propia.

27 de diciembre

*Tener celos no es más que sentirse solo
ante enemigos sonrientes.*

Elizabeth Bowen

Los celos son los enemigos a muerte de la autoestima y, obviamente, de nuestra estima por los demás. Provenientes del miedo, los celos nunca tienen que ver con lo que «ellos» poseen o son, sino con nosotros mismos. La gente que se encela a menudo es gente que normalmente hace comparaciones —y siempre sale perdiendo.

El antídoto para los celos es convencerse de que nos sentimos bien como estamos. Es saber que todo lo que tengamos —más que algunos, menos que otros— no equivale a casi nada al hacer el balance final. Después de todo, si estamos en buenos términos con nosotros, ¿qué importancia tiene añadir más objetos a nuestro inventario de posesiones? Se trata de algo agradable, pero no necesario. Por otra parte, si no estamos convencidos de nuestra propia valía, no nos bastarán ni los cargamentos más cuantiosos de cosas nuevas. Nunca terminarán las comparaciones desventajosas entre nosotros y los demás.

Los celos impiden hacer amigos, y como la amistad es esencial para fomentar la autoestima, no pueden coexistir. No podemos ser verdaderos amigos si nos sentimos amenazados por la felicidad o el éxito de nuestros amigos. ¿Quién quiere tener un amigo así? Cuando estoy bien conmigo mismo, no hago sino celebrar todo lo bueno que le sucede a quienes me rodean. Si no lo estoy, todo el mundo constituye una amenaza.

Le deseo sinceramente todo el éxito y la felicidad a mis amigos.

28 de diciembre

Si sólo quisiéramos ser felices sería fácil;
pero queremos ser más felices que otras personas,
lo que siempre resulta difícil, porque las
imaginamos más felices de lo que son.
Barón de La Brède et de Montesquieu

¿Cómo lo estoy haciendo? Automáticamente nos hacemos esta pregunta varias veces al día. Por supuesto, siempre en relación con otras personas. ¿De qué otra forma podríamos emitir un juicio? ¿Soy más listo? ¿Más joven? ¿Más rico? ¿Más apuesto? ¿Tengo más éxito? ¿Qué sucede con *ellos*? ¿Tienen más seguridad en sí mismos que yo? ¿Son más afortunados? ¿Más felices?

No obstante, la única manera en la que podemos llegar a una conclusión es imaginando que *sabemos* sobre ellos. Normalmente, no sabemos nada. Con mucha frecuencia, tendemos a sobrestimar y exagerar la calidad de la vida de otras personas. Como estamos tan conscientes de nuestras fallas, les atribuimos la mayoría de las cualidades de las que carecemos. (¡Sin duda se quedarían boquiabiertos si se enteraran de lo felices que los imaginamos!)

Es un gran alivio llegar al punto en que nuestra autoestima no depende en absoluto de «ellos» —ni de lo que piensan de mí ni de lo que pienso de ellos. No cabe duda de que las preguntas comparativas son intrigantes y divertidas siempre y cuando las respuestas no sirvan más que para entretenernos en nuestros ratos de ocio.

Comparar mi interior con el exterior de otras personas me hace llegar a conclusiones equivocadas.

29 de diciembre

¿Quién es ese yo dentro de nosotros, ese observador
silencioso, crítico severo y enmudecido,
que nos aterroriza?

T. S. Eliot

La vergüenza es una poderosa barrera para lograr una autoestima positiva. Aun de manera inmerecida, la vergüenza constantemente nos reclama que no estamos haciendo lo suficiente o haciéndolo bien. También nos dice que no hemos llegado tan lejos como deberíamos. Cuando nos sentimos absolutamente agobiados por la vergüenza, se nos dificulta hacer progresos en el camino espiritual hacia una mejor autoestima. O al menos nos cuesta trabajo *reconocer* que hemos hecho algún progreso.

Desde luego, esta negativa conversación interna es completamente subjetiva. Por eso es útil establecer raseros absolutos y objetivos para medir nuestros logros. Las metas objetivas son indiscutibles, las alcancemos o no. ¿Tenemos más días positivos que antes? ¿Hemos dado a nuestros seres queridos más abrazos, tanto verbales como físicos? ¿De verdad estamos intentando nuevas cosas? ¿En realidad hemos frenado algunas compulsiones o dicho las palabras que nos parecían difíciles de pronunciar? Si es así, estamos en buen camino.

Todas éstos y decenas más de comportamientos similares son raseros objetivos que sirven para verificar los progresos. Estar conscientes de nuestro avance no sólo es agradable sino conveniente. Ante los hechos documentados, la vergüenza tiende a retroceder.

La vergüenza inmerecida huye de la luz de la objetividad.

30 de diciembre

Debo regir a mi reloj, no dejarme regir por él.

Golda Meir

En ocasiones nos sentimos defraudados y de cierto modo tristes cuando el año se aproxima a su fin. Por un lado, tal vez se deba a que nos dejamos agotar demasiado por el ajetreo y el bullicio de las fiestas navideñas. Por el otro, quizá sintamos algún remordimiento por los maravillosos progresos y los sorprendentes cambios que *no* realizamos en el año que termina. A lo mejor nos habíamos propuesto ser mucho más delgados, sanos, ricos o felices para estas fechas. En enero pasado, cuando nos hicimos todos esos propósitos valientes, ¡nos sentíamos tan fuertes, tan dedicados, tan invencibles!

No obstante, el reloj y el calendario no son los únicos medios para medir el tiempo. Ni siquiera son el mejor medio, sobre todo en estos días de nieve, árboles sin hojas y falta de sol. Aunque nos sintamos cansados, ¿acaso no seguimos estando vivos? Aunque estemos decepcionados por nuestro ritmo de progreso, ¿acaso no seguimos *creyendo* en el progreso? El hecho es que con sólo leer este pensamiento ya estamos ratificando nuestro compromiso continuo de desarrollo.

Mientras continuemos avanzando, estaremos cada vez más adelante. Si mantenemos la cabeza en alto y los pies en movimiento, seguimos en la carrera. No debemos preocuparnos por nuestro ritmo mientras sigamos la dirección correcta.

Aunque los días sean sombríos, mis perspectivas siguen brillando.

31 de diciembre

Para los que no podemos dejar de trabajar, hay alguien más que es *demasiado* cumplido. Somos personas tan esmeradas, ponemos tanto ahínco en mejorar nuestra autoestima que nos olvidamos del propósito de nuestros esfuerzos, que es tener una vida feliz y plena. Quien no puede hacer eso tampoco puede trabajar turnos dobles.

En cierto sentido, la autoestima positiva es como una bella mariposa. Si no tratamos de capturarla, a menudo llega a posarse suavemente en nuestro hombro. Desde luego, necesitamos esforzarnos para mejorar la autoestima, pero no podemos concentrarnos con tal vehemencia en esta tarea que nos olvidemos de que estamos demasiado cansados y tensos para disfrutar los beneficios.

Tener una autoestima positiva nos sirve para reírnos más, para relajarnos, para tomarnos nuestro tiempo. Nos damos cuenta de que nos estimamos cuando progresamos gradualmente en las áreas importantes, como comunicarnos con las personas que queremos. La autoestima nos ayuda a crear y disfrutar la belleza en dondequiera que podamos, lo cual no sucede *después* de hacer el trabajo, sino que *forma parte* del trabajo. La autoestima es un proceso, no una retribución. La disfrutamos *mientras* la estamos adquiriendo.

Con calma, sí es posible esforzarse demasiado.